'26年版

最新最強の地方公務員問題

東京工業学院専門学校 監修

初級

学習のポイントが一目瞭然！　この1冊でスピード攻略！

成美堂出版

本書の使い方

【解説ページ】

◎出題傾向

出題傾向に応じて5段階評価しています。

◎赤シート対応

覚えておきたいキーワードなどは，付属の赤シートで消すことができますので，暗記学習に最適です。

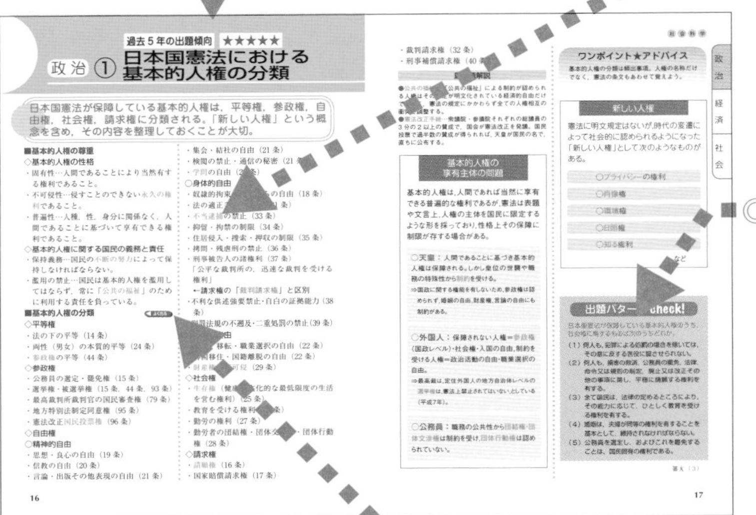

◎出題パターンcheck!

本試験の出題形式に準じた問題で，実戦力をアップします。

◎よく出る　よく出る

試験での最頻出テーマです。

【練習問題ページ】

◎練習問題

実際に試験に出題される水準の問題を各科目ごとに多数掲載。

◎解答・解説

設問ごとの詳しい解説を掲載。解答・解説ブロックは付属の赤シートで消すこともできます。

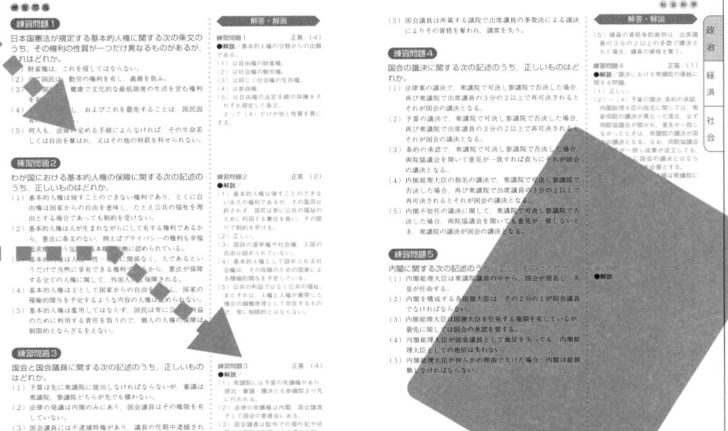

2025年度試験合格に向けて 地方初級公務員試験 実施状況と出題予想

■近年の受験動向

都道府県および政令指定都市，東京特別区を合わせた事務系の近年の受験者数は，トレンドとしては低下傾向にあり，2023年の受験者数は4年連続で20,000人を割り込み10,698人となった（前年比で4,077人の大幅減少）。最終合格者数も減少し，2,433人と5年連続で3,000人を下回り，**競争率は4.4倍**となった。

■知識分野（社会科学・人文科学・自然科学）出題分析＆予想

社会科学の政治では，政治制度等に加えて，憲法に関する内容が重要。**基本的人権や統治機構，地方自治**等，国会や内閣，司法制度，地方自治は頻出しているので注意を払っておきたい。基本的人権では，社会権と自由権の理解を深めておこう。

経済では日本の金融政策・財政が重要テーマ。日本銀行や日本の**金融システム**についてもおさらいしておきたい。社会については，社会保障や環境問題などの頻出内容に加えて，ネット社会や**少子高齢化**にも力を入れておく。

人文科学の歴史では，**近現代史**が最頻出である。日本史の明治・大正期，世界史の西洋と中国の近代，第二次世界大戦前後，近現代史は必須テーマ。地域史だけでなく，文化や芸術といった地域を超えた特定テーマに関する出題にも対応できるようにしておきたい。地理では**世界の気候**や農業，各国史といった問題が中心となる。

自然科学では，物理の力学，電気，熱，化学の元素の性質，物質の三態を優先的に復習する。

■知能分野（判断推理・数的推理・資料解釈・文章理解）出題分析＆予想

知能分野は比重も高いため，やはりしっかりとした対策が不可欠な分野。判断推理では合理的な推論ができるかどうかにかかってくるが，**問題のパターンに応じた解法を身につけておくことが第一**。条件文や発言からの推理，位置関係，試合の勝敗等，また図形では立体図形の軌跡・回転や展開図等が頻出しており，数的推理や資料解釈では，数学に近い問題となる。

本試験レベルの問題を数多く解き，苦手意識をなくしておくことが不可欠である。

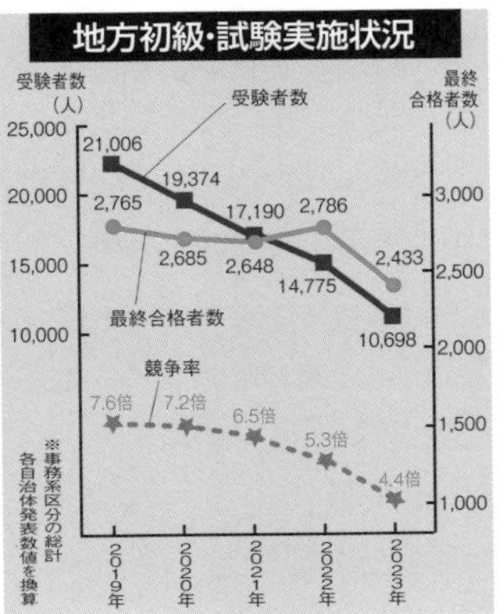

目次

注）本書は原則として令和6年8月1日現在の情報をもとに編集しています。

2025年度受験者必読！
地方初級公務員試験
最新ガイド

初級公務員試験を受けようと思ったら，まずは公務員にはどのような種類があるのか，また試験はどのようなスケジュールでどのような内容で行われているのかなどを，しっかり把握することが第一歩。最新の情報とあわせて，試験対策に役立ててほしい。

公務員の種類

公務員と一口にいっても，国家公務員と地方公務員に，さらに地方公務員は，都道府県庁などに勤める都道府県職員と，市区町村の役所などではたらく職員に分けることができる。

採用試験はそれぞれ異なり，さらに試験内容の難易度によって，上級（大卒レベル），中級（短大卒レベル），初級（高卒レベル）に区分けされている。すなわち，初級の地方公務員試験といえば，通常都道府県職員および市区町村役所の職員募集の試験を指す。

公務員の職種

◎事務系	◎技術系	
一般事務	土木	水産
学校事務	建築	畜産
警察事務	機械	化学
医療事務	電気	蚕業
消防事務	農業	など
	農業土木	
	林業	

※都道府県市により異なる

初級を「3類」「Ⅲ類」などと表現している都道府県もある（一部「Ⅱ類」とする府県あり）。

地方初級公務員試験は，合格後就きたい仕事に応じても区分されてくる。これを職種といい，大きくは事務系と技術系に分かれ，試験の内容も異なる。**本書では地方初級公務員（都道府県，政令指定都市含む）事務系を中心に展開していく。**

試験の日程と応募

まずは，試験がどのような日程で行われているか見ていこう。各都道府県で個別に試験が実施されているが，東京都と東京都特別区以外は，近年ほぼ同日に行われることが多い。これは，他県実施試験との併願を防ぐための方策の一つでもある。

ただし，市町村役所での採用試験は都道府県よりも早い時期に行われるため，都道府県の採用試験と併願する受験生も多い。

おおまかな試験に関するスケジュールは次のページの図にまとめたので，そちらを確認してもらいたい。一次試験は，道府県が9月の第4～5週の日曜日に行われ，東京都と特別区については道府県の前の第2

試験日程

（統一実施日の例）

●公告日	6月初旬～7月中旬
●受付期間	7月初旬～9月上旬
●一次試験	9月下旬（日曜日）
●合格発表	10月中旬
●二次試験	10月下旬
●最終合格発表	11月中旬

週などに行われている。例年，大きな変更はないので，この日程に合わせて，学習スケジュールを組むとよいだろう。

申し込みは公告後になり，事前に人事委員会などにて申込書を入手し，必要事項を記入の上，期限までに返信しなければならない。申込書への写真の貼付も忘れないようにしたい。

試験の概要

初級公務員事務系の試験は，一次試験と二次試験よりなり，一次試験は教養試験，適性試験，作文，二次試験は面接，身体検査といった構成が代表的なもの。技術系では，適性試験や作文の代わりに，希望する職種に関する専門試験が行われる。

教養試験は，公務員として職務を果たすために必要な一般教養を持っているかを試すもので，高校までに学校で学んだ内容が主なものである。とはいえ出題範囲は膨大になるため，受験対策の大部分は，この試験のために費やすことになる。

五肢択一式で50問出題されるが，京都府，奈良県，東京都特別区など，問題の中から，自分の意向で問題を選ぶことのできる「選択解答制」を採用しているところもある。この場合，力を入れるべき科目とそうでない科目をあらかじめ決めておくと効率的だろう。

●教養試験のパターン

地方公務員試験は，もともと各都道府県で実施されるものであるから，教養試験の内容についても，各県で違った問題が出されていると思われがちである。しかし実際には，全国でほぼ同一の問題が出されている。これまでも，ある特定の地域ブロックで共通の問題が出されてはいたが，近年，そのブロックによる違いすらも少なくなってきている。約50問の中で数問，独自の出題をしているに過ぎないという結果もあ

受験資格

年齢	試験が行われる年の4月1日時点で17歳以上21歳未満の者 ※年齢制限のない県などもあり。
学歴	原則，問わないが一部の県にて大学卒業者および在校生の受験資格を認めない場合あり。
性別	原則，問わないが職種によっては制限あり（技術系は男性，交通巡視員は女性など）。
欠格条項	地方公務員法第16条の欠格条項に該当しない人（国籍を有しない者など）。

試験の概略			
	出題形式	問題数	時間
教養試験（地域による）	五肢択一式	50問（うち選択する場合もあり）	120（150,180）分
適性試験	計算や分類	100～120問	15～20分
作文	課題	1題	60～120分
面接	個別もしくは集団		

る。ただ，都道府県の中でも東京都や特別区は令和2年度においても完全に独自の出題をしている。

●スピード重視の適性試験

適性試験については，全国の4割くらいの県で実施されており，受験する県が行っているならば，前もって対策しておくべき試験でもある。

試験を大別すると，計算，分類，置換，照合，図形把握の5つに分けることができる。これらの形式は全てが出題されるわけではないが，いくつかの形式が各40問ずつ出題されるなど，どこが出題されるかはわからないので，あらかじめ全ての形式になれておきたい。

一番の難関は，いかに短い時間内で解答できるかということ。もともとこの試験の眼目は，事務能力をはかることにあるので，120問を15分で解くとなれば，一問あたりに使える時間はわずか7.5秒。内容はやさしいものが多いが，ちょっとつまずけば，全ての問題を解くことはできなくなる。したがって，問題を多数こなして，素早く解くトレーニングは積んでおきたい。

ただし，この試験独自の採点法である「減点法」が採用されるため，スピードを重視するあまり，正確さを欠いているようでは，高得点は狙えないので要注意。スピーディーかつ正確さを念頭において準備しておきたい。

適性試験の詳細は，P.331以降でも取り上げている。

●面接の形式は様々

面接は一般的な，面接官数人対1人の個別面接と，面接官数人対受験者数人で行われる集団面接，受験者数人で提示されたテーマについて話し合う集団討論などの形式がある。

評価基準は明るさ，元気のよさ，態度や言葉遣い，積極性など。個別面接ならばたいてい面接官は3人ほどだが，質問者の顔をしっかりと見つめ，的確かつ簡潔に回答するのがポイント。過剰なていねい語や，長くて的を射ない発言は控えるように。

集団での面接の場合，協調性も重んじられるので，自分以外の人が質問されていたり，発言している場合にも，きちんと耳を傾けている姿勢が重要となる。

適性試験の内容分類	
計算	簡単な加減乗除の計算。
分類	記号や文字を約束にしたがって分類。
置換	数字を文字，またはその逆に置き換える。
照合	誤りや間違いを探す検査。
図形把握	指定された図形と同様もしくは異なるものを探す検査。

最新・試験の傾向を把握する

教養試験の最新・出題形式

前のページでもふれたように，教養試験は五肢択一式で行われ，出題数は道府県・政令指定都市の職員採用試験で50問（一部異なる地域あり），東京都採用試験で45問出題されている。なお，市役所職員採用試験は，40問である。

ただし，京都府や東京都特別区等の一部の採用試験では，選択解答制を採用しており，50問の出題中から任意の45問を選択することができる。

なお，東京都，東京都特別区などの教養試験問題は全て開示されている。また，各県ほぼ共通の内容であることが推測できる。そのことは市役所の採用試験日が同一の場合にもいえる。

科目の配分・バランスについて

教養試験の科目は大きく「一般知識分野」および「一般知能分野」に区分することができる。

以下，最近実施された試験の例をあげておくので，学習の目安にしてほしい。

● 一般知識分野

一般知識分野は,「社会科学」「人文科学」「自然科学」で構成されている。なお，東京都特別区は22問中17問を選択解答することとなっている。

◇社会科学

社会科学は，「政治」「経済」「社会」から出題され，道府県，政令指定都市の採用試験では，8問出題されている。また，東京都特別区は5問出題されており，東京都は最も少ない4問，市役所は時事も含めて8問出されている。

◇人文科学

人文科学は,「日本史」「世界史」「地理」「文学芸術」「倫理」「国語」からの出題が基本となる。

出題数は道府県，政令指定都市で10問。東京都は7問で,東京都特別区からは10問,市役所では6問出題されている。

◇自然科学

自然科学は，「数学」「物理」「化学」「生物」「地学」から出題される。「数学」は道府県，政令指定都市，市役所で1問ずつ出題が見られるが，東京都と東京都特別区では出題されていない。

各試験の「自然科学」からの出題数は，道府県，政令指定都市，東京都特別区で7

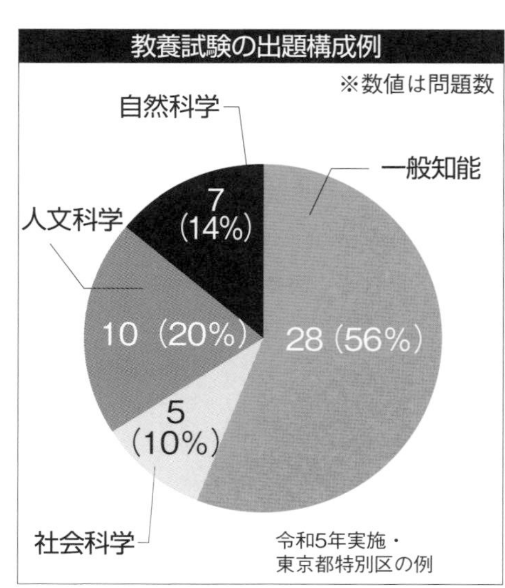

問，市役所では6問出題されている。東京都は「数学」以外の4科目からそれぞれ1問ずつ，計4問出題されている。

◇生活常識

出題は東京都のみで，時事的もしくは一般常識の内容から3問出題されている。

●一般知能分野

一般知能分野は「文章理解」「判断推理（空間把握を含む）」「数的推理」「資料解釈」で構成されている。

出題数は年度によって多少の変動もあるがおおむね道府県および政令指定都市の採用試験では主に25問，東京都と東京都特別区は28問，市役所は20問である。

なお，科目別では文章理解（現代文・古文・英文）が，道府県，政令指定都市で8問，東京都が8問，東京都特別区が9問，市役所が6問となっている。

判断推理（空間把握を含む）は，道府県，政令指定都市で8問，東京都は6問，特別区で10問，市役所は7問出題されている。

数的推理は，道府県，政令指定都市，東京都特別区，市役所で5問，東京都で7問出題されている。

資料解釈は，道府県，政令指定都市，市役所の採用試験で2問出題されている。また，東京都では5問，東京都特別区では4問出題されている。

合格ラインは？

地方公務員採用試験の受験生にとって，一番の関心事は「合格ライン」ではないだろうか？　しかし，合格最低点は公表されておらず，採用試験ごとに採用予定数に対する応募者数すなわち倍率も様々であり，試験の難易度もまちまちであるため，一概にいうことができないのが実情である。

とはいえ受験生として，一定の目標を設定しておくことは学習の便宜上大切だと思われる。そこで，受験生の実績をもとに合格ラインを算出すると，「模擬試験において7割を平均して得点できる受験生の合格率が8割」ということができる。

採用試験に向けて学習を開始しようという受験生は，まずは7割の得点を目標に，学習計画を立ててほしい。

得点を重ねる学習法

以上の科目のバランスおよび合格ラインを参考に，学習計画を立ててみよう。

●目標（受験先）を確定する

まずは第一志望を確定し，その受験日に合わせた学習計画を立てよう。目標を定め，試験日（学習の期限）を設定することで学習計画が具体的なものとなる。

しかし，実際の受験先は複数設定（すなわち，複数の併願先を決定）しておくこと。受験日は道府県と政令指定都市，東京都と東京都特別区が同一であり，多くの市役所の採用試験も統一して実施されている。とはいえ，合格のチャンスを広げるためには可能な限り併願先を確保しておくことが望ましい。

●受験勉強は一般知能分野から

公務員採用試験においてどうしても避けて通れないのが一般知能分野である。

特に「数的処理（判断推理・数的推理）」は現役の高校生，社会人を問わずなじみが薄い科目である。“知能”と称しているから試験会場で考えれば何とかなる，という発想は捨てたほうがよい。それぞれの問題の“解法のポイント”を覚え，何回も類似問題を解き，頭で考えるのではなく，体で解くくらいの気持ちで取り組んでほしい。

●一般知識分野の学習法

一般知識分野の学習は，得意分野の科目群（社会科学・人文科学・自然科学）から一つひとつつぶしていくことが大切である。嫌いなあるいは苦手な科目から手をつけても，効率が悪く，途中で挫折する可能性が大いにあるからだ。短期間あるいは直前対策ならいざ知らず，半年，1年の長期計画の中では，焦らず計画的に得意科目を増やす，という心構えで進めたほうが得策であろう。

またその学習法であるが，演習問題を解きながら知識の整理を実施してほしい。その際，一つひとつの選択肢のどの部分がポイントとなっているかを確認すること。各演習問題の正解を丸暗記するのではなく，正解以外の選択肢の「誤答の根拠」を明確にしておくことが，本試験において重要である。

なぜなら，本試験において「妥当なものを選べ」と指示されて，“妥当なもの”が直ちにわかるほど単純とは考えられない。“妥当でない”選択肢を排除しながら“妥当な”選択肢を見つけ出さねばならない。そのためにも，各選択肢の「誤答の根拠」も含め整理しておくこと。

教養試験以外の対策

教養試験以外に公務員採用試験では，「適性試験」「作文試験」「面接試験」が実施される。

●適性試験対策

全ての採用試験で実施されるわけではないので，自分が受験する試験で実施されるかどうかの確認が必要。高得点を要求されるので，短期集中的に練習しておく必要がある。

●作文試験対策

与えられたテーマに対して，60～90分で600～1,200字程度，というのが一般的。たとえどのようなテーマが与えられても，これが「公務員（就職）採用試験」であることを忘れず，職業観，人生観，志望動機などを内容に織り込む必要がある。

頻出する作文のテーマ

- 社会人や公務員としてのあるべき姿
- 将来の夢や展望
- 時事や社会的なニュース
- 自分に関する事柄
- キーワードからの作文

●面接試験対策

個人面接，集団面接，集団討論などが実施されているようだが，明るく，元気よく堂々と自己PRや志望動機を語れる練習をしておこう。また，この他にも適性検査や身体検査が実施されることもあるので，よく確認しておこう。

※地方公務員試験は，各自治体によって受験資格や試験の概要が異なっています。受験の際には，事前に必ずご自身で，各自治体のホームページなどで最新情報を確認してください。

◎本書の見方◎

本書は，地方初級公務員試験で頻度の高いテーマを優先的に取り上げている。項目の冒頭では，出題頻度（重要度）を星印（★）で示しており，5つ星なら各タイプの試験で例年頻出，4つ星，3つ星と下がるにつれて，頻度が低くなる。学習の際の目安にしよう。

第一章

社会科学

政治
経済
社会

◎社会科学攻略法◎

●公務員試験最新情報

この分野は，政治，経済，社会に大きく分けることができ，道府県，政令指定都市は政治３問，経済２問，社会３問の計８問が直近で出題されている。東京都では政治２問，経済２問，社会の出題はなかった。また，東京都特別区では政治３問，経済１問，社会１問の出題であった。市役所は政治２問，経済２問，時事を含む社会が４問の計８問出題されている。

道府県，政令指定都市の場合，全50問の出題で全問必須解答となっている採用試験では，社会科学の占める割合は全体の16％である。

東京都特別区などのように一般知能は必須解答で，一般知識は22問出題中17問の選択解答制を実施している場合では，社会科学の選択解答問題に占める割合は最大で10％を超える。

●試験の効果的対策

政治の出題は，「民主主義の基本原理」「日本国憲法」「国際政治」に大別される。特に「日本国憲法」に関する事項は出題頻度が高い。「基本的人権」の中でも自由権と社会権は必須事項，。また，国会や内閣も必須であるので，条文にあたりながら学習すること。

なお「国際政治」に関する「国際組織」については，近年の「国際情勢」との関係を考慮して，本書においては「社会分野」において記述している。

経済の出題は，「経済事情」「ミクロ経済学」「マクロ経済学」「財政学」に大別される。中でも「経済事情」における重要項目は，日本経済の景気についてや政府の財政政策，日本銀行の金融政策などとなる。

また「マクロ経済学」では，「国民総生産（GDP)」と「国民所得の算出方法」および「景気循環の種類」などが，「財政学」では「財政の仕組みと政策」の理解が大切である。

社会の出題は「社会学の理論」と「現代社会の諸相」，「国際事情」に大別される。重要度の高い「国際事情」に関しては環境問題や国際問題など範囲も広く，過去問を解き，ニュースに気を配るだけでなく，年度版の時事キーワード集にあたるなど，能動的な学習をお勧めする。

●解法のポイント

社会科学の学習効率は，決して低くないが，とはいえ公務員採用試験の学習の中心は一般知能，特に「数的処理」と認識すべきである。社会科学の学習は得意分野であれば数的処理の学習と並行して，不得意分野であれば数的処理の学習が一段落したのち，集中して行いたい。

また，学習は「練習問題」を中心に実施すること。ただし，練習問題を解くにあたって重要なことは，正解の暗記ではない。正解以外の選択肢の《誤答の根拠》を明確にすることである。

本試験でも正解でない選択肢（誤答）を排除しながら正解を見つけ出す。《誤答の根拠》が明確であればあるほど正解は見つけやすく，本書本文の解説の中に必ず存在する。

1 社会科学 政治

出題傾向 政治分野からの出題は政治問題と憲法問題の２つに分類することができる。政治問題は民主政治の基本原理と主要国の政治制度に関する出題が中心。また，国内の選挙制度を中心とした出題も多い。しかし，近年の傾向として憲法問題が頻出しており，特に基本的人権の分類に関する出題は多い。さらに憲法問題では統治機構（国会，内閣，裁判所）などが全般的に出題されている。平等権，自由権，社会権，平等権，近年取り上げられることの多い憲法改正に関する問題なども出題頻度は高くなる。直近の試験では，社会契約論，地方自治，基本的人権，内閣，司法，選挙制度についてが出題されている。

学習のコツ

基本的人権の分類に関しては，実際に日本国憲法の条文を読み返し，条名・見出し・条文を一体として覚えること。例えば「26条＝教育を受ける権利＝全て国民は，その能力に応じ等しく教育を受ける権利を有する」といえるようにしておく。統治機構や主要国の政治制度，わが国の選挙制度の特徴や選挙区制の長所・短所，地方自治の仕組みに関しては図表化，イメージ化して頭に整理することを勧める。

難易度＝ 90ポイント

重要度＝ 95ポイント

◆出題の多い分野◆

分野	頻度
日本国憲法における基本的人権の分類	★★★★★
国会の地位・種類と権能	★★★★★
内閣の権限と仕組み	★★★★
司法権の独立と裁判所	★★★
イギリスとアメリカの政治制度	★★★
わが国の選挙制度	★★★
地方自治	★★★
民主政治の基本原理と国家	★

過去５年の出題傾向 ★★★★★

政治① 日本国憲法における基本的人権の分類

日本国憲法が保障している基本的人権は，平等権，参政権，自由権，社会権，請求権に分類される。「新しい人権」という概念を含め，その内容を整理しておくことが大切。

■基本的人権の尊重

◇基本的人権の性格

・固有性…人間であることにより当然有する権利であること。

・不可侵性…侵すことのできない永久の権利であること。

・普遍性…人種，性，身分に関係なく，人間であることに基づいて享有できる権利であること。

◇基本的人権に関する国民の義務と責任

・保持義務…国民の不断の努力によって保持しなければならない。

・濫用の禁止…国民は基本的人権を濫用してはならず，常に「公共の福祉」のために利用する責任を負っている。

■基本的人権の分類 よく出る

◇平等権

・法の下の平等（14条）

・両性（男女）の本質的平等（24条）

・参政権の平等（44条）

◇参政権

・公務員の選定・罷免権（15条）

・選挙権・被選挙権（15条，44条，93条）

・最高裁判所裁判官の国民審査権（79条）

・地方特別法制定同意権（95条）

・憲法改正国民投票権（96条）

◇自由権

○精神的自由

・思想・良心の自由（19条）

・信教の自由（20条）

・言論・出版その他表現の自由（21条）

・集会・結社の自由（21条）

・検閲の禁止・通信の秘密（21条）

・学問の自由（23条）

○身体的自由

・奴隷的拘束・苦役からの自由（18条）

・法の適正手続の保障（31条）

・不当逮捕の禁止（33条）

・抑留・拘禁の制限（34条）

・住居侵入・捜索・押収の制限（35条）

・拷問・残虐刑の禁止（36条）

・刑事被告人の諸権利（37条）
「公平な裁判所の，迅速な裁判を受ける権利」
←請求権の「裁判請求権」と区別

・不利な供述強要禁止・自白の証拠能力（38条）

・刑罰法規の不遡及・二重処罰の禁止（39条）

○経済的自由

・居住・移転・職業選択の自由（22条）

・外国移住・国籍離脱の自由（22条）

・財産権の不可侵（29条）

◇社会権

・生存権（健康で文化的な最低限度の生活を営む権利）（25条）

・教育を受ける権利（26条）

・勤労の権利（27条）

・勤労者の団結権・団体交渉権・団体行動権（28条）

◇請求権

・請願権（16条）

・国家賠償請求権（17条）

・裁判請求権（32 条）
・刑事補償請求権（40 条）

重要語解説

●公共の福祉…「公共の福祉」による制約が認められる人権はその規定が明文化されている経済的自由だけではなく，憲法の規定にかかわらず全ての人権相互の衝突を調整する。
●憲法改正手続…衆議院・参議院それぞれの総議員の３分の２以上の賛成で，国会が憲法改正を発議。国民投票で過半数の賛成が得られれば，天皇が国民の名で，直ちに公布する。

基本的人権の享有主体の問題

基本的人権は,人間であれば当然に享有できる普遍的な権利であるが,憲法は表題や文言上,人権の主体を国民に限定するような形を採っており,性格上その保障に制限が存する場合がある。

○**天皇**：人間であることに基づき基本的人権は保障される。しかし皇位の世襲や職務の特殊性から制約を受ける。
⇒国政に関する権能を有しないため,参政権は認められず,婚姻の自由,財産権,言論の自由にも制約がある。

○**外国人**：保障されない人権＝参政権(国政レベル)・社会権・入国の自由,制約を受ける人権＝政治活動の自由・職業選択の自由。
⇒最高裁は,定住外国人の地方自治体レベルの選挙権は,憲法上禁止されてはいない,としている(平成7年)。

○**公務員**：職務の公共性から団結権・団体交渉権は制約を受け,団体行動権は認められていない。

ワンポイント★アドバイス

基本的人権の分類は頻出事項。人権の名称だけでなく，憲法の条文もあわせて覚えよう。

新しい人権

憲法に明文規定はないが,時代の変遷によって社会的に認められるようになった「新しい人権」として次のようなものがある。

○プライバシーの権利
○肖像権
○環境権
○日照権
○知る権利
など

出題パターン check!

日本国憲法が保障している基本的人権のうち，社会権に属するものは次のうちどれか。

（1）何人も，犯罪による処罰の場合を除いては，その意に反する苦役に服させられない。
（2）何人も，損害の救済，公務員の罷免，法律，命令又は規則の制定，廃止又は改正その他の事項に関し，平穏に請願する権利を有する。
（3）全て国民は，法律の定めるところにより，その能力に応じて，ひとしく教育を受ける権利を有する。
（4）婚姻は，夫婦が同等の権利を有することを基本として，維持されなければならない。
（5）公務員を選定し，およびこれを罷免することは，国民固有の権利である。

答え（3）

過去５年の出題傾向　★★★★★

政治 ② 国会の地位・種類と権能

国会の地位と種類，権能および二院制における「衆議院の優越」に関してしっかりおさえておくこと。また，国会議員に付与される特権に関しても忘れてはならない。

■国会の地位

◇国会の最高機関性

・憲法は国会を「国権の最高機関であつて，国の唯一の立法機関」と規定（41条）。

⇒その意味は，国会が内閣や裁判所に優越し，権力を集中することではなく，主権者たる国民の代表者が構成する機関としての重要性を意味する。

■国会の組織

◇二院制

・国会は衆議院および参議院で構成され，衆議院の優越を規定。また，両議院には委員会（常任委員会・特別委員会）を設置。

◇衆参同時活動の原則

・両院は同時に召集，開会および閉会となる。衆議院解散の場合は，参議院は同時閉会。

■国会の種類　よく出る

◇常会（通常国会）

・毎年１回１月に召集，次年度の予算審議を主な議題とする。会期は150日で１回のみ延長が認められる。

◇臨時会（臨時国会）

・内閣，またはいずれかの議院の総議員の４分の１以上の要求によって召集。主な議題は国政上緊急に必要な事項で，会期は両院一致の議決で決定され，延長は２回まで。

◇特別会（特別国会）

・衆議院解散後の総選挙の日から30日以内に召集。内閣総理大臣の指名などを行う。会期は両院一致で決定。延長は２回まで。

◇参議院の緊急集会

・厳密には国会ではなく，衆議院解散中，国政に緊急の議決を要する事態が発生した場合，内閣が参議院に召集を要求。緊急集会で採られた措置は，次の国会開会後10日以内に衆議院の同意を得られなければ，それ以降失効。

■国会の権能

◇立法権限

・法律の制定（法案提出権は内閣，国会議員，委員会にある）

・憲法改正の発議権　・条約の承認権

◇国務権限

・内閣総理大臣の指名　・弾劾裁判所設置

◇財政権限

・予算の議決　・租税の法定　・決算承認

■国会議員　よく出る

◇兼職の禁止

・両議院の議員を兼職することはできない。

◇不逮捕特権

・法律に定める場合を除いて国会会期中は逮捕されず，会期前に逮捕された議員は所属する議院の要求があれば会期中釈放される。

・法律の定める場合
①院外での現行犯　②所属する議院の許諾がある場合

◇免責特権

・国会議員は議院内での活動について院外では責任を問われない。

⇒院外での責任：民事責任と刑事責任等

議決での衆議院の優越

両議院の議決が異なった場合，衆議院の優越が規定されている。

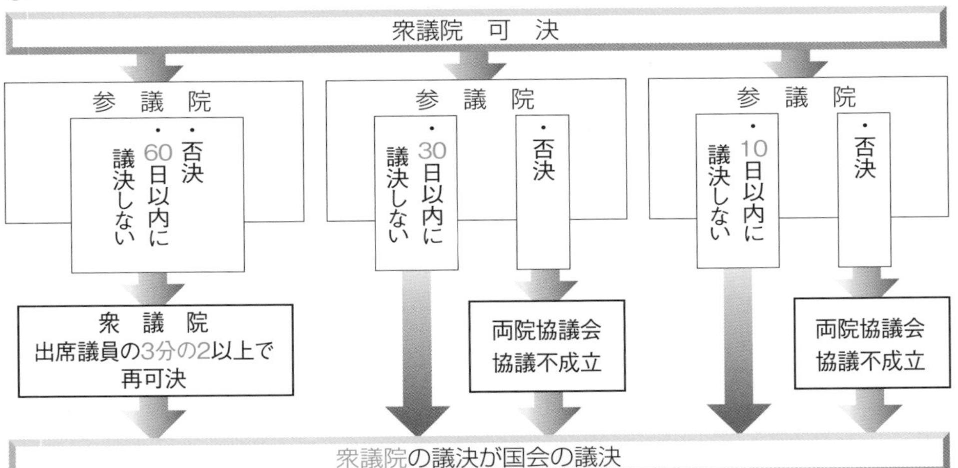

重要語解説

●弾劾裁判所…罷免の訴追を受けた裁判官を裁判する機関。衆参両議院から７名ずつで構成。国会内部に設置。

●両院協議会…両院の意見が一致しない場合に開催。法律案の議決の場合，必ずしも必要ではない。協議が成立し成案を得た場合も，衆参両院の議決は必要。

国会の構成

	定　数	任　期	被選挙権	解　散	独自の権限
衆議院	465名 比例代表 176名／ 小選挙区 289名	4年	満25歳以上	あり	・予算先議権 ・内閣不信任決議権
参議院	248名 比例代表 100名／ 選挙区　148名	6年 （3年ごとに半数改選）	満30歳以上	なし	―

出題パターン check!

国会に関する記述として正しいものは，次のうちどれか。

（1）衆参両議院の議員の任期は解散があった場合，その任期満了前に終了する。
（2）国会議員は不逮捕特権を有するので，いかなる場合も法律でその例外を定めることはできない。
（3）法律の発議権は内閣と委員会が有しており，国会議員にその権限はない。
（4）予算の提出はまず衆議院になされなければならないが，議決に関しては参議院が先でもかまわない。
（5）条約の承認に関して，衆参両議院の議決が異なり，両院協議会を開いても意見が一致しない場合，衆議院の議決が国会の議決となる。

答え（5）

過去５年の出題傾向 ★★★★☆

政治 ③ 内閣の権限と仕組み

議院内閣制の仕組みやその制度下での内閣と国会の関係をきちんと理解しておくこと。また，内閣の権限と内閣総理大臣の権限は明確に区別して覚えておく必要がある。

■内閣の地位と責任

◇内閣の地位

・「行政権は，内閣に属する」（65条）として内閣が行政権を行使する旨を規定。

◇内閣の責任

・「内閣は，行政権の行使について，国会に対し連帯して責任を負ふ」（66条－３項）。

⇒議院内閣制（内閣が，国会の信任に基づいてのみ成立・存続する制度）を前提とする。

■議院内閣制を示すその他の制度 よく出る

◇内閣総理大臣の指名

・「内閣総理大臣は，国会議員の中から国会の議決で，これを指名する」（67条－１項）。

⇒国会議員であれば衆議院議員，参議院議員を問わない。

◇国務大臣の任命

・内閣総理大臣が任命する国務大臣は「その過半数は，国会議員の中から選ばれなければならない」（68条－１項）。

◇衆議院の内閣不信任決議

・衆議院が内閣不信任の決議を可決した場合，内閣は10日以内に総辞職するか，衆議院を解散しなければならない（69条）。

■内閣の組織

◇国務大臣の要件

・内閣総理大臣および各国務大臣は全員文民。

◇閣議

・内閣は内閣総理大臣が主宰する閣議によって意思決定を行う。

・閣議は非公開で，全員一致を原則とする。

■内閣の権限 よく出る

◇内閣の職務

・法律の執行
・予算の作成と国会への提出
・条約の締結と外交関係の処理
・政令の制定
・恩赦の決定
・天皇の国事行為への助言と承認

◇国会への権限

・臨時会の召集
・参議院緊急集会の開催要求
・衆議院を解散しないかぎり総辞職しなければならない。

⇒衆議院で内閣不信任案が可決した場合，10日以内に衆議院を解散しない限り，総辞職しなければならない。

⇒独自の政治的判断により，天皇の国事行

内閣総理大臣の権限

①国務大臣を任命し，任意（閣議や国会の了承・承認は不要）に罷免する。
②行政各部を指揮監督。
③内閣を代表して法律案や予算その他議案を国会に提出。
④一般国務および外交関係に関して国会に報告。
⑤法律や政令への連署。
⑥国務大臣に対する訴追同意権。
⑦自衛隊に対する最高指揮監督権。

内閣が総辞職しなければならない場合

内閣は衆議院で不信任決議が可決されたとき総辞職するが，その他以下のような場合にも総辞職する。
①内閣総理大臣が辞意を表明した場合。
②衆議院で内閣不信任案が可決あるいは内閣信任案が否決され，10日以内に内閣が衆議院を解散しなかった場合。
③衆議院議員総選挙後に初めて国会が召集された場合。
④内閣総理大臣が，（死亡や国会議員でなくなり）欠けた場合。
⑤内閣が改めて民意を問う必要があると判断した場合。
内閣が総辞職した場合，新たに内閣総理大臣が任命されるまで，引き続きその職務を行う。

為へ助言と承認を与え，衆議院を解散。

◇裁判所への権限

・最高裁判所長官の指名

⇒天皇が任命。

・長官以外の最高裁判所裁判官の任命

・下級裁判所裁判官の任命（最高裁判所の指名名簿に基づく）

■国務大臣の権限

◇議院への出席

・国会議員であるか否かにかかわらず，いつでも議案に関して発言するために議院へ出席することができる（63条）。

・議院から出席を求められた場合は，出席しなければならない（63条）。

◇法律・法令の署名

・法律および法令には，全て主任の国務大臣の署名がなければならない（74条）。

◇閣議を求める権利

・内閣総理大臣に対して，閣議の開催を求める権利を有する（内閣法4条）。

◇内閣総理大臣の臨時代理

・内閣総理大臣が外遊または病気中などの場合，あらかじめまたは病床より内閣総理大臣が指定する国務大臣がその職務を代行する。

◇国務大臣の臨時代理

・主任の国務大臣が事故や何らかの理由で欠けた場合，内閣総理大臣が指定する国務大臣がその職務を代行する。

⇒内閣総理大臣による複数兼務も可能。

ワンポイント★アドバイス

内閣を中心に，国会との関係（権限），裁判所との関係（権限）を自分でイメージ図を描いて整理しておくとよい。

重要語解説

●文民…現在職業軍人でない者と，これまで職業軍人であったことがない者，という考え方が有力。現職自衛官も文民ではない。文民統制（シビリアン・コントロール）によって，軍の独走を抑止。

●衆議院の不信任決議と参議院の問責決議…参議院も二院制を採用する国会の一院として，内閣の責任を追及できる。それを問責決議という。ただし，不信任決議と異なり，法的拘束力はない。

出題パターンcheck!

内閣総理大臣に関する記述として正しいものは，次のうちどれか。

（1）内閣総理大臣は，国務大臣を任免する権限を持つが，その場合，国会の承認を必要とする。
（2）内閣総理大臣は，衆議院議員の中から国会の議決で指名される。
（3）内閣総理大臣は，衆議院が内閣不信任決議案を可決した場合，国会を解散するか内閣の総辞職をする。
（4）内閣総理大臣が病気となり，長期療養が必要な場合，内閣は総辞職しなければならない。
（5）内閣総理大臣は，内閣を代表して一般国務および外交関係に関し国会へ報告する。

答え（5）

過去５年の出題傾向 ★★★☆☆

政治 ④ 司法権の独立と裁判所

国民の権利と深く関わる裁判の中立･公正を確保するための「司法権の独立」の原則と,憲法の最高法規性を保障するための「違憲立法審査権」を理解することがポイントとなる。

■裁判を行う権限（司法権）

◇司法権の帰属 よく出る

・全ての司法権は，最高裁判所および下級裁判所に属する（76条－１項）。

・特別裁判所（司法裁判所以外の裁判所）の設置の禁止（76条－２項）。

・準司法的行政機関が裁判を行うことは認められているが，その機関が終審裁判所となることは禁止（76条－２項）。

⇒海難審判（海難審判所），独占禁止法違反事件（公正取引委員会）など。

■裁判の公開

◇対審と判決

対審：裁判官全員一致で，公の秩序または善良の風俗を害するおそれがあると決した場合，非公開にできる。ただし，政治犯罪，出版に関する犯罪，憲法第３章で保障する国民の権利が問題となる事件に関しては，対審も絶対公開。

判決：絶対公開

■司法権の独立

◇裁判官の独立

・裁判官は自分の良心に従い，独立して職権を行い，憲法と法律にのみ拘束される（76条－３項）。

⇒裁判所は他の国家機関から介入・干渉を受けない（司法権の独立）。裁判官が職権行使の際，上級裁判所の指揮監督や裁判所の上司の訓令に従う必要はない（裁判官の独立）。

◇裁判官の身分保障

・裁判官の懲戒処分は，行政機関では行えない。

・裁判官への報酬減額の禁止。

裁判官の罷免

罷免主体	罷免方法	罷免理由
裁判所	分限裁判	･心身の故障のため職務不能となった場合。
国会	国会に設置される弾劾裁判所の裁判	･著しい職務義務違反。 ･著しい職務懈怠。 ･裁判官としての威信を失う非行。
国民	最高裁判所裁判官に対する国民審査	･有効投票の過半数が罷免を可とした場合。

■違憲立法審査権 よく出る

・「最高裁判所は，一切の法律，命令，規則又は処分が憲法に適合するかしないかを決定する権限を有する終審裁判所である」（81条）

◇違憲立法審査権の主体

・違憲立法審査権は最高裁判所のみならず，全ての下級裁判所にもある。

◇違憲立法審査の対象

・憲法の規定は例示的列挙であり，あらゆる国家行為を対象とする。

・「条約」もその対象となるが，判例で『一見極めて明白に違憲無効であると認められない限り』違憲判断をすべきではないとされている。

◇付随的違憲審査制

・具体的事件との関連でのみ，その事件に適用される法令の審査が行われる。

◇違憲立法審査の効力

・違憲とされた法令は，争われた事件に限り無効となる。

⇒「事情判決の法理」：処分は違法であってもそれを取り消すことが公共の福祉に適合しないと認められるとき，違法を宣言して請求を棄却する判決。

◇違憲立法審査権の歴史

・1803年アメリカ合衆国連邦最高裁判所裁判長の意見により確立。戦後，独裁制への反省からヨーロッパ諸国に広まる。

⇒憲法裁判所によって抽象的に違憲審査を行う国が多い。

◇わが国の違憲判決例

①尊属殺重罰規定違憲判決

・尊属殺人罪（1995年削除）の法定刑（死刑または無期懲役）が普通殺人罪のそれより重いのは，憲法14条「法の下の平等」に違反するか否かが争点。

②薬局開設の距離制限違憲判決

・薬事法6条（1975年削除）の薬局適正配置規定が憲法22条の「職業選択の自由」に違反するか否かが争点。

③衆議院議員定数不均衡違憲判決

・衆議院議員総選挙で，1票の重みが選挙区で大幅に異なるのは，憲法14条と44条の「法の下の平等」「選挙人資格の平等」に違反するか否かが争点。

④森林法共有林分割制限違憲判決

・森林法186条（共有林の分割制限。1987年に法改正）が憲法29条の「財産権の保障」に違反するか否かが争点。

⑤愛媛県玉串料奉納違憲判決

・県費で玉串料を奉納した行為は憲法20条3項の禁止する「宗教活動」にあたるか否かが争点。

⑥国民審査の制限違憲判決

・在外邦人の有権者が最高裁の国民審査に投票できないことが違憲か否かが争点。2022年5月の違憲の判断を受け，同年11月に海外邦人が最高裁の国民審査に投票できる制度創設を盛り込んだ改正国民審査法が成立した。

⑦性別変更手術要件違憲判決

・生殖腺手術を性別変更の事実上要件とした性同一性障害特例法の規定を違憲とした判決。

三審制

・判決に不服がある場合，第一審から終審まで，原則3回受けることができる。

・第一審裁判所から第二審裁判所に上訴することを「控訴」，第二審裁判所から第三審裁判所に上訴することを「上告」という。

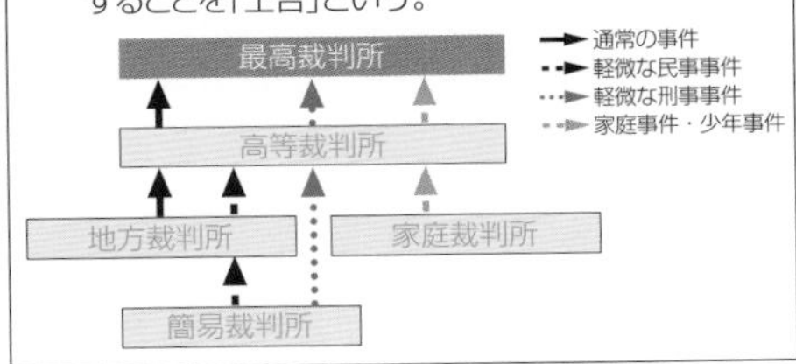

重要語解説

●国民審査…最高裁判所の裁判官に任命後，初めての衆議院議員総選挙の際，およびその後10年を経過した後，初めて実施される衆議院議員総選挙の際に実施される。

●裁判官の身分保障…下級裁判所裁判官の任期は10年，再任も認められる。裁判官には定年がある。最高裁判所および簡易裁判所裁判官は70歳，その他の裁判官は65歳。

出題パターン check!

最高裁判所に関する記述として正しいものは，次のうちどれか。

（1）最高裁判所長官の任命は内閣が行う。

（2）最高裁判所は，下級裁判所の裁判官を裁判官名簿に基づいて任命する。

（3）最高裁判所は，下級裁判所の裁判に関して助言を行うことができる。

（4）最高裁判所の裁判官は，任官後初めての衆議院議員総選挙の際に，国民審査を受ける。

（5）最高裁判所は，違憲立法審査権を有する唯一の裁判所である。

答え（4）

過去５年の出題傾向 ★★★☆☆

政治 ⑤ イギリスとアメリカの政治制度

議院内閣制の典型であるイギリスの政治制度と大統領制の典型であるアメリカ合衆国の政治制度の相違点をきちんと整理しておくことが大切。

■イギリスの政治制度

◇議院内閣制

・内閣は下院の信任の上に立つ。

・下院が内閣不信任案を可決した場合，内閣は総辞職するか，下院を解散する。

◇行政権（内閣）

・行政権は内閣が行使する。

・首相は下院（庶民院）の第一党の党首が，国王により任命される。

・首相と国務大臣は，全て国会議員から選出。

・国務大臣は，首相が任免する。

◇立法権（国会）

・立法権は国会にある。

・法案提出権は内閣にもある。

・国会は上院（貴族院）と下院（庶民院）の二院制を採るが，上院は議会運営にほとんど関わりを持っていない。

⇒下院優位の原則

・上院：定数，任期不定。貴族・高級僧侶などの非民選議員によって構成される。

・下院：定数650名。任期5年。小選挙区制。

◇司法権（裁判所）

・2009年に最高裁判所を設立。司法権は上院に帰属していたが，従来の最高法院の機能を移管し，三権分立の厳格化を図った。

◇不文憲法

・単一の成文憲法典を持たず，様々な慣習や法律が憲法の役割を果たす。

■アメリカの政治制度

◇大統領制

・大統領は連邦議会に責任を負わない。

・大統領は連邦議会から不信任を受けることはなく，連邦議会を解散する権限もない。

◇大統領の権限

・行政権は国家元首である大統領にある。

・大統領は，軍の統帥権，各省長官・大公使・連邦最高裁判所判事の任命権，条約

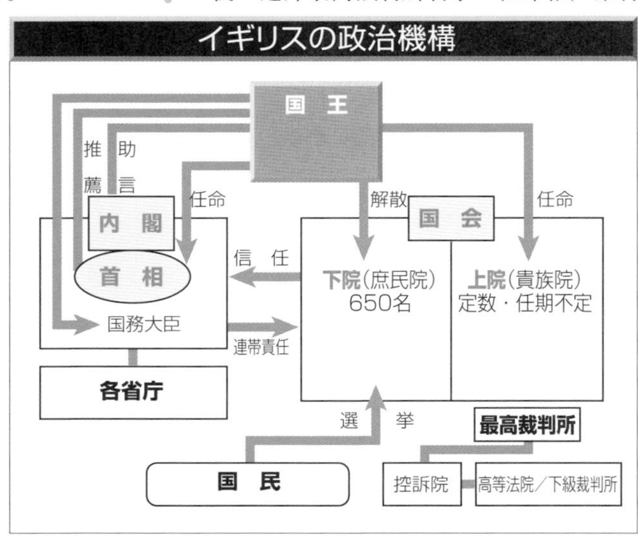

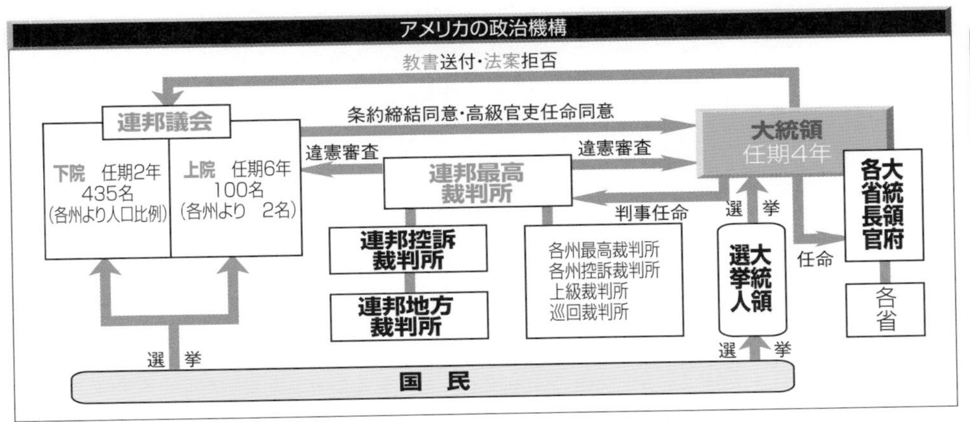

締結権，連邦議会への教書送付権，法案拒否権を持つ。

・大統領は連邦議会へ教書を送ることで，立法措置を勧告・要請する。

・大統領には，法案提出権も予算提出権もない。

・大統領は連邦議会が議決した法案に対し1回だけ拒否権が認められる。ただし，上下院において出席議員の3分の2以上で再可決されると，その法律は成立する。

◇大統領の選出と任期 よく出る

・大統領の任期は4年で，3選は禁止。

・国民は大統領選挙人を選び，大統領選挙人が大統領を選ぶ間接選挙を採用。

・副大統領は大統領と対で選ばれ，大統領が欠けた場合，自動的に大統領に昇格。残りの任期を務める。

◇連邦議会

・上院（元老院）と下院（代議院）で構成。

・立法上の権限は両院対等。高級官吏の任命や条約締結の同意権は上院にある。

・連邦議会は，弾劾裁判により大統領や高級官吏を罷免できる。その場合，下院が訴追し，上院が審理・裁判を実施。

・上院は各州2名選出，合計100名，任期は6年。下院は各州の人口比例により小選挙区選出で435名。任期は2年。

ワンポイント★アドバイス

イギリスと日本の議院内閣制の相違点，議院内閣制と大統領制の相違点，大統領の権限。以上3点をまとめて整理しておこう。

重要語解説

●議院内閣制の沿革…イギリスで議院内閣制の形態が現れはじめたのは，下院の信任を失ってからすぐに総辞職（1742年）したウォルポール内閣のときと考えられる。

●大統領選挙…州ごとに有権者が連邦議会の上下院の議員と同数の大統領選挙人を選出。大統領選挙人は支持政党を明確にしており，各州で多数派を占めた政党がその州の議員数全体を獲得する。

出題パターン check!

アメリカ合衆国とイギリスの政治制度に関する記述として正しいものは，次のうちどれか。

（1）アメリカ大統領は，任期４年で，国民からの直接選挙によって選ばれる。

（2）アメリカ大統領は，議会の解散権や法案・予算提出権を持たない。

（3）アメリカ連邦議会議員の選挙は，上下院とも小選挙区制を採用している。

（4）イギリスの国務大臣は，過半数が国会議員でなければならない。

（5）イギリスの議会は，伝統的に上下院対等の原則が貫かれている。

答え（2）

過去5年の出題傾向 ★★★☆☆

政治⑥ わが国の選挙制度

民主主義の基本となる選挙制度を支える原則と選挙制度の種類と特徴，さらに現在わが国で問題とされている「議員定数の不均衡」や「選挙違反」などをチェックしておくこと。

■民主的選挙の原則

◇普通選挙

・一定の年齢に達した男女を問わない全ての国民が選挙権を持つ。⇔制限選挙

◇平等選挙

・一人1票が保障され，さらに1票の価値が等しくなければならない。

⇒議員定数不均衡問題

◇秘密選挙

・投票の自由の確保。無記名による投票。

■わが国の選挙制度 よく出る

◇衆議院（小選挙区比例代表並立制）

・1994年細川連立政権によって中選挙区制より移行。

・小選挙区制で289名，比例代表制で176名（2017年7月施行の法改正により）。比例代表制は，全国を11ブロックに分けて実施。

・小選挙区，比例代表どちらにも立候補できる重複立候補が認められている。

・比例代表制では拘束名簿式を採用。議席数の配分ではドント式を採る。

◇参議院（比例代表・選挙区制）

・全国を1選挙区とする比例代表制で100名。

・原則として，都道府県単位の選挙区制で148名（2022年7月26日より）。2018年成立の公職選挙法の改正で参議院の定数

	大選挙区制	小選挙区制	比例代表制
	1選挙区から複数の当選者を選出	1選挙区から1名の当選者を選出	政党への得票数に応じて議席を比例配分
長所	・少数政党からも当選可能（少数意見の国政への反映）。 ・死票が少ない。 ・人物選択の幅が広い。 ・政党間の公認争いが生じにくい。	・大政党に有利で，政局安定の可能性。 ・立候補者と有権者の関係が緊密。 ・同一政党内の乱立防止。 ・選挙費用を節減できる。	・民意をほぼ正確に国政に反映。 ・死票を最小限に抑える。 ・地域利益にとらわれない人物を選出。
短所	・小党分立，政局が不安定になりやすい。 ・選挙費用がかさむ。 ・同一政党で同士討ちが生じる。	・小党からの当選が困難。 ・死票が増大。 ・地方的な小人物を輩出する危険性。 ・ゲリマンダーの危険性。	・小党分立で政局が不安定になる。 ・有権者が候補者を選択できない（拘束名簿式の場合）。 ・著名人を候補者に，議席獲得を狙う（非拘束名簿式の場合）。

【各政党制の長所と短所】

	二大政党 (アメリカ，イギリスなど)	多党制 (ドイツ，フランス，日本，イタリアなど)	一党制 (中国など)
長所	●政局の安定化 ●政権交代が容易	●多様な民意の反映 ●連立政権による政権の弾力化と腐敗への牽制	●政局の安定と政権の長期化 ●強力な政策推進力
短所	●政権交代による一貫性喪失 ●政党間の政策の類似	●政局の不安定化 ●脆弱な政策推進力 ●政治責任の不明確性	●政権幹部による独裁の可能性 ●官僚主義と腐敗 ●民主的政権交代が不可能

は6増された。

・比例代表制では非拘束名簿式を，議席数の配分ではドント式を採用（2019年の改選から，拘束名簿式の「特定枠」を一部導入）。

■わが国の選挙の問題

◇議員定数不均衡の合憲性

・国会議員の選挙において，各選挙区の議員定数の配分に不均衡があり，選挙人の投票価値（1票の重み）に不平等が存在することが違憲ではないか，という問題。

・1票の重みが議員1人当たりの人口の最高選挙区と最低選挙区とでおおむね2対1以上に開くことは，投票価値の平等の要請に反すると一般に学説ではされる。

◇選挙違反

・選挙運動の制限：運動期間中の戸別訪問禁止，事前運動の禁止，有権者への飲食物提供の禁止，署名運動の禁止など。

・選挙違反で，選挙運動の総括主宰者，出納責任者，地域主宰者（以上，罰金以上の刑），親族，秘書，運動の計画・立案・調整や指揮監督者（以上，禁錮以上の刑）らが刑に処せられると，連座制の適用となり，候補者も当選無効・当該選挙区からの5年間立候補禁止となる。

■政党

◇政党の目的

・政策実現のための政権獲得と維持。

◇政党の機能

①利益集約機能　②代表選出機能
③立法部と行政部の関係を円滑化する機能
④政治的社会化機能

■アダムズ方式導入

2017年7月施行の改正公職選挙法で，衆議院の議席数は10議席削減され，465議席となった。小選挙区で6議席，比例代表制で4議席削減。また，議席配分のやり方に関しては，都道府県の人口比を反映しやすいとされる，「アダムズ方式」を導入。この方式は，都道府県人口を「同一の数字」で割り，「商の小数点以下を切り上げた数」を各都道府県の定数とするというもの。2022年以降の衆議院議員選挙で一票の格差を解消するため定数は「10増10減」となる。

重要語解説

●一票の格差…国政選挙の選挙区ごとに，有権者1人あたりの一票の重みが不均衡な状態。「10増10減」では人口の少ない10県の小選挙区数を10減らし，人口の多い5都県の小選挙区数を10増やす。

出題パターン check!

各選挙制度の特徴に関する記述として正しいものは，次のうちどれか。

（1）大選挙区制は，選挙民の候補者選択の幅が広くなる，死票が減少するなどの長所がある。
（2）大選挙区制は，大政党に有利で，政局の安定を図りやすい。
（3）小選挙区制は，大政党に有利で，死票が減少するなどの長所がある。
（4）小選挙区制は，同一政党内の同士討ちが起こりやすく，地方的小人物を輩出しやすい。
（5）比例代表制は，大政党に有利で，死票を最小限に抑えることができる。

答え（1）

過去５年の出題傾向 ★★★☆☆

政治 ⑦ 地方自治

地方公務員採用試験の受験者にとって，地方自治の本旨と直接請求権に関する事項は必須項目。さらに法改正により地方公共団体の自主性の拡大が図られたことにも注目。

■地方自治の本旨

◇団体自治

・地方の行政は，国から独立した地方公共団体の機関が行う。

◇住民自治

・地方の行政は，住民が直接または代表者を通じて行う。

◇憲法と地方自治の本旨

・地方公共団体の組織および運営に関する事項は，地方自治の本旨に基づいて，法律でこれを定める（92条）。

⇒法律：地方自治法

■地方公共団体の権能

◇自治行政権

・財産の管理，事務の処理，行政の執行。

◇条例制定権

・法律の範囲内で制定。自治立法の権限。

■地方公共団体の組織 よく出る

◇首長（執行機関）

・都道府県知事，市町村長。

地方自治法上の直接請求権

住民自治に基づいて，民意を直接反映させる制度。

よく出る

請求の種類	必要署名数	請求先	請求成立後
条例の制定・改廃（イニシアティブ）	有権者の50分の1以上	首長	首長が20日以内に議会にはかり，結果を公表。
監査請求		監査委員	監査し，結果を公表。
議会の解散（リコール）	有権者の3分の1以上	選挙管理委員会	住民投票（レファレンダム）の実施。過半数の賛成で解散及び解職。
首長・議員の解職（リコール）			
副知事・副市町村長等役員の解職（リコール）		首長	総議員の3分の2以上が出席する議会で，出席議員の4分の3以上の賛成で解職。

・住民の直接選挙で選出，任期4年。

◇地方議会（議決機関）

・都道府県議会，市町村議会。
・一院制，住民の直接選挙で議員を選出。
・任期4年，解散あり。

◇補助機関

・都道府県では副知事，市町村では副市町村長が議会の同意を得て首長により任命される。

◇行政委員会

・地方行政の民主化，政治的中立確保のため首長から一定程度独立して存在する合議制の機関。
・教育委員会，選挙管理委員会，人事委員会
・都道府県には公安委員会，地方労働委員会，収用委員会などもある。

◇議会の首長に対する不信任決議

・総議員の3分の2以上の出席で，4分の3以上が賛成した場合，首長に対する不信任を可決できる。
・その際，首長は10日以内に議会を解散しない場合，辞職しなければならない。

◇首長の拒否権

・首長が拒否権によって議会に対し再議決を求めた場合，議会が出席議員の3分の2以上で再可決すれば，議会の決定通りとなる(条例の制定，予算に関するものなど)。

地方公共団体の種類

普通地方公共団体	・都道府県　・市町村 ・政令指定都市（人口50万以上，権限を府県から委譲，財政面でも特別収入の途が開かれる。現在20市） ・中核市（人口20万以上〈例外あり〉，政令指定都市に準じた特例）
特別地方公共団体	・特別区　・財産区（市町村の一部にある財産を管理） ・組合（2つ以上の地方公共団体が共同で事務を行う） ・地方開発事業団（一定の地域総合開発事業を他の地方公共団体と共同で行う）

■「三割自治」「機関委任事務」からの脱却

◇三割自治

・地方税などの自主財源が三割程度で，国の支出金に頼らざるを得ない財政状況。

◇地方公共団体の自主性拡大

・改正地方自治法を含む「地方分権一括法」で機関委任事務を廃止。

■平成の大合併

1999年度に始まった，「平成の大合併」は2010年3月末に終了した。この合併により，平成7年に3,234あった市町村の数は，1,718となっている（2022年8月時点）。

■地方分権一括法

自治体への権限や財源の移譲の法改正を行うことを定めた法律。2024年6月に施行された同法（第14次）では，妊産婦の里帰り先と住所地の市町村間での情報提供を可能にする変更や，大規模災害時の建築物の審査・検査等での変更が盛り込まれた。

重要語解説

●住民投票…住民投票には，①特別法制定同意権に基づく住民投票，②議会の解散，首長・議員の解職請求成立後の住民投票，③住民投票条例に基づく住民投票がある。
●自主財源…地方公共団体の歳入における自主財源は地方税（都道府県税と市町村税）であり，その他国庫支出金，地方交付税（国税の一定分を配分），地方債，地方譲与税などは依存財源と呼ばれる。

出題パターン check!

直接請求権に関する記述として正しいものは，次のうちどれか。

（1）監査請求は，有権者の3分の1以上の連署で監査委員に対して行う。
（2）条例の制定・改廃請求は，有権者の50分の1以上の連署で議会に対して行う。
（3）議員の解職請求は，有権者の3分の1以上の連署で首長に対して行う。
（4）議会の解散請求は，有権者の3分の1以上の連署で選挙管理委員会に対して行う。
（5）地方自治特別法の制定同意は，有権者の50分の1以上の連署で首長に対して行う。

答え（4）

過去５年の出題傾向　★☆☆☆☆

政治⑧ 民主政治の基本原理と国家

民主政治の基本原理としての自然法思想とそれに基づく社会契約説，さらに権力分立論の沿革と国家観の変遷を整理しておくことが大切。

■近代自然法思想

◇自然法と自然権

・人為的な実定法を評価する基準となる前国家的な正義の法を自然法といい，近代においては人間の理性に導かれるものとされた。

・自然法は人が生まれながらに有している自然権の存在を根拠付ける。

■社会契約説

・市民革命期，市民階級によって唱えられ，国家の歴史論理的起源を個人相互の契約に求める。

・個人の自由と権利の確保を目的とし，王権神授説に対峙する。

◇ホッブズの社会契約説

主著『リヴァイアサン』

・前国家的な自然状態を「万人の万人に対する闘争状態」とする。

・自己保存のため契約を結び，自然権の一部を君主に譲渡。

⇒絶対君主の容認。

◇ロックの社会契約説

主著『市民政府二論』

・自然状態においてすでに個人が有している自然権（自由・平等・占有権）の保障を公的権力（政府）に委託。

・権力は個人の自然権保障を目的とした信託的権力にすぎず，国家が信託に反する場合，人民は自らの利益にかなう権力への変更を可能とした（抵抗権の存在是認）。

⇒アメリカ独立宣言・各州憲法に影響。

◇ルソーの社会契約説

主著『社会契約論』

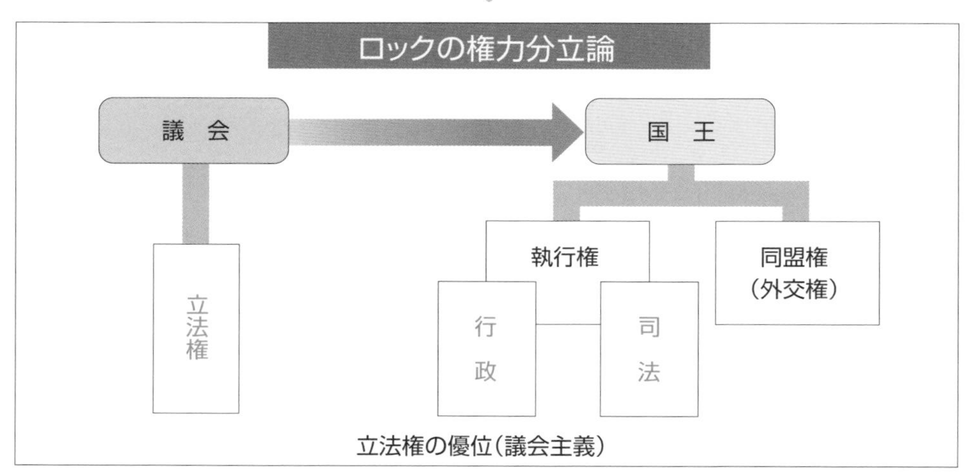

・人は自然状態において自由で平等な存在であったが，私有財産の発生と文明の発展によって不自由で不平等となった。
・自然権を一般意思（共通の利益を求める意思）のもとに委ね，社会契約によって国家を形成しなおす。
⇒人民主権に基づく直接民主制を唱える。

■権力分立論

◇権力分立の目的
・国家権力をいくつかの国家機関に分担させ，相互の抑制と均衡によって，専制的支配の出現を防止し，人権の保障を確保する。
・ロックとモンテスキューの権力分立論。

■国家観の変遷　よく出る

◇夜警国家観
・近代初期において，個人の国家からの自由を確保するため，国家の役割は必要最小限のものであるべきと考えられた（消極国家）。
・そこで考えられた必要最小限の国家の役割は『国防と治安維持』に代表されるものであり，後にこのような国家観を「夜警国家観」と呼ぶようになった。
・この時代，個人の自由を確保する上で重要な役割を果たしたのが，国民の代表者によって構成された議会であり，このことから「立法国家」ともいわれる。

◇福祉国家観
・19世紀に入り，資本主義の発達により，失業・貧困を含めた社会問題や労働問題が発生し，国家の役割も拡大したため，積極的に利害調整せざるをえなくなった（積極国家）。
・このように国家が積極的に国民の経済・社会福祉・労働問題に関与することが期待される国家観を「福祉国家観」という。
・国民の実質的な平等の実現を目標に，国家の国民生活への積極的関与のため，国家機関の重点は従来の議会から行政府へと移行。
・このような国家を「行政国家」と呼ぶ。

モンテスキューの三権分立論

主著『法の精神』

議会	抑制と均衡	国王
	裁判所	
立法権	司法権	行政権

徹底した三権分立⇒大統領制へ

重要語解説

●王権神授説…絶対君主制を正当化するために主張された。国王の権力は神から授けられた（神の意思に基づく）ものであるとする説。イギリスのフィルマーやフランスのボシュエに代表される。
●権力分立…個人の自由や人権確保のため，国家権力を分割・分担させ，専制的支配を防止する制度。三権分立のみならず，議会の二院制，地方分権，裁判制度における三審制も権力分立のあらわれ。

出題パターンcheck!

ロックの社会契約説に関する記述として正しいものは，次のうちどれか。

（1）国民は契約によって自然権を君主に譲渡し，それに服従すべきだと説いた。
（2）秩序を維持するため，国家に対する自然権の委譲を認め，君主の絶対的支配権を容認した。
（3）国家権力が国民の信託の範囲を逸脱し自然権を侵害した場合，国民には抵抗権があると主張した。
（4）社会や国家は個人相互の契約によって成立し，一般意思だけがそれらを指導できると説いた。
（5）人民主権を唱え，直接民主制を主張した。

答え（3）

練習問題1

日本国憲法が規定する基本的人権に関する次の条文のうち，その権利の性質が一つだけ異なるものがあるが，それはどれか。

（1）財産権は，これを侵してはならない。
（2）全て国民は，勤労の権利を有し，義務を負ふ。
（3）全て国民は，健康で文化的な最低限度の生活を営む権利を有する。
（4）公務員を選定し，およびこれを罷免することは，国民固有の権利である。
（5）何人も，法律の定める手続によらなければ，その生命若しくは自由を奪はれ，又はその他の刑罰を科せられない。

練習問題2

わが国における基本的人権の保障に関する次の記述のうち，正しいものはどれか。

（1）基本的人権は侵すことのできない権利であり，とくに自由権は国家からの自由を意味し，たとえ公共の福祉を理由とする場合であっても制約を受けない。
（2）基本的人権は人が生まれながらにして有する権利であるから，憲法に条文のない，例えばプライバシーの権利も幸福追求権という包括的基本権を根拠に認められている。
（3）基本的人権は人種・性・身分に関係なく，人であるというだけで当然に享有できる権利であるから，憲法が保障する全ての人権に関して，外国人にも保障される。
（4）基本的人権は主として国家からの自由を意味し，国家の積極的関与を予定するような内容の人権は認められない。
（5）基本的人権は濫用してはならず，国民は常に公共の利益のために利用する責任を負うので，個人の人権の保障は制限的とならざるをえない。

練習問題3

国会と国会議員に関する次の記述のうち，正しいものはどれか。

（1）予算は先に衆議院に提出しなければならないが，審議は衆議院，参議院どちらが先でも構わない。
（2）法律の発議は内閣のみにあり，国会議員はその権限を有していない。
（3）国会議員には不逮捕特権があり，議員の任期中逮捕されることはない。
（4）国会議員は院内で行った演説，討論または表決について，民事責任や刑事責任を問われない。

解答・解説

練習問題1　正答／（4）

●解説／基本的人権の分類からの出題である。
（1）は自由権の財産権。
（2）は社会権の勤労権。
（3）は同じく社会権の生存権。
（4）は参政権。
（5）は自由権の法定手続の保障をそれぞれ規定した条文。
よって（4）だけが他と性質を異にする。

練習問題2　正答／（2）

●解説／
（1）基本的人権は侵すことのできない永久の権利であるが，その濫用は許されず，国民は常に公共の福祉のために利用する責任を負い，その限りで制約を受ける。
（2）正しい。
（3）国政の選挙権や社会権，入国の自由は認められていない。
（4）基本的人権として認められる社会権は，その保障のための国家による積極的関与を予定している。
（5）公共の利益ではなく公共の福祉。またそれは，人権と人権が衝突した場合の調整原理として存在するもので，常に制限的とはならない。

練習問題3　正答／（4）

●解説／
（1）衆議院には予算の先議権があり，提出・審議・議決とも参議院より先に行われる。
（2）法律の発議権は内閣，国会議員そして国会の委員会にある。
（3）国会議員は院外での現行犯や所属する議院の許諾がある場合を除いて，国会の会期中に逮捕されない。
（4）正しい。

（5）国会議員は所属する議院で出席議員の多数決による議決によりその資格を奪われ，議席を失う。

練習問題4

国会の議決に関する次の記述のうち，正しいものはどれか。

（1）法律案の議決で，衆議院で可決し参議院で否決した場合，再び衆議院で出席議員の3分の2以上で再可決されるとそれが国会の議決となる。
（2）予算の議決で，衆議院で可決し参議院で否決した場合，再び衆議院で出席議員の3分の2以上で再可決されるとそれが国会の議決となる。
（3）条約の承認で，衆議院で可決し参議院で否決した場合，両院協議会を開いて意見が一致すれば直ちにそれが国会の議決となる。
（4）内閣総理大臣の指名の議決で，衆議院で可決し参議院で否決した場合，再び衆議院で出席議員の3分の2以上で再可決されるとそれが国会の議決となる。
（5）内閣不信任の議決に関して，衆議院で可決し参議院で否決した場合，両院協議会を開いても意見が一致しないとき，衆議院の議決が国会の議決となる。

練習問題5

内閣に関する次の記述のうち，正しいものはどれか。

（1）内閣総理大臣は衆議院議員の中から，国会が指名し，天皇が任命する。
（2）内閣を構成する各国務大臣は，その2分の1が国会議員でなければならない。
（3）内閣総理大臣は国務大臣を任免する権限を有しているが，罷免に関しては国会の承認を要する。
（4）内閣総理大臣が国会議員として地位を失っても，内閣総理大臣としての地位は失わない。
（5）内閣総理大臣が何らかの理由で欠けた場合，内閣は総辞職しなければならない。

解答・解説

（5）議員の資格争訟裁判は，出席議員の3分の2以上の多数で議決された場合，議員の資格を奪う。

練習問題4　正答／（1）

●解説／議決における衆議院の優越に関する問題。
（1）正しい。
（2）～（4）予算の議決，条約の承認，内閣総理大臣の指名に関しては，衆参両院の議決が異なった場合，必ず両院協議会が開かれ，意見が一致しなかったときは，衆議院の議決が国会の議決となる。なお，両院協議会で意見が一致し成案が成立しても，それが直ちに国会の議決とはならず，国会の議決を必要とする。
（5）内閣不信任の議決権は衆議院にのみ与えられた権限。

練習問題5　正答／（5）

●解説／
（1）内閣総理大臣は国会議員の中から国会の議決で指名される。
（2）任命された国務大臣の過半数が国会議員でなければならない。
（3）国務大臣の任免権は内閣総理大臣にあり，罷免に関しても国会の承認は不要。
（4）内閣総理大臣は国会議員の地位を前提としているため，その地位を失えば内閣総理大臣としての地位も失う。
（5）正しい。

練習問題6

内閣および内閣総理大臣の権限に関する次の記述のうち，正しいものはどれか。

（1）内閣は，衆議院が内閣不信任案を可決した場合，直ちに総辞職しなければならない。

（2）内閣は，予算案を作成し国会へ提出する権限を有している。

（3）内閣は，最高裁判所長官たる裁判官を任命する権限を有している。

（4）内閣は，憲法や法律の規定を実施するため，法律の委任に基づき政令を制定できる。

（5）内閣総理大臣は条約の締結権を有するが，その際，事前あるいは事後に閣議の承認を要する。

練習問題7

わが国の司法に関する次の記述のうち，正しいものはどれか。

（1）わが国は司法裁判所以外一切の裁判所の設置を禁止しており，行政機関による審判の可能性をまったく否定している。

（2）司法権の独立は，裁判所が他の権力機関の干渉を受けず，また各裁判官が職権を行使する際に，他の裁判官の干渉を受けないことを意味する。

（3）一切の法律，命令，規則または処分が，憲法に適合するか否かを判断する違憲立法審査権を有する裁判所は最高裁判所のみである。

（4）違憲立法審査権の対象には，外交上きわめて政治的判断を必要とする条約は含まれない。

（5）裁判の公平性を確保するため，いかなる場合も裁判は公開されなければならない。

練習問題8

裁判官に関する次の記述のうち，正しいものはどれか。

（1）裁判官は身分が保障されており，報酬を減額されることもなく，また定年も決められていない。

（2）裁判官は，任官後初めて実施される衆議院議員総選挙の際，国民による審査を受ける。

（3）裁判官は，心身故障のため職務が不能という理由から分限裁判により罷免されることがある。

（4）裁判官は，著しい職務義務違反があったと認められる場合，衆議院による公の弾劾により罷免されることがある。

（5）裁判官は身分が保障されており，罷免以外の懲戒処分を受けることは決してない。

解答・解説

練習問題6　正答／（2）

●解説／

（1）内閣は衆議院が内閣不信任案を可決した場合，10日以内に衆議院を解散するか自ら総辞職しなければならない。

（3）最高裁判所長官は内閣が指名し，天皇が任命する。

（4）政令の制定は法律の委任がなくても構わない。ただし罰則を設けるには法律の委任が必要。

（5）条約締結権を有するのは内閣。また条約の承認権は国会の権限である。

練習問題7　正答／（2）

●解説／

（1）行政機関は終審としては裁判を行うことができない。例えば公正取引委員会は独占禁止法違反事件の審判を行う。不服がある場合，高等裁判所への控訴が可能。

（3）違憲立法審査権は最高裁判所と全ての下級裁判所が有する。

（4）条約も違憲立法審査権の対象。ただし，判例は「一見きわめて明白に違憲無効であると認められない限り」違憲判断するべきではないとしている。

（5）判決は必ず公開。審理過程の対審は，裁判官全員一致で公序良俗を害するおそれがあると判断された場合に限り，非公開とできる。

練習問題8　正答／（3）

●解説／

（1）定年は法律で定められている。

（2）国民審査の対象は，最高裁判所裁判官のみ。

（4）弾劾裁判所は国会に設置され，衆参7名ずつの議員によって構成される。

（5）裁判官は行政機関によって懲戒処分を受けることはないが，裁判所内部にて行われ，戒告または1万円以下の過料に限られている。

練習問題9

イギリスの政治制度に関する次の記述のうち，正しいのはどれか。

（1）内閣を構成する閣僚の過半数は国会議員でなければならない。
（2）議会は全ての事項に関して，上下院対等の原則で成り立っている。
（3）上院は任期不定，定数不定の非民選議員で構成されているが，下院は任期2年で小選挙区制によって議員を選出する。
（4）立法権の優越を標榜するイギリスにおいて，裁判所には違憲立法審査権はない。
（5）イギリスの議会はわが国と異なり，内閣不信任決議権を有していない。

練習問題10

アメリカ合衆国の政治制度に関する次の記述のうち，正しいものはどれか。

（1）大統領の任期は3年で，国民の直接選挙によって選出されるが，3選を超えて立候補することはできない。
（2）大統領は，教書を議会へ送付することで法案提出権を行使し，選出する各省長官は連邦議会議員の中から選出される。
（3）大統領が法案の拒否権を行使した場合でも，上下院の出席議員の3分の2以上の多数で再可決されれば成立する。
（4）連邦議会は上院および下院の二院制で構成されるが，高級官吏の任命権や条約締結同意権に関して，下院が優越的権限を有している。
（5）上院議員の選挙は各州2名ずつ，任期6年であり，下院議員の選挙は各州人口比例で大選挙区制を採用，任期は4年である。

練習問題11

次のA～Eのうち，各国の政治体制に関する記述の組合せとして，正しいものはどれか。

A　アメリカには，大統領職と首相職がある。
B　イギリスには，大統領職はないが，首相職はある。
C　ドイツには，大統領職も首相職もない。
D　フランスには，大統領職と首相職がある。
E　ロシアには，大統領職はあるが，首相職はない。

解答・解説

練習問題９　正答／（4）

●解説／
（1）閣僚は全員国会議員でなければならない。
（2）下院優越の原則が存在し，上院はその運営に関わっていない。
（3）下院議員の任期は５年。
（5）議会下院が内閣不信任決議権を有している。

練習問題 10　正答／（3）

●解説／
（1）大統領の任期は４年，国民による間接選挙によって選出され，３選は禁止。
（2）大統領は議会への法案提出権はなく，また選出される各省長官は，連邦議会議員以外から選ばれる。
（4）高級官吏や条約締結同意権に関しては上院が権限を有している。
（5）下院議員の選挙は人口比例で小選挙区制を採用し，任期は２年である。

練習問題 11　正答／（3）

●解説／
A　アメリカには大統領職はあるが首相職はないので誤り。
B　正しい。
C　ドイツには大統領職も首相職もあるので誤り。
D　正しい。
E　ロシアには大統領職も首相職もあるので誤り。

（1） A，C
（2） A，D
（3） B，D
（4） B，E
（5） C，E

練習問題 12

選挙に関する次の記述のうち，正しいものはどれか。

（1） わが国では，選挙区間で議員定数と選挙人との比率の較差が広がる定数不均衡問題が生じており，そのたびに違憲判決により選挙の無効が判示されている。
（2） 参議院議員選挙は，全国を単位とする非拘束名簿式比例代表制と都道府県を単位（合区を含む）とする小選挙区制の並立制が採用されている。
（3） 大選挙区制は，1 選挙区から複数の議員を選出する選挙制度であるが，死票が多く，同一政党内の公認争いが生じる可能性がある。
（4） 小選挙区制は，1 選挙区から 1 名の議員を選出する選挙制度であり，同一政党内における同士討ちは少なくなるが，大量の死票がでる欠点を有する。
（5） 比例代表制は，各政党に対し得票率に比例した議席を配分する選挙制度であるが，死票を最小限に抑えることができるなどの長所と，少数党や新党の出現を困難にする欠点を有する。

練習問題 13

地方自治に関する次の記述のうち，誤っているものはどれか。

（1） 首長は地方議会からの不信任決議を受けるが，反対に議会に対する解散権を有する。
（2） 地方議会は条例を定めることができ，それには罰則規定も設けられる。
（3） 地方公共団体の自主財源には，地域住民に課せられる地方税と事業税などがある。
（4） 地方公共団体の住民は，議会の解散を選挙管理委員会に請求することができる。
（5） 住民自治の原則は，自治体の行政を国から指揮・監督を受けることなく独立して行うことである。

解答・解説

練習問題 12　　正答／（4）

●解説／
（1） 違憲状態であるとの判示はあるが，選挙の無効は示していない。
（2） 参議院選挙は非拘束名簿式比例代表制で（2019 年の改選より，拘束名簿式の「特定枠」を一部導入），選挙区は中・小選挙区制をとっている。また，2016 年の参院選より鳥取と島根，徳島と高知の選挙区はそれぞれ統合され合区とされた。
（3） 大選挙区制は 1 選挙区から複数の議員を選出するため死票は比較的少なくて済む。
（5） 比例代表制の長所は死票の少なさと少数党および新党の出現を容易にすることである。

練習問題 13　　正答／（5）

●解説／誤った選択肢を選ぶ問題。地方自治の本旨である住民自治の原則は，地方公共団体の行政は住民が直接あるいは代表者を通じて行うことであり，団体自治は地方の行政は地方の機関が国の機関から独立して行うことである。

2 社会科学

経済

出題傾向

経済分野からの出題は大きく３分野に分けることができる。第一は，国際経済体制と，通貨体制の動向およびわが国の経済の流れに関する通時的分野。第二は，市場機構と市場への参加者たる企業の形態，そして市場のメカニズムがもたらす景気循環に関する分野。第三は，国民所得と国民の経済的豊かさを実現するための金融・財政の仕組みと政策である。第一の分野からは国際金融と自由貿易，第二の分野からは景気循環，さらに第三の分野からは金融政策に関する出題が多い。直近の試験では，地方財政，日銀のインフレ対策（金融引き締め），国民所得，独占禁止法などが出題されている。

学習のコツ

経済分野は身近な問題でありながら，覚えなければならない知識の量に圧倒されてしまう。そこで出題される分野をおおづかみすることが第一。全体の中でどの分野の学習をしているのかを確認しながら進めるようにする。単に知識を詰め込んで暗記に終始しても難しい。第一の分野であれば大きな流れと目的を把握する。第三の分野であれば制度の仕組みと政策，効果をメモ書きしながら理解しよう。

難易度＝ 95ポイント

重要度＝ 90ポイント

◆出題の多い分野◆

分野	頻度
国際経済と通貨制度	★★★★★
景気循環	★★★★★
日本銀行と金融政策	★★★★
わが国の企業形態	★★★
国民所得	★★★
財政政策と租税･公債	★★★
第二次世界大戦後のわが国の経済	★★
わが国の社会保障制度	★
需給と市場メカニズム	★

過去５年の出題傾向　★★★★★

経済 ① 国際経済と通貨制度

国際通貨制度の変容と自由貿易体制への推移，外国為替相場，国際収支が内容。特に，通貨制度，変動相場制と固定相場制の特徴，円相場，貿易収支の項目が近年出題されている。

■ブレトン・ウッズ体制（IMF体制） よく出る

◇ブレトン・ウッズ協定

・1944年アメリカのブレトン・ウッズで開かれた連合国金融通貨会議で結ばれた協定。

⇒目的…第二次世界大戦を招いた国際経済要因の反省に立って，戦後の国際通貨の安定，自由貿易の振興，戦災国の復興と発展途上国の開発を目指した，国際協力体制づくり。

◇ブレトン・ウッズ体制を支える三つの機関

● IMF（国際通貨基金）

・1945年設立

・固定相場制を採用（1ドル＝360円）。

・SDR（＝IMF特別引出権）の創設。

⇒目的…為替制限の撤廃，短期資金融資に基づく為替の安定化による国際貿易の促進。

● IBRD（国際復興開発銀行＝世界銀行）

・1945年設立

⇒目的…長期資金融資と技術援助の提供による戦災国の復興と発展途上国の開発。

● GATT（関税と貿易に関する一般協定）

・1948年発足

⇒目的…高関税，輸入数量制限などの障壁を撤廃し，自由貿易を促進して国際貿易の発展をはかる。

■ブレトン・ウッズ体制の崩壊

◇ブレトン・ウッズ体制を支える前提条件

・ブレトン・ウッズ体制は，ドルと金との交換を可能（金1オンス＝35ドル）とした上で，ドルと各国通貨の交換比率を定めるという，大量の金保有国であったアメリカのドルへの信頼によって成立。

◇アメリカの国際収支の悪化

・1960年代半ば，西ヨーロッパ諸国，特にEC諸国や日本の経済発展，ベトナム戦争による軍事費の突出によって，アメリカの国際収支が悪化。

・金準備の大幅減少。

◇ニクソン・ショック

・1971年8月，アメリカ大統領ニクソンによる金とドルの交換停止発表。

⇒原因…国際収支の悪化による金流出とインフレによるドルの金価値保証の困難。

⇒ニクソン・ショックの持つ意味…ブレトン・ウッズ体制の実質的崩壊。

■ブレトン・ウッズ体制崩壊後

◇スミソニアン体制　1971年12月

・ワシントンのスミソニアン博物館で開催された10カ国蔵相会議で合意された枠組み。

⇒合意内容…ドルの切り下げ，ドルに対する各国通貨の切り上げ，固定相場制の変動幅拡大など。

◇変動相場制への移行　1973年2月

・ドルへの信頼回復不能などによる通貨危機のため固定相場制より移行。

◇キングストン体制　1976年1月

・ジャマイカのキングストンでIMF暫定委員会を開催し，変動相場制を正式に合意。

■ GATTウルグアイ・ラウンドとWTO よく出る

◇ウルグアイ・ラウンド（会議）　1986年

・1994年モロッコのマラケシュ宣言採択までの貿易交渉。合意事項は1995年に発効。

⇒合意事項…モノに対する関税引き下げや非関税障壁撤廃のみならず，サービスや知的所有権も対象とする。

◇WTO（世界貿易機関）1995年1月設置

・GATTウルグアイ・ラウンドの合意事項により設置。
・対象範囲をサービス，知的所有権に拡大。
・ネガティヴ・コンセンサス方式（全ての国が反対しない限り実施）にて，紛争を処理。

■外国為替相場 よく出る

◇固定為替相場制…為替相場の変動を一定範囲に限定する制度で，IMF体制下で採用。

◇変動為替相場制…為替相場の変動を市場の需給関係に任せる制度でフロート制ともいう。

◇円高／円安…例えば1ドル110円の為替相場が100円になると円の対外価値が10円高まったこととなり（＝円高），逆に1ドル120円になると10円安くなったことを意味する（＝円安）。

【円高･円安の貿易への影響】

	輸出	輸入
円高	不利	有利
円安	有利	不利

■国際収支の分類

◎経常収支：モノ・サービスの取引
・貿易･サービス収支：輸出入，輸送・旅行・通信・建設・保険・金融・情報・特許料
・第一次所得収支：雇用者報酬，投資収益（利子・配当金）
・第二次所得収支：無償援助など
◎資本移転等収支：固定資産所有権移転，特許権取得・処分
◎金融収支：直接投資，証券投資，金融派生商品，その他投資，外貨準備

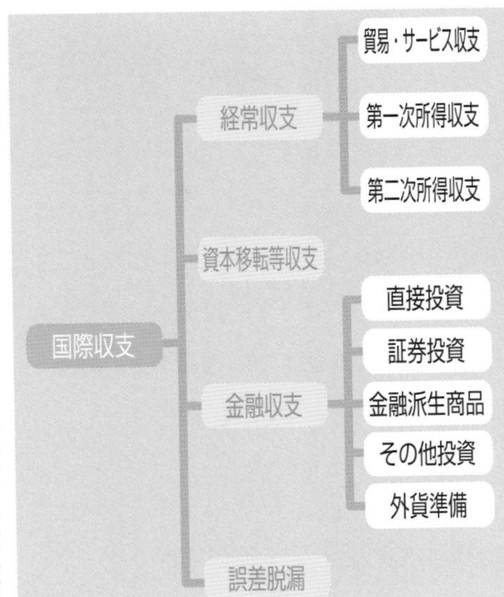

重要語解説

●非関税障壁…関税以外で結果として実質的に輸入制限をもたらすもので，輸入数量割当や貿易対象国固有の商慣習などがあげられる。
●最恵国待遇…第三国に与えている貿易条件よりも都合のよい条件を与える約定。仮に第三国との間に好条件の取決めをした場合，最恵国待遇の国はその好条件が適用される。

出題パターンcheck!

貿易に関する記述として正しいものは，次のうちどれか。

（1）IMFは為替相場の安定と国際経済の公平な発展のため設立された。
（2）IMFは変動相場制を前提とする外国為替の安定による貿易発展のため設立された。
（3）IMFは貿易の拡大による世界経済の発展を目指して設立されたが，その理念はWTOに引き継がれた。
（4）GATTのウルグアイ・ラウンドでは自由貿易の原則をサービスや知的所有権へ拡大させることに合意した。
（5）GATTは為替制限の撤廃と為替の安定化による国際貿易の促進を目的として1945年に設立された。

答え（4）

過去５年の出題傾向 ★★★★★

経済 ② 景気循環

資本主義経済においては，好景気と不景気が繰り返され，その周期的な変動を景気循環と呼ぶ。景気循環の各局面の特徴とインフレ，デフレの種類に関しては整理が必要。

■景気循環の局面とその特徴 よく出る

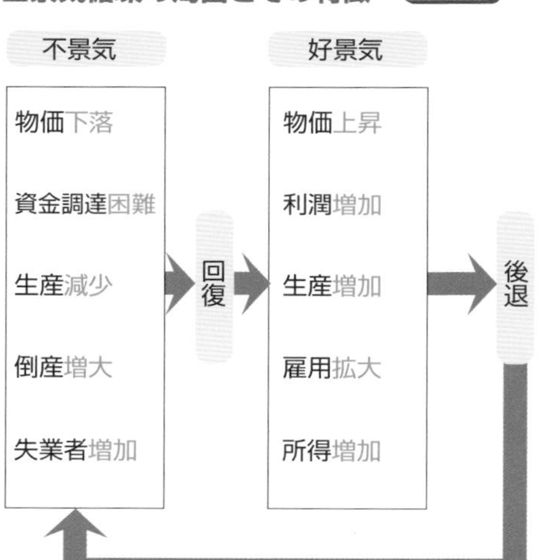

■景気循環の種類

波動名	循環の周期	循環の主な原因
キチン波	約 40 カ月	在庫投資の変動
ジュグラー波	8 ～ 10 年	設備投資の変動
クズネッツ波	17 ～ 20 年	建設投資の変動
コンドラチェフ波	50 ～ 60 年	技術革新

■物価変動の種類

◇インフレーション（物価の持続的上昇）

・原因…市場の通貨供給量の増大による超過需要および貨幣価値の下落。

・弊害…賃金の実質的低下，金融資産の実質的価値の目減り，定額の社会給付依存生活者（年金生活者）の困窮。

◇デフレーション（物価の持続的下落）

・原因…市場の通貨供給量の減少による超過供給および貨幣価値の上昇。

・弊害…経済活動の停滞や縮小，不良債権の拡大，企業倒産と失業者の増大。

■インフレーションの種類

◇原因による分類

●ディマンド・プル・インフレーション…需要が供給を超過することで生じるインフレ（需要曲線の右へのシフト）。

●真正インフレーション…ディマンド・プル・インフレーションの一種で，完全雇用状態が継続されるとき，供給量は完全雇用水準にとどまり，賃金や物価が下方硬直し需要が上昇することで生じるインフレ（供給曲線は垂直で，需要曲線は右へシフト）。

●需要シフト・インフレーション…賃金の下方硬直のため超過供給の財やサービスも価格が下落しない状態で，超過需要にある財・サービスの価格が上昇し，それが市場全体に影響し物価を押し上げるインフレ。

●コスト・プッシュ・インフレーション…賃金や原材料費などコストの上昇によって生じるインフレ（供給曲線の左へのシフト）。

●輸入インフレーション…外国のインフレが影響して生じるインフレ。

◇速度による分類 よく出る

●クリーピング・インフレーション（忍び寄るインフレ）…物価上昇が年率1～4%の幅で長期的·慢性的に生じるインフレ。

●ギャロッピング・インフレーション（駆け足インフレ）…ハイパー・インフレーションほどではないが，進行スピードの速いインフレ。

●ハイパー・インフレーション（超インフレ）…物価上昇が年間に何倍も高騰する，スピードのきわめて速いインフレ。

■デフレーションの種類

◇原因による分類

●需要デフレーション…需要が供給を下回って生じるデフレ（需要曲線の左へのシフト）。

●マネー・サプライ・デフレーション…マネー・サプライ（通貨供給量）の減少による需要の落ち込みで生じるデフレ（需要曲線の左へのシフト）。

●フロー・デフレーション…財やサービスの価格が持続的に下落することで生じるデフレ。

●負債デフレーション…抱えていた負債額が，物価の下落によって増大すること。

●資産デフレーション…市場の取り引き量減少によって，土地や有価証券などの資産価値が持続的に下落すること。

■スタグフレーションとデフレ・スパイラル

◇スタグフレーション…不況（スタグネーション）下の物価高（インフレーション）のこと。政府は不況対策を実施し，通貨供給量を増やすと物価がさらに上昇。物価対策を実施して通貨供給量を抑制すると，さらに失業が増え不況を加速させるというジレンマに陥る。1970年代の石油危機後に発生した。

◇デフレ・スパイラル…デフレの悪循環のこと。物価が下落し企業の業績・収益が悪化。金利上昇や資産デフレによる債務負担増。資金調達の困難による生産抑制と失業者の増加。さらに物価が下落するといった悪循環。

ワンポイント★アドバイス

資本主義経済につきものの景気循環。本節⑦「第二次世界大戦後のわが国の経済」において戦後日本の景気循環を，さらに③「日本銀行と金融政策」，⑥「財政政策と租税・公債」において景気循環各局面での金融・財政政策を関連づけて整理すると理解が深まる。

重要語解説

●景気循環…経済活動が上昇，下降を繰り返すこと。好況，後退，不況，回復の局面が繰り返される。景気循環は，自由経済である資本主義では避けることはできない現象で，商品の需要に不均衡が生じることが主な原因。

●物価指数…卸売物価指数と消費者物価指数があり，前者は日本銀行の調査によるもので，原材料など企業間で取り引きされる基礎資材商品の物価をまとめたもの。後者は，総務省の調査によるもので，日常の消費生活に必要な財などを中心とした580品目の価格をまとめたもの。

●不良債権…金融機関や企業がかかえている土地や有価証券などの資産で，デフレによって購入時の価値（価格）を維持できなくなり，本来の資産が負債化してしまうこと。また，回収見込みのない債権も指す。

●デフレの弊害…インフレは貨幣価値の下落で年金生活者の困窮を招き，デフレは企業収益の悪化で株式の下落や金融政策による金利の下落を招き，資産生活者を困窮させる。

出題パターンcheck!

インフレーションに関する記述として正しいものは，次のうちどれか。

（1）インフレになると貯蓄や株式の配当で暮らしている家庭に大きな打撃を与える。
（2）インフレになると企業倒産が増え，失業者が増大する。
（3）インフレは多額の資金の貸し手に大きな利益を与える。
（4）インフレの対策として，市場の通貨供給量を抑制する政策が必要となる。
（5）インフレの対策として金利を下げ，市場の通貨供給量を増大させる政策が必要となる。

答え（4）

過去５年の出題傾向　★★★★☆

経済 ③ 日本銀行と金融政策

日本銀行の役割と金融政策（金利政策，公開市場操作，支払準備率操作）は基本事項。近年，長期にわたり低金利政策が採られ，金融政策の内容も変質してきている。

■日本銀行の機能

◇**発券銀行**…日本銀行券を発行する唯一の発券銀行。

◇**銀行の銀行**…市中銀行との預金受入れ，貸出し，手形再割引，有価証券の売買などを行う。

◇**政府の銀行**…国庫金の出納や保管，公債の発行や償還事務代行，外国為替の管理・決済処理など。

■金融政策の手段

中央銀行は，マネー・サプライ（通貨供給量）を操作し，景気をコントロールする。こうした中央銀行の金融政策の手段には，金利政策（短期金利の誘導目標を設定），公開市場操作，支払準備率操作がある。

また，公定歩合操作は，中央銀行が市中銀行に貸付を行う際に適用される基準金利のことである。かつては，公定歩合は政策金利として市中金利に大きな影響を与えていた。しかし，近年，市中銀行がコール市場など，市場からの資金調達への依存度を高めており，公定歩合のコスト効果はほぼなくなっている。日本銀行は2006年より，公定歩合を「基準割引率および基準貸付利率」と呼んでいる。

◇**公開市場操作（オープン・マーケット・オペレーション）** よく出る

・中央銀行が金融市場（公開市場）で株式や債券などの有価証券を売買することで市場の通貨供給量をコントロールする。

●買いオペレーション（買いオペ）
中央銀行が市中銀行から有価証券を購入。有価証券購入代金が市中銀行へ流入するため，市場の通貨供給量が増加する。

【日本銀行の政策】

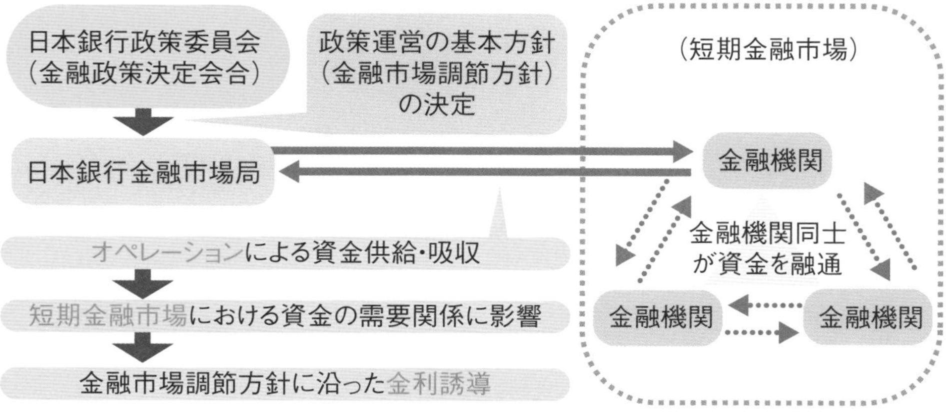

●売りオペレーション（売りオペ）
中央銀行が市中銀行へ有価証券を販売。有価証券購入代金が中央銀行へ流入するため，市場の通貨供給量は減少する。

◇**支払準備率操作**…中央銀行は本来預金者保護による，市中銀行の払戻し準備のため，預金の一定割合を強制的に預け入れさせる。その割合を支払準備率といい，中央銀行が支払準備率を上下させることで市場の通貨供給量をコントロールする。

●支払準備率の引き下げ
中央銀行に預け入れる割合を引き下げ，市場の通貨供給量を増加させる。

●支払準備率の引き上げ
中央銀行に預け入れる割合を引き上げ，市場の通貨供給量を減少させる。

■現在の金融政策

金利政策では，リーマンショックを受けて，短期金利を2008年12月には0.1%とし，以降，超低金利政策が維持されている。また，日銀の当座預金残高量の調整によって金融緩和を行う量的緩和政策については，前日銀総裁の黒田氏が2013年4月より「量的・質的金融緩和」を導入した。2016年2月には，国内初のマイナス金利も導入されている。

2021年には，コロナ禍に対応した大規模な金融緩和策の維持，および金融機関の気候変動対応の投融資を促す新制度の骨子案を発表。脱炭素につながる設備投資をする企業への融資や環境債の購入を対象に，金融機関に対して低利の長期資金を供給する方向性を示した。また，2022年には世界各国で物価上昇が深刻化，インフレを抑えるため，欧米の中央銀行は金融引き締めに動き，その結果生じた日米の金利差の拡大などを背景に円安が急速に進行した。

2023年4月，日銀の新総裁として植田和男氏が就任し，新体制が発足。学者出身の総裁就任は初めて。植田新総裁は，従来の大規模金融緩和策を維持するとの方針を表明した。しかし，2024年3月の金融政策決定会合で，マイナス金利政策の解除を決定。政策金利を引き上げるのは17年ぶりとなった。長短金利操作（イールドカーブ・コントロール）の撤廃も決め，2013年に開始した大規模緩和は事実上終了することになった。

【日本銀行の金融対策】

	金融緩和策 〔金融引締策〕
金利政策	短期金利誘導目標の引き下げ 〔短期金利誘導目標の引き上げ〕
公開市場操作	買いオペレーション 〔売りオペレーション〕
支払準備率操作	支払準備率の引き下げ 〔支払準備率の引き上げ〕

重要語解説

●日銀政策委員会…金融政策に関する日銀の最高意思決定機関で，1998年改正日銀法により，政府からの独立が強化された。総裁，副総裁2名，審議委員6名の計9名によって構成。

●コール市場…取引期間が1年未満の短期金融市場の中，金融機関相互の短期融資市場をいう。

出題パターンcheck!

わが国の中央銀行である日本銀行の金融政策に関する記述として正しいものは，次のうちどれか。

（1）日本銀行は金融政策の一環として，独自の判断で国債を発行し，国の歳入の一部に当てる。
（2）日本銀行は金融政策を実施する際，必ず金融庁長官あるいは財務大臣の指揮・監督に従う。
（3）景気過熱時には，日銀は公定歩合を引き下げ，市場の通貨量を増大させる政策をとる。
（4）不況時，日銀は手持ちの有価証券を金融市場で売る「売りオペ」を実施し，景気を刺激する。
（5）支払準備率操作は，通貨供給量を調節する金融政策のみならず預金者保護のための制度でもあった。

答え（5）

過去５年の出題傾向 ★★★☆☆

経済 ④ わが国の企業形態

資本主義経済の中で，企業はより多くの利潤を獲得する方法を探る。他方，市場経済の適切な発展のため大企業の市場独占を排除する法の整備が行われている。整理しておこう。

■現代の企業形態 よく出る

◇**コングロマリット（複合企業）**…複数の産業や異業種間の会社による合併・買収（M&A）を通じて，多角化された企業形態。

◇**多国籍企業**…複数の国家にまたがって経営資産（研究開発部門・工場・販売網など）を有し，世界的規模で活動を展開する企業。

◇**ベンチャー企業**…既存の企業がまだ手をつけていない未開発・隙間（ニッチ）分野で創造的な事業展開を行う企業。

■企業による市場支配の形①

◇**独占**…市場において，特定の大企業が単独で生産と販売のほとんどを支配して，自由競争を阻害している状態。

◇**寡占**…市場において，限定的な少数の大企業が生産と販売を支配して，自由競争を阻害している状態。

⇒プライス・リーダーによる管理価格を生み出しやすい。

◇**生産調整**…たとえ増産可能な財であっても生産量を調整して計画的に低めに維持し，利益確保や価格維持を行うこと。

◇**非価格競争**…品質，広告・宣伝，販売網拡大，販売サービス，モデルチェンジなど，価格以外の企業間の競争（企業収益の悪化を避ける）。

■企業による市場支配の形② よく出る

◇**カルテル（企業連合）**…同一産業内の少数の大企業が，生産，販路，価格などに関して協定を結ぶこと。

●価格カルテル
価格下落防止のための販売価格についての協定。

●販路カルテル
販路についての協定。

●購買カルテル
生産財や原材料などに関する協定。

●生産制限カルテル
価格維持のための生産量に関する協定。

●不況カルテル
ある財の価格がコストを下回り，一社の

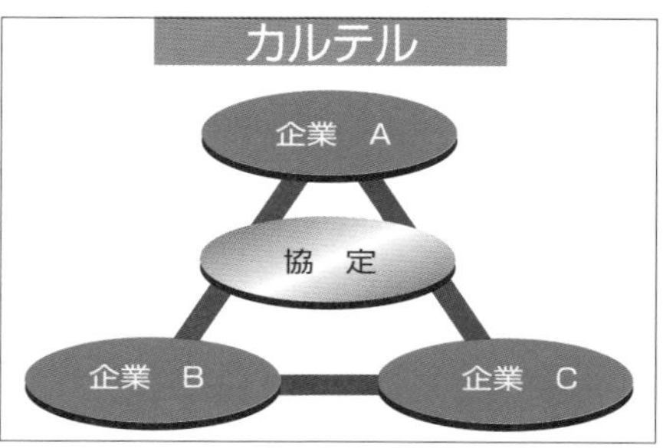

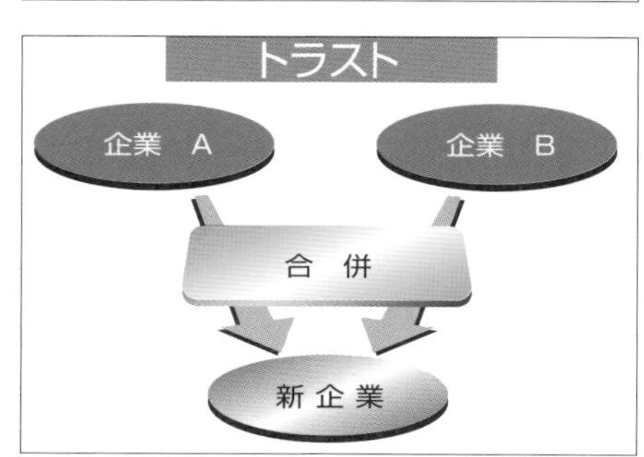

企業努力では収益確保が困難な場合の，価格や生産量などに関する協定。

●合理化カルテル
技術や，生産される品目の制限に関する協定。

◇**トラスト（企業合同）**…同一業種の企業が，市場での競争優位性や利潤の独占的確保のため合併して新企業を組織すること。

◇**コンツェルン（企業結合）**…持株会社による株式保有や財務的な融資関係，人的な役員派遣などを通じて，異種・同種の産業部門にまたがる多数の企業を支配し，市場を独占する形態。

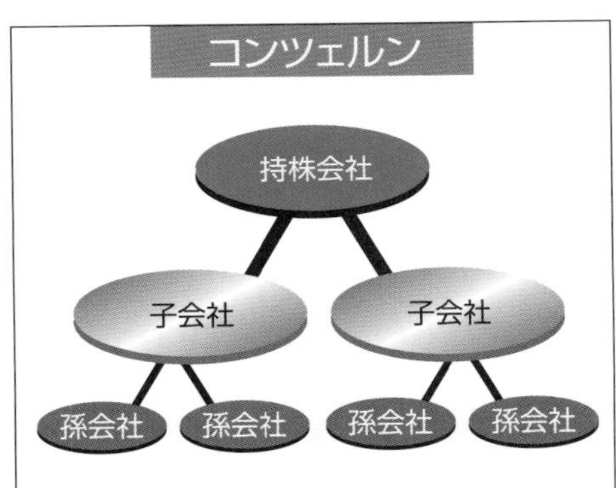

■企業による市場支配の制限　よく出る

◇**独占禁止法**…1947年，戦後財閥解体後の経済民主化政策の柱。

◇**公正取引委員会**…独占禁止法違反企業に対して勧告。不服がある場合，企業は審判を求める。内閣府所轄の独立行政委員会。

◇**独占禁止法の内容**…①私的独占の禁止（企業結合への規制），②不当な取引制限の禁止（カルテルの禁止），③不公正な取引方法の禁止（ダンピングの禁止）。

■企業の種類

◇**個人企業**…個人商店や農家，零細工場など。

◇**共同企業**…会社企業，組合企業に大きくは分けることができる。

会社企業	株式会社	会社の大半を占める形態。
	合同会社	ベンチャー企業など。
	合資会社・合名会社	創業の古い，地域の零細企業など。
組合企業	消費者協同組合・生産者協同組合	生協や農協が代表的な組合。

◇**公企業**…国営企業や独立行政法人，地方公営企業など。

◇**公私合同企業**…特殊法人（NHK，JRAなど），認可法人（日銀，日本赤十字社）など。

重要語解説

●持株会社…子会社に対する持株比率が50%を超え，しかも株式取得総額が総資産の5割を超える会社。株式を保有することで複数の子会社を支配し，市場への支配力を強める効果があるため禁止されていた。

●金融持株会社…銀行，信託，証券，保険会社を子会社化する持株会社。持株会社を通じ各金融機関の経営統合を実施，合理化や効率化で不良債権を処理，国際競争力を強化して生き残りを図る。

出題パターン check!

企業による市場支配に関する記述として正しいものは，次のうちどれか。

（1）コングロマリットは，複数の国家において経営資産を有し，世界規模で活動する企業である。

（2）コンツェルンは，持株会社による株式保有を通じ，異種・同種の企業を問わず支配する経営形態である。

（3）多国籍企業は，世界中の複数の企業による合併や買収を通じて多角化された企業形態である。

（4）カルテルは，企業が市場での競争優位性確保のため合併し，市場を独占することである。

（5）トラストは，同一産業内の大企業が，生産や販売，価格に関して協定を結び，市場を独占することである。

答え（2）

過去5年の出題傾向 ★★★☆☆

経済 ⑤ 国民所得

国の経済力を把握するための指標として利用される国民総生産，国民純生産，国民所得の定義と算出の仕方，近年利用されるようになった国内総生産の意味を理解しておこう。

■国民所得の諸指標 よく出る

・一国の経済活動量を示す指標として用いるのが「国民所得」を含めた諸指標である。

・国民所得の諸指標は，市場で取引された財やサービスを市場価格で計上する。

・国民所得の諸指標は，その年に新たに生み出された財やサービスを計上する「フロー」の概念である。

◇国民総生産（GNP）…一国の1年間に生産された財・サービス（付加価値）の総額（総生産額）から二重計算を避けるために中間生産物（原材料や燃料など）の価額を差し引いた額。

GNPに含まれるもの，含まれないもの

【含まれるもの】
○持ち家居住者の帰属家賃
○農家の自家消費分
○公共サービス
【含まれないもの】
●家事労働
●ストック（資産）の取引
●中古品の取引き

◇国民純生産（NNP）…国民総生産から固定資本減耗分（減価償却費と同額）を差し引いた額。なぜなら，機械や建物の年々の減耗分は生産された財やサービスの価額に移転されており，二重計算を避けるため。

◇国民所得（NI）…国民純生産は市場において財やサービスが実際に販売されている価格である市場価格に基づき算出された。しかし市場価格は政府活動の様々な影響を受けて形成されているため，企業が生産した付加価値額を正確にとらえるためには，政府活動の影響を捨象しなければならない。

⇒政府が特定の（あるいは全ての）財やサービスに間接税（消費税，たばこ税，酒税，ガソリン税など）をかけていれば，その商品の市場価格は間接税分だけ本来の価値（市場価格）より上昇する。それゆえ間接税分を差し引き，本来の付加価値を算出。

⇒さらに政府が，特定の産業に補助金を給付すれば，産み出される財やサービスの

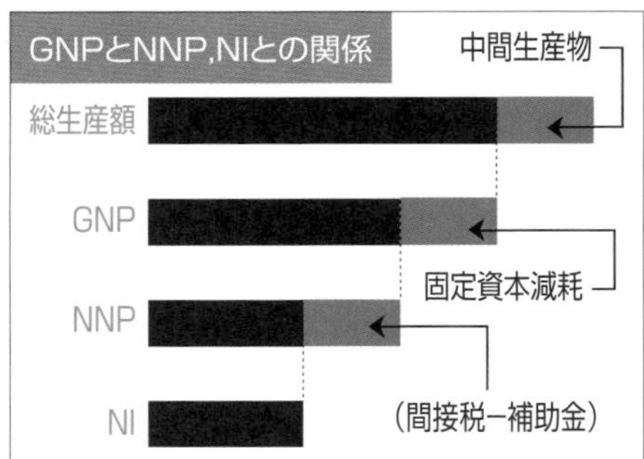

国民所得の算出方法

(1) 国民総生産(GNP)
　　＝総生産額－中間生産物
(2) 国民純生産(NNP)
　　＝国民総生産－固定資本減耗(減価償却費)
(3) 国民所得(NI)
　　＝国民純生産－(間接税－補助金)

市場価格は補助金分だけ本来の価値（市場価格）より下落する。それゆえ補助金分を加算し，本来の付加価値を算出。
・上述の付加価値の総計を国民所得という。

■国民総生産と国内総生産 よく出る

・1993年12月より政府は，正式統計を国民総生産から国内総生産（GDP）へと変更した。
◇国民総生産（GNP）…日本人あるいは日本企業が国内，国外を問わず生産した付加価値の総額。
◇国内総生産（GDP）…日本企業，海外企業を問わず，国内で生産された付加価値の総額。
⇒日本人が海外で得た所得や送金分は国民総生産には含まれるが，国内総生産には含まれない。
◇国民総所得（GNI）…国内総生産に海外からの所得の純受取を加えた経済指標で，国内総生産とほぼ一致する。

GDP＝
GNP－海外からの所得
（日本企業が国外で得た所得）
＋海外への所得
（外国企業が日本で得た所得）

■国民所得の三面性

◇生産国民所得…国民所得を生産活動の側面から把握。
◇分配国民所得…国民所得を分配の側面から把握（生産活動によって得られた所得を国民に分配）。
◇支出国民所得…国民所得を支出の側面から把握（分配された所得は消費・投資という形で支出される）。
◇三面等価の原則…生産国民所得，分配国民所得，支出国民所得は同じ貨幣の流れを別の側面から見たにすぎず，それぞれ同額となる。

生産国民所得
・第一次産業所得
・第二次産業所得
・第三次産業所得

＝

分配国民所得
・雇用者所得（賃金など）
・財産所得（利子，配当，地代）
・企業所得（利潤など）

＝

支出国民所得
・消費（民間最終消費支出・政府最終消費支出）
・投資（国内総資本形成）
・経常海外余剰

重要語解説

●フローの概念…フローは一定期間あたりに把握される数量。国民総生産，国民純生産，国民所得や国内総生産などの経済指標がある。
●ストックの概念…ストックはある時点において把握される数量。土地，株式，骨董品，美術品などの資産やマネー・サプライ（通貨供給量）などを含む。国民総生産には計上しない。

出題パターン check!

国民総生産の説明として正しいものは，次のうちどれか。

（1）国民総生産とは，一国の1年間に生産された全ての財やサービスの総計である。
（2）国民総生産とは，国内外の企業を問わず，国内で生産された財・サービスの総計である。
（3）国民総生産とは，一国の1年間に生産・取引きされた財・サービスや資産の総計である。
（4）国民総生産とは，一国の1年間に生産された全ての財やサービスの総額から中間生産物の価額を差し引いたものである。
（5）国民総生産とは，国民純生産から間接税分を引き，補助金分を加算して計上したものである。

答え（4）

過去５年の出題傾向　★★★☆☆

経済⑥ 財政政策と租税・公債

国の予算の区分と財政投融資の内容，国債の内容とそれがもたらす影響，租税の種類の整理。さらに財政の機能と財政政策の種類を把握しておくことが大切。

■予算の三原則

◇**事前議決の原則**…予算は執行前に国会の事前議決を必要とする（憲法86条）。

◇**単年度主義の原則**…予算は毎年４月１日から翌年の３月31日を会計年度として，年度ごとに作成される（憲法86条）。

◇**総計予算主義の原則**…収入と支出が全額予算に計上される（財政法14条）。

■予算の区分

◇**一般会計予算**…国の一般の歳入・歳出を決定する予算。

◇**特別会計予算**…国が特定の事業を営む，特定の資金を保有して運用する，特定の歳入を特定の歳出にあてるなどの場合に組まれる，一般会計予算とは異なる予算。

◇**政府関係機関予算**…政府全額出資の法人運営にあてる予算。

■財政投融資

◇**内容**…政府が長期的・大規模に実施する事業推進のため，財政投融資計画に基づき行われる投資や融資のこと。第二の予算。

◇**使途**…中小企業対策，道路，住宅，生活環境整備，福祉，国土保全，災害復旧など。

◇**原資**…郵便貯金，厚生年金・国民年金積立金など資金運用部資金を原資とする。

・2001年４月，資金運用部への預託制度が廃止。各資金は自主運用となる。

⇒政府関係機関は財投機関債や財投債の発行により直接，金融市場から資金調達を実施。

■国債の定義・種類と影響

◇**公債**…歳入不足補塡のため，債券の発行により金融市場から借り入れる国や自治体の借金。⇒国の借金＝国債

◇**公債発行原則禁止**…財政法は赤字国債の発行を禁止。建設国債は国会の議決を経て発行を認める。

◇**赤字国債**…一般会計の歳入不足補塡のための国債。毎年，特例公債法（特別立法）を成立させ発行。

◇**建設国債**…道路，住宅・港湾などの社会資本整備のために発行。

◇**国債発行の影響**…国債の発行は，元本返済と利払いの財政負担を強いる。国債依

	国　税	地 方 税
直接税	所得税，法人税，相続税，贈与税，地価税など	住民税，固定資産税，事業税など
間接税	消費税，酒税，揮発油税，たばこ税，関税など	地方たばこ税，軽油引取税など

	景気過熱期（好況期）	景気後退期（不況期）
ビルトイン・スタビライザー（自動安定化装置）	・累進課税による税収の増加。 ・社会保障費の抑制。 ・有効需要が抑制される。 ⇒財政の黒字化。	・税収の減少。 ・社会保障費の増大。 ・有効需要が増大する。 ⇒財政の赤字化。
フィスカル・ポリシー（補整的財政政策）	・公共投資の減少。 ・財政執行の繰り延べ。 ・増税。 ・公債の償還。 ⇒有効需要水準の低下を実現。	・公共投資の増加。 ・財政執行の前倒し。 ・減税。 ・公債発行による積極的赤字財政編成。 ⇒有効需要水準を高める。
スペンディング・ポリシー（呼び水政策）	－	・公共投資，公共事業の拡大。 ⇒民間投資の活発化を促進。＝有効需要水準を高める。

存度が高くなると，国債処理に必要な費用が膨らみ，財政の硬直化をもたらす。

■**租税の種類** よく出る

◇**直接税**…納税者と税負担者が一致する税。

⇒長所：垂直的公平（税負担能力のある者がより多くを負担）が図れる。

◇**間接税**…納税者と税負担者が異なる税。

⇒長所：水平的公平（税負担能力にかかわらず，等しく負担）が図れる。

⇒短所：低所得者ほど負担率（所得に対する税負担の割合）が高い。

◇**外形標準課税**…法人の企業規模，従業員数，建物の面積など一目で判別がつくものを基準にして課税する税。

■**財政の機能** よく出る

◇**財政**…国や自治体による歳入と歳出を通じた，公共サービス提供のための経済活動。

◇**資源配分機能**…公共財・サービスの提供。

◇**所得の再分配機能**…累進課税により高所得者へ高い税負担を課し，社会保障制度により低所得者に対し給付を行う。

◇**経済の安定化機能**…好況時は景気過熱抑制，不況時は景気を刺激し景気変動を調節。

◇**ビルトイン・スタビライザー**…累進課税制度と社会保障制度により自動的に景気を調整（景気の自動安定化装置）。

◇**フィスカル・ポリシー（補整的財政政策）**…公債発行などによる財政の弾力的運用で景気を調節（ケインズ理論の適用）。

◇**スペンディング・ポリシー**…財政の積極的な支出により民間投資の活発化を促す（呼び水政策）。

◇**ポリシー・ミックス**…金融・財政政策手段を組み合わせ，景気調節を図ること。

重要語解説

●外形標準課税の特徴…景気の影響をあまり受けない課税基準を設定することで，景気による税収の増減幅が減少，安定した確保が可能となる。

●ビルトイン・スタビライザーの特徴…所得税の累進課税率が大きいほど効果は増大し，また，フィスカル・ポリシーと比較して政策担当者の意思決定が不介入なだけ速効的。

出題パターン check!

わが国の国債に関する記述として正しいものは，次のうちどれか。

（1）赤字国債は，社会資本整備を理由とする歳入不足を補塡するため発行される。

（2）建設国債は，道路や住宅の建設に限り，国会の承認を経て発行が認められる。

（3）国債は歳入不足補塡のため，日本銀行による引き受けを条件に発行が認められる。

（4）赤字国債は発行が禁止されているため，毎年，財源確保法を制定し例外的に建設国債を発行している。

（5）国債の発行は元本返済と利払いの負担が重く，そのため依存度が高まると財政の硬直化をもたらす。

答え（5）

過去５年の出題傾向　★★☆☆☆

経済 ⑦ 第二次世界大戦後のわが国の経済

戦後復興期の GHQ 主導の経済民主化およびインフレ克服政策，高度経済成長の要因と特徴，石油ショック後の安定成長とバブル景気。戦後日本経済の流れを整理しておこう。

■復興期の GHQ による経済民主化

◇財閥解体…持株会社禁止，株式保有分散。
⇒財閥復活防止と経済民主化を目的に「独占禁止法」「過度経済力集中排除法」制定。
◇農地改革…地主制度解体，農民自作農化。
◇労働改革…労働者権利確保，労働民主化。
⇒労働組合法 1945 年 12 月公布。労働関係調整法 1946 年９月公布。労働基準法 1947 年４月公布。
◇ガリオア援助（陸軍省対外援助予算）
・1947 年～ 51 年経済復興援助，食糧・救援物資援助の実施。

GHQによる経済政策の変化

経済民主化政策
・財閥解体／農地改革／労働三法制定
・ガリオア援助

↓

経済自立化政策
・経済安定9原則／ドッジ・ライン／シャウプ勧告

■復興期の悪性インフレ対策

◇傾斜生産方式…限られた資源を基幹産業である石炭・鉄鋼に集中し，その結果を他の産業に波及させ経済復興を狙う。
→インフレ加速の要因。
◇経済安定９原則…1948 年 GHQ 政策転換「非軍事化・民主化」から「経済的自立」。
・均衡予算，徴税計画の促進，賃金安定化。
◇ドッジ・ライン…1949 年。均衡予算によるインフレ収束，１ドル＝360 円の単一為替レート実施。
◇シャウプ勧告…1949 年。直接税を基本とする税制改革。

■高度経済成長期　よく出る

◇要因…①優遇税制と産業保護政策，②民間設備投資拡大，③優れた労働力と技術革新，④所得水準の増大。
◇朝鮮特需景気…1951 年。朝鮮戦争の勃発による軍需物資の日本での買付け。
◇神武景気…1954 年 12 月～ 57 年６月。
・「三種の神器」…電気冷蔵庫，電気洗濯機，白黒テレビが消費を牽引。
・1952 年 IMF 加盟，55 年 GATT 加盟。
・1956 年経済白書…「もはや戦後ではない」（戦後復興期終了宣言）。
⇒ 57 年後半から「なべ底景気」。
◇岩戸景気…1958 年７月～ 61 年 12 月。
・実質経済成長率 59 年 9.2%，60 年 14.1%，61 年 15.6%。
・「所得倍増計画」…60 年池田内閣発表（61 年から 70 年までの 10 年間で）。
◇オリンピック景気…1962年10月～64年10月。
・東京オリンピック開催の建設ラッシュと重化学工業を中心とする輸出の増大。
◇ 40 年不況…設備投資の過剰と労働力不足による稼働率低下→企業倒産。
・金融危機（証券不況）→日銀特融実施。
・税収不足補塡→特例国債（赤字国債）発行。
◇いざなぎ景気…1965 年 10 月～ 70 年７月。
・68 年 GNP アメリカに次ぐ世界第２位。

■石油ショックと安定成長　よく出る

◇ニクソン・ショック…1971 年８月。

戦後日本の景気循環

1951年	○朝鮮特需景気
1954〜57年	○神武景気
1957年	▲なべ底景気
1958〜61年	○岩戸景気
1962〜64年	○オリンピック景気
1965年	▲40年不況 ⇒金融(証券)不況
1965〜70年	○いざなぎ景気
1971年	▲ニクソン・ショック ⇒ドル・金交換停止
1973年	▲第1次石油ショック
1979年	▲第2次石油ショック
1985年	▲プラザ合意⇒円高不況
1986〜91年	○バブル景気
1991年	▲バブル崩壊
1998年	▲平成不況←消費税率5%へ(1997)
2002〜08年	○戦後最長の景気回復期(いざなみ景気)
2008年	▲リーマンショック→「100年に1度の不況」
2009年	▲ギリシャ財政危機
2011年	▲東日本大震災
2020年	▲コロナショック

・ドルと金の交換一時停止。

◇第１次石油ショック…1973 年 10 月。

・中東戦争戦略で OAPEC は石油生産削減と供給制限。OPEC は原油値上げ。⇒狂乱物価⇒ 74 年経済成長率マイナス。

◇第２次石油ショック…1979 年 1，4 月。

・OPEC 再度原油値上げ。

■バブル経済とバブル崩壊後 

◇プラザ合意…1985 年 9 月。

・ドル高是正の為替相場各国協調介入。

◇バブル景気…1986 年 11 月〜 91 年 2 月。

・カネ余り現象。

◇米サブプライム問題と世界同時不況

・2008 年 9 月のリーマンショック。

◇アベノミクス

・安倍内閣が掲げた大胆な金融政策や機動的な財政運営，民間投資を喚起する成長戦略の，いわゆる「3 本の矢」のこと。

◇コロナショック以降

・2020 年の日本の実質 GDP 成長率は，新型コロナウイルス感染症が拡大しはじめたことで，マイナス 4.5% と大幅に落ち込んだ。

・2021 年に入ると，大企業製造業が欧米や中国での需要持ち直しなどを背景に改善したことで，2021 年の実質 GDP 成長率は 3 年ぶりに 2.2% とプラスに転じた。

・2023 年は消費や輸出が伸びたが，名目 GDP はドイツに抜かれて世界 4 位に転落。2023 年度の実質 GDP 成長率は 0.8% と，3 年連続のプラス成長になっている（内閣府：国民経済計算・GDP 統計）。

重要語解説

●石油ショック…1973 年第 4 次中東戦争が原因。原油価格引き上げ，供給削減で石油消費国混乱。79 年の第 2 次石油ショックはイラン政変が原因。この後，省エネルギー・低成長時代を迎える。

●プラザ合意…1985 年 9 月，先進 5 カ国蔵相・中央銀行総裁会議（G5）での合意。米国の第 2 次レーガン政権によるドル安政策への転換を目的とする。

出題パターン check!

戦後わが国の景気循環に関する記述として正しいものは，次のうちどれか。

（１）1950 年代，特需景気，神武景気，岩戸景気と好況が続き，不況を一度も経験しなかった。

（２）1965 年の 40 年不況は，建設業界の設備過剰と破綻を原因とした。

（３）1970 年代前半，第 1 次石油ショックは「狂乱物価」といわれるインフレーションを招いた。

（４）1980 年代半ば，ドル高を是正するプラザ合意により円も同時安に見舞われ，円安不況を招いた。

（５）2012 年 12 月から続く景気拡大は戦後 3 番目の景気拡大を達成した。

答え（3）

過去5年の出題傾向 ★☆☆☆☆

経済 ⑧ わが国の社会保障制度

わが国の社会保障制度の4つの柱，社会保険，社会福祉，公的扶助，公衆衛生のそれぞれの内容，さらに少子・超高齢社会に向けて社会保険制度の改革を確認しておこう。

■社会保障制度の柱 よく出る

◇**社会保険**…生活上の危険に対して相互扶助を行う制度。

・国民が被保険者，国や事業者が保険者。

・被保険者による拠出制。

・1958年基礎年金制度導入→59年国民年金法制定。

⇒61年より国民皆保険，国民皆年金を実施。

・給付対象…疾病→医療保険，労働災害→労災保険，失業→雇用保険，老齢→介護保険。

◇**公的扶助**…憲法25条の生存権の理念の下に生活困窮者に対し，生活・教育・住宅・医療・介護・出産・生業・葬祭に関する援助を公的費用で実施する制度。

・1946年生活保護法→50年全面改正。

◇**社会福祉**…児童・老人・身体障害者・母子家庭など社会的弱者の生活安定のための公的サービス提供。

・福祉関係八法を中心に制度運用。

◇**公衆衛生**…生活環境の整備により，国民の健康維持・増進を図る制度。

・疾病予防，薬害対策，公害対策，自然保護，生活環境整備と保全，上下水道整備，廃棄物処理など。

■医療保険制度 よく出る

◇**健康保険**…民間企業に勤める者や，その家族に対する医療保険制度。

・政府管掌健康保険（国が保険者）。

・組合管掌健康保険（企業の健康保険組合が保険者）。

◇**共済組合**…公務員や私立学校教職員とその家族に対する医療保険制度。

◇**船員保険**…船員と家族が対象。

◇**国民健康保険**…自営業者，農業従事者，定年退職者とその家族の加入を義務づける。

・医療給付は7割（本人負担3割）。

◇**後期高齢者医療制度**…適用年齢（75歳以上）になると，後期高齢者だけの独立した保険に組み入れられる制度。医療機関での診察時の自己負担額は1割（高所得者3割）。2022年10月より，75歳以上の後期高齢者が医療機関に支払う窓口負担は，単身世帯で年収200万円以上（年金含む）の人を対象に1割から2割に引き上げを実施。これにより，1割，2割，3割という3段階の自己負担に分かれる制度となった。

■年金保険制度

◇**国民年金（基礎年金）**…20～60歳までの国民全員が，加入を義務付けられている制度。老齢，障害，死亡について定額年金給付。第1号被保険者（自営業者）。第2号被保険者（サラリーマン・公務員）。第3号被保険者（第2号被保険者の配偶者）。老齢年金は原則65歳から支給。

◇**厚生年金**…民間企業の被用者や公務員を対象とする公的年金制度。

・報酬比例部分を給付。

・老齢厚生年金は原則65歳から支給。

・公務員への年金払い退職給付制度を新設。

【社会福祉政策】

高齢者対策	少子化対策	障害者対策
● 2018年「高齢社会対策大綱」 65歳以降も働き続けられる環境作りを明記。 ● 2017年　介護保険法・制度改正 保険料負担の増大の抑制を図る。 ● 2005年　高齢者虐待防止法成立 ● 2005年　介護保険法・制度改正 予防重視型システムへの転換。	● 2024年「改正子ども・子育て支援法」 児童手当を拡充するほか,就労要件を問わずに保育所などを利用できる「こども誰でも通園制度」を,26年度から全国展開することを盛り込む。「出生後休業支援給付」を創設。 ● 2023年「こども未来戦略方針」 児童手当は所得制限を撤廃し、支給期間を高校生まで延長することを盛り込む。	● 2024年　障害者差別解消法改正 2024年施行。障害者差別の禁止の基本理念を具体化。 ● 2024年　障害者総合支援法改正 2024年施行。障害者雇用を向上させる支援サービスの設立･体制強化等。 ● 2023年　第5次障害者基本計画 社会のバリア(社会的障壁)除去を推進。 ● 2016年　障害者差別解消法 障害者の要望に対して「合理的配慮」を求める。

■介護保険制度

◇介護保険制度…2000年開始。

・少子・高齢化が進み，高齢者が高齢者を介護せざるをえない状況に対処。

・2018年改正。340万円以上を得ている人は介護保険料の3割を負担することとなった。40～64歳の保険料が収入に応じて増減する「総報酬割」の導入，医療ケアと介護サービスの一括提供ができる介護施設として介護医療院も新設。

・2024年改正。介護情報を一元的に管理するシステム基盤整備を明記。自治体，介護事業所等が必要な介護情報を共有して利用できる仕組みが整えられる。地域包括ケアシステムの深化・推進も盛り込む。

介護保険制度の概要

保険者／自治体（市町村）
被保険者／40歳以上の全国民
保険料／所得等で異なる，サービス費用の1～3割自己負担
サービス／居宅サービス／施設サービス
要介護認定／7段階に区分
認定権者／調査員，介護認定審査会

■子ども・子育て支援法（2024年改正）

児童手当の所得制限を撤廃し，対象を18歳まで拡大。働いていなくても子どもを保育園などに預けられる「こども誰でも通園制度」の導入や，育児休業給付の拡充が盛り込まれた。財源確保のため，公的医療保険に上乗せする「支援金制度」を創設。

■社会保障費

◇ 2024年度予算…2024年度の社会保障関係費は37兆7,193億円となり，一般会計歳出のほぼ3分の1を占め，前年比で2.3%の増額（前年比8,506億円増）となった。

■近年の健康保険・厚生年金の動き

2024年10月より，パート・アルバイトといった短時間労働者に対する社会保険の適用範囲が拡大。これまでは「従業員数101人以上の企業」が対象だったが，今回「従業員数51人以上の企業」で働く短時間労働者であっても，新たに社会保険の適用が義務化されることになった。

重要語解説

●ノーマライゼーション…本来，障害のある人もない人も，ともに暮らすことが人間らしい社会であるという考え方。

出題パターンcheck!

介護保険制度の記述として正しいものは，次のうちどれか。

（1）介護保険制度には，20歳以上であるならば収入の有無を問わず加入できる。
（2）65歳以上の介護保険の保険料は，都道府県の支援を受け，市町村が全額負担する。
（3）40～64歳までの者が介護サービスの受給資格を得られるのは，特定の老化に伴う病気や障害の場合に限定される。
（4）介護サービスを受けるためには，利用者が市町村の保健所で要介護の認定を受ける必要がある。
（5）後期高齢者医療制度は2021年の法改正で2段階の自己負担となった。

答え（3）

過去５年の出題傾向 ★☆☆☆☆

経済 ⑨ 需給と市場メカニズム

市場経済において，財とサービスは商品として市場で取り引きされる。市場において決定される価格のメカニズムや，市場原理がはたらかない価格とその性質を理解しておくこと。

■市場と価格

◇市場と価格

- 需要…一商品の買い手，購買者数をいう。
- 供給…一商品の売り手，販売者数をいう。
- この需要と供給の関係によって（市場）価格が定まる。
- どの購買者も販売者も価格を支配することができず，多数の購買者と販売者の自由な競争によって価格が定まる市場を自由競争市場という。

◇需要曲線

- 縦軸に価格P，横軸に数量Qをとる。一商品に対する購買者数は一般に価格が高くなればなるほど減少するので，価格と需要の関係を描いた需要曲線は右下がりの曲線となる。

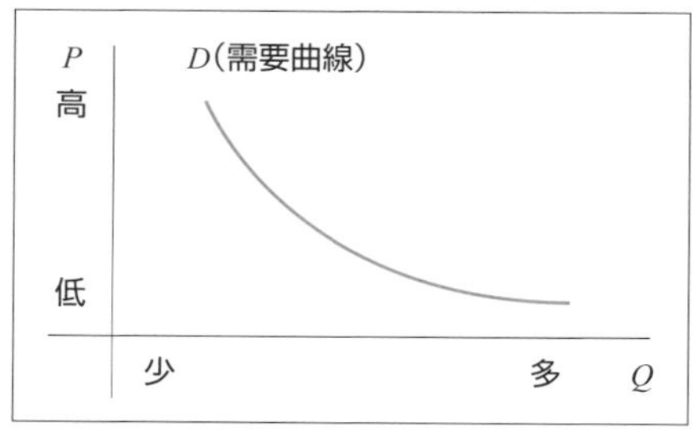

◇供給曲線

- 一商品の販売者数は価格が一般に高ければ高いほど多くなる。なぜなら，価格が低い場合には有利な生産条件を持つ企業しか生産できず，逆に価格が高い場合には不利な生産条件を持つ企業も生産しはじめるからである。
- 価格と供給の関係を描いた供給曲線は右上がりとなる。

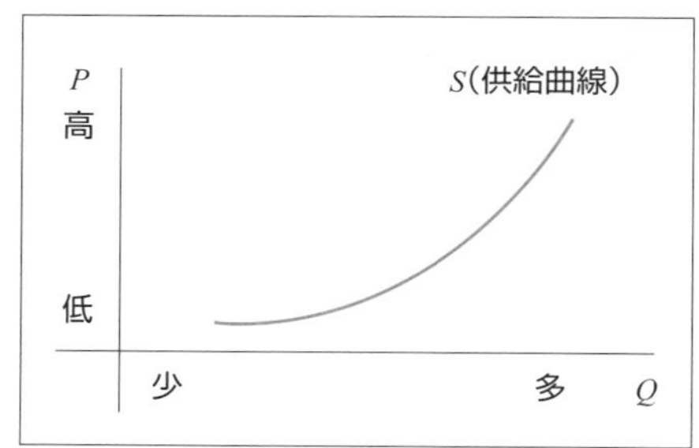

◇価格の自動調節作用 よく出る

- 仮に価格がP_1の水準にあるとするならば，Q_1Q_2だけ超過供給が生じ，価格は下落する。また，価格がP_2の水準にあるとすれば，Q_1Q_2だけ超過需要が生じ，価格は上昇する。このようにして，価格がP_0のとき需要と供給は均衡する。
- 需要と供給の均衡する価格を市場価格と呼ぶ。
- 価格の変動によって需給量が調節されることを価格の自動調節作用という。

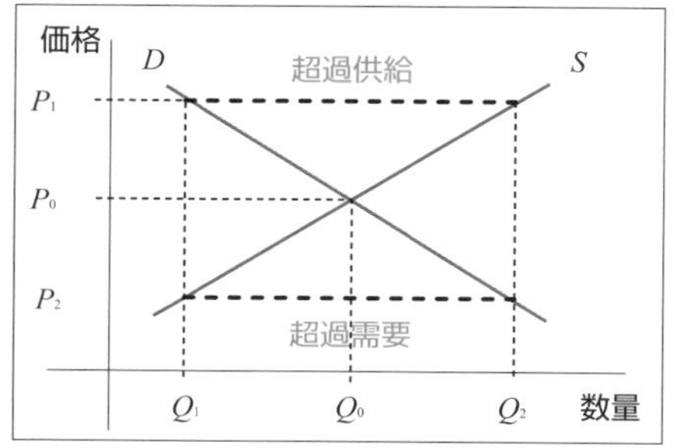

◇需要曲線のシフト

・価格に変化がなく需要量が増大すると，需要曲線は右へシフトし，逆に減少すると左にシフトする。

◇需要曲線の右へのシフト要因 よく出る

・市場内の人口増加。
・需要者（消費者）の所得増加。
・購買意欲の増加。
・代替財の価格の上昇。
・補完財の価格の下落。
・嗜好，流行の変化や財の必要性を高める気候の変化。
（左へのシフト要因はこれらの逆）

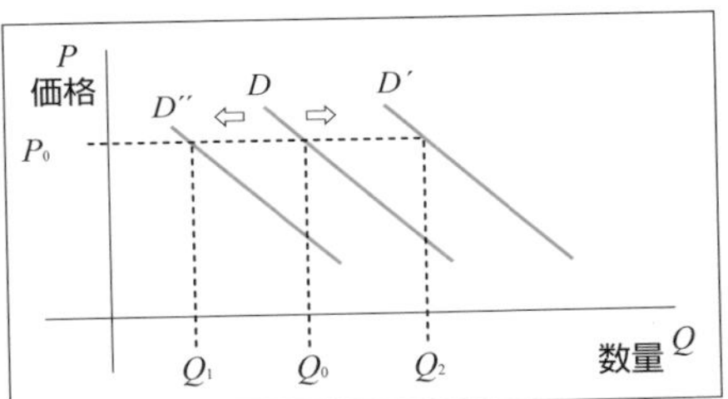

◇供給曲線のシフト

・価格に変化がなく供給量が増大すると，供給曲線は右へシフトし，逆に減少すると左にシフトする。

◇供給曲線の右へのシフト要因 よく出る

・供給曲線は生産費の変化によってシフトする。生産費の変化要因として人為的要因と自然的要因がある。
・技術革新。　・原材料費の下落。
・賃金の下落。　・課税の軽減。など
（左へのシフト要因はこれらの逆）

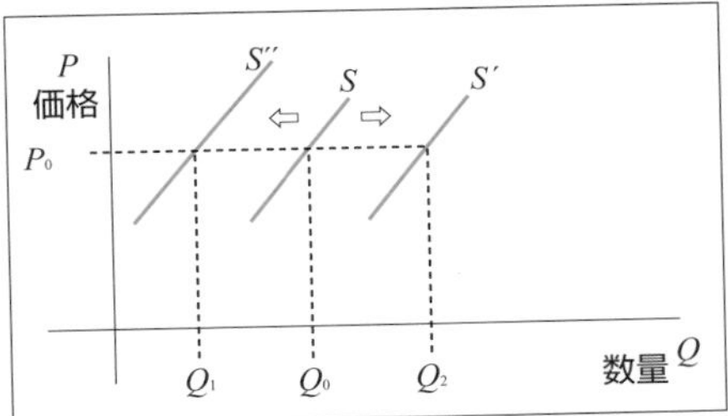

◇需要の価格弾力性

・価格が変化した際，需要量がどの程度変化するかを示す指標。
・奢侈（しゃし）（ぜいたく）品は需要の価格弾力性が大きい（需要曲線の勾配は緩やか）。
価格 $P_1 \rightarrow P_2$ ⇒ 需要量 $Q_1 \rightarrow Q_4$
・生活必需品は，需要の価格弾力性が小さい（需要曲線の勾配は急）。
価格 $P_1 \rightarrow P_2$ ⇒ 需要量 $Q_2 \rightarrow Q_3$

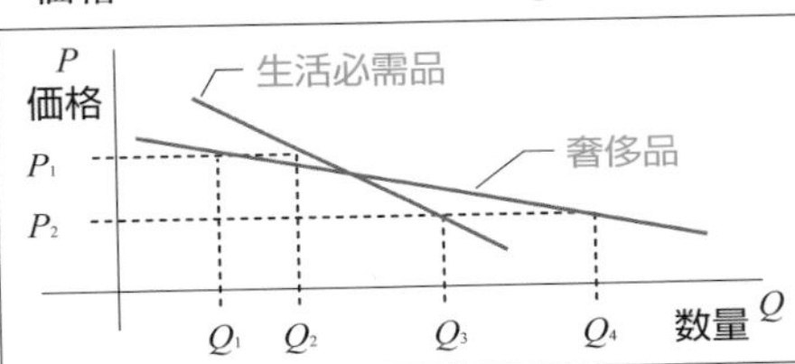

価格の種類

統制価格	国の許認可によって決定される価格。例）公共料金など
管理価格	少数の有力企業がプライスリーダー（価格先導者）となり，自らの利益を確保するため設定する価格。他の企業はこの価格に追随するため，価格の下方硬直性が現れる。
寡占価格	独占価格の一つで，市場を支配する少数の企業が協定（カルテル）を結んで決定する価格。
市場価格	自由競争市場を前提に，需給関係の変動によって決定される価格。

重要語解説

●需要の価格弾力性…需要の価格弾力性＝需要量の変化率÷価格の変化率で示すことができるが，需要量の変化率＝価格の変化率の場合は 1 となる。
●奢侈品と必需品…奢侈品とはぜいたく品のことで，需要の価格弾力性が 1 より大きい財をいう。また，必需品は需要の価格弾力性が 1 より小さい財をいう。

出題パターン check!

下の需給曲線のグラフにおいて，技術革新と所得増加が同時に行われた場合の新しい均衡点はどこか。

（1） a
（2） b
（3） c
（4） d
（5） e

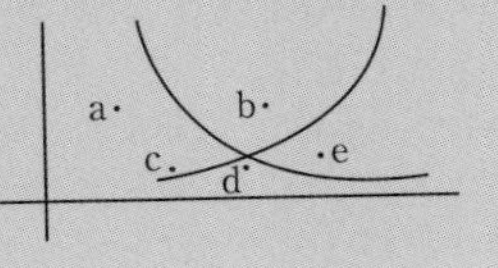

答え（5）

練習問題1

為替相場に関する記述として正しいものは，次のうちどれか。

（1）円安とは，例えば1ドル＝140円が1ドル＝120円になることであり，輸出に有利，輸入に不利となる。
（2）円安とは，例えば1ドル＝140円が1ドル＝160円になることであり，輸出に不利，輸入に有利となる。
（3）円安とは，例えば1ドル＝140円が1ドル＝160円になることであり，輸出に有利，輸入に不利となる。
（4）円高とは，例えば1ドル＝140円が1ドル＝120円になることであり，輸出に有利，輸入に不利となる。
（5）円高とは，例えば1ドル＝140円が1ドル＝160円になることであり，輸出に不利，輸入に有利となる。

解答・解説

練習問題1　正答／(3)

●**解説**／円安は例えば1ドル＝120円が1ドル＝140円となって円の価値が下がることで，今まで120円で1ドルのモノが買えていたが，同じモノが140円することになるので，輸入には不利。逆に120円から140円の価値の上昇があったにもかかわらず，1ドルで販売できるから輸出は有利。円高はその逆の説明が成り立つ。

練習問題2

第二次世界大戦後の世界経済に関する記述として正しいものは，次のどれか。

（1）アメリカでは，多国籍企業の対外投資によるドルの海外流出やベトナム戦争による軍事費の増大で，国際収支が悪化したため，ニクソンはドルと円を含む外国通貨の交換を停止した。
（2）ブレトン・ウッズで開かれたIMF暫定委員会において，IMF加盟国は世界経済の変化を反映した新しい通貨調整の実施のため，変動為替相場制を正式に合意した。
（3）スミソニアンで開催された5カ国蔵相会議で，ドルの切り上げおよびドルに対する各国通貨の切り下げ，固定相場制の変動幅の拡大などを決定した。
（4）GATTウルグアイ・ラウンドにおいて，モノに関する関税引き下げや非関税障壁撤廃だけでなく，サービス分野や知的所有権にも自由貿易の原則を拡大させる旨の合意を得た。
（5）WTO（世界貿易機関）はIMFのスミソニアン合意に基づいて，為替制限の撤廃と為替の安定化による国際貿易を促進する目的を担っている。

練習問題2　正答／(4)

●**解説**／
(1) ニクソン・ショックに関する選択肢。米国大統領ニクソンが実施したのはドルと金の交換停止。
(2) 1973年各国は変動相場制へ移行したが，IMFでの正式合意はキングストン会議。ブレトン・ウッズ会議は1944年世界大戦後の国際通貨制度を決定した連合国通貨金融会議。IMF，IBRDの設置を決定。
(3) スミソニアン会議は，10カ国蔵相会議で，ドルの切り下げと各国通貨の切り上げを決定。
(4) 正しい。
(5) WTOはGATTウルグアイ・ラウンドの成果に基づき，国連の関連機関として1995年に設置。GATTの任務を引き継ぎ，それ以上の権限をもって国際貿易の自由化の促進を図る。

練習問題3

需要・供給曲線の説明に関する記述として正しいのは，次のうちどれか。

（1）商品の需要量が供給量より多ければ商品の価格は下落し，逆に供給量が需要量を上回れば価格は上昇する。
（2）需要曲線は，消費の拡大や技術革新のあった場合に右へシフトする。

練習問題3　正答／(3)

●**解説**／
(1) 商品の需要量が供給量より多ければ，超過需要が生じ価格は上昇する。供給量が需要量を上回ると，超過供給が生じ価格は下落する。

（3）需要曲線は，一般にぜいたく品の方が生活必需品よりもその傾きが緩やかである。
（4）供給曲線は，代替財の価格が上昇したり原材料費が下落した場合に右へシフトする。
（5）供給曲線は，天候不良などで農作物が不作の場合に右へシフトする。

練習問題4

インフレーションに関する記述として正しいものは，次のうちどれか。

（1）インフレーションは，流通している商品需要に必要とされる量の通貨が出回らず，貨幣価値が下がり，物価が上昇することである。
（2）ディマンド・プル・インフレーションは完全雇用が継続され，賃金や物価が下方硬直化して需要が上昇する際に生じるインフレである。
（3）コスト・プッシュ・インフレーションは賃金や原材料費などのコストの上昇によって生じるインフレで，需要曲線は左へシフトする。
（4）クリーピング・インフレーションは忍び寄るインフレともいわれ，物価上昇率が年１～4%の幅で長期的・慢性的に生じる。
（5）スタグフレーションは，円高による大量の輸入品の流入により超過供給を招くが，輸入企業の堅調さで価格が下がらずに生じるインフレ。

練習問題5

A 群の景気循環に関する語と B 群の記述の組み合わせとして正しいものは，次のうちどれか。

A群	a．インフレーション b．デフレーション
B群	ア．貨幣単位を切り下げ，呼称を変更すること イ．不況下において，持続的に物価が上昇すること ウ．通貨供給量が不足し，物価が下落すること エ．貨幣の対外的価値が変動すること オ．通貨供給量が増大し，物価が上昇すること

	a	b		a	b
（1）	ア	エ	（4）	エ	イ
（2）	イ	オ	（5）	オ	ウ
（3）	ウ	ア			

解答・解説

（2）技術革新は供給曲線に影響。
（3）正しい。
（4）代替財の価格の上下は需要曲線に影響する。
（5）農作物の不作は供給曲線を左へシフトさせる。

練習問題４　正答／（4）

●解説／
（1）インフレーションは市場に出回る通貨の量が拡大し，物価を持続的に押し上げること。
（2）ディマンド・プル・インフレーションの一種ではあるが，真正インフレーションのこと。
（3）コスト・プッシュ・インフレーションは賃金や原材料といった供給側の要因によるため，供給曲線に影響を与え，左にシフトさせる。
（4）正しい。
（5）スタグフレーションは不況下の物価高のこと。

練習問題５　正答／（5）

●解説／アは急激なインフレにより通貨の表示金額が大きくなりすぎた場合に実施されるデノミネーション。イはスタグフレーション。エは為替相場の変動のこと。

練習問題6

市場経済に関する次の文の空欄A～Cに当てはまる語句の組合せとして，妥当なのはどれか。

完全競争市場の下では，ある財の需要が供給を（　A　）と，価格は需要と供給が一致するまで上昇する。その逆に，ある財の供給が需要を（　A　）と，価格は需要と供給が一致するまで下落する。需要と供給が一致したときの価格を（　B　）という。また，このように価格の変化により需要と供給が調整されていくことを，（　C　）という。

	A	B	C
（1）	上回る	均衡価格	価格の自動調節機能
（2）	上回る	独占価格	価格の自動調節機能
（3）	上回る	独占価格	景気の自動安定化装置
（4）	下回る	均衡価格	価格の自動調節機能
（5）	下回る	独占価格	景気の自動安定化装置

練習問題7

わが国の中央銀行である日本銀行の役割として正しいものは，次のうちどれか。

（1）国の歳入不足を補うために，独自の判断で国債を発行する。
（2）国の政策実施のために設立された公社・公団などに融資を行う。
（3）市中銀行を指揮・監督し，市中銀行の貸出量を行政指導によって調整する。
（4）市中銀行の預金の内から一定割合を預かり，また市中銀行への貸出しも行う。
（5）金利政策，公開市場操作，預金準備率操作などの金融政策は閣議決定を通じて実施される。

練習問題8

日本銀行の金融政策に関する下の文章中，空欄A～Eにあてはまる語句の組み合わせとして正しいものは，次のうちどれか。

日本銀行は金融政策を通じて景気の調節を実施するが，景気が過熱しそうなときは短期金利誘導目標の（A）で景気の抑制を図り，景気が停滞しそうなときは短期金利誘導目標の（B）で市場を刺激する。また，日本銀行は金融市場を通じて（C）を売買し，市場の通貨量の調整を図る。景気が過熱しそうなときは（D）オペレーションを行い，景気が停滞しているときは（E）オペレーションを実施する。

解答・解説

練習問題6　正答／（1）

●解説／需要は一商品の買い手，購買者数を，供給は一商品の売り手，販売者数をいう。この需要と供給の関係によって価格が定まる。需要が供給を上回ることで価格は上昇し，需要と供給が一致した価格が均衡価格である。また，価格の変化によっても需要と供給は調整されていき，これを価格の自動調整機能という。

練習問題７　正答／（4）

●解説／
（1）国債の発行は政府が行う。
（2）公社・公団などの政府系機関は，金融市場から直接資金調達を実施する。
（3）市中銀行を指揮・監督するのは金融庁。
（4）正しい。市中銀行からの預かり金のことを「預金（支払）準備金」という。
（5）日銀は政府からの独立性が保たれており，金融政策は日銀政策委員会が独自に行う。

練習問題８　正答／（3）

●解説／日銀が実施する金融政策のうち，金利政策と公開市場操作の問題。
○景気過熱時…短期金利の誘導目標を引上げ，有価証券を売り，市場の通貨量を吸収。
○景気停滞時…短期金利の誘導目標を引下げ，有価証券を買い，市場へ通貨を供給。その他，金融政策には支払準備率操作があり，景気過熱時には準備率を上げ，景気停滞時には準備率を下げる。

	A	B	C	D	E
（1）	引上げ	引下げ	有価証券	買い	売り
（2）	引下げ	引上げ	国債	売り	買い
（3）	引上げ	引下げ	有価証券	売り	買い
（4）	引下げ	引上げ	有価証券	買い	売り
（5）	引上げ	引下げ	国債	買い	売り

練習問題 9

コングロマリットに関する記述として正しいものは，次のうちどれか。

（1）複数の産業や異業種間の会社による合併や買収を通じて多角化された企業形態。
（2）複数の国家にまたがって経営資産を持ち，世界的規模で活動を展開する企業。
（3）同一産業内の巨大企業が，市場占有のため，生産や販路，価格などについて結ぶ協定。
（4）同一業種の企業が，市場での競争優位性や利潤の独占的確保のため合併して新企業を組織すること。
（5）持株会社による株式の保有を通じて，異種・同種の産業部門にまたがる企業を支配し，市場を独占する形態。

練習問題 10

国内総生産（GDP）に関するア～オの記述で正しいものの組み合わせは，次のうちどれか。

ア．GDP は外資系企業であっても，国内で収益を伸ばせば増加する。
イ．GDP は日本企業が海外で得た利益であっても，日本に送金されれば増加する。
ウ．GDP は公共投資が増えると増加する。
エ．GDP は個人の所得に変化がなくても，人口が増えると増加する。
オ．GDP は消費税率を上げることで，政府の収入が増えて増加する。

（1）ア　イ　オ
（2）ア　ウ　エ
（3）ア　ウ　オ
（4）イ　ウ　エ
（5）ウ　エ　オ

解答・解説

練習問題 9　正答／（1）

●解説／
（1）正しい。
（2）多国籍企業の説明。「複数の国家にまたがって」がポイント。
（3）カルテルの説明。「協定」がヒント。
（4）トラストの説明。「合併」に注意する。
（5）コンツェルンの説明。「持株会社」がヒント。

練習問題 10　正答／（2）

●解説／
ア．GDP は国内で一定期間に生産された付加価値の合計である（生産者が日本人・日本企業であるか否かは問わない）から正しい。
イ．国内で生産された付加価値の合計であるから，たとえ日本企業であっても海外で得た利益であれば GDP には含まれない。
ウ．公共投資の増加は，生産の増加につながり，GDP に影響するので正しい。
エ．人口が増えれば，一人ひとりの所得に変化がなくても消費が増えるので GDP を増やし，正しい。
オ．増税は政府の歳入に影響を与えるだけで，市場に影響しないので誤り。
ゆえにア．ウ．エの組み合わせが正しい。

練習問題 11

財政政策に関する文章中，空欄A～Dにあてはまる語句の組み合わせとして正しいものは，次のうちどれか。

財政は公共財による資源配分機能，所得の再分配機能，経済の安定化機能などを有している。不況時には（A）を実施し，財政支出を（B）し有効需要を（C）させる。好況時には逆の財政政策を実施し経済の安定化を図る。また，財政制度には歳入面での累進課税と歳出面での社会保障のように制度の存在が経済を自動的に安定させる機能を持つ。そのことを（D）という。

	A	B	C	D
（1）	増税	増や	拡大	ビルトイン・スタビライザー
（2）	増税	増や	縮小	フィスカル・ポリシー
（3）	減税	減ら	縮小	フィスカル・ポリシー
（4）	減税	増や	拡大	ビルトイン・スタビライザー
（5）	減税	減ら	拡大	ビルトイン・スタビライザー

練習問題 12

第二次世界大戦後のわが国の経済復興に関する下の文章中，空欄A～Cにあてはまる語句の組み合わせとして正しいものは，次のうちどれか。

終戦直後の1946年，政府は石炭・鉄鋼・化学工業などに資源を重点的に配分する（A）を実施，経済の拡大再生産を意図した。その結果，生産の拡大は軌道に乗ったが，同時に激しい（B）を招くこととなった。GHQは経済安定9原則をわが国政府に指示，1949年には（C）という緊縮的措置がとられた。これで（B）は収束に向かうが，激しい不況に陥ることとなった。

	A	B	C
（1）	傾斜生産方式	デフレ	ドッジ・ライン
（2）	傾斜生産方式	インフレ	ドッジ・ライン
（3）	傾斜生産方式	デフレ	シャウプ勧告
（4）	所得倍増計画	インフレ	シャウプ勧告
（5）	所得倍増計画	デフレ	ドッジ・ライン

解答・解説

練習問題 11　正答／（4）

●解説／不況時は市場に流通している通貨の量を増大させる政策を実施する。減税は税負担者の可処分所得を増やし，財政支出の増加はそれに関わる産業に資金を流すことになる。市場における通貨の量を増やすことは，有効需要を拡大させ，景気の回復を促す。フィスカル・ポリシーとは，補整的財政政策と呼ばれる経済安定の調整手段。公共投資による有効需要の拡大を狙い，経済の安定化を図る。

練習問題 12　正答／（2）

●解説／

○傾斜生産方式…1946年吉田内閣が採用した。限られた資源を基幹産業である石炭・鉄鋼等に重点投下し，その影響を他の産業に波及させることで復興を図ろうとする政策。その際，復興金融金庫が資金的支援を実施。大量の資金調達は財政赤字とインフレ加速要因となった。

○ドッジ・ライン…1949年GHQ経済顧問のドッジが経済安定9原則の実施を迫る。均衡予算によるインフレ収束，1ドル＝360円の単一為替レートを設定し，世界経済へ復帰。ただし生産縮小や失業者の増加による「ドッジ恐慌」を発生させた。

○シャウプ勧告…1949年。直接税を基本とする税制の改革。

3 社会科学
社会

出題傾向

社会の分野は，主に国際関係（国際連合と専門機関の略称や仕組み）に関する分野，環境問題やエネルギー問題，国際情勢やEUや国際連合などの国際協力を中心として，その時々で話題となっている時事的な内容からの出題が多い。深い知識よりも，幅の広い知識が要求される分野でもあるので，まんべんなくおさえておく必要がある。また，生活に大きな影響を与えるような法律の改正や新法もおさえておくべきである。直近の試験では，社会保障，エネルギー政策，パリ協定といった環境問題関連，消費者行政などの出題があった。

学習のコツ

学習の中心はやはり時事的分野になる。時事問題は採用試験から遡って半年くらい前までのトピックを，2年間程度の期間の中で動向をつかんでおく。国際関係では国際連合と専門機関，地域機構や経済機構，地域紛争とPKO活動などが頻出。仕組みや略称は出題頻度が高いので整理しておくこと。国内の社会生活に関わる，新しい法律の制定や法改正に関心を持つことも大切。

難易度＝ 90ポイント

重要度＝ 85ポイント

◆出題の多い分野◆

国際組織の名称と役割★★★★

地球環境問題とエネルギー問題★★★★

国際情勢と国際協力★★★

最近のわが国の社会情勢★★★

消費者保護と製造物責任★★★

過去５年の出題傾向　★★★★☆

社会① 国際組織の名称と役割

国際連合の問題は，経済社会理事会の専門機関の名称と役割，総会と安全保障理事会の内容，表決方法の違いなどが出題される。さらに近年話題となっている国際会議も要注意。

■国際連合の設立

◇**設立過程**…①モスクワ宣言（安全保障機構の設立提起，1943年米・英・ソ・中）。
②ダンバートン・オークス会議（国際連合憲章原案採択，1944年）。
③サンフランシスコ会議（国際連合憲章採択，1945年）⇒設立。本部：ニューヨーク。

■国際連合の加盟国と議決方法・特徴

◇**加盟国**…南スーダンの加盟を最後に，193カ国（2024年現在）。
日本は1956年80番目の加盟。

◇**大国一致主義**…安全保障理事会の議決において5大国一致主義を採用。

◇**多数決**…国際連盟総会の表決は全会一致制を採用していたが，国際連合総会は多数決制を採っている。

◇ **侵略行為への制裁**…経済制裁＋武力制裁。

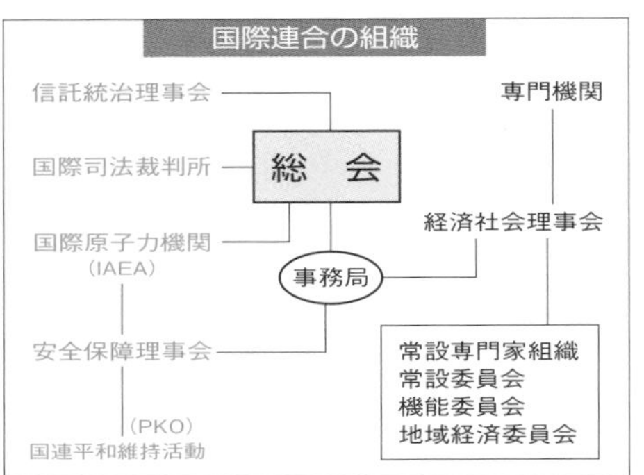

■国際連合の機関①　よく出る

◇**総会**…全加盟国による最高機関。
・表決権：1国1票。一般事項は多数決。平和と安全維持・加盟国承認・理事国の選出など…3分の2以上。
・定例総会：年1回9月開催。
・特別総会：安全保障理事会の要請あるいは加盟国の過半数の要請。
・緊急特別総会：安全保障理事会15カ国中9カ国の要請あるいは加盟国の過半数の要請にて24時間以内に招集。
・議決の効力…勧告であり，拘束力や強制力はない。

◇**経済社会理事会**…総会により選出された54理事国で構成（任期3年）。
・専門機関にて経済，社会，文化，教育，保健などの分野での国際協力。

経済社会理事会の主な専門機関
国際労働機関(ILO) 国際通貨基金(IMF) 国連食糧農業機関(FAO) 国際民間航空機関(ICAO) 国連教育科学文化機関(UNESCO) 万国郵便連合(UPU) 世界保健機関(WHO) 国際電気通信連合(ITU) 国際開発協会(第二世銀　IDA) 国際海事機関(IMO) 国際復興開発銀行(世界銀行　IBRD) 世界気象機関(WMO) 国際金融公社(IFC) 世界知的所有権機関(WIPO) 国際農業開発基金(IFAD) 国連工業開発機関(UNIDO) 世界観光機関(UNWTO) 多数国間投資保証機関(MIGA) 国際投資紛争解決センター(ICSID)

◇国際司法裁判所…15名の裁判官。
・関係国同意のもとに裁判（1審制）を実施，判決には拘束力あり。

◇**事務局**…事務総長（安全保障理事会の勧告をもとに総会が任命，任期5年）。

■国際連合の機関② よく出る

◇**安全保障理事会**…国連の最も重要な機関。
・常任理事国：米・英・仏・中・露の5カ国。
⇒経済制裁，軍事制裁などの実質事項の議決に関して，5常任理事国全ての賛成が必要（5大国の拒否権）。
・非常任理事国：10カ国を総会で選出。任期2年。毎年5カ国ずつ改選。日本は2023年1月から，12回目の非常任理事国を務めている。任期は2年間。
・決議に対して全加盟国は従う義務がある（総会には拘束力なし）。
・議決：15カ国中9カ国以上の賛成。
◇**信託統治理事会**…独立するまでの間，特定国に施政権が委ねられる信託統治地域の行政を指導・監督。
・かつての信託統治地域が全て独立を果たした（最後は，現在のパラオ）ため，役割を終えた。

■国連と国際紛争処理

◇**国際連合軍**…未だに組織されたことはない。
◇**国際警察軍**…紛争地域の秩序維持を目的とする，国連指揮下の軍隊。紛争当事国の同意が必要。平和維持活動（PKO）にあたり，わが国の自衛隊も，カンボジア，モザンビーク，ゴラン高原，南スーダンなどに派遣された。
◇**多国籍軍**…安保理決議に基づき紛争地域に展開する実戦部隊で構成される軍隊。
・湾岸戦争（1991年），ボスニア・ヘルツェゴビナ紛争（95年），東ティモール紛争（99年）などに派遣された。

■東南アジア諸国連合（ASEAN）

◇**設立**…1967年東南アジア主要5カ国（インドネシア，フィリピン，マレーシア，タイ，シンガポール）で経済・文化の協力機構として設立。
・99年カンボジアの加盟で10カ国（他にブルネイ，ベトナム，ラオス，ミャンマー）。
・2015年に政治・安全保障，経済，社会・文化での連携を深めるASEAN経済共同体（AEC）を設立。

主要国際会議
サミット（主要国首脳会議）
・日，米，英，独，仏，伊，加の7カ国＋EUによる国際政治および経済運営に関する首脳会議。1994年以降，露も参加していたが2014年以降参加停止。 ・1975年より。 ・関係閣僚会合も開催。
APEC（アジア太平洋経済協力）
・環太平洋地域の各国の貿易拡大や経済協力の推進を目的とする，アジア初の閣僚会議。 ・1989年豪のホーク首相の提唱で発足。 ・参加国はASEAN諸国（一部）＋日本，中国，韓国，米，露，加，豪，チリ，ペルーなど。

重要語解説

● UNESCO…連合国文相会議（第二次大戦中に戦後の教育・文化の復興を協議）が発端。「国際連合教育科学文化機関憲章（ユネスコ憲章）」により46年設立。パリに本部がある。2024年現在，194カ国が加盟。

● WHO…1948年WHO憲章によってスイスのジュネーブに設立。「プライマリーヘルスケア（第1次的健康管理）」を基本理念として，技術援助，緊急支援，熱帯病・伝染病対策を実施。2024年現在，194カ国が加盟。

出題パターンcheck!

国際機関に関する記述として正しいものは，次のうちどれか。

（1）WMOは国際的に労働条件を改善することを目的に，1919年ヴェルサイユ条約に基づいて設立された機関である。
（2）IBRDは第二次世界大戦後の国際通貨・金融制度の安定と貿易の拡大を図るため，1944年のブレトン・ウッズ協定に基づいて，翌45年に設立された機関である。
（3）WHOは，気象観測と気象学の国際協力の促進，観測網の確立，気象情報の交換を目的として1950年に設立された機関である。
（4）FAOは食糧の増産，農民の生活水準の改善，各国の栄養の向上を目的に，1945年に設立された機関である。
（5）IMFは世界貿易の推進，貿易紛争などの処理を目的とするもので，GATTに代わって設立された。

答え（4）

過去５年の出題傾向　★★★★☆

社会 ② 地球環境問題とエネルギー問題

地球環境問題に関してその内容と国際的な取組み，近年のわが国の廃棄物処理を中心とした問題点の整理が必要。エネルギー問題については核燃料リサイクル問題をおさえたい。

■オゾン層の破壊　よく出る

◇内容…成層圏にあるオゾン層が，人工の化学物質によって破壊されている。

◇原因物質…①フロン（冷蔵庫・エアコンなどの冷媒や発泡剤，洗浄剤）。②ハロン（消火剤）。

◇影響…①皮膚がんや白内障など健康被害。
②農作物の育成阻害。
③プランクトンの減少など。

◇国際的な取組み…①ウィーン条約「オゾン層の保護のためのウィーン条約」85年採択。②モントリオール議定書「オゾン層を破壊する物質に関するモントリオール議定書」 87年採択。

◇日本の取組み…オゾン層保護法88年制定。

その他の地球環境問題

1　酸性雨
硫黄酸化物,窒素酸化物が雨滴などに溶け込み，雨・雪となって降る。

2　海洋汚染
陸からの汚染物質の流入，廃棄物の海洋投棄，船舶事故による油の流出。

3　熱帯雨林の減少

4　砂漠化現象

5　野生生物の減少

■地球温暖化

◇内容…地表から放出される赤外線を吸収するガス（温室効果ガス）の濃度が高まって地表面の温度が上昇すること。

◇原因物質…①二酸化炭素（化石燃料の利用）。
②メタン（廃棄物埋め立て）。
③亜酸化窒素（燃料燃焼）。
④フロン（冷媒として使用）。

◇影響…①海面上昇による国土減少。
②食糧の減産。

◇パリ協定…2015年採択の「パリ協定」により，国連気候変動枠組条約締約国は今世紀後半に温室効果ガスの排出を実質ゼロにすることに向けて，削減目標を国連に提出することが義務付けられた。産業革命以前からの気温上昇について2度を十分に下回るとし，1.5度未満を目標に努力することを明記した。アメリカのトランプ政権は，パリ協定離脱を表明していたが，バイデン政権になって復帰した。

◇国連気候変動枠組条約締約国会議…国連気候変動枠組条約第28回締約国会議（COP28）は，2023年11月にアラブ首長国連邦で開催。2050年までに温室効果ガスの実質排出ゼロ（ネット・ゼロ）を目指すため，「10年間で化石燃料からの脱却を加速する」ことを盛り込む成果文書を採択した。化石燃料の削減を促す方針を明記したのは初。また，再生可能エネルギー拡大の必要性も盛り込まれた。

■プラスチックごみ対策

◇プラスチック資源循環促進法…2021年にプラスチックごみの削減とリサイクルを促進させるために成立。小売業者や飲食店には使い捨てのスプーンやストローな

環境問題への対策	
エコ・ファースト制度	・環境への取組みを各業界で競ってもらい環境配慮型の企業を増やす目的でエコ・ファースト制度を創設（2008年創設）。
エコカー減税	・燃費の良いエコカーを対象に，購入時の自動車重量税が基準に応じて25〜100%減税される（2009年制定）。
ZEH（ゼッチ）支援事業（補助金）	・断熱性能等を大幅に向上させ、高効率な設備システムを備えたZEH（ネット・ゼロ・エネルギー・ハウス）住宅に対する補助金制度。

どの提供の削減を求め，家庭から出されるおもちゃやハンガーなどのプラスチック製品を市町村が分別収集・再商品化する仕組みを新設。メーカー等が努めなければならない環境配慮設計についての指針も策定し，この指針に適合した製品であることを認定する制度も新設された。

■ SDGs（持続可能な開発目標）

2015年の国連サミットで採択された，2030年までに持続可能でよりよい世界を目指す国際目標。社会・経済・環境に統合的に取り組むこととし，17のゴール・169のターゲットで構成される。日本は8つの優先課題に基づき，政府の施策のうちの重点項目を整理した「SDGsアクションプラン」を策定している。2023年版では，多様性に富んだ包摂的な社会の実現，一極集中から多極化した社会を作り，地域を活性化する必要性を強調している。

■ SDGs目標　よく出る

2023年，政府はSDGsの目標達成に向けた指針を4年ぶりに改定，環境分野の投資に民間の力を活用し，アジア地域の脱炭素化を主導していくとしている。また，2030年までの目標達成に向け，途上国の開発支援に向けて，ODA（政府開発援助）を効果的に実施するとしている。

■エネルギー問題

◇**核燃料リサイクル**…原子力発電所で燃やした使用済み核燃料からウランやプルトニウムを取り出し，再処理し燃料として再利用すること（MOX燃料）。震災後に事故を起こした福島第一原発3号機では再処理燃料が使われていた。

◇**エネルギー基本計画**…2021年，日本のエネルギー政策の方向性を決めるエネルギー基本計画の原案が発表され，2030年度の総発電量での脱炭素電源の割合を約6割とする方針を盛り込んだ。そのため，太陽光発電などの再生可能エネルギーを従来の目標だった22〜24パーセントから，36〜38パーセントにまで高めるとしている。

重要語解説

●野生生物の減少…1971年ラムサール条約が採択され，日本は1980年に加盟し，釧路湿原を登録。加盟国は重要湿地として1カ所以上を登録，保全に努めることを義務付けられている。

出題パターンcheck!

環境に関する記述として正しいものは，次のうちどれか。

（1）京都議定書では産業革命以前からの気温上昇について2度を十分に下回るとし，1.5度未満を目標に努力することを明記した。
（2）国連気候変動枠組条約第28回締約国会議では20年間で化石燃料からの脱却を加速することを盛り込む成果文書を採択した。
（3）SDGsは，169のゴール・17のターゲットで構成される。
（4）2023年，政府はSDGsの目標達成に向けた指針を4年ぶりに改定，環境分野の投資に民間の力を活用していくとしている。
（5）2021年発表のエネルギー基本計画の原案では，再生可能エネルギーを36〜38パーセントまで減らすとしている。

答え（4）

過去５年の出題傾向 ★★★☆☆

社会 ③ 国際情勢と国際協力

超国家的な統合であるヨーロッパ諸国による EU の政治的統合と通貨統合，冷戦終結後，顕在化してきた地域紛争，そして国際協力としての ODA の問題を整理しておこう。

■ヨーロッパ連合の創設 よく出る

◇ EC 設立

① 1952 年ヨーロッパ石炭鉄鋼共同体（ECSC）設立。

② 1958 年ヨーロッパ経済共同体(EEC)設立。

③ 1958 年ヨーロッパ原子力共同体（EURATOM）設立。

④ 3 組織を統合→ 1967 年ヨーロッパ共同体（EC）を設立。

・当時の加盟国＝フランス，西ドイツ，イタリア，オランダ，ベルギー，ルクセンブルク

◇拡大 EC

① 1973 年第一次拡大（イギリス, デンマーク，アイルランドの加盟）。

② 1981 年第二次拡大（ギリシャの加盟）。

③第三次拡大(スペイン, ポルトガルの加盟)。

◇ EU の発足

① 1993 年マーストリヒト条約発効＝ EU（ヨーロッパ連合）発足。

② 1995 年第四次拡大（オーストリア, フィンランド，スウェーデンの加盟）。

③ 2004 年第五次拡大（キプロス，チェコなど中東欧諸国 10 カ国加盟）。
2007 年，ブルガリアとルーマニアが加盟，2013 年にはクロアチアが加盟。2024 年現在，加盟国は 27 カ国である。

④ 2020 年 1 月には，イギリスが EU から離脱。EU を離脱した加盟国は今回のイギリスが初となった。イギリスと EU 間は自由貿易協定（FTA）で合意。

◇通貨統合…① 1997 年アムステルダム条約締結（99 年発効）。② 1999 年ユーロ導入。

◇ニース条約締結…2001 年。

・背景：2004 年の中東欧諸国からの大量加盟に対応。加盟国が急増しても意思決定が滞らないよう，多数決で決められる範囲を拡大。

> **EU 憲法条約とリスボン条約**
>
> ＥＵの基本条約として，EU 憲法条約の発効に動いていたが，05 年にフランスとオランダで行われた国民投票で批准が拒否された。リスボン条約はその代案として，2007 年にドイツのメルケル首相の主導で提案され，2009 年 12 月に発効している。

◇ EU が実現を目指しているもの
「ヨーロッパ合衆国」の実現。

■主要地域紛争

◇パレスチナ紛争

・1948 年にイスラエルを建国したユダヤ人と，難民となったアラブ人との間のパレスチナ領有をめぐる武力紛争。

・1964 年，アラブ人側はパレスチナ解放機構（PLO）を結成。

・1993 年，「パレスチナ暫定自治に関する諸原則」（オスロ合意）に双方署名。

・2012 年，パレスチナ自治区がオブザーバー国家に正式に承認された。

・2017 年，アメリカが米大使館を 2018 年にエルサレムへ移転。

・2019 年，ネタニヤフ首相は，ヨルダン川西岸地区にある入植地をイスラエルに

併合する考えを発表。

・2020年，イスラエルは，アラブ首長国連邦(UAE)，バーレーン，スーダン，モロッコと相次いで国交正常化で合意。

・2022年7月，バイデン米大統領はパレスチナ国家樹立を前提とする「2国家共存」への支持を改めて表明。

・2023年10月，パレスチナ自治区のガザ地区を実効支配するイスラム武装組織ハマスが，イスラエルに侵入して南部を襲撃，多くの兵士や市民を人質として連れ去った。イスラエルはガザ地区に激しい空爆を開始し，本格的な地上侵攻も実施。

・イスラエル軍がハマス壊滅に向けて攻勢を強める中，ガザ市民の犠牲を憂いて侵攻中止を求める声が国際的に高まる。

◇ロシア・ウクライナ紛争

・2014年，ウクライナで親ロシア派の政権が崩壊。ロシアはクリミア自治区の編入を宣言，手続きを完了させた。

・2022年2月，ロシアはウクライナ東部のドネツク人民共和国とルガンスク人民共和国への国家独立承認と友好協力相互支援協定へ署名し，ドンバスへロシア軍を派遣。ロシアはウクライナでの特別軍事作戦を開始することを表明し，ウクライナ東部の完全制圧に向けてロシアは攻撃を強めた。

・2022年9月，ロシアはウクライナ東部・南部のドネツク州，ルガンスク州，ザポリージャ州，ヘルソン州の4州を併合したことを宣言。

・2023年6月からは，ウクライナは2014年にロシアが併合したクリミア半島を含む全領土奪還を掲げて反転攻勢を開始するも，ロシアの防衛ライン突破に苦しむ。

・アメリカの議会でウクライナ支援を否定する声が高まっていたが，2024年6月，バイデン米大統領はウクライナのゼレンスキー大統領と会談し，2億2,500万ドルの追加支援を行うことを表明した。

■国際協力 よく出る

◇政府開発援助（ODA）…先進国が発展途上国に対して行う経済援助。2023年の日本のODAの支出総額は196億84万ドルで，世界第3位であった。一方，GNI(国民総所得)比では12位であった。

・二国間贈与（無償資金協力・技術協力）と円借款，多国間での国際機関に対する出資・拠出で構成。

⇒日本は円借款比率が高い。

◇非政府組織（NGO）…貧困・飢餓・難民・環境問題に取り組むことを目的とする国際的非営利民間団体。

重要語解説

●円借款…発展途上国に対する日本の円資金供与のこと。政府間協定の締結に基づき，貸付契約が結ばれる。この貸付は日本からの輸入代金決済のみに限定。

●NGOの活躍…NGOは国連憲章によって認められた組織である。1997年採択の対人地雷全面禁止条約ではNGOの集合体である地雷禁止国際キャンペーンが活躍，同年ノーベル賞を受賞。

出題パターンcheck!

NGOに関する記述として正しいものは，次のうちどれか。

（1）国際紛争の際，紛争当事国の同意が得られた場合，和平の監視に当たる国際機関である。

（2）保健衛生分野の国際機関で，どの地域の人々にも可能な限り高い水準の医療環境を提供することを目的としている。

（3）主として貧困・飢餓・難民・環境の分野で活躍する，国際的な非政府組織を指し，代表的なものとしては「国境なき医師団」や「セーブ・ザ・チルドレン」などがある。

（4）発展途上国の開発を目的とする政府による経済援助を指し，相手国の人道的見地や健全な経済発展を考慮している。

（5）加盟国の中に外貨不足が生じた場合，一時的に短期資金を融通し，為替相場の安定を図り，世界経済の健全な発展を目指す組織である。

答え（3）

過去5年の出題傾向 ★★★☆☆

社会④ 最近のわが国の社会情勢

社会情勢はきわめて幅が広く，これだけでよいということはない。常にアンテナを張り，社会と向き合うことが求められる。ここでは情報・法改正・新法制定を中心に見ていく。

■情報通信分野

◇**ブロックチェーン**…ビットコインの取引を記録する分散型台帳を実現するための技術。多くの仮想通貨はブロックチェーンを技術基盤としている。

◇**IoT（Internet of Things）**…モノのインターネット。従来，主にパソコンやサーバー，プリンタなどのIT関連機器が接続されていたインターネットに，様々な「モノ」を接続することを意味する。

◇**情報リテラシー**…パソコンなどを使いこなして必要な情報を収集し，目的に応じて活用する能力。

◇**デジタル・デバイド**…情報技術の利用環境や活用能力の差から生じる経済的格差。

◇**生成AI**…文章，画像，映像，プログラムなど多様なコンテンツを作成することのできるAIのこと。データのパターンや関係を学習することで，新しいコンテンツを生成する。代表的な生成AIにはチャットGPTがある。

■改正された法律・制度 よく出る

◇**民法改正（共同親権）**…2024年成立。離婚後も父と母で子どもの親権を持つ共同親権を規定する改正法。離婚後に子どもと離れて暮らす親が子育てに関われるようにするもの。離婚時に単独親権と共同親権のどちらを選ぶかを話し合うが，結論が出ない場合は家庭裁判所が決定を下す。すでに離婚している父母も親権変更の申し立てができる。親権に関する見直しは77年ぶり。

◇**改正子ども・子育て支援法**…2024年成立。少子化に歯止めをかけることをねらいとして児童手当を拡充，対象を18歳まで広げ，所得制限を撤廃している。また，こども誰でも通園制度を導入し，働いていなくても子どもを保育園などに預けられるようにする。育児休業給付については，被保険者とその配偶者の両方が14日以上の育児休業を取得する場合，実質手取りで10割相当へと引き上げられる。財源には，公的医療保険に上乗せして国民や企業から集める支援金制度を創設するとしている。家族の介護や世話をしている子どもたち「ヤングケアラー」についても，国や自治体による支援対象とし，対応を強化すると規定。

◇**改正出入国管理法**…2024年成立。国内の労働力不足を踏まえた人材確保をねらいとする改正で，従来の技能実習制度を廃止して育成就労制度を新設する。この制度は，外国人労働者を3年で専門技能のある特定技能1号水準に育成するもの。さらに熟練労働者向けの特定技能2号の資格を取得すれば，事実上無期限の滞在や家族の帯同が可能となる。すなわち，実質永住化も可能となる。また従来，認められなかった職場を変える転籍について，改正法では技能検定や日本語能力試験を条件に，同じ職種に限って容認するとしている。外国人の受け入れ仲介や企業などの監督を担う監理団体は監理支援機関に名称を改め，独立性・中立性を高めることも規定してる。

◇重要経済安保情報保護・活用法…2024年成立。国家の経済安全保障上重要な情報へのアクセスについて（セキュリティークリアランス制度）を定めた法律。漏洩すると安全保障に支障をきたす可能性がある情報を重要経済安保情報に指定し，これらの情報へのアクセスを民間企業の従業員も含めて，国が信頼性を確認した人らに限定するとしている。

◇改正政治資金規正法…2024年成立。自民党の派閥の政治資金パーティーに関する問題を受けての改正法。国会議員の政治団体による政治資金収支報告書の作成について，連座制導入に向けて政治家に確認書の提出を義務付けるというもの。会計責任者が不記載・虚偽記載で処罰された場合は，政治家自身も処罰されることになる。また，政治資金パーティーの対価支払いの公開基準額は，20万円超から5万円超に引き下げを決定。政策活動費の使途公開については，経常経費を除くすべての支出とし，支出の年月を政党の収支報告書に記載することや，10年後に領収書などは公開することを定めている。

■新法の制定

◇日本版DBS法…2024年成立。子どもの性被害防止を目的とする法律。学校や保育所などに対して，職員や就職希望者の過去の性犯罪歴の照会を義務づけて，性犯罪歴を持つ人の就労を制限することを規定する。確認期間は，拘禁刑は刑の終了から20年，罰金刑は10年で，痴漢や盗撮など自治体の条例違反も対象となる。また，性暴力の恐れがある場合は，子どもと接しない部署へ配置転換する防止措置の必要性を定めている。

◇LGBT理解増進法…2023年成立。性的マイノリティーへの理解を広めるための新法で，理念法であるため罰則規定はない。企業や学校などに対して，性的マイノリティーへの理解の増進や啓発，環境の整備などを努力義務として規定。性的マイノリティーに関する基本計画の策定や啓発活動といった行政の政策は，内閣府に設置された担当部署が行うとしている。

◇フリーランス新法…2024年施行。フリーランスが仕事を請けるときに不当な扱いをされないよう，取引先の企業などを規制する法律。企業側に対して，文書で契約内容を明記することを制定。また，60日以内に報酬を支払うことや，継続的業務委託の場合の契約解除は30日前までに予告すること，募集広告には最新情報を正確に載せることなどを定めている。

重要語解説

●性的マイノリティー…レズビアン（女性の同性愛者），ゲイ（男性の同性愛者），バイセクシュアル（両性愛者），トランスジェンダー（心の性別と体の性別が違う人，性別に違和感を持つ人）などの方々の総称で，LGBTはこれら言葉の頭文字をとった言葉。

出題パターンcheck!

近年成立したに新法・改正法の記述として正しいものは，次のうちどれか。

（1）2024年成立の民法改正は，離婚後も父と母で子どもの親権を持つ単独親権を規定している。
（2）2024年成立の改正子ども・子育て支援法は，児童手当の対象を15歳までへ拡充している。
（3）2024年成立の改正出入国管理法では，従来の育成就労制度を廃止して技能実習制度を新設している。
（4）2024年施行のフリーランス新法では，半年以内に報酬を支払うことを定めている。
（5）2024年成立の改正政治資金規正法では，政治資金収支報告書の作成について，政治家に確認書の提出を義務付けている。

答え（5）

過去５年の出題傾向　★★★☆☆

社会⑤　消費者保護と製造物責任

近年，この項目についての出題は減ってきているようだが，食品関連企業の一連の不祥事を考えてみても，私たちに一番身近な問題でもあるのでしっかりと把握しておくこと。

■食品の安全性に対する信頼

◇遺伝子組換え作物

・DNA 組換え技術により，別の植物の遺伝子を組み込むことで新しい性質を付与した作物。

◇ゲノム編集食品

・遺伝子を効率よく改変できる技術を使った食品。2019 年，厚生労働省はゲノム編集で開発した一部の食品は従来の品種改良と同等であるとして，同省の安全審査を受けず，表示を明示しなくても，流通を認めることを決定した。

・主にターゲットとなる遺伝子を切断する方法によって作物の品種改良をするので，DNA 組換え技術に比べて安全性が高いとされる。

◇食品表示法

農林水産省管轄の JAS 法，厚生労働省管轄の食品衛生法，消費者庁管轄の健康増進法でそれぞれ定められていた食品表示のルールを，一つの法律にまとめたもの。2015 年に施行され，任意だった加工食品の栄養成分表示を義務化，機能性表示食品制度が新設された。

・2023 年４月から遺伝子組換え表示制度の内容が改定され，大豆及びとうもろこし，それらを原材料とする加工食品についての「任意表示制度」が変更となった。新制度では，使用した原材料に応じて「分別生産流通管理済み」等（意図せざる混入が 5% 以下），「遺伝子組換えでない」等（遺伝子組換えの混入がない）の２つの表現に分けることになった。

■消費者庁設立

・消費者庁は 2009 年９月に発足。消費者行政を一元的に推進するための強力な権限を持った機関である。

・消費者庁は，様々な法律を所管する「司令塔」的な役割を担う。悪質訪問販売，通信販売などを取り締まる特定商取引法，不当表示や過大な景品類を規制する景品表示法，食品の表示に関する食品表示法などの法律に基づいて，違反した業者に行政指導や行政処分する権限も消費者庁は有する。

■消費者保護の制度　よく出る

◇製造物責任法（PL 法）…1995 年施行。

・製品の欠陥やマニュアルの説明不足により，消費者が生命・身体・財産に損害を受けた場合，製造業者や販売業者は，故意・過失の有無に関わりなく損害賠償の責を負うことになった。

⇒ PL 法の住宅版「住宅品質確保促進法」が 1999 年成立。

◇その他の制度

○消費者契約法…2001 年施行。不当な契約から消費者を保護するのが目的。消費者が一方的に不利な契約を無効とする。

⇒ PL 法と消費者保護法の両輪。

・2023 年改正の要点：消費者が契約の取消権を行使できるケースとして，勧誘することを告げずに退去困難な場所へ同行し勧誘する類型を追加。また，解約料の説明や，契約締結の勧誘をする際に消費者の年齢・心身の状態を考慮することなどが努力義務とされた。

○**クーリングオフ**…割賦販売や訪問販売などで購入契約をした消費者が一定の期間内であれば，違約金なしで契約の解除を行える消費者保護の制度。

○**エコマーク**…日本環境協会が環境保全に役立つ製品に認定したマーク。

・再生紙を使用したノートやトイレットペーパー，フロンガスを使用しないスプレーなどが表示対象となっている。

様々なマーク	
JISマーク	「産業標準化法」による国の規格に合格した衣料品・台所用品・日用品などにつく。
JASマーク	加工食品や農林水産物などに示される規格表示マーク。
玩具STマーク	誤使用でも事故がおこらないおもちゃの安全基準規格商品につくマーク。
エコマーク 	日本環境協会が，環境保全に役立つ製品に認定したマーク。

○ **ISO9000 ／ 14000**…1987年および1996年に国際標準化機構が制定した品質管理および品質保証の国際規格。

・ISO9000は適用に関するガイドラインを規定。ISO9001，ISO9002，ISO9003は品質保証規格，ISO9004は品質管理指針。ISO14000シリーズは環境保全に関する基準。

■令和6年版消費者白書

白書では，2023年の1年間に消費生活センターに寄せられた全体の相談件数は約91万件で，このうちSNSが関係する相談は前年度に比べて2万件増えて8万404件と最多を記録。年代別では50代が1万8,515件と最も多かった。続いて40代が1万3,709件と，中高年からの相談が増加傾向にあることが明らかになった。SNSに関する相談の内容では，近年増加している定期購入に関する相談が前年比で約2万件増加。健康食品や化粧品を購入したが解約できないという苦情も増えていることが明らかになっている。

重要語解説

● PL法…PL法に関する裁判外紛争処理機関として，業界ごとのPLセンターや自治体の苦情処理委員会などが設置されている。

● ISO9000…日本でISO9000を束ねているのは，(公財)日本適合性認定協会（JAB）である。

ワンポイント★アドバイス

消費者保護の立場から『国民生活センター法』に基づいて「国民生活センター」が設置された。全国の消費生活センターから消費生活相談をはじめとする情報を収集し消費者被害の未然防止・拡大防止のため分析・提供を行っている。

出題パターン check!

消費者の保護に関する記述として正しいのは，次のうちどれか。

（1）製造物責任法において，製品の事故と被害の因果関係の立証責任は製造者にある。

（2）欠陥住宅問題が深刻化しているが，いまだに住宅の品質保証に関する法律はない。

（3）食品表示関連法には日本農林規格法，食品衛生法，食品表示法があるが，その所管は農林水産省である。

（4）クーリングオフの制度は，割賦販売や訪問販売で購入契約をした消費者が一定の期間内であれば，違約金なしに契約の解除ができる消費者保護の制度である。

（5）ゲノム編集食品は，安全性が確立されていないため，厚生労働省の安全審査を受けなければ流通することはできない。

答え（4）

練習問題 1

国際政治に関する用語の略称とその日本語の組み合わせとして正しいものは，次のうちどれか。

（1）USMCA … 北大西洋条約機構
（2）IAEA … 国際原子力機関
（3）APEC … アフリカ統一機構
（4）WMO … 世界貿易機関
（5）OAU … 核不拡散条約

練習問題 2

国際情勢・国際会議に関する記述の中で，正しいものは次のうちどれか。

（1）2024年6月，バイデン米大統領はウクライナのゼレンスキー大統領と会談し，議会の反対から追加支援を行うのが難しいことを伝えた。
（2）2024年3月，フィンランドとともにNATOへの加盟を申請してたスウェーデンの加盟が認められた。
（3）2023年6月からは，ウクライナは2014年にロシアが併合したクリミア半島を含む全領土奪還を掲げて反転攻勢を開始し，領土奪回に成功した。
（4）2023年11月に開催された国連気候変動枠組条約第28回締約国会議では，ネット・ゼロを目指すため，化石燃料の使用・生産を規制する文言が成果文書に盛り込まれた。
（5）2023年10月，イスラム武装組織ハマスが，イスラエルに侵入して南部を襲撃，多くの兵士や市民を人質として連れ去ったことに対し，イスラエルはガザ地区に激しい空爆を開始し，地上侵攻は避けたものの空爆が相次いだ。

練習問題 3

わが国の政府開発援助（ODA）に関する記述として正しいものは，次のうちどれか。

（1）2023年の日本のODA支出総額は196億84万ドルで，世界第1位の援助大国である。
（2）ODAの援助の実績は，ODAのはじまった当初よりアメリカが第1位を守り続けている。
（3）ODAの援助の実施は，対象国との二国間で行われる場合においても，必ず経済協力開発機構を窓口として行われる。
（4）政府開発援助は，対象国に対する無償資金協力，技術協力などの贈与と有償資金協力である借款という方法だけである。

解答・解説

練習問題 1　正答／（2）

●解説／
（1）USMCAは，米国・メキシコ・カナダ協定であり，アメリカ，メキシコ，カナダで2020年7月にNAFTA（北大西洋条約機構）に代わって発効した。
（2）正しい。
（3）アジア太平洋経済協力。アフリカ統一機構はOAU。
（4）世界気象機関。世界貿易機関はWTO。
（5）核不拡散条約はNPT。

練習問題 2　正答／（2）

●解説／
（1）バイデン米大統領はウクライナのゼレンスキー大統領と会談し，2億2500万ドルの追加支援を行うことを表明した。
（2）正しい。当初ハンガリーが反対していたが，2024年3月，スウェーデンはNATOに正式に加盟している。
（3）2023年6月からは，ウクライナは2014年にロシアが併合したクリミア半島を含む全領土奪還を掲げて反転攻勢を開始するも，ロシアの防衛ライン突破に苦しみ，完全奪回には到底及ばなかった。
（4）「10年間で化石燃料からの脱却を加速する」ことは盛り込まれたが，化石燃料の使用・生産を規制する文言は，産油国の反対があったため盛り込まれなかった。
（5）イスラエル軍がハマス壊滅に向けて地上進行を強め，ガザ市民の犠牲を憂いて侵攻中止を求める声が国際的に高まった。

練習問題 3　正答／（5）

●解説／
（1）2023年は世界第3位。
（2）ODAのはじまった当初より，アメリカは政府開発援助の援助国として第1位であったが，1989年以降，日本が世界第1位となる（1990年を除く）。しかし，2001年にはアメリカが第1位の地位に復活している。
（3）二国間で行われる支援には窓口

（5）近年，市民団体などの非政府機関（NGO）による開発途上国に対する支援が活発化しており，政府もNGOに支援している。

練習問題４

社会保障に関する記述として最も妥当なものはどれか。

（1）アメリカ合衆国においては，世界大恐慌に伴う失業者の救済を目的としてベバリッジ報告が行われ，この報告に基づき「ゆりかごから墓場まで」をスローガンとする社会保障制度が確立した。
（2）我が国では明治憲法発布とほぼ同時期に国民健康保険法が制定され，その後徐々に保険制度が充実し，大正時代には国民皆保険，国民皆年金が実現した。
（3）我が国の社会保険は，雇用保険，医療保険，生命保険など様々な種類に分類されるが，これらの費用は被保険者が全額負担しており，政府や事業主の負担はない。
（4）我が国の公的年金制度は，現役世代が高齢者世代を支えることを基本としているため，少子･高齢化の進行に伴い，扶養する世代の負担は重くなりつつあり，その財源が大きな問題となっている。
（5）我が国の公的扶助は，教育や医療などの費用の一部を保険方式により国および地方公共団体が負担するものであり，収入の多寡を問わず全ての者をその対象としている。

練習問題５

世界の人口問題と食料問題に関する記述として妥当なものはどれか。

（1）経済学者のマルサスは，生産力の発展によって食料の増加は人口増加を上回るとした。
（2）発展途上国では，近代医療の導入によって「多産多死」から「少産少死」に急激に移行する人口革命を完了し，平均寿命が伸びて人口の高齢化が進んでいる。
（3）日本やイギリス，フランスなどの先進国では農業の衰退によって耕地面積が減少し，食料自給率は50%以下までに低下している。
（4）世界最大の人口を抱える中国では，産児制限を設けて人口増加の抑制に取り組んでいる。
（5）サハラ砂漠の周辺のサヘルでは，灌漑技術の発展や大規模な植林による「緑の革命」が成功し，食糧の増産を達成しつつある。

解答・解説

はない。国際機関への出資・拠出の方法もあるが，それも窓口ではない。
（4）二国間の贈与や借款だけでなく，多国間での国際機関に対する出資や拠出もある。日本は円借款比率が高い。
（5）正しい。NGO事業補助金制度といわれる財政支援策や外務省所管の「草の根・人間の安全保障無償資金協力」などがある。

練習問題４　正答／（4）

●解説／
（1）ベバリッジ報告とは，1942年に英国議会に提出された社会保険制度審議会の報告。委員長のW.H.ベバリッジにちなみこの呼び方がある。第二次世界大戦後の英国の「揺りかごから墓場まで」の社会保障制度の基礎となった。
（2）わが国で，全国民を対象とする国民皆保険・皆年金が実現したのは1961年（昭和36年）である。
（3）雇用保険，医療保険等は一部国（政府）や事業主が負担している。
（4）正しい。
（5）公的扶助とは，国が最低限度の生活水準を定め，申請者の資力が不足する分だけを補足する制度である。日本では生活保護がこれにあたる。そのため，収入の多い者は受けられない。

練習問題５　正答／（4）

●解説／
（1）マルサスは，人口は等比級数的に成長するのに対し，食料生産は等差級数的にしか成長しない，つまり食料生産の増加は人口増加に追いつかないと主張した。
（2）発展途上国ではいまだに人口の高齢化が進んでいるとはいえない。
（3）日本の食料自給率は38%だが，フランスは117%である（2020年）。
（4）正しい。2021年には1組の夫婦に3人目の出産を認める産児制限の緩和を実施。
（5）緑の革命が成功したのはフィリピン，インド，メキシコなどであり，サハラ砂漠のサヘルでは砂漠化の進行による食糧不足が深刻化している。

練習問題6

最近のわが国の社会情勢に関する記述として正しいものは，次のうちどれか。

（1）2024年成立の日本版DBS法は，職員や就職希望者の過去の性犯罪歴の照会を学校や保育所などに義務づけるもので，痴漢や盗撮など自治体の条例違反は対象外となる。

（2）2024年成立の重要経済安保情報保護・活用法は，国家の経済安全保障上重要な情報へのアクセスについて（セキュリティークリアランス）を定めた法律で，情報が漏洩すると安全保障に支障をきたす可能性がある情報を「重要経済安保情報」に指定している。

（3）2024年成立の改正出入国管理法では，育成就労制度を新設，この制度は外国人労働者を1年で専門技能のある特定技能2号水準に育成するものである。

（4）2024年施行のフリーランス新法は，企業側に文書で契約内容を明記することを制定し，継続的業務委託の場合の契約解除は60日前までに予告することを定めている。

（5）2024年成立の民法改正では共同親権を規定しているが，すでに離婚している父母には，この規定は適用されない。

練習問題7

近年の省庁に関する記述として，正しいものは次のうちどれか。

（1）2023年に文化庁が霞が関から京都市に移転し，業務を開始。東京一極集中是正を目指す地方創生の一環として決まった移転であり，中央省庁の本格的な地方移転は戦後2ケース目である。

（2）外国人労働者の受け入れを拡大する働き方改革関連法の成立を受けて，法務省の入国管理局は2019年4月に「出入国在留管理庁（入管庁）」に格上げされている。

（3）2023年9月に新設された，感染症対応の司令塔となる内閣感染症危機管理統括庁は，新型コロナウイルス対応の教訓をふまえ，初動の迅速化を図るのが目的であり，厚生労働省外局として置かれた。

（4）2023年4月に「こども家庭庁」が新設され，幼稚園や義務教育の分野は文部科学省からこども家庭庁に移管になり，「幼保一元化」が実現した。

（5）2023年4月に新設された「こども家庭庁」は，子ども政策の司令塔として子育て支援や子どもの貧困対策，児童虐待防止など幅広い分野を受け持つ。

解答・解説

練習問題6　正答／（2）

●解説／

（1）痴漢や盗撮など自治体の条例違反も対象である。

（2）正しい。情報が漏洩すると安全保障に支障をきたす可能性がある情報を「重要経済安保情報」に指定している。

（3）育成就労制度は，外国人労働者を3年で専門技能のある特定技能1号水準に育成するもの。なお，特定技能2号は1号よりも高い専門性や技術が求められる在留資格である。

（4）継続的業務委託の場合の契約解除は，30日前までに予告することなどを定めている。

（5）共同親権は，すでに離婚している父母であっても，親権変更の申し立てができる制度になっている。

練習問題7　正答／（5）

●解説／

（1）中央省庁の本格的な地方移転は今回の文化庁が初めて。

（2）外国人労働者の受け入れを拡大する改正出入国管理法の成立を受けて格上げされた。

（3）統括庁は厚生労働省ではなく，内閣官房に置かれた。

（4）幼稚園や義務教育の分野は従来通り文部科学省が担当することになり，「幼保一元化」は見送られた。

（5）正しい。厚生労働省や内閣府にまたがっていた子ども関連部局を統合し，政策を一元的に進める。

第二章

人文科学

日本史
世界史
地理
倫理
文学芸術
国語

◎人文科学攻略法◎

●公務員試験最新情報

この分野は，日本史，世界史，地理，文学芸術，国語に大きく分けることができる。各科目別に近年の公務員試験の出題例を分析してみると，以下のようになる。

日本史からは，江戸時代の三大改革をはじめ近現代，特に江戸時代末期から明治にかけての出題が目立つ。様々な時代にかけて，文化など特定のテーマについてが問われる「テーマ史」も近年よく出題されている。

次に世界史では，17 世紀のヨーロッパについて，また，パレスチナ問題などが出題されている。冷戦やソ連崩壊など第二次世界大戦後の時代も最重要事項である。

インド・東アジアにおける 19 世紀から 20 世紀の出来事が出題されるなど，アジアに関するものも出されている。傾向を特定しづらいが，中国史は世界史の出題として，頻出事項なので要注意。

地理では，ケッペンの気候区分や EU などについて出題。また，地形とオセアニアについての出題がも多い。

芸術については，全般的な傾向として，西洋の音楽家についての出題が多く，日本の古典文学についても注目しておきたい。国語については，基本的な語彙(ごい)を問う問題や，慣用句や四字熟語が多く出題されている。

●試験の効果的対策

直近での出題について，日本史と世界史はすべての試験で２問，地理は道府県，政令指定都市，東京都，市役所は２問，特別区は１問出題されている。文学芸術は特別区で出題される年もあるが令和５年度試験では出題がなかった。国語は，道府県，政令指定都市，東京都特別区で３問出題されている。

トータルで見ると，決して少ない出題数ではない。道府県ではこの分野として 10 問出題されており，全 50 問中の 10 問と 20% を占めることになるので準備はぬかりなく行っておきたい。

また，各科目の関連性に留意しながら学習を進めたい。日本史と世界史，世界史と芸術など，複数の科目にわたった知識が要求される「テーマ史」の出題もあるので，歴史的な視点と横のつながりをも意識しながらの日頃の学習が重要となってくる。

●解法のポイント

日本史と芸術の流れで見てみよう。日本が資本主義国としての体制を整えていく中で，そのステップ・アップをはかったのが日清戦争であり，この頃，浪漫主義という文学の潮流が生まれる。現実を超えた夢や理想を描く文学が流行した。

逆に，資本主義の実態が明らかになるにつれ，自然主義という新たな潮流が生まれる。自らの足元，そして現実を見つめていこう，という流れである。これが日露戦争の頃。つまり江戸時代→写実主義（文学が主役に）→浪漫主義（日清戦争の頃）→自然主義（日露戦争の頃）といった流れが読み取れる。文学史と日本史を複眼的に見るべきところであるし，日清・日露戦争の頃，いわゆる産業革命の頃の資本主義の知識は，政治の中でも経済の中でも必要な知識として求められる。

こういった時代の要所のポイントは把握しておきたい。

1 人文科学
日本史

出題傾向 日本史は，江戸時代以降にポイントを置きながら進めていきたい。江戸中期以降に，幕府は改革を行った。江戸幕府が諸外国と締結した不平等条約の改正交渉，その成否のカギが日清・日露両戦争にあった。それが西暦1900年前後に起きたというのは，決して偶然ではなかったのであり，列強の帝国主義政策の台頭の時期だった。近現代では，第一次世界大戦以降が近年よく出ている点も注意しておきたい。直近の試験では，江戸時代（中期～後期），鎌倉時代，室町時代などが出題されている。

学習のコツ

歴史上の出来事はある意味では必然性を持っている。なぜ，この時にこのような事件が起きたのか。理由が自分なりに説明できれば，知識は定着する。しかし，理解があやふやだとすれば，記憶からなくなってしまう。したがって，各時代のイメージを創ってから，学習を進める必要があるだろう。歴史の必然性を読み取ることができてから，過去問中心の学習に移行する。

難易度＝ 80ポイント

重要度＝ 95ポイント

◆出題の多い分野◆

分野	頻度
江戸時代の三大改革	★★★★★
条約改正交渉	★★★★★
日清・日露戦争	★★★★
第一次世界大戦	★★★★
明治政府の諸政策	★★★★
武家社会の成立	★★★
大正デモクラシー	★★★
自由民権運動	★★★

過去５年の出題傾向　★★★★★

日本史 ① 江戸時代の三大改革

江戸時代の改革は，その後半期から行われている。時代背景を考えながら３つの改革を理解したい。各藩における藩政改革も併せて理解しておきたい。

■旗本・御家人の救済

江戸時代は飢饉が頻発している。その回数は150回に及んだというから，２年に１度以上の割合で起きており，幕府の抱える旗本や御家人の生活に負担がはねかえってくるのは当然といえる。年貢高の減少がそのまま給料の減額につながるからだ。

武士たちが借金した相手が札差と呼ばれる商人たち。享保の改革の相対済し令，寛政の改革の棄捐令がその打開策にあたる。

■株仲間（商業資本）の処遇

運上金・冥加金（みょうがきん）と呼ばれる政治献金を幕府に納め，特権を得ていた株仲間。その処遇に関して，３つの改革ではそれぞれ異なった対応をしている。享保の改革では公認。田沼意次（おきつぐ）は奨励。寛政の改革では解散，ただし，全てではない。天保の改革は解散。

■農民の都市流入対策

江戸時代の農民には，多大な税が課された。その上，度重なる飢饉である。享保年間に新田開発がさかんに行われたとはいえ，貧しい農民たちの生活が楽になるものではなかった。逆に享保年間以降，農民層の分化が決定的となり，一揆が多発した。

農民たちは都市に流入し，それに対して幕府はどのような対策を講じたのか。寛政の改革の（旧里）帰農令では，帰村や帰農を奨励している。天保の改革では人返しの法により，これを強制した。

幕府の推移…幕政の動揺期

8代 吉宗	享保の改革
9代 家重 10代 家治	田沼時代
11代 家斉	寛政の改革 文化・文政時代
12代 家慶	天保の改革

江戸時代の三大飢饉

◎享保の大飢饉（1732）
長雨とウンカの害。飢民約200万人。

◎天明の大飢饉（1782～87）
浅間山噴火。東北地方被害甚大。

◎天保の大飢饉（1833～36）
百姓一揆激増。洪水・冷害。

■風紀の粛正

18世紀後半以降，世情の混乱から，幕府は風紀の取り締まりを強化した。それは，学問や文学，あるいは幕府批判にも厳しい姿勢だった。

寛政の改革で，洒落本の山東京伝，浮世絵の喜多川歌麿を処罰。天保の改革における人情本の為永春水，合巻の柳亭種彦の処罰等があった。

ワンポイント★アドバイス

３つの改革の，２つ，あるいは３つに共通するテーマがある。そのテーマに注目しながら理解すると都合がよい。享保の改革後，9・10代将軍に仕えた田沼意次の政策もあわせて理解しておこう。

■享保の改革（1716～45） よく出る

◇8代将軍徳川吉宗による改革

①上（げ）米（あげまい）…大名に，1万石につき100石を上納させる→参勤交代の江戸在府期間を半減。

②定免法（じょうめんほう）…年貢率を固定→五公五民。

③町人請負新田（ちょうにんうけおいしんでん）…株仲間（商業資本）による新田開発。（江戸初期160万町歩→享保年間300万町歩）

④相対済し令（あいたいすましれい）…金銀貸借は当事者間で解決させる。

⑤公事方御定書（くじかたおさだめがき）…江戸時代の成文法（刑法）。

⑥足高の制（たしだかのせい）…旗本に対して家禄に関係なく禄高を上げる→人材登用。

⑦目安箱…民衆の要望を具現化→小石川養生所・江戸町火消し。

⑧青木昆陽の登用…甘藷→商品作物や輸入品の栽培奨励。

⑨株仲間の公認…物価変動や物資の流通を幕府の統制下に→商業統制。

■寛政の改革（1787～93） よく出る

◇老中松平定信による改革

東北諸藩（会津・米沢・秋田藩など）で寛政の藩政改革が実施された。米沢藩は上杉鷹山により殖産興業・倹約が推進された。

①囲米（かこいまい）…大名に対し，米価調整や災害に備えて米の貯蔵を命じる。

②七分金積立（しちぶきんつみたて）…江戸の町入用を節減，その7割を町会所に積み立て，災害の際の貧民救済に。

③棄捐令（きえんれい）…旗本・御家人救済のため，札差からの借金破棄。

④人足寄場…江戸石川島で浮浪者・無宿人を集め，職業訓練を施す。

⑤寛政異学の禁…朱子学以外の学問を異学とする→異学…古学・陽明学。

⑥出版・言論統制

1. 『海国兵談』の著者林子平を処罰。
2. 洒落本の山東京伝を処罰。
3. 浮世絵の喜多川歌麿を処罰。

⑦株仲間の解散…ただし，全てではない。

⑧（旧里）帰農令…農民の帰村促す→強制的ではない。

■天保の改革（1841～43） よく出る

◇老中水野忠邦による改革

この頃，西南諸藩（薩摩・長州藩など）で天保の藩政改革が実施された。薩摩藩は，砂糖の専売制を導入，また琉球との密貿易によって巨富を得る。

①株仲間の解散…株仲間以外の新興商人を幕府の統制下に→かえって混乱。

②人返しの法…都市に集中した農民を強制的に帰村や帰農させる制度。

③上知（地）令（じょうちれい）…江戸・大坂の大名・旗本領を幕府の直轄領に編入しようとする→失脚。

④政策の転換…異国船（外国船）打払令（1825）→アヘン戦争（1840）→薪水給与令（1842）。

重要語解説

●札差（ふださし）…旗本・御家人の蔵米の売却を担当した金融業者。巨富を得る。
●洒落本（しゃれほん）…遊里（遊廓）を舞台にした短編小説。滑稽と通を描く。
●人情本（にんじょうぼん）…恋愛などをテーマとした絵入り読み物。
●合巻（ごうかん）…黄表紙（絵入り小説）を数冊綴じ合わせたもの。天保期に全盛。

出題パターン check!

江戸時代の政治に関する記述のうち，正しいものはどれか。

（1）8代将軍徳川吉宗は，上米の制，上知令などにより財政改革を断行した。
（2）田沼意次は株仲間を解散し，長崎貿易の振興に取り組んだ。
（3）松平定信は，寛政異学の禁によりキリスト教の禁止を打ち出した。
（4）江戸時代の三大改革に共通するのは，株仲間の保護，という点である。
（5）水野忠邦は都市に流入した農民の帰村を強制する，人返しの法を制定した。

答え（5）

過去５年の出題傾向　★★★★★

日本史 ② 条約改正交渉

江戸幕府が締結した不平等条約の改正交渉は，明治政府に引きつがれた。その交渉を成立へと向かわせた大きな要因が，日清・日露戦争である。

■江戸時代の不平等条約

ペリー来航により条約（日米和親条約）を結んだ幕府は，1858年に日米修好通商条約を締結。その内容の一部が以下のものである。

(1) 関税自主権がない
(2) 治外法権を認める

以上の２点が不平等な内容であった。同様の条約を５つの国と締結したので，安政の五カ国条約と呼ばれる。

■条約改正交渉の担当者

明治政府にとって，条約改正は大きなテーマだった。その任に最初に就いたのは岩倉具視だった(1871 〜 73)。岩倉以降は，寺島宗則，井上馨，大隈重信，青木周蔵，陸奥宗光，小村寿太郎がその担当者である。その交渉を成功に導いたのが，日清・日露戦争である。

■条約改正交渉成功の背景

(1) 治外法権（領事裁判権）の撤廃

この交渉成立は1894年。日清戦争の開戦と符合する。

(2) 関税自主権の獲得（回復）

この交渉成立は1911年。韓国を植民地にした韓国併合条約締結(1910)の翌年に達成。以上からもわかるように，西暦1900年前後，

安政の五カ国条約の締結国	
・アメリカ（あ）	・オランダ（お）
・イギリス（い）	・フランス（ふ）
・ロシア　（ろ）	

暗記法：あおいふろ（青い風呂）

日本の産業革命
◎第一次産業革命（軽工業中心）…日清戦争前後
↓
◎第二次産業革命（重工業中心）…日露戦争前後

条約改正に成功した背景には日清戦争(1894 〜 1895)と日露戦争（1904 〜 05）があった。この戦争の結果が先進資本主義諸国に認められ，交渉成立へとつながった。

■条約改正と資本主義の発展

条約改正や２つの戦争は，日本の資本主義の発展とも密接な関係がある。明治以降，日本は先進資本主義諸国に追いつくために多大な労力を注ぎこんだ。

それが結実したのがちょうどこの頃であり，日本にとっての産業革命は成立するのである。

■井上馨　よく出る

内閣制度導入（1885）により，外務卿から外務大臣となる。

覚えておきたい重要事項

◆日米和親条約…1854年，ペリーによって締結。下田・箱館の開港により，薪水・食料などを供給。最恵国待遇をアメリカに与える。貿易が始まったわけではない。オランダ・イギリス・ロシアとも締結。
◆日米修好通商条約…1858年，ハリス（駐日総領事）の強硬外交が功を奏す。日本側井伊直弼。
◆韓国併合条約…1910年。韓国における日本の植民地支配開始。
◆産業革命…機械を使用することによって，生産機構が変革されること。

(1) 共同会議を採用。
(2) 鹿鳴館時代（欧化政策）を創出。
(3) ノルマントン号事件…イギリス船ノルマントン号，紀州沖で沈没。日本人23人全員死亡。最初は乗組員全員無罪。
(4) 外国人判事の多数任用など。←反対…辞職

■大隈重信

(1) 国別交渉…アメリカから。
(2) 外国人判事の大審院雇用を「ロンドン・タイムズ」が公表。
(3) 右翼団体玄洋社の来島恒喜に襲われ辞職。

■青木周蔵

(1) 対英交渉から始める。
(2) 大津事件（湖南事件）により辞職。

■陸奥宗光 よく出る

(1) 青木周蔵を駐英公使に。…対英交渉から。
(2) 日英通商航海条約締結（1894）…治外法権廃止。

■小村寿太郎 よく出る

(1) 日米通商航海条約を改正（1911）。
(2) この条約により関税自主権を回復。

■その他明治初期の外交

(1) 日清修好条規（1871）
・わが国初の対等条約。
・日清間最初の条約。
(2) 日朝修好条規（1876）←江華島事件
・朝鮮にとって不平等な内容。
・釜山，仁川，元山の開港。
・日本の治外法権を認めさせる。
(3) 千島・樺太交換条約（1875）
・千島全島を日本領，樺太はロシア領。
・日本側全権榎本武揚，外務卿寺島宗則。

ワンポイント★アドバイス

条約改正交渉の成功の要因はいくつかあげられる。戦争とのカラミには度々ふれてきたが，日清修好条規に始まる外交の流れを，条約改正交渉と並行しておさえておく必要がある。

重要語解説

●欧化政策…条約改正を成功させるためにとられた西欧化政策。欧米の制度・風俗・習慣などをとり入れることにより，文明の開化を示そうとした。井上馨外相によるものが特に有名。

年代	1876~79	1879~87	1888~89	1889~91	1892~94	1911
外務卿・外務大臣	寺島宗則	井上馨	大隈重信	青木周蔵	陸奥宗光	小村寿太郎
交渉方針 成功○　失敗×	関税自主権回復 ×	治外法権撤廃 × 関税率引き上げ ×	治外法権撤廃 × 関税率引き上げ ×	治外法権撤廃 × 関税自主権回復 ×	治外法権撤廃 ○ 関税率引き上げ ○	関税自主権回復 ○

出題パターン check!

不平等条約の改正に関する組み合わせとして正しいものはどれか。

A　治外法権の撤廃を目指す。外国人判事の任用や鹿鳴館に見られる欧化政策の推進で民権派の批判を浴びた。
B　治外法権の撤廃を目指す。外国人判事の任用は大審院に限定。その内容がもれて，玄洋社によるテロに遭い，辞職。
C　条約実施後６年で法権・税権の完全回復案をもってイギリスと交渉。治外法権はイギリスの同意を得たが，大津事件で引責辞任した。
D　日英通商航海条約を調印。治外法権の回復に成功（調印５年後に撤廃）するが関税自主権は一部回復にとどまった。
E　日米通商航海条約を改正。英・独・仏とも同様の条約を締結。最恵国待遇を廃止し，関税自主権を完全回復。不平等条約の改正完了。

（1）　A 寺島宗則　B 青木周蔵　C 大隈重信　D 陸奥宗光　E 小村寿太郎
（2）　A 井上馨　B 大隈重信　C 青木周蔵　D 陸奥宗光　E 小村寿太郎
（3）　A 井上馨　B 陸奥宗光　C 青木周蔵　D 大隈重信　E 小村寿太郎
（4）　A 井上馨　B 青木周蔵　C 大隈重信　D 小村寿太郎　E 陸奥宗光
（5）　A 岩倉具視　B 大隈重信　C 小村寿太郎　D 青木周蔵　E 陸奥宗光

答え（2）

過去５年の出題傾向　★★★★☆

日本史 ③ 日清・日露戦争

戦争を通して日本が得たものとは一体，何だったのか。そして，その踏み台になった国，中国，そして朝鮮。戦争における勝ち負けだけでなく，複眼的に眺めてみよう。

■日清戦争後の日本の様子

特に重要なのが，戦後の1897年。この年には以下のような出来事がある。

(1) 金本位制の確立

戦勝によって賠償金２億両を獲得。それを準備金とし，金本位制を確立した。

(2) 日本，輸出国へ

綿糸の輸出高が輸入高を超える。この輸出品はアジアの市場へと輸出された。ここに，国産力織機を発明した豊田佐吉がいた。

(3) 官営八幡製鉄所の創設

創設は日清戦争後。操業の開始は1901年。操業初年度に国内の鉄鋼生産額の53%をしめた。中国有数の鉄鉱石の産地・大冶を支配下におき，第二次産業革命の礎を築いた。

■初期議会における対立の解消

帝国議会の開催が1890年。この年から日清戦争の1894年まで（第一議会から第六議会）を初期議会という。この間，政府と民党（野党）は，軍事費などをめぐって対立した。

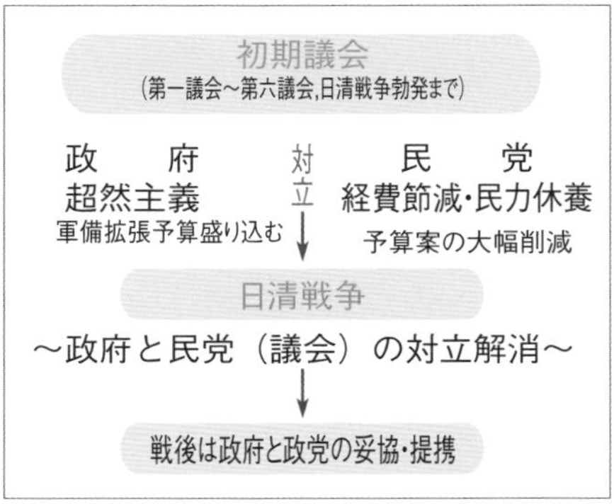

初期議会
（第一議会～第六議会，日清戦争勃発まで）

政府	対立	民党
超然主義 軍備拡張予算盛り込む	↓	経費節減・民力休養 予算案の大幅削減

日清戦争
～政府と民党（議会）の対立解消～
↓
戦後は政府と政党の妥協・提携

特に第一議会の直前の首相黒田清隆は政党を無視し，政府は議会の上という立場をとった。これを超然主義という。この対立が消滅した決定的原因が日清戦争である。

日清戦争
日清間の駆け引き

清	日本
■朝鮮への宗主権主張 ■日本側提案の拒否	■清の宗主権から朝鮮を解放 →日本の勢力下へ ■日清共同の内政改革提案

■大阪事件（1885）

清からの「朝鮮独立」を画策した事件がこの事件である。大井憲太郎らによる。いわゆる民権論が国権論に転じる契機となった。→日本がその侵略を本格化させたのが日露戦争後からである。

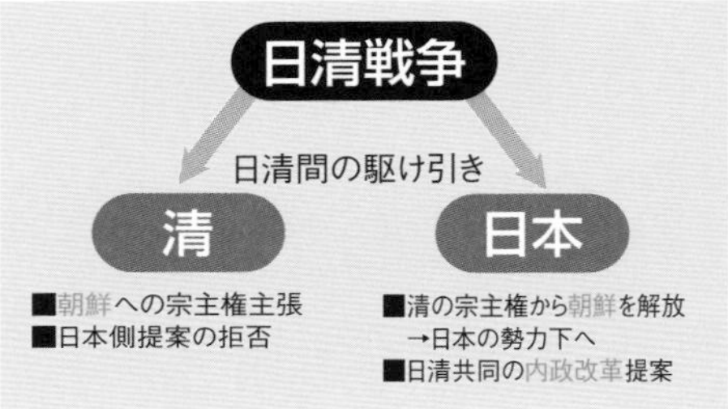

■日清戦争とそれ以前の朝鮮半島情勢

戦争の要因に，日清戦争以前に朝鮮で起きた２つの事変があった。

(1) 壬午事変（壬午軍乱・1882）

朝鮮高宗の王妃，閔妃による親日派（金玉均・朴泳孝）の登用。それに対して清は親清派の大院君(閔妃の義父)をつかいクーデター。

(2) 甲申事変（1884）

親日派（独立党）のクーデター。この事

変後締結された天津条約（1885）の内容は以下の通り。
・朝鮮からの日清の完全撤兵。
・朝鮮に出兵の際，日清は相互通告。

(3) 日清戦争（1894～95）

①朝鮮で甲午農民戦争（東学党の乱）→日清相次いで出兵…天津条約を根拠に。
②日清による鎮圧後も撤兵せず→日清戦争へ。
③下関条約（1895）…戦勝国は日本。
・清，朝鮮の独立認める。
・清，遼東半島・台湾・澎湖列島を割譲。
・賠償金2億両（約3億円）。
・沙市・重慶・蘇州・杭州の開放。
④三国干渉
ロシア・フランス・ドイツは遼東半島の返還を要求。→日本，要求に応じる。

■日露戦争とそれを取り巻く情勢

日清戦争が国をあげての戦争だとすると，日露戦争はそうではなかった。国内において，国論は明らかに二分されていた。この国内情勢にふれた後に，日露戦争を眺めよう。
①反戦・厭戦論多々
・「君死にたまふことなかれ」(与謝野晶子)
②日露か日英か，同盟の選択
政府内でも意見が分かれていた。結論的には日英同盟（1902）によって対露戦に向けて動き出したことになる。

(1) 日露戦争（1904～05）

①戦費17億円の90％を外債(借金)で開戦。
② 1904年，日本軍，仁川・旅順を奇襲。
③日本海海戦でバルチック艦隊を全滅させる。
④ポーツマス条約（1905）…日本，賠償金を獲得できず。
・ロシア，日本の韓国における優越権認める。
・旅順・大連，南満州鉄道の譲渡。
・南樺太と付属の島々譲渡。

日露戦争の歴史的意義

ポーツマス条約の冒頭にあるように，日本による韓国の植民地化が加速したのが，この戦争後である。1905年の第二次日韓協約（日韓保護条約）により外交権を手中におさめ，1909年の伊藤博文の暗殺をきっかけに韓国併合条約（1910）を締結，韓国を植民地としたのである。

覚えておきたい重要人物

高宗（1852～1919）●第二次日韓協約に対し，ハーグ密使事件を起こし退位させられた。
閔妃（1851～95）●反日政策に転じた結果，1895年，駐韓日本公使三浦梧楼らにより王宮で暗殺。
与謝野晶子（1878～1942）●雑誌「明星」（みょうじょう）に日露戦争を批判する反戦歌を掲載。

ワンポイント★アドバイス

日清戦争は，朝鮮をめぐる日清の主導権争いだった。天津条約による両国の出兵，そして朝鮮国内の暴動鎮圧後も両国は撤兵せず，日清の開戦となった。戦後の下関条約により，台湾は日本の植民地として1945年までその統治下におかれた。

重要語解説

●金本位制…金貨を本位貨幣とする制度。この制度は欧米の先進資本主義諸国も導入していた。
●吏党（りとう）…民党を野党ととらえると与党になる。初期議会における藩閥政府支持の政党を指す。

出題パターンcheck!

日清戦争のわが国への影響に関する記述として，正しいものはどれか。

（1）資本主義の発展の契機となり，巨額の賠償金と外資の導入により産業界の活況が促進され，軍事産業が躍進した。
（2）戦費を内外の公債に依存したためインフレーションを招き，わが国は一躍債務国から債権国に転ずることになった。
（3）不況にあえいでいたわが国に空前の好景気をもたらし，産業界は活況に満ち，特に重工業の発展が促進された。
（4）国際間での日本の地位が著しく強化され，日英同盟の改定でイギリスの支持を得て韓国併合の礎が確立した。
（5）多額の戦費がかさみ，深刻な不況となり，発展の兆しが見え始めていた資本主義を根底から揺るがすこととなった。

答え（1）

過去５年の出題傾向　★★★★☆

日本史④ 第一次世界大戦

ヨーロッパで起きた第一次世界大戦。この戦争がなぜ世界の国々を巻き込んでしまったのか。そして，なぜ日本は参戦したのか。大戦後の国際協調にも注目しよう。

■中国進出への足場づくり

日本は日清・日露戦争を経て，着実に列強への階段を上っていた。そして，大正時代の冒頭に起きたのが第一次世界大戦である。日英同盟を参戦理由に，日本がこの戦争で何を求めたのかは，日本の攻撃目標を見てみると一目瞭然。日本はドイツの中国での拠点，山東半島および膠州湾を攻撃したのである。

主戦場のヨーロッパから遠く離れた極東での日本のこの軍事行動は，火事場泥棒だといわれることもある。遼東半島の対岸に位置する山東半島は，中国進出を果たす上での要衝だったのだ。この地に対する日本の執着は，対華二十一カ条の要求（1915）においてもうかがうことができる。1900年前後の中国が列強の分割の脅威にさらされ，列強が熾烈な市場獲得競争を繰り広げる中で，日本はより有利な立場を構築しようとしていた。

■日本経済への影響

日本は日露戦争後，深刻な経済危機に陥った。戦費を外債（外国からの借金）によってまかなったことは前項でふれたが，その他にも，軍備拡張・植民地経営（韓国・台湾等）などで一層深刻な事態となった。この危機を一時的ながら好転させたのが，第一次世界大戦といえる。大戦中に輸出超過状態となり，1920年には債務国から債権国に転じている。

ただし，1920年という年は，戦後恐慌が始まった年でもある。ヨーロッパ諸国が戦乱から復興し始めたのである。戦後恐慌に始まる1920年代はまさに恐慌の10年である。

■ロシア革命とシベリア出兵，そして米騒動

大戦下のロシアで1917年にロシア革命が起き，世界初の社会主義政権が誕生した。天皇制国家日本はその波及を恐れてシベリアに出兵した。シベリア出兵は，当時の米価高騰に拍車をかけ，群衆の蜂起事件へとつながっていき，米騒動を引き起こすことになる。

たびたびふれてきたように，日清戦争以降の日本は資本主義がめざましい発展をとげた。それと歩調を合わせるように，労働者や小作人などの争議が盛り上がりを見せていた。社会運動である。この社会運動の本格化を告げたのが，米騒動（1918）といえる。当時の寺内正毅内閣は，この騒動により総辞職し，新たに原敬内閣が誕生した。これは最初の本格的な政党内閣である。

■第一次世界大戦（1914～18）の勃発

①大隈重信内閣参戦…日英同盟により。

第一次世界大戦の世界的影響

❶イギリスにかわりアメリカが世界一の経済大国に
❷世界初の社会主義政権の成立
❸社会主義政権誕生により，列強の対立が複雑化
❹労働運動・社会主義運動の激化
❺植民地・従属国の民族運動が盛んになる

・膠州湾・青島を攻撃→青島を占領。
・山東鉄道を奪う。
・ドイツ領南洋諸島を占領。

②対華二十一カ条の要求（1915） よく出る
→袁世凱に対して。
・山東省におけるドイツ権益の継承。
・旅順・大連（遼東半島）の租借権延長。
→これにより，日本の支配が中国全土に広がる。

■大戦の終結に向けて よく出る

①アメリカの参戦（1917）
②ロシアで革命（1917）
・ソビエト政権樹立。
・世界で最初の社会主義政権。
③シベリア出兵（1918）
・社会主義の日本への波及恐れる。
・連合国・日本→チェコ軍団の救出が名目。
④ドイツ共和国の成立…ドイツで帝政の打倒→ドイツの降伏（1918）。

第一次世界大戦の日本への影響

極東における日本の進出が決定的 → 日本が強国の仲間入り → 日本が国際的に孤立

■米騒動（1918）

①生活苦の群衆蜂起。
②米価高騰にシベリア出兵が拍車。
③富山県の漁民の主婦たちが，米の安売りを要求。
④責任を負い寺内正毅内閣総辞職→原敬。

■ヴェルサイユ体制…第一次世界大戦の戦後処理

①ヴェルサイユ条約（1919）
・パリ講和会議で締結。
・連合国とドイツ間の講和条約。
②日本の締結内容
・山東半島のドイツ権益の継承。
・赤道以北のドイツ領南洋群島の委任統治権。

国際協調時代の主な国際条約

条約・会議名		参加国	日本全権	条約の内容
ヴェルサイユ条約（1919.6）		27カ国	西園寺公望	第一次世界大戦の戦後処理。国際連盟設立（1920年発足）。
ワシントン会議	四カ国条約（1921.12）	英・米・日・仏	加藤友三郎 幣原喜重郎 徳川家達	太平洋における領土保全。この条約により，日英同盟の廃棄。
	九カ国条約（1922.2）	英・米・日・仏・伊・中・蘭・ポルトガル・ベルギー		中国に関する条約その領土保全・機会均等，日本の中国における権益の承認。この条約により，石井・ランシング協定廃棄。
	海軍軍縮条約（1922.2）	英・米・日・仏・伊		主力艦の保有量制限。日本，英米の60％に抑えられる。
ロンドン海軍軍縮条約（1930.4）		英・米・日・仏・伊	若槻礼次郎	英・米・日三国間の補助艦保有量制限。

ワンポイント★アドバイス

第一次世界大戦のさなかに様々な出来事が起きている。ロシアにおける社会主義革命，ドイツにおける帝政打倒など。国内に目を向けると米騒動，社会運動の激化など。戦後の国際協調（軍縮）への流れも含めて，よく整理しながら頭に入れておく必要がある。

重要語解説

●民族運動…第一次世界大戦後，“民族自決”による独立国がヨーロッパには誕生したがアジアには１つも誕生しなかった。その結果，独立を求める運動が各地で起こった。朝鮮の万歳事件（三・一運動）であり，中国の五・四運動である。

出題パターン check!

日本は第一次世界大戦に参戦し，山東省の青島を占領したが，これを背景として日本がとった行動は，次のうちどれか。

（1）日独伊の三国同盟の締結
（2）国際連盟の脱退
（3）満州国の設立
（4）シベリア出兵
（5）対華二十一カ条の要求

答え（5）

過去５年の出題傾向 ★★★★☆

日本史 ⑤ 明治政府の諸政策

明治政府がその冒頭で矢継ぎ早に出した法令は，当時の人々の賛同を得ていたのだろうか。各法令の中味を理解するとともに，それに対する人々の反応，その後の流れもおさえたい。

■幕藩体制の解体

1867年，大政奉還により江戸幕府は滅亡した。したがって，翌1868年から明治時代が始まる。しかし，江戸時代の“幕藩体制”の幕府は消滅したものの，なお，藩は残存していたため，明治政府は明治2（1869）年，解体に着手した。これが版籍奉還である。この改革では，旧藩主は藩知事という名の官僚の立場になった。藩知事となった旧藩主の家禄（給料）は10分の1となり，藩士の家禄も削られた。

名実ともに全国が明治政府の支配下に治まったのが廃藩置県以降である。藩知事（知藩事）に代わり政府は府知事・県令を任命し，全国に派遣，これにより政府の命令が全国にゆきわたる，中央集権体制が出来上がった。廃藩置県の際，比較的穏便にそれができた背景には，各藩の財政が窮乏していた点をあげることができる。

■財政の確立

明治政府の財政を圧迫していたのが，かつての武士階級および明治維新の立役者（功労者）に対する家禄・賞典禄の支払いだった。この全廃に向けて秩禄処分が開始されたのが1873年。同じ年には地租改正も実施された。豊凶に関係なく地租を金納することになり，近代的税制への大きな一歩を踏み出したことになったのだが，それに対する大規模な一揆も起きた。

また，大商人に課した御用金や状況に応じて出された太政官札・民部省札は，不安定な財政を安定させるものではなかった。そのような意味で，不満を持つ人々を多く抱えながらも，秩禄処分と地租改正という2つの政策が動き出したのである。

■1874年以降の動き

明治政府の核ともいえる政策に対する反応には大きく分けて2つある。1つが自由民権運動，そしてもう1つが士族の反乱である。ここでは後者についてふれてみよう。

士族の反乱の最初が，征韓論で下野した江藤新平を首謀者とする佐賀の乱（1874）である。かつての支配階級を中心とした士族の反乱の中で，最大のものが西南戦争（1877）である。西郷隆盛らによるこの戦争は，他に飛び火することなく，南九州のみを舞台とする戦いに終わった。ここに武力による政府打倒の限界が見える。以降，士族の反乱は皆無である。

■版籍奉還（1869） よく出る

①土地（版）と人民（籍）を朝廷に返上。
②薩摩・長州・土佐・肥前の4藩から開始。

主な士族の反乱

佐賀の乱	1874年	江藤新平,佐賀で反乱←征韓論で下野。
廃刀令（1876）後，激増		
神風連(敬神党)の乱	1876年	太田黒伴雄らが熊本で挙兵。
秋月の乱	1876年	秋月(福岡県)の士族,神風連に呼応。
萩の乱	1876年	長州(山口県)で前原一誠ら士族が挙兵。
西南戦争	1877年	西郷隆盛,東上。

③旧藩主を藩知事（知藩事）に任命。

■廃藩置県（1871） よく出る

①薩摩・長州・土佐３藩の兵１万を御親兵に。

②西郷隆盛・大久保利通・木戸孝允ら断行。

③藩知事→府知事・県令…中央集権体制へ。

■秩禄処分（1873～76）…家禄・賞典禄の全廃

①家禄奉還（制度）…奉還希望者に数カ年分の禄高を現金と秩禄公債(証書)で支給。

②金禄公債（証書）…士族の秩禄を廃止し，代償として証書を支給→家禄を年賦で支払う。

■地租改正…実質的には 1873 年から 1881 年の約 10 年 よく出る

①江戸時代の禁令を解く。

・田畑勝手作の解禁（1871）。

・田畑永代売買解禁（1872）→地券交付。

②地租改正条例（1873）

・課税基準を収穫高から地価へ。

・税率は地価の 3%（1877 年に 2.5%）。

・地租は土地所有者（地主）が金納。

・小作料は現物納のまま。

・寄生地主制の成立。

③各地で地租改正反対一揆

・愛知・岐阜・堺・茨城・三重など。

■徴兵令（1873）

①徴兵告諭（1872）

・徴兵令の前年，軍隊創設の予告。→血税騒動（徴兵反対運動）。

②徴兵令

・「国民皆兵」…山県有朋（やまがたありとも）中心←大村益次郎が構想。

・20 歳に達した男子は士族，平民の区別せず。

・徴兵「免除」の条件…官吏・戸主・代人料 270 円以上納入者。

重要語解説

●地租改正反対一揆……高額な地租に反抗した農民一揆。1876 年茨城で起き，次いで三重・堺・愛知・岐阜で大規模な一揆。翌 1877 年，税率を 3%から 2.5%に軽減。

●血税騒動…徴兵令（1873 年）の前年に布告された，徴兵告諭の中の文言より騒動は起きた。

明治維新の年，1868年の新政府の動き

①五箇条の御誓文（3月）…政治方針

・由利公正・福岡孝弟の草案を木戸孝允が成文化。

・内容…公議世論の尊重・開国和親。

②五榜の掲示（3月）…人民の心得

…五箇条の御誓文の翌日。

・キリスト教の厳禁。

・旧幕府の方針受け継ぐ。

③政体書（4月）…政府の組織

・太政官に権力集中。

・三権分立がたてまえ。

出題パターン check!

明治維新における新政府の政策について正しいものはどれか。

（1）1873 年に地租改正条例を公布し，年貢に代わり地租として全国同一の基準で，豊凶にかかわらず一律に貨幣で徴収できるようにしたことから，租税制度が整備され財政の基礎が固まった。

（2）士農工商の身分を廃止し四民平等とするとともに，1871 年には被差別民であった，えた・非人の称を廃止する賤称廃止令を出して，身分・職業とも平民と同等であるとしたことにより，次第に差別の因習は克服された。

（3）中央集権化を進めるため，1871 年に薩摩・長州・土佐の兵を御親兵として組織し，一気に廃藩置県を断行し，旧藩主を藩知事に任命して領地・領民を直接支配下に置いた。

（4）富国強兵を目指して殖産興業に力を注ぎ，幕府や諸藩が経営していた横須賀造船所・佐渡金山・東京砲兵工廠などを接収して，政商といわれる大事業家に経営させた。

（5）1873 年に徴兵令を公布し，士族・平民を問わず満 18 歳に達した男子は全て兵役に入ることを義務付けたが，一定額以上納税した者はその義務が免除されたため，実際兵役に就いたのは貧農の子弟が大半だった。

答え（1）

過去５年の出題傾向 ★★★☆☆

日本史 ⑥ 武家社会の成立

平安時代を政治的な側面から見ると，後半から摂関政治が本格化し，院政を経て武士の登場へ，と時代は流れていく。武家政権までの流れを多極的にとらえることが肝心。

■荘園の発生と武士の登場

墾田永年私財法（743）以降，荘園と呼ばれる私有地が広まっていく。いわゆる初期荘園は貴族や寺社，農民の富豪層が自ら開墾したもので，８世紀から９世紀にかけて一般的なものだった。それが，寄進地系荘園という形態に変わっていく。これは，荘園を直接管理する荘官が都の有力者（貴族や寺社）に荘園を寄進することにより，保護を受け，何がしかの特権を得るというものである。

荘園の成立により，荘園は一部有力者に集中することになるが，彼らは荘園領主と呼ばれ，絶大な経済的基盤を手に入れた。寄進地系荘園の成立は，その為政者が私利私欲に溺れ，政治を顧みない状況をつくりだすことになり，地方政治の混乱をまねいた。10世紀，武士の反乱が起きたのは，まさにその地方である。

■摂関政治から院政へ

藤原氏が全盛をほこった11世紀初め，“武士の棟梁（とうりょう）”として台頭したのが平氏と源氏である。両氏は各地での紛争を通して着実に力を付けていった。

中央においては，藤原氏が衰退し，1086年から白河上皇による院政が開始された。しかし，為政者が変わったというだけで，政治状況が好転した，というものではなかった。院政時も有力者（院および院の近臣）には荘園が集中し，私利私欲の風は変わらなかった。

■初めての武家政権

平氏と源氏による政権争いの結果，勝利した源氏の棟梁・源頼朝により鎌倉幕府は開かれた。守護と地頭を設置した年は1185年。1192年には，源頼朝が征夷大将軍に任命される。

■初期荘園

①８～９世紀。
②自墾地系荘園ともいう。
③律令国家を支える原則として輸租田（税の対象）。

承平・天慶の乱（935～947）

❶ 平将門の乱（935～940）…939年，下総（茨城）の猿島を拠点に反乱を起こす。新皇と称す。

❷ 藤原純友の乱（939～941）…伊予（愛媛）の日振島を拠点に反乱。九州の大宰府を襲撃。

↓

・乱の鎮定は地方武士の力による
・地方武士の実力を中央が認識する契機

守護と地頭の仕事

❶ 守護…（1）原則として国ごとに設置。
（2）職務…大犯（たいぼん）三カ条。
・謀反人・殺害人の検断…犯人の捜査・逮捕・刑事裁判など。
・大番催促（京都大番役の催促）…皇居や市内の警備に御家人を招集。

❷ 地頭…（1）全国の荘園・公領ごとに設置。
（2）職務…土地の管理・年貢の徴収・治安の維持。※鎌倉時代，荘園の侵略を行う→地頭請・下地中分

■寄進地系荘園

①11～12世紀。

②律令下の田地が不輸租（税の対象外）へ。

③名主（有力農民）・開発領主（郡司などの富豪層），荘官へ。→荘園領主（有力貴族・寺社）へ土地を寄進。

■摂関政治（10～11世紀）

①藤原氏が外戚（母方の親類）として摂政・関白を独占。

②経済的基盤は，寄進地系荘園。

③11世紀初めの藤原道長・頼通の頃全盛。

■源氏の台頭・鎌倉幕府への礎石

①平忠常の乱（1028）…源頼信が征討→関東に源氏の勢力。

②前九年の役（1051～62），後三年の役（1083～87）…東北地方の反乱を源氏鎮圧→源氏，東国武士団と主従関係。

■後三条天皇

①藤原氏を外戚としない天皇。

②摂関政治と院政の過渡期。

③延久の荘園整理令（1069）。

・摂関家（藤原氏）の荘園停止へ。

■院政

①白河上皇により開始（1086）。

②経済的基盤は寄進地系荘園。

③白河上皇以降，鳥羽・後白河上皇。

■鎌倉幕府の成立　よく出る

①侍所の設置（1180）…御家人の統率。

②公文所の設置（1184）…一般政務。

③問注所の設置（1184）…裁判・訴訟の事務。

④守護・地頭の設置（1185）。→これ以降，源頼朝の支配権全国へ。

⑤頼朝，征夷大将軍に（1192）。

■承久の乱（1221）後，幕府優位へ　よく出る

①3代将軍実朝暗殺がきっかけ。

②幕府の勢力，全国へ。

③京都守護に代わり，六波羅探題設置。→朝廷の監視，西国御家人の統率。

■北条泰時（3代執権）執権政治の確立　よく出る

①連署の設置（1225）…執権の補佐。

②評定衆の設置（1225）…重要政務の合議機関。

③御成敗式目（1232）の制定。

・頼朝以来の先例を成文化。

・適用範囲は幕府の勢力圏。

・最初の武家法。

出題パターン check!

鎌倉幕府に関する記述として正しいものはどれか。

（1）頼朝は，1180年の挙兵後，彼のもとにはせ参じた武士と主従関係を結び，御家人として全国の守護・地頭に任命し，御家人を統率する機関として政所を設けた。

（2）頼朝の設置した守護は，全国の公領や荘園において，年貢の徴収・土地の管理・治安の維持などにあたり，また地頭も，原則として各国に置かれ，管内の御家人を統率し，謀反人の取り締まりなどにあたった。

（3）頼朝は，鎌倉に政所，侍所などの中央組織を設ける一方，地方組織としては，京都に六波羅探題，奥州に奥州総奉行を設け，さらに自らは1192年，征夷大将軍に任命されることにより，鎌倉幕府を名実ともに完成させた。

（4）北条時政は，武士の信望を得て，執権の補佐役として連署，評定衆を置くなどして執権政治の強化を図る一方，朝廷との関係を円滑にするため，後嵯峨天皇の皇子宗尊親王を将軍に迎え，皇族将軍の端を開いた。

（5）承久の乱後，幕府の勢力が全国に及ぶようになった結果，荘園領主と御家人との争いが多くなった。これを解決することなどを目的とし，北条泰時は，わが国最初の武家法である御成敗式目を制定した。

答え（5）

過去５年の出題傾向 ★★★☆☆

日本史 ⑦ 大正デモクラシー

大正時代，大正デモクラシーがこの時代の思潮として，社会に大きな影響を与えた。したがって，それを支えた理論を理解し，それに派生する社会事象も理解しておこう。

■大正デモクラシーの社会背景

明治時代は，絶対的存在としての明治天皇が明治政府の専制体制を支えた，ともいえる。その意味で，天皇の崩御がもたらした影響を見過ごすことはできない。様々な局面において民主化の動きが見られた大正時代。前代に比べ，人々はその心の内を表現し，行動にうつし易かったのかもしれない。明治憲法という枠内で，いかに政治の潮流を民主化に向けるか，方向性を最も効果的に説いたのが吉野作造の民本主義である。

■民本主義と天皇機関説

明治憲法下にあって，民本主義は主権の所在については論じていない。「国家の主権の活動の基本的な目標は政治上人民にあるべし」としている。法律上からではなく，政治上から民主政治の実現をせまり，天皇大権の陰に隠れる藩閥政治を批判している。大正時代，２度にわたり護憲運動が起きたが，その底流に民本主義は流れている。民本主義が，広く当時の民衆の支持を受けたとすると，論難の的になったのが美濃部達吉の天皇機関説であろう。

これは，主権は法人としての国家にあり，天皇は国家の意思に従って主権を行使せざるをえない，というもの。国家の意思は議会にあるので，議会政治が可能であるとしている。明治憲法に規定されている天皇主権に反する学説，ともいえる。

■社会運動の台頭

日清・日露戦争を通し，急速な発展を遂げたわが国の資本主義は，社会的な格差を生み，社会運動の高揚へとつながっていった。

この運動がより組織化され，拍車がかかったのが大正時代である。労働運動，婦人運動，農民運動等，様々な社会運動はこの時代を大きな踏み台とし，後世に大きな影響をあたえている。小作人組合である日本農民組合，部落民自らが組織した全国水平社はいずれも1922年の創設である。これらの運動の先にある目標は，民本主義が掲げた普通選挙の実現，という点である。

民本主義の政治上の目的

①政党政治の実現
②普通選挙実施

■護憲運動

1912年（大正元）年に第一次護憲運動が起きた。この事件は，当時の桂太郎内閣の政党・資本家優先の政策が，国民の反発を買い，広汎な民衆運動に拡大したものである。連日のデモは桂太郎内閣総辞職という結果をまねいた。民衆パワーが内閣を打倒した最初の事件であり，大正政変ともいう。

さらに，1924（大正13）年に起きたのが第二次護憲運動である。これは，清浦奎吾内閣の超然主義に，政党員が中心となり起こした運動である。清浦が退陣した後，護憲三派による加藤高明内閣が誕生した。

この内閣による普通選挙法は，大正時代における民衆運動の一つの成果といえる。

■民本主義（1916） よく出る

①吉野作造による学説。
②大正デモクラシーに大きな影響。
③知識人を中心に広く普及。
④普通選挙運動の理論的武器。
⑤主権の所在…不問。
⑥政治目的…民衆の福利のため。
⑦政策決定…民衆の意向による。
⑧「中央公論」誌上で論述。

■天皇機関説

①美濃部達吉による学説。
②絶対主義的天皇主権説の学者と憲法論争。
③主権の所在…国家。
④「憲法撮要」で論述。

■第一次護憲運動（1912～13）

①桂太郎内閣に対する運動。
②政友会・尾崎行雄，国民党・犬養毅が中心。
③スローガン…「閥族打破・憲政擁護」。
④都市知識人，一般市民が中心。
⑤連日，デモを行い議会包囲→桂内閣総辞職。
⑥民衆が内閣を打倒した最初の事件。

■第二次護憲運動（1924） よく出る

①清浦奎吾内閣…貴族院が基盤の超然内閣。
②護憲三派（政友会・憲政会・革新倶楽部）による護憲運動。
③議会解散→護憲三派圧勝→清浦退陣。
④護憲三派内閣誕生…首相加藤高明。…普通選挙法・治安維持法の制定（1925）。
・政党内閣制の継続（～1932，犬養毅）。

■加藤高明内閣の政策 よく出る

①普通選挙法…25歳以上の男子に選挙権。30歳以上の男子に被選挙権。
②治安維持法…共産主義の弾圧を目的とする（社会運動を取り締まる法律）。1928年に死刑が加わる。
③政党内閣制…衆議院の第一党（多数党）が内閣を組織する。五・一五事件で犬養毅首相が暗殺されるまで。

■社会運動（大正時代）

①労働運動，普選運動（普通選挙運動）へ。
・友愛会（1912）から…普選で議員選出へ。
②最初のメーデー（労働者の祝日）…1920年。
③日本共産党（1922）…堺利彦ら。
④日本農民組合（1922）…小作人組合。→小作争議頻発←農村恐慌←戦後恐慌。
⑤全国水平社（1922）…部落民自らが組織。
⑥雑誌「青鞜（せいとう）」（1911）…平塚雷鳥。→女性解放運動へ…社会運動と結びつく。
⑦新婦人協会（1920）…平塚雷鳥・市川房枝ら。→婦人の政治参加。
⑧赤瀾会（1921）…山川菊栄・伊藤野枝ら。→婦人社会主義者の団体。

重要語解説

●普通選挙法…護憲三派内閣によって改正された衆議院議員選挙法の通称。これにより納税資格制度は撤廃された。
●超然主義…政府は議会の上にあり，決して政党の議決に左右されないとする主義。

出題パターン check!

次のA～Eの記述のうち，大正デモクラシーに関するものとして正しい組み合わせはどれか。

A　吉野作造は，天皇制下における民主主義（民本主義）の確立の必要性を説き，普通選挙の実現や政党政治の確立を主張し，当時の社会に大きな影響を与えた。
B　市川房枝らによって，新婦人協会が結成され，また，山川菊栄ら社会主義者による赤瀾会が結成され，女性の政治活動への参加や選挙権獲得を目指した活動が展開された。
C　寄生地主制が民主化を妨げた大きな原因であるとし，農地改革が実施された。その結果，寄生地主制は解体されて，小作人が自作農となり，農村の封建関係が一掃された。
D　植木枝盛は，主権在民の立場から基本的人権の保障や政府の不法に対する人民の抵抗権と新政府を建設する革命権を認めた急進的な憲法草案を起草した。
E　護憲三派内閣によって普通選挙制が成立し，これによって，衆議院議員の選挙権に関する課税額による制限は全廃され，有権者は約４倍に増加した。

(1) A，D　(2) A，B，E　(3) B，E
(4) B，C，E　(5) C，D

答え（2）

過去５年の出題傾向　★★★☆☆

日本史 ⑧ 自由民権運動

言論による反政府活動。明治政府の諸政策に不満を持つ人々が起こした合法的な運動，というとらえ方もできる。その運動の始まりから終わりまでを概観してみよう。

■征韓論と自由民権運動

1873（明治６）年は，明治政府の諸政策のひと区切りといえるかもしれない。富国強兵のための徴兵令，地租改正条例等はいずれもこの年である。また同年，条約改正の予備交渉のため欧米に派遣された一行（岩倉具視を全権とする）が，急遽帰国している。帰国は，征韓論の台頭にストップをかけることが目的とされている。

西郷隆盛を中心とする征韓派は，政争に敗れ，下野（参議を辞職）することになる。征韓派は西郷の他，板垣退助・副島種臣（そえじまたねおみ）・後藤象二郎（しょうじろう）・江藤新平らである。佐賀の乱の江藤新平，西南戦争の西郷隆盛を除き，自由民権運動に関わりを持っていることからして，政争の末の反政府運動，という見方もできる。

また，1874年以降，自由民権運動が様々な階層の人々を巻き込んで進展していく様を見ると，単なる政争の結末とばかりはいえないようだ。

■自由民権運動と政府の対応

◇自由民権運動の変遷

・発生期（1874～77頃）…士族が中心

最初の政治結社愛国公党の結成，民撰議院設立建白書の左院への提出が，1874年の大きな出来事である。この動きは自由民権運動の要求した３つのテーマの１つ,「国会開設」と符合し，以降全国的な展開を見せ，愛国社結成へとつながっていく。

この状況の中で政府は，讒謗（ざんぼう）律・新聞紙条例で弾圧を加える。一方，政府（大久保利通）はかつての盟友，木戸孝允（たかよし）・板垣退助と会談し，政府への復帰，すなわち，懐柔策をとった。この会談は大阪会議と呼ばれている。板垣が自由民権運動の指導者の一人だった，という点から画された会談である。

・発展期（1878～81頃）…豪農等が中心

国会開設の運動が大きなうねりとなったこの頃，1880年に愛国社は国会期成同盟と呼称を変えている。組織を拡大し，国会開設の請願書を政府に提出したが，政府は受理を拒否した。受理の代わりの対応が，集会条例という名の弾圧である。

これは，言論・集会・結社を厳しく制限したものである。翌年，1881年，北海道開拓使官有物払下げ事件が起きた。開拓使長官と政商の間で官有物が40分の１以下で払下げられようとした。この事件をきっかけに政府は国会開設の勅諭を発し，1890年の国会開設を約束したのである。

・激化期（1882～86頃）…窮迫した農民等が中心

1882年，大蔵卿松方正義はデフレ政策を開始した。この政策は，それまでのインフレ政策を大きく改めたもので，社会各層に大きな影響を与えた。自由民権運動に与えた影響も決して小さなものではなかった。デフレの進行に，ただでさえ現金収入の少ない中小農民が没落し，農民たちが支えていた自由党の蜂起事件へとつながっていく。蜂起事件の最初が福島事件（1882）であり，最後が静岡事件（1886）である。

・**大同団結運動の展開（1886～89）**

自由民権運動の終章を飾る運動といえる。自由民権運動は後退し，崩壊へ向かっていたこの頃，星亨らが大同団結運動を唱えた。これが1886年である。翌年，井上馨外相の条約改正交渉失敗を機に三大事件建白運動が起こった。この2つの運動に対して，政府は保安条例によって弾圧を加えた。

■自由民権運動の展開　よく出る

①愛国公党…最初の政治結社。征韓論で下野した板垣退助・後藤象二郎・副島種臣ら。
→民撰議院設立建白書を左院に提出（1874）。

②立志社…板垣・片岡健吉ら。土佐（高知）。

③愛国社…全国的展開目指す。本部は東京。

④大阪会議（1875）…自由民権運動と妥協。

・大久保利通，木戸孝允・板垣退助と会談。
→木戸・板垣の参議（政府）復帰。

・元老院（立法機関），大審院（司法機関）の設置。

⑤一方で弾圧…讒謗律・新聞紙条例。

■国会開設への流れ

①愛国社，国会期成同盟へ改称（1880）…国会開設請願運動→署名活動→政府不受理。

②一方で弾圧…集会条例。

・政治集会・結社の届出制。

・治安を乱すおそれのある集会・結社の禁止。

③北海道開拓使官有物払下げ事件（1881）…明治14年の政変のきっかけ。

・開拓使長官黒田清隆，政商五代友厚に官有物を払下げ…1,400万円を39万円で年賦。

・参議大隈重信の罷免。

・国会開設の勅諭（1890年の開設を約す）。

■自由民権運動の分裂と松方財政　よく出る

①明治14年の政変→国会開設の勅諭。…政党の結成へ。

②松方財政（1882～）

・デフレ政策と官営工場払下げ。

・デフレの進行により寄生地主制の確立。

・過激な行動に走る中小農民。

↓

自由党員の蜂起事件へ。｛福島事件（1882年）／加波山事件（1884年）／秩父事件（1884年）／静岡事件（1886年）｝

↓

大同団結運動←三大事件建白運動。

自由民権運動の3つの要求

①国会開設　②地租軽減　③条約改正

	3政党の比較		
政党	自由党（1881～84）	立憲改進党（1882～96）	立憲帝政党（1882～83）
中心人物	板垣退助	大隈重信	福地源一郎
性格	フランス流急進的自由主義	イギリス流穏健的立憲主義	保守的御用政党

出題パターン check!

次のA～Eの記述のうち，自由民権運動に関するものの組み合わせはどれか。

A　尾崎行雄ら政治家と新聞記者，全国の商工会議所の実業家らは憲政擁護会を組織し，「閥族打破・憲政擁護」をスローガンに内閣退陣を迫る運動を起こした。

B　安部磯雄，片山潜らは，軍備の縮小・貴族院の廃止・普通選挙の実施などを唱えて社会民主党を結成したが，治安維持法によって解散させられた。

C　財政改革に伴う深刻な不況の中で困窮した農民は，急進的な自由党員と結びついて，福島・秩父・静岡など各地で実力行使に出た。

D　板垣退助・後藤象二郎らは，藩閥政府を非難し，すみやかに民撰議院を開設し，国民を政治に参加させるべきとする民撰議院設立建白書を政府に提出した。

E　藩閥政府に対する不満を高めた士族たちは，江藤新平を擁して挙兵した佐賀の乱をはじめとして，神風連の乱・秋月の乱・萩の乱など武力による反政府運動を起こした。

（1）A B　（2）A C　（3）B C
（4）C D　（5）D E

答え（4）

練習問題1

御成敗式目が制定された背景として，正しいものはどれか。

（1）公家社会における律令格式を典拠とした武家社会の法律を望む声が高まった。

（2）幕府の実権を握る北条氏にとって，独裁に対する非難をかわすため，引付衆や御成敗式目を設置・制定する必要が生じた。

（3）承久の乱後，所領に関する訴訟が多くなり，裁判の公平と統一を期するため，法規を成文化する必要があった。

（4）親王将軍を迎え，北条氏独裁を強める北条義時が，専制体制の確立を図るために，御家人の統率をする必要が生じた。

（5）承久の乱後，急速に力を得た守護・地頭らの台頭が目立ち，これをおさえる必要があった。

練習問題2

江戸時代の政治に関する組合せとして，正しいものはどれか。

（1）享保の改革―足高の制・定免法

（2）田沼政治―上地令・相対済し令

（3）正徳の治―人返し令・棄捐令

（4）寛政の改革―囲米・長崎貿易の制限

（5）天保の改革―上米・金銀の海外流出防止

練習問題3

明治政府の政策として妥当なものはどれか。

（1）政府は画一的な学制を公布，全国に小学校を設立した。しかし，納税額による入学制限があったため，平等を求める暴動が起こった。

（2）政府は富国強兵を目指し，財閥の経営する八幡製鉄所，富岡製糸場などに対して資金援助を行うなどして，産業を育成した。

（3）政府は版籍奉還後も旧藩主を知藩事としたが，中央集権を推進する必要から廃藩置県を断行，政府は官吏として府知事・県令を任命した。

（4）政府は江戸時代の士農工商を全て平民とした。平民は職業・居住地も自由に選ぶことができ，名字の使用も許可された。

（5）政府は地券を交付し農民の土地所有を認めた。これにより，年貢から貨幣へ納入方法が変更され，以前より大幅な負担減となった。

解答・解説

練習問題1　正答／（3）

●解説／後鳥羽上皇による承久の乱，鎌倉幕府方の勝利に終わったこの戦いにより，新たな地頭が設置された。これを新補地頭というが，これにより，新たな土地をめぐる紛争が生じた。これを解決するための方策が御成敗式目である。しかし，この法律は幕府の勢力範囲のみで通用した。それ以外の朝廷の勢力下では公家法が，荘園内では本所法が適用された。

練習問題2　正答／（1）

●解説／古い順に並べてみる。正徳の治（新井白石）→享保の改革（徳川吉宗）→田沼政治（田沼意次）→寛政の改革（松平定信）→天保の改革（水野忠邦）となる。（2）の相対済し令，（5）の上米は享保の改革。（3）の棄捐令は寛政の改革。（4）の長崎貿易の制限は天保の改革。

練習問題3　正答／（3）

●解説／

（1）学制は「国民皆学」をテーマとしており，入学の制限はない。

（2）八幡製鉄所・富岡製糸場は明治政府の官営工場。よって，資金援助というのはおかしい。

（3）文中にある，中央集権という表現に注目したい。

（4）厳密にいうと，華族・士族・平民，という身分階層に分けられた。農工商が平民にあたる。

（5）地租改正の文章。この法令によって地租改正反対一揆が起きたことを考えると，大幅な負担減ということはないだろう。

練習問題4

自由民権運動に対して，政府がとった措置として正しい組合せはどれか。

A　新聞紙条例などを定めて言論を圧迫した。
B　府県会を召集して弾圧を命じた。
C　地方官会議制度を設け運動を監督した。
D　集会条例によって集会・結社の自由を弾圧した。
E　元老院を設けて取締りを強化した。

（1）B，C　（2）C，D　（3）A，D
（4）B，E　（5）A，E

練習問題5

次のA～Dまでの記述を古い順に並べたものとして正しいものはどれか。

A　井上馨による欧化政策と呼ばれる条約改正交渉は，政府内部からの反対もあって頓挫した。
B　大隈重信は玄洋社の活動家に爆弾を投げられ重傷を負った。
C　岩倉具視はアメリカとの交渉のため使節団を構成した。
D　青木周蔵はイギリスとの交渉にあたったが，大津事件によって引責辞任した。

（1）C→D→A→B　（2）C→A→D→B
（3）C→B→A→D　（4）C→D→B→A
（5）C→A→B→D

練習問題6

日露戦争前後の記述として正しいものはどれか。

（1）ポーツマス条約の内容が日本にとって不利益なものであるとし，条約破棄を唱える運動，いわゆる五・四運動が起きた。
（2）日露両国はアメリカ大統領ウィルソンの提案に応じ，アメリカの軍港ポーツマスにおいて講和会議を開き条約に調印した。
（3）日本と開戦したロシア軍は奉天会戦に勝利し，日本海海戦では，ロシアのバルチック艦隊が日本海軍に壊滅的な打撃を与えた。
（4）日本国内では三国干渉以来ロシアに対する感情が悪化し，対露同志会や東京帝国大学七博士らによる主戦論が台頭した。
（5）北清事変後のロシアの満州占領および朝鮮への圧迫により，日本は朝鮮における権益を保持するため，アメリカとの間に日米同盟を締結した。

解答・解説

練習問題4　正答／（3）

●解説／自由民権運動の歴史は弾圧の歴史といえる。Aの新聞紙条例は，自由民権運動が全国的な盛り上がりをみせた1875年に出された。讒謗律も同じ時のもの。Dの集会条例は1880年に結成された国会期成同盟に対する弾圧法規である。

練習問題5　正答／（5）

●解説／江戸時代末期，幕府が欧米諸国と締結した不平等条約の改正を担当した人物は頻出事項。この問題はその順番さえ暗記していれば答えは出る。暗記法の一つが，岩寺の井戸に大きな青い陸奥の子（小）。岩＝岩倉。寺＝寺島。井＝井上。大＝大隈。青＝青木。陸奥＝陸奥。小＝小村。このような問題も出題されるから，外交担当者の順番も覚えておきたい。

練習問題6　正答／（4）

●解説／日露戦争の要因の一つとして日清戦争後の三国干渉がある。日清戦争から北清事変，日露戦争と続く流れは重要である。この時代は欧米列強の帝国主義段階であり，日本は朝鮮をその標的としていた。その先の日露開戦といえる。日露戦争は日本側優位のうちにその幕を閉じる。（3）の奉天会戦・日本海海戦は日本が勝利した。この戦争の調停をしたアメリカ大統領が，セオドア·ローズヴェルトである。

練習問題7

大正デモクラシーの記述として，正しいものはどれか。

（1）国民は超然内閣による非立憲的な行動に反対し，護憲運動を通じて本格的な政党政治の実現を求めていった。
（2）国民は政治への関心をますます強め，普通選挙とともに婦人参政権の実現も要求し，普通選挙法の制定によりその目的は達せられた。
（3）国民は米騒動のような一揆と同じ性格の運動を繰り返し，各地で小作争議が頻発したが，労働運動はあまり多くなかった。
（4）国民は吉野作造や上杉慎吉らの民本主義の主張に強く影響されたが，その影響は政治的なものにとどまり，文化全体にはあまり影響を与えなかった。
（5）国民は労働基準法や労働組合法などのような労働権を確立するための法令の制定を望んでいた。

解答・解説

練習問題7　正答／（1）

●**解説**／大正時代の，２度にわたる護憲運動は政党政治を求める運動といえる。その成果が，普通選挙法の成立だった。
（2）の婦人参政権の実現は第二次世界大戦後のことである。
（3）の労働運動は社会運動と置き換えることもできるが，大正時代に頻発している。
（4）の上杉慎吉は天皇主権説を唱えた人物。
（5）の労働基準法・労働組合法も第二次世界大戦後のこと。

練習問題8

第一次世界大戦後に起こった経済恐慌に関する記述として，正しいものはどれか。

（1）戦後の金融恐慌と震災恐慌によって銀行に資本が集中し始めた。そしてその後の世界恐慌によってその集中がますます進んだ。
（2）大戦後の好景気によって，金融恐慌はどうにか乗り越えられそうに思われたが，引き続いて起こった世界恐慌によって資本の銀行集中が進んだ。
（3）大戦後に金融恐慌が起こり，その後に起きた世界恐慌によって，ますます資本が銀行に集中した。
（4）大戦によってもたらされた好景気はしばらく続いたが，その後に戦後恐慌や関東大震災による震災恐慌・金融恐慌によって資本が銀行に集中し，世界恐慌により一層その傾向が強まった。
（5）大戦後に起こった世界恐慌により，日本は金融恐慌が起き，それによって資本や貨幣は銀行へと集中した。

解答・解説

練習問題8　正答／（4）

●**解説**／第一次世界大戦後，日本は相次ぐ恐慌に悩まされる。戦後恐慌→銀行恐慌→震災恐慌→金融恐慌→世界恐慌。この順に照らしてみる。
（1）金融恐慌は戦後恐慌が正しい。
（2）大戦後の好景気はおかしい。不景気が正しい。
（3）大戦後は戦後恐慌である。
（4）銀行恐慌が抜けているが，その他の順序は正しい。
（5）金融不安により，国民は貯金の引き出しに殺到し，取り付け騒ぎによって，一部の銀行が休業に追い込まれた。

練習問題９

田沼時代の特色として妥当なものはどれか。

（１）この時代の政治は，従来の緊縮財政を捨て，商業資本の積極的利用を推し進めたのが特徴で，町人の財力で幕政の立て直しをはかり，印旛沼の干拓なども行われた。

（２）この時代は文治主義を基調とし，湯島聖堂が建てられ昌平坂学問所の基礎をなしたが，物価の騰貴を招くなどの失政も多かった。

（３）封建制度の立て直しに努め，文武奨励，上米，新田開発などの改革を行ったが，一時的な効果をあげただけに終った。

（４）この時代の改革は，綱紀粛正，株仲間解散などを実施したが，大名や旗本の強い反対にあい，失敗に終った。

（５）この時代の改革は，棄捐令による旗本・御家人の救済，人足寄場の設置など広範囲にわたったが，厳し過ぎて不評をかった。

練習問題 10

鎖国政策に関する記述のうち妥当なものはどれか。

（１）幕府が鎖国に至る原因の一つとして，ヨーロッパ諸国内の対日貿易競争があげられる。後発のオランダが，イギリスやスペインは領土的野心があると幕府に讒言したことが鎖国の契機となった。

（２）3 代将軍徳川家光は 1633 年に朱印船以外の日本船の海外渡航を禁止した。これは事実上の鎖国令である。

（３）鎖国が進行する過程で，長崎ではキリシタン牢人が天草の領主寺沢広高と結託して，島原藩主の松倉重政に反抗して一揆を起こした。これを島原の乱という。

（４）鎖国が完成したことで幕府や大名の農民に対する統制が強化され，また，貿易統制によって幕府が商品流通を掌握したことで幕藩体制が確立された。

（５）鎖国の結果，海外との交流が完全に遮断されたため，日本独自の文化が進展したが，近代社会の幕開けが遅れた。

解答・解説

練習問題９　正答／（１）

●解説／

（２）は５代将軍綱吉に関するもの。

（３）は８代将軍吉宗（享保の改革）に関するもの。

（４）は水野忠邦（天保の改革）に関するもの。

（５）は松平定信（寛政の改革）に関するもの。

練習問題 10　正答／（４）

●解説／

（１）の領土的野心，という表現はイギリスではなく，ポルトガルとすべき。ポルトガルとスペインはキリスト教布教が来日の目的だった。

（２）の朱印船は奉書船が正しい。

（３）の２人の藩主に対して起こした一揆が島原の乱。

（５）の，完全に遮断，はおかしい。江戸時代，オランダ・中国・朝鮮とは交流があった。

練習問題 11

日露戦争前後の記述として正しいものはどれか。

（1）わが国の資本主義成立の諸条件はほぼ1890年代に整えられ，紡績業などの軽工業部門において最も早く近代産業が発達した。

（2）1876年に結ばれた江華条約により，わが国は朝鮮市場進出の糸口を得たが，朝鮮をめぐる清国との対立が深まり，政府は，国民からの拠出による軍事費の増大を図った。

（3）朝鮮における甲午農民戦争を契機に，日清両国は戦争を開始したが，この戦争は，わが国の商業資本主義の発達に対する朝鮮市場の意義を動機とするものであった。

（4）下関条約調印後，わが国はロシア・フランス・アメリカによる三国干渉を受け，国内には国権主義的傾向が高まり，第2次伊藤内閣は軍備費を拡張させた。

（5）日清戦争後，わが国の第一次産業革命は一応完成されたが，欧米諸国との円滑な貿易に必要な金本位制の採用には至らず，それには日露戦争を待たなければならなかった。

練習問題 12

江戸時代の我が国の出来事A～Dを，年代順に古いものから新しいものへ並べ替えた場合，妥当なのはどれか。

A　安政の大獄
B　桜田門外の変
C　薩長同盟の成立
D　日米和親条約の調印

（1）A－B－C－D
（2）A－B－D－C
（3）A－C－D－B
（4）D－A－B－C
（5）D－B－A－C

解答・解説

練習問題 11　　正答／（1）

●**解説**／日本が本格的な資本主義国家となったのは，日清戦争後である。軽工業中心の第一次産業革命が起きたのがこの頃である。
（2）は後半部分の，国民からの拠出，がおかしい。政府は不換紙幣の乱発を行った。
（3）は商業資本主義が産業資本主義となるべき。
（4）の三国干渉はロシア・フランス・ドイツ。
（5）の金本位制は日清戦争後にその賠償金をもとに成立した。

練習問題 12　　正答／（4）

●**解説**／安政の大獄は，1858年から1859年にかけて，幕府が行った弾圧のこと。桜田門外の変は，1860年に幕府の大老である井伊直弼が暗殺された事件。薩長同盟は，1866年に締結された，薩摩藩と長州藩の政治的，軍事的同盟。日米和親条約は，1854年に江戸幕府とアメリカ合衆国が締結した，実質的に鎖国を解除した条約。したがって，古い順に並べると，日米和親条約の調印→安政の大獄→桜田門外の変→薩長同盟の成立となる。

2 人文科学
世界史

出題傾向 第二次世界大戦前後の近現代史および中国史は最重要テーマ。特にドイツを取り巻く欧米諸国の動きなどはしっかりおさえておきたい。中国史では，最後の王朝，清朝が頻出。中国の歴代王朝は前代を，己を映す鏡としているため，前代の政治・文化・社会等の様相を意識して学習することが大事である。もう一方の柱が，中世ヨーロッパである。ヨーロッパに近代市民社会が誕生していく過程で起きた出来事（大航海時代，宗教改革，市民革命，帝国主義政策等）は必須内容である。直近の試験では，宗教改革，ヨーロッパの国々のアジア進出などが出題されている。

学習のコツ

歴史の縦軸と横軸を意識しながら進めていくことが重要。特に，中国とヨーロッパに関しては，互いの歴史を合わせ鏡のように見つめることを心がけたい。近代以降，欧米諸国の資本主義の発達が中国に及ぼした影響は，一国の歴史がその国だけで完結しない典型的な時代例。支配，被支配が明確な，帝国主義の象徴的な例ともいえる。一つひとつの事象を丸暗記するのではなく，結びつけることを意識しよう。

難易度＝ 90ポイント

重要度＝ 95ポイント

◆出題の多い分野◆

分野	頻度
アヘン戦争と中国の半植民地化	★★★★★
欧米列強の帝国主義政策	★★★★★
明と清	★★★★
世界恐慌と第二次世界大戦	★★★★
隋と唐	★★★★
冷戦～デタント	★★★★
大航海時代	★★★
宗教改革	★★★

過去５年の出題傾向 ★★★★★

世界史 ① アヘン戦争と中国の半植民地化

アヘン戦争（1840 ～ 42）から中国の半植民地化（1900 年前後）まで，中国国内で様々な事件が起きた。その事件の様相とそれにからむ諸外国について，しっかり理解しておきたい。

■アヘン戦争まで

18 世紀，イギリスの対中国貿易は輸入超過だった。中国からの茶・絹の支払いのために大量の銀が国外に流出していた。この状況を打破するための策が，三角貿易である。中国側にとっては，アヘンの流入は大きな国内問題であった。

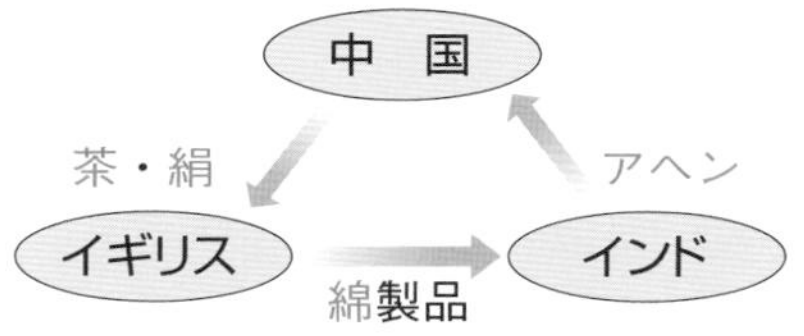

三角貿易の採用により，イギリスにとって貿易上の不均衡はある程度改善されたが，まだ，改善すべき点があった。朝貢貿易である。朝貢貿易とは，中華思想により，中国に服属した上で交易を行うというものである。これにより相手国は多大な利益を収めることができた。運賃から宿泊費までの一切を中国側がもってくれたので丸儲けである。いたって単純な貿易であるが，これを良しとしない国や人にとっては大きな問題であった。土下座同様のことまでやって利益を求める必要があるのか，という点である。イギリス側が中国との関係に懸念を抱いているのと同様，中国側もアヘン流入に強い反発心を持っていた。

その両国による政治的な解決の道が絶たれたともいえる事件がアヘン戦争である。イギリスと中国（清）によるこの戦争の直接の原因は，中国側のアヘン廃棄にある。これを口実に武力による圧力をかけた。戦いは当然のことながら，イギリスの勝利に終わった。では，イギリスにとってこの戦争の目的とは何だったのか。南京条約による要求も見逃すことはできないが，究極の目的が自由貿易にあったという点は重要。数々の貿易上の制限をなくすことが狙いだったのである。

■太平天国の乱とアロー戦争

イギリスの侵略戦争ともいえるアヘン戦争に敗れた清朝に，次なる敵が現れた。満州民族の王朝である清朝に戦いを挑んだのは，漢民族の洪秀全だった。スローガン“滅満興漢”はこの内乱（太平天国の乱）の中身を端的に表現している。すなわち，満州民族を滅ぼし漢民族の王朝を興す，という意味である。しかし，漢民族の手によってこの内乱は鎮められた。その主力となったのが郷勇（きょうゆう）と呼ばれた漢人地主の義勇軍である。この内乱の最中に起きた侵略戦争がアロー戦争で，英仏両軍対中国という図式ができあがった。アヘン戦争の際，イギリスが狙った貿易上の改革が達成されていない，というのが原因といえる。ここでまたしても，中国は市場として，さらに開放されていくことになる。

■その後の清朝

相次ぐ侵略，そして内乱。疲弊した清王朝にとって改革は急務であった。中国の伝統を温存し，西洋の技術を導入しようとした洋務運動はこの時に起きた。しかし，日清戦争の敗北，保守派の巻き返し，義和団の乱を経て，清王朝は滅亡。中国の課題は，次の中華民国へ引き継がれた。

■列強の中国進出・イギリスの対応

① 三角貿易…インド産アヘンを中国に輸出。

② 貿易の改善…中華思想による朝貢貿易。
→マカートニー，アマーストの派遣→失敗。

■アヘン戦争（1840） よく出る

①広州で欽差大臣・林則徐がアヘンの廃棄
…イギリス，武力で圧迫。

②南京条約（1842）
・清は香港を割譲。
・上海・寧波・福州・厦門・広州の開港。
・公行の廃止。

■太平天国の乱（1851～64） よく出る

①広西省で洪秀全が反乱。

②天朝田畝制度（てんちょうでんぽせいど）
…男女の区別なく均等に土地配分→未実施。

③辮髪（べんぱつ）・纏足（てんそく）の禁止。

④スローガン…“滅満興漢”。

⑤反乱軍敗れる…郷勇の活躍→曾国藩・李鴻章。

■アロー戦争（1856～60）

①英仏対清。

②アヘン戦争後もイギリスの希望かなわず。

③天津条約（1858）…清，批准せず→交戦。

④北京条約（1860）…ロシアの仲介。
・天津条約の批准書交換，さらに追加条約。
・キリスト教布教の容認。
・自由貿易保障。
・アヘン貿易公認。
・九龍半島の一部をイギリスに割譲。
・開港場に天津加える（合計11港）。

■洋務運動

①中国の伝統，政治を温存。西洋技術導入。

②曾国藩が洋務運動の中心。

③この時期（1860年代～70年代中頃）を同治中興という…表面的には政治的安定期。

④洋務運動の失敗→学ぶべき相手と戦争。
・清仏戦争（1884～85）。
・日清戦争（1894～95）。

■清朝末期の状況・日清戦争～中華民国成立 よく出る

1．西太后と光緒帝の対立

①光緒帝，康有為を登用→変法自強運動。
…政治改革→立憲君主政下の議会政治。

②戊戌（ぼじゅつ）の政変→西太后ら保守派，康有為追放。

2．義和団の乱（1900）

①排外的宗教結社の反乱。

②スローガン…“扶清滅洋”。

③諸外国により鎮圧。

④北京議定書（1901）の調印。
…外国軍の駐留→中国の半植民地化。

3．孫文の登場

①三民主義…民族の独立・民権の伸張・民生の安定。

②東京に中国革命同盟会（1905）。

4．辛亥革命（1911）

①孫文を臨時大総統に中華民国の成立。

②宣統帝溥儀の退位→清朝の滅亡。

重要語解説

●公行…こうこう。清朝の頃，広州で対外貿易を独占していた特許商人の組合。

出題パターンcheck!

近代の中国が締結した様々な条約の1つ，北京条約（1860）の記述として正しいものはどれか。

（1）清とイギリスの間に締結された条約で，香港・遼東半島のイギリスへの割譲が決められた。

（2）アロー戦争終結の講和条約で，イギリスへ九龍半島の一部を割譲し，キリスト教布教の自由，南京・天津など11港の開港を認めた。

（3）日清戦争の講和条約で，清は朝鮮の独立を認め，遼東半島・台湾を日本に割譲した。

（4）ペテルブルクでロシアと清の間に締結された条約で，イリ地方は清に返還された。

（5）アヘン戦争の講和条約で，中国は開国を強要され，国際的優位を失った。

答え（2）

過去５年の出題傾向　★★★★★

世界史 ② 欧米列強の帝国主義政策

イギリスは18世紀後半に産業革命を達成した。ここから，欧米の先進資本主義諸国は相次いで産業革命を達成することになる。その先にあるのが，帝国主義である。

■帝国主義とは

資本主義を生産様式の発展，という点から見た場合，問屋制家内工業→工場制手工業（マニュファクチャー）→工場制機械工業，と推移する。工場制機械工業により，大量生産が可能となるが，いわゆる産業革命はこの頃である。

産業革命後，大量の製品をいかに消費するか，という課題があった。それは，産業革命を達成した各国にとって，共通のものだった。生産したものが売れ残ると，恐慌へとつながる可能性があるからだ。そこで市場が必要になってくる。市場の必要性は植民地獲得という方法によって解決される場合が多かった，といえる。市場の必要性・植民地獲得の段階を帝国主義という。

商業資本主義
●問屋制家内工業
●重商主義政策

↓

産業資本主義
●産業革命
●自由競争

↓

独占資本主義
●生産と資本の集中
●資本主義列強による世界の領土的分割

■各国の帝国主義

1. イギリス

いち早く産業革命を達成したイギリス。ヴィクトリア女王（位1837～1901）時代には“世界の工場”として自由貿易政策を採用した。帝国主義政策に転じたのは，1870年代からである。インドでは，1857年のシパーヒーの反乱を鎮圧。1877年にはヴィクトリア女王がインド皇帝を兼ね，直轄植民地とし，インド帝国を樹立した。

また，スエズ運河を買収（1875）し，エジプトを保護下においたのが1882年。南アフリカ戦争（1899～1902）を起こし，南アフリカ連邦を支配下においたのが1910年。これによりイギリスは，ケープタウン，カイロ，カルカッタを結びつける，いわゆる３Ｃ政策により，帝国主義の拡大を狙った。

2. フランス

フランスは，ドイツやアメリカに追い越されたが，1880年代から海外侵略を進め，インドシナ，アフリカに進出し，イギリスに次ぐ広大な植民地を領有した。1881年にチュニジアを保護国とし，サハラ砂漠を占領，ジブチ，マダガスカルへのアフリカ横断政策を企図した。

ファショダ事件（1898）ではイギリスと衝突するが，ここはフランス側が譲歩した。その後，英仏は接近し，エジプトにおけるイギリス，モロッコにおけるフランスの優越を相互に認め合った。

3. ドイツ

ドイツの国家統一（1871）は遅かった。それゆえ，国家の保護のもとで産業革命は推進された。ヴィルヘルム２世（位1888～1918）の頃，モロッコをめぐりフランスと２度にわたり対立した。これが，タンジール事件（1905）・アガディール事件（1911）で，イギリスがフランスを支援したため，モロッコはフランスの保護国となった。ドイツは，新航路政策・3B 政策（ベルリン・ビザンティウム・バグダード）によって，イギリスとも対立を深めることになる。

■アフリカの分割

1．リベリア・エチオピア以外は全て植民地…20 世紀初頭。

2．イギリス　よく出る

①エジプトの保護国化（1882）。

②スーダン占領（1899）。

③南アフリカの植民地化（1910）。

④アフリカ縦断政策と 3C 政策。

3．フランス

①アルジェリアが足場（1830 年に占領）。

②チュニジアを保護国とする（1881）。

③アフリカ横断政策…イギリスのアフリカ縦断政策と衝突→ファショダ事件（1898）。

④エジプト，モロッコにおける英仏の優越を相互承認（1904 年の英仏協商）。

4．ドイツ　よく出る

①モロッコ事件（タンジール・アガディール）…モロッコで独仏の対立。

②イギリスのフランス支援…モロッコ，フランスの保護国に（1912）。

■中国の分割

1．日清戦争（1894 ～ 95）後中国分割へ

①下関条約で日本が遼東半島獲得。

②ロシア・フランス・ドイツ，遼東半島の返還要求…三国干渉。

2．ロシア

①東清鉄道敷設権獲得…遼東半島返還の代償。

②旅順・大連の租借（1898）。

3．ドイツ・膠州湾の租借（1898）…宣教師殺害事件を口実として。

4．イギリス…威海衛・九龍半島の租借（1898）。

5．フランス…広州湾の租借（1899）。

6．日本…福建省の不割譲を約束させる。

7．アメリカ…門戸開放宣言。国務長官ジョン・ヘイ。

●アフリカ・列強の勢力地図（1880～1912）

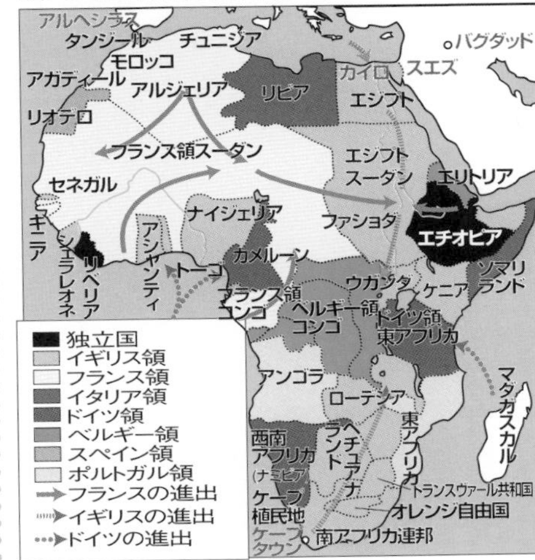

出題パターン check!

19 世紀以降の東南アジアおよび南アジアの動向に関する記述として正しいものはどれか。

（1）1883 年，ドイツはベトナムを保護国としたが，宗主国の清はそれを認めず，翌年清独戦争が起こった。

（2）16 世紀以降，インドネシアにはフランスが勢力を伸ばし，19 世紀の前半から強制栽培制度を実施し，その後フランス領東インド植民地を形成していった。

（3）ビルマは 19 世紀以降の 3 回にわたるアメリカとの戦争の結果，インドの一州としてアメリカの植民地となっていった。

（4）1877 年，インドではイギリス支配のもとインド帝国が成立したが，その一方でインド国民の政治的自覚も高まり，その後反英運動の中心となるインド国民会議が創設された。

（5）フランスは，ウィーン会議によってイギリスから返還を受けたジャワにおいて，1830 年以降輸出作物の栽培を強制するという強硬政策を行った。

答え（4）

過去５年の出題傾向　★★★★☆

世界史 ③ 明と清

征服王朝・元の支配を打破した明。その明を打倒した征服王朝・清。中国王朝の終章を飾る２つの王朝の政治，社会，経済および朝鮮半島の状況も注視しておきたい。

■明朝の成立

元末に農民反乱が発生した。白蓮教徒による紅巾の乱（1351 ～ 66）である。これを指導した朱元璋によって元は滅ぼされた（1368）。彼は，南京を都とし，漢民族による統一王朝を復興し，国号を明と改めた。江南の南京を基盤としての中国全土の統一は明が唯一である。

即位後は，洪武帝（太祖：位 1368 ～ 98）と称し，皇帝独裁体制を確立。卑賤の身から頂点をきわめたこともあり，周囲への猜疑心が強かった。よって，その独裁体制確立のため，数万の人々が粛清され，葬り去られた。中には，明朝成立に貢献した多くの功臣も含まれている。政策は，財源確保のための基盤整備が中心となった。その具体策が，魚鱗図冊（土地台帳）や賦役黄冊（戸籍・租税台帳）である。また，里甲制を通して徴税と治安維持をはかった。

■李氏朝鮮の成立

明朝成立と同じ頃，朝鮮半島では李成桂が高麗を滅ぼし，漢城を都に李氏朝鮮を建国した。世襲官僚の両班（ヤンパン）を中心とした中央集権体制を確立した。

■永楽帝の治世

洪武帝の孫２代建文帝の頃，靖難（せいなん）の変が起こり（1399），この乱の首謀者で叔父の燕王が帝位を奪い永楽帝として即位。彼は，南京から華北の北京に遷都した（1421）。また，洪武帝が独裁体制を強固なものにしたのとは対照的に，事実上の宰相（内閣大学士）を復活させ，皇帝親政体制の補佐役とした。外交的には，鄭和を南海遠征に派遣するなど，積極的に外征を行っている。

しかし，それはかえって周辺民族の反発を招き，モンゴルの侵入や倭寇の略奪など，いわゆる北虜南倭の原因となり，王朝の滅亡を早めることにもなった。

■明の衰退と滅亡

北虜南倭や宦官（かんがん）の登用は明の国力を弱めていくが，万暦帝とその内閣大学士張居正は改革に着手した。16 世紀の後半，メキシコ銀の流入により，農村に貨幣経済が浸透，自作農の没落が起こり，土地の寡占化を生み出した。この状態を税制面から改革しようとしたのが一条鞭法である。税の簡素化と銀納化を狙ったものだが，自作農には負担となり，小作料や税の減免を要求した一揆が頻発するようになった。内外に多くの問題を抱えた中，1644 年に李自成によって北京は占領され，明は滅亡した。

■清朝の成立

明滅亡後，元・明に服属していた女真族のヌルハチ（位 1616 ～ 26）が，八旗という軍事・社会組織をつくり女真族を統一。２代ホンタイジの時に金の国号を中国風に清（当初大清）と改めた。３代順治帝（位 1643 ～ 61）のとき，北京を占領し中国支配を開始した。

■清朝の中国支配

４代康熙帝（位 1661 ～ 1722）は，三藩の乱を鎮定，台湾で反乱を起こしていた明の遺臣鄭成功らを滅ぼし，中国統一を完成した。外交面においては，ロシアのピョートル大帝とネルチンスク条約を締結(1689)，露清間の国境を定めた。

また，典礼問題を機にイエズス会以外のキリスト教を禁止。5代雍正帝（位1722～35）は，ロシアとキャフタ条約を締結(1727)，シベリア等北辺の国境を画定した。

税制面では，人頭税を地税に一本化した地丁銀を採用した。6代乾隆帝は，外征で領土を拡大し，清の領土は最大となった。

■洪武帝の政策　よく出る

①宰相，中書省（行政機関六部を統轄・政治の最高機関）の廃止→皇帝直属。
②里甲制（里＝里長，甲＝甲首）の採用…連帯責任。
③魚鱗図冊・賦役黄冊の作成…財源確保。
④朱子学の採用…官学。
⑤科挙の整備（隋に始まる学科試験)。
⑥一世一元制の導入。

■李氏朝鮮の政治

①両班（ヤンバン）による中央集権。
②朱子学を国学に採用。
③訓民正音（ハングル）を制定…4代世宗。

■永楽帝の政策　よく出る

①北京遷都…北京，南京の呼称用いる。
②内閣大学士（殿閣大学士）の設置。
③運河の築造（北京～南京)。
④外征。
　・東モンゴルの征討。
　・鄭和の南海（東南アジア・インド洋）遠征。
⑤(万里の)長城の再建…現存するのは明代のもの。
⑥李氏朝鮮の服属。

■明の社会・経済

①荘園経営の発展…商品作物の普及。
②ポルトガルとの交易・メキシコ銀の流入。
　→一条鞭法の採用。

■明の文化

①陽明学の成立…王陽明の知行合一。

一条鞭法と地丁銀

一条鞭法（明末～清初）		地丁銀(清中期以降)
万暦帝の頃全国化	実施	雍正帝の時代に税法化
スペインによるメキシコ銀と日本銀の流入	背景	富裕地主の丁数ごまかしや貧困農民の未納増加による人頭税の徴収困難
土地税（租税）と力役（丁税・人頭税）を一条にまとめて銀で一括納入	内容	人頭税が廃止され，人頭税を地税に組み込み地丁銀として一括徴収

②宣教師の来訪…マテオ・リッチ。

■清の発展と中国統治　よく出る

①康熙帝（こうきてい）…中国統一を完成。
　→ロシアとネルチンスク条約締結（1689)。
②雍正帝（ようせいてい）…キリスト教の全面禁止。→ロシアとキャフタ条約締結(1727)。
③乾隆帝（けんりゅうてい）…領土が最大。
　→貿易港を広東に限定。

ワンポイント★アドバイス

清の歴代皇帝の中でも，4代康熙帝から6代乾隆帝までが盛時といえる。その政策が重要。また，清は征服した漢民族の人々に対し，満漢併用という懐柔策をもって統治した。

出題パターン check!

明朝から清朝への移行期の記述として正しいものはどれか。

（1）明末，倭寇や女真族の再度の侵入によってもたらされた社会不安は，太平天国の乱を引き起こした。
（2）清朝は征服王朝であったが，行政面では伝統的な科挙制に新たに殿試を加え，文治主義の集権体制を確立した。
（3）マルコ・ポーロやイブン・バットゥータが来朝し，また，イスラム世界の技術や文化がもたらされた。
（4）メキシコや日本の銀が大量に持ち込まれたため，銀の社会的役割が増大し，貨幣経済が発達した。
（5）この時期に江南の開発が進んで国の経済力が充実したことに伴い，商業活動に対する地域的な制限が撤廃された。

答え（4）

過去５年の出題傾向　★★★★☆

世界史 ④ 世界恐慌と第二次世界大戦

1929 年，アメリカに端を発した世界恐慌。それから 10 年後の 1939 年に始まった第二次世界大戦。当時の世界の状況を複眼的に概観してみよう。

■世界恐慌

ヨーロッパを戦場とした第一次世界大戦。戦後，1919 年に敗戦国ドイツは連合国とヴェルサイユ条約を締結し，世界の潮流は国際協調へと動き出した。1921 ～ 22 年のワシントン会議では主力艦の軍縮が決定し，1928 年にはパリで不戦条約が締結された。一方，ヨーロッパの復興が進むにつれて，戦時中に大量の製品をヨーロッパに輸出するため，多額の設備投資をした国々は深刻な不況に追い込まれた。1920 年代，各国を襲った不況は，最後に世界恐慌という，未曾有の悲劇を用意していた。

国際協調という流れの中で，各国が不況脱出のためにとった政策は，いかにも手前勝手だった，といえるかもしれない。象徴的な２つの国をあげてみよう。

1．イギリス

1931 年，保守党と自由党の連立政権として誕生したマクドナルド内閣は，挙国一致を掲げた。その政策の柱がブロック経済である。本国イギリスとその植民地の間で，封鎖的な経済体制を敷き，難局を乗り切ろうとした。

2．アメリカ

国内に多くの物的・人的資源を有するこの国は，ニューディール政策により打開をはかった。ポイントは２つ。恐慌が，生産過剰からくるものとして生産規制をした。また，公共事業によって有効需要を増大させる，というのが２点目である。

ワンポイント★アドバイス

世界恐慌は世界史だけでなく，政治経済においても頻出事項である。アメリカの対応策を中心によく理解しておこう。

この２国が象徴的ではあるが，日本もイギリスのような政策を採っている。大東亜共栄圏がそれである。困窮下，他国の状況を顧慮しない世界の国々。第二次世界大戦の伏線としてこの点が存在することを見逃してはならない。

■第二次世界大戦

1932 年，ドイツでナチス（国家社会主義ドイツ労働者党）が第一党になり，総統ヒトラーは不況による社会不安を背景に，着実にその地歩を固めた。ファシズムの台頭である。第一次世界大戦でドイツが締結したヴェルサイユ条約に基づく体制の打破を目指し，領土の回復をドイツ国民の同意のもとに進めた。

ドイツのこのような動きに対して，周囲の国々の反応はどうであったか。英仏両国の場合，いたって寛容といえる。これがドイツを取り巻く，当時の空気だったようだ。1938 年のミュンヘン会談は，全体主義に対して譲歩した内容であり，いわゆる宥和政策の一例といえる。英仏が対独戦に踏み切ったのは，ドイツがポーランドに侵入した 1939 年になってからである。

■世界恐慌の発生　よく出る

1．1929 年，ニューヨークで株価大暴落

2．原因

①第一次世界大戦中の設備投資→生産過剰。

②産業合理化…失業者増大。
③アメリカ資本，ヨーロッパから撤退。

3．アメリカの対応策

①ニューディール政策…フランクリン・ローズヴェルト大統領。
②その具体策。
・農業調整法（1933）…農業生産制限。
・全国産業復興法（1933）…企業の生産規制。
・テネシー川流域開発公社（TVA）。→公共事業の推進。
・金本位制を停止→管理通貨制度へ移行。

4．イギリスの対応策

①マクドナルドの挙国一致内閣。
②その具体策。
・金本位制を停止。
・オタワ会議（1932）…ブロック経済の採用。

■ファシズムの台頭－ドイツ

1．総選挙でナチス第一党（1932）

①ヒトラー，首相に就任（1933）。
②全権委任法制定，独裁権掌握（1933）。
③総統に就任（1934）。
④ヴェルサイユ体制の打破訴える。

2．ヴェルサイユ体制打破へ

①ヒトラー，ドイツの軍事平等権を主張。→国連承認せず→ドイツ，国連脱退（1933）。
②人民投票行い，ザール地方併合（1935）。→領土回復へ…ナチス政権初の領土回復。
③再軍備宣言（1935）…徴兵制の復活。
④ラインラントの非武装地帯に進駐（1936）。

3．ドイツ・イタリア・日本の結束

①イタリア，エチオピアを侵略→併合（1936）。
②独伊接近→ベルリン＝ローマ枢軸成立（1936）。
③日独伊防共協定（1937）…反ソ反共。

4．スペイン内乱（1936～39）

…第二次世界大戦の前奏曲。
①左派諸政党アサーニャを首班指名し，人民戦線内閣組織←ソ連支援。
②右翼フランコ将軍，モロッコで反乱。
・スペインの大地主・カトリック教会・軍部・資本家支持。
・ドイツ・イタリア・ポルトガル支援。
③フランコのファッショ体制確立（1939）。

5．ナチス＝ドイツの侵略

①オーストリアを併合（1938）。
②ドイツ系住民が多いチェコスロバキアのズデーテン地方の割譲要求。→英仏認める…ミュンヘン会談（1938）。

■第二次世界大戦 よく出る

1．開戦，そして終戦へ

①独ソ不可侵条約（1939）。
②ドイツ，ポーランド侵入→英仏宣戦布告。
③ドイツ，オランダ・ベルギーを強行突破。→フランスを急襲（1940）。
④ドゴール，ロンドンに亡命→自由フランス。
⑤日独伊三国軍事同盟の調印（1940）。…アメリカが仮想敵国。
⑥太平洋戦争（1941）…日本，米英に宣戦布告。
⑦戦争終結（終戦・1945）。

出題パターンcheck!

第二次世界大戦開戦前後の主要国の状況に関する記述として，正しいものはどれか。

（1）イギリスはアフリカにおける植民地獲得競争で優位を保つために，エジプトからアフリカ大陸を縦断してケープ植民地に至り，さらにインドとも結ぶ３C政策を推進した。
（2）戦争が始まると，ドイツはオランダ・ベルギーを突破しフランスに侵攻したが，ドゴール大統領率いるフランス軍はドイツの猛攻に耐え，最後まで首都の占領を許さなかった。
（3）世界恐慌によって深刻な打撃を受けたドイツでは，社会不安を背景にしてナチスが一党独裁を樹立し，大規模な公共事業を展開。独ソ不可侵条約締結の後，ポーランドに侵攻した。
（4）イタリアでは人民戦線政府が成立したが，これに反対するフランコ将軍がモロッコで反乱を起こし，やがて本土に上陸して内乱となった。
（5）ロシアでは首都で戦争に反対する労働者がストライキを起こすと，他の都市にも反乱が広がった。政府は事態を収拾できず，300年にわたったロマノフ朝はあっけなく崩壊した。

答え（3）

過去５年の出題傾向 ★★★★☆

世界史 ⑤ 隋と唐

隋と唐は，日本にも様々な影響を与えた。中でも，律令体制の確立という点は，唐の時代の成果として，しっかりと銘記しておきたい。

■隋の統一

後漢が黄巾の乱後衰退し，滅亡したのが220年。魏・呉・蜀による三国時代（220～280）を経て，晋が280年に中国の統一を果たすも，316年に滅亡した。晋滅亡後の中国は，南北朝時代へと突入することになる。4世紀前半からのこの時代は，隋の中国統一（589）をもって終わりを告げる。この時代を魏晋南北朝時代という。

魏晋南北朝時代の土地制度の変遷

魏晋南北朝時代の諸王朝の課題は，政府による国土の管理とそれによる税収の確保であった。したがって歴代王朝は，大土地所有の制限と農民への土地給付を目的とした諸制度（魏の屯田制，西晋の占田・課田法，東晋の土断法，北魏の均田制など）を試行錯誤しながら実施していった。

南北朝の対立は，北周の外戚楊堅（位581～604）によって統一され，隋が建国された。隋は，大運河を建設して江南と華北を結び，魏の時代に始まった官吏任用制度，九品中正法（中央任命の中正官の判断により官吏が決定する制度）を改め，学科試験による官吏登用制度の科挙を実施。諸制度の整備による皇帝権の強化に努めたが，次代の煬帝（位604～618）は高句麗遠征の失敗を機に臣下に暗殺され，隋は2代で滅亡した。

■唐の統一と律令体制の盛衰

農民反乱に始まった隋末の争乱に際し，任地の太原（山西省）で挙兵した豪族李淵は，首都長安を占領した。煬帝が暗殺されたことを聞くと，煬帝の孫（代王）から禅譲を受けるかたちで帝位に即いた。これが唐の高祖（位618～626）である。隋の制度を継承した唐は，長安に都を置き，三省六部（りくぶ）と呼ばれる中央官制や法律を整備して律令体制を確立した。律令体制は農民に口分田，永業田を支給する土地制度の均田制と税制の租庸調制，兵農一致の府兵制を基礎としていた。

また，この制度は豪族を官僚機構に吸収する，という側面も持っていた。律令体制の盛期は，2代太宗（位626～649）の治世下で，貞観の治と呼ばれる。次の高宗（位649～683）の時代に新羅と結び，百済，高句麗を滅ぼし朝鮮を制圧した。以降，新羅は唐を宗主と仰ぎ，朝鮮半島を支配する。

高宗の死後，中国史における唯一の女性の皇帝となった則天武后（位690～705）が政権を奪ったが，玄宗（位712～756）治世前半の善政，開元の治に至るまで，唐は東アジアの政治・経済・文化の中心として国際的性格を持つ大帝国を形成した。

しかし，玄宗の晩年に起きた安史の乱（755～763）後は，律令体制を支える均田農民が没落し，大土地所有が進展し，国威は衰え始める。均田農民の没落は，均田農民の兵役義務を基礎とした府兵制の維持を困難にし，兵制も募兵制（722）に移行せざるをえなくなる。

また，税制も戸を対象に現住地の現有財産に課税する両税法に移行した。この税制は明代まで続き，中国文化が周辺諸国に伝播していった。諸国は唐を模範とした国づくりに励んでいたのである。

■隋による南北統一

①隋の建国（581）…楊堅（文帝・位 581 ～ 604）…南北統一（589）。
②律令の制定・官制の整備…律は刑法，令は行政法。
③科挙…九品中正法の廃止。
④均田制…農民への給田→土地・人民の掌握。
⑤府兵制…農民は輪番で兵役→兵農一致。
⑥煬帝（位 604 ～ 618）の即位。
・大運河建設…華北と江南をつなぐ。
・相次ぐ対外遠征。
・高句麗遠征に失敗→各地で民衆反乱。

■唐成立と諸制度 よく出る

①李淵，帝位に即く→高祖（位 618 ～ 626）。
②貞観の治…2 代太宗（626 ～ 649）治世下。
③律令制度…格式の整備，律令の補足，施行細則。
④三省六部
・三省…中書・門下・尚書。
・六部…吏・戸・礼・兵・刑・工部。
⑤農民支配
・均田制…口分田（一定年齢の男子）と永業田（永久的所有地）の付与。
・租庸調制…均田農民に課された税制。
租…地税（穀物）。
庸…年間 20 日間の無償労働。
調…絹，布など家族数に応じて。
⑥玄宗（位 712 ～ 756）の政治
・前半期…開元の治（中国文学史では盛唐）。
・傭兵（募兵）の採用（722）…節度使。
・安史の乱（755 ～ 763）…玄宗，楊貴妃を溺愛。楊一族の登用，そして専横。節度使安禄山，部下史思明の反乱。ウイグルの支援により鎮圧。
・両税法（780）…新たな税制の導入。安史の乱後均田制の崩壊，国家財政の窮乏。宰相楊炎の建議で租庸調制に代わり導入。夏・秋の 2 期に分けて現住地で所有田地・財産に応じて課税。従来の戸籍によらない現住地主義。原則的に労役に代えて銭納方式。国家的土地所有制（均田制）の放棄。→有力者による大土地所有（荘園）へ。

■唐の衰退 よく出る

黄巣の乱（875 ～ 884）
・塩の密売商人王仙芝と黄巣の反乱。
・節度使と突厥の助力で鎮圧。

重要語解説

●募兵制…傭兵。辺境には律令の規定外の節度使をおいた。安史の乱の首謀者安禄山は節度使である。

ワンポイント★アドバイス

大土地所有の進行と重税・兵役が均田農民を没落させ，均田制を崩壊させる。それは律令体制の崩壊を意味している。さらに，国家財政の窮乏と軍事力の弱体化（傭兵の登場）につながる。この流れは，後の日本史における律令の崩壊過程と重なり合う。

出題パターン check!

唐に関する記述として妥当なものはどれか。

（1）唐は，三省と六部の中央官制を設け，律・令・格・式を整備して政治体制を整え，周辺の諸民族をも統治した。
（2）高宗の時代には，唐の勢力が中央アジアまで拡大し，世界的な大帝国となった。経済的に豊かな江南と華北を結ぶ大運河が完成したのはこの頃である。
（3）唐代の税制は，当初，各戸の所有する土地に応じて徴税する両税法であったが，口分田の不足による行き詰まりから，租庸調制に変更された。
（4）唐代の官吏任用は，九品中正法により実施されていたが，高位高官を占める者の家柄が固定され門閥社会となったため，唐代後期に科挙制が導入された。
（5）郡国制を採用して積極的に中央集権化を図るとともに，儒教の国教化を推し進めた。大遠征の費用を賄うために，塩・鉄などを専売とした。

答え（1）

過去5年の出題傾向 ★★★★☆

世界史 ⑥ 冷戦〜デタント

第二次世界大戦後の世界は，米ソ両大国を中心する「東西冷戦」へと向かう。ソ連にゴルバチョフ政権が誕生して新思考外交を打ち出し，米ソは冷戦の終結を宣言する。

■冷戦

第二次世界大戦後，東欧を支援するソ連と，軍事力を誇示しつつ西側をリードするアメリカとが，激しく対立。冷戦による対立の激化に伴い，クーデタや戦争が発生する事態となった。

1．ドイツ東西分裂

第二次世界大戦後，ドイツは米英仏ソの4カ国により分割占領される。首都ベルリンも4カ国の共同管理下に置かれたが，1948年6月，西側と東側の占領地域で通貨改革が実施され，西側通貨が優勢となる。

反発したソ連は，西ベルリンへの陸路を完全封鎖。1949年，ソ連が封鎖を解除したが東西ドイツの分裂は決定的なものとなり，ドイツ連邦共和国（西ドイツ）とドイツ民主共和国（東ドイツ）が建国される。

2．朝鮮戦争

1945年，ソ連軍は朝鮮半島に進攻し，アメリカは北緯38度線を境とした分割占領を提案。北部がソ連軍，南部がアメリカ軍に占領され，南半分では李承晩が1948年に大韓民国の成立を宣言，北半分ではソ連の支援を得た金日成が朝鮮民主主義人民共和国（北朝鮮）を成立させる。

1950年，北朝鮮軍は軍事侵攻を開始し，ソウルが北朝鮮軍に占領される。北朝鮮軍の行為を侵略であるとし，マッカーサーを総司令官とする国連軍は仁川に上陸し，ソウルを奪回して平壌を占領した後も北上を続け，中国国境付近にまで進出。自国の安全保障を憂慮した中国の毛沢東主席らは，北朝鮮軍を援助する人民義勇軍を送ることを決定。再び戦線が押し戻され，北緯38度線付近で膠着状態となった。

1953年には休戦協定が締結され，北緯38度線を境とした停戦ラインで朝鮮の南北分断が確定した。

3．キューバ危機

1959年，事実上，アメリカの保護国となっていたキューバで社会主義革命が発生し，アメリカの権益に反する改革が進み，両国は対立を深めていく。アメリカに対抗しようとしたキューバはソ連に接近。ソ連製ミサイルの配備をめぐり，1962年には世界戦争が危ぶまれたキューバ危機が発生した。

史上最年少で第35代米大統領に就任したケネディは，キューバ危機の発生に際しては危機回避に尽力。この事件を教訓として，米ソ両首脳間にはホットラインが創設され，デタント（緊張緩和）が進展。また，部分的核実験停止条約が成立した。

■冷戦終結

米ソの核兵器開発も進むが，両国の外交は次第に戦略的に手詰まりな状況に陥っていく。ソ連は，1982年にブレジネフが死去，続くアンドロポフ政権，チェルネンコ政権は短命に終わり，1985年，ゴルバチョフが書記長に就任。この間，新しい指導者が次々に改革を打ち出していった。

そして，1989年にマルタ島でアメリカのブッシュ大統領とソ連のゴルバチョフ書記長とが，冷戦の終結を宣言。ここで東西冷戦は終焉を迎えた。

ソ連では，ロシア共和国大統領のエリツィンが台頭，ゴルバチョフの求心力は失墜した。1991 年，ゴルバチョフはソ連大統領を辞任し，ソ連は解体されることになった。

■冷戦時の東西の政策

1．トルーマン・ドクトリン

①ソ連に核戦力を誇示し，1947 年に発表。
②共産主義に対する封じ込め政策。

2．マーシャル・プラン

① 1947 年，マーシャル米国務長官が発表。
②アメリカの支援によるヨーロッパ復興計画。
③計画にあわせて欧州経済協力機構が成立し，為替と貿易の自由化を推進→後の欧州統合へ。

3．経済相互援助会議（COMECON）

① 1949 年 1 月，マーシャル・プランに対抗し，ソ連主導で設立された経済協力機構。
②東欧以外のモンゴル，キューバ，ベトナムが加盟。

4．北大西洋条約機構（NATO）

① 1949 年の北大西洋条約により，西側諸国の集団安全保障機構として設立。
②共産圏に対抗する西側の多国間軍事同盟。
③冷戦終結後は，東方拡大を推進→ 2002 年にはロシアも準加盟国扱いに。

5．ワルシャワ条約機構

① 1955 年に西ドイツの NATO 加盟に対抗し，ソ連･東欧諸国の軍事同盟として設立。
②ソ連･ポーランド･東ドイツ･ブルガリア･チェコスロヴァキア・ハンガリー・ルーマニア・アルバニアの 8 カ国が加盟。

■冷戦中のその他の戦争

1．インドシナ戦争

①ホー･チ･ミンがベトナム独立同盟会（ベトミン）を組織して抵抗し，1945 年にベトナム民主共和国の独立を宣言。
②フランスは 1946 年から軍事行動を開始し，インドシナ戦争が起こる→ベトミンはソ連と中国の支援を受け，アメリカはフランスを支援。
③ 1954 年，ディエンビエンフーの戦いで仏軍は大敗→ベトナムの北緯 17 度線を境とした南北分断。
④北側にはベトナム民主共和国が確立，南側には 1955 年にアメリカが支援するベトナム共和国が成立。

2．ベトナム戦争

① 1960 年，南ベトナムの政権腐敗に対し，南ベトナム民族解放戦線が結成され，反政府運動が展開される。
②アメリカは南ベトナム民族解放戦線に対抗するため軍事介入を決意→北ベトナム軍から魚雷攻撃を受けたとするトンキン湾事件を口実に北爆を開始（1964 年）。
③北ベトナムと解放戦線はソ連と中国が支援したため，戦争は泥沼化。
④ベトナム反戦運動が拡大。そんな動きに抗しきれず，ジョンソン大統領は北爆を停止するなど，アメリカ国内も混乱。
⑤ 1973 年 1 月にベトナム（パリ）和平協定が成立し，米軍は撤退。北ベトナム軍が南下し，1975 年には南ベトナムの首都サイゴンが陥落，戦争は終結→ 1976 年に，ベトナム社会主義共和国が成立。

出題パターン check!

冷戦時に関する記述として正しいものはどれか。

（1）ドイツは米英仏ソにより分割占領され，ドイツ連邦共和国（東ドイツ）とドイツ民主共和国（西ドイツ）が建国された。
（2）1945 年，アメリカは北緯 38 度線を境とした朝鮮半島の分割占領を提案。南部がソ連軍，北部がアメリカ軍に分割占領された。
（3）キューバ危機では米ニクソン大統領が危機回避に尽力し，危機が回避された。
（4）キューバ危機で米ソ間にはホットラインが創設され，デタント（緊張緩和）が進展した。
（5）ソ連は南ベトナム民族解放戦線に対抗するため軍事介入を決意した。

答え（4）

日本史 世界史 地理 倫理 文学芸術 国語

過去５年の出題傾向　★★★☆☆

世界史 ⑦ 大航海時代

15世紀に始まる大航海時代。この出来事は単に“航海”をした，という事実のみを指しているのではない。以降，世界が変容していった，その契機となったことが重要である。

■大航海時代，その背景

11世紀に始まる十字軍遠征以来，ヨーロッパ人の東洋への関心は高まった。それに一役買ったのが，マルコ＝ポーロによる『世界の記述（東方見聞録）』である。アジアへの関心は東方貿易という実を結ぶことになるが，香辛料がその中心となった。中でも胡椒は珍重された。中世を通じて，東方貿易を独占していたのがアラブ商人である。15世紀，オスマン＝トルコが各地の貿易上の拠点を支配していたことから，中間にアラブ商人をいれないルートが必要だったのである。

当時，新航路開拓にいち早く着手したのがポルトガルとスペインである。両国は，中央集権化を進め，官僚や常備軍に対する膨大な人件費を必要としており，補塡のためにも援助を惜しまなかった。羅針盤や造船技術の発達とも相まって，遠洋航海が現実のものとなった。

■ポルトガルの新航路開拓

ポルトガルは，アフリカ南回りインド航路を開拓した。始まりは，「航海王子」と呼ばれたエンリケからである。ひ弱なスポンサーとして知られる彼の努力により，アフリカ西岸ヴェルデ岬に到達した（15Ｃ前半）。

ポルトガル人バルトロメウ＝ディアスがアフリカ南端喜望峰に到達したのが1488年。これにより，大西洋とインド洋がつながっていることが確認された。インド洋を横断し，初めてインド航路を開拓，カリカットに到着（1498）したのがヴァスコ＝ダ＝ガマであり，アジア貿易は地中海からインド航路へ移行する。ポルトガルのアジアにおける最初の植民地ゴアを経由し，香辛料の原産地モルッカ諸島に到達（1512）。当初の目的を達成したといえるが，以降も航海は続き，中国（明）からマカオの居住権を得たのが1557年である。

■スペインの新航路開拓と西回り航路

イタリアのジェノヴァに生まれたコロンブスは，スペイン女王イサベルの後援を得，西インド諸島のサン＝サルバドル島に到着した（1492）。合計４回，北米大陸を探検したが，死ぬまでインドと信じていた。英語で南北アメリカの先住民をインディアンと呼んだのはこのような事情がある。アメリカの起源ともなった人物がイタリア人アメリゴ＝ヴェスプッチで，この地はアジアではない，とヨーロッパの人々に伝えた。また，ポルトガル人カブラルはブラジルを発見。ここをポルトガル領とし，ポルトガル人マゼラン（マガリャンイス）は，スペイン国王カルロス１世の後援により，世界一周（1519～22）を達成した。

■スペイン人による過酷な支配

スペインは２つの帝国を滅ぼした。アステカ帝国とインカ帝国である。レコンキスタ（国土回復運動）により，イスラム教徒と戦い，謀略を磨いてきたスペイン人にとって，“平和の民”は敵ではなかったが，原住民に過酷すぎるほどの強制労働を課した。その過酷さは，人口が半減するほどであった。

■新航路発見の背景

①国富充実…西欧，中世末期に中央集権達成。
②東方貿易（アジア貿易）…香辛料（胡椒）。…大西洋岸諸国，アジアとの直接取引へ。
③東洋への関心高まる。…マルコ=ポーロ『世界の記述（東方見聞録）』。
④イスラム教徒挟撃…アジアへの布教により。
⑤遠洋航路可能に…羅針盤改良・造船技術の進歩。

●大航海時代の航路

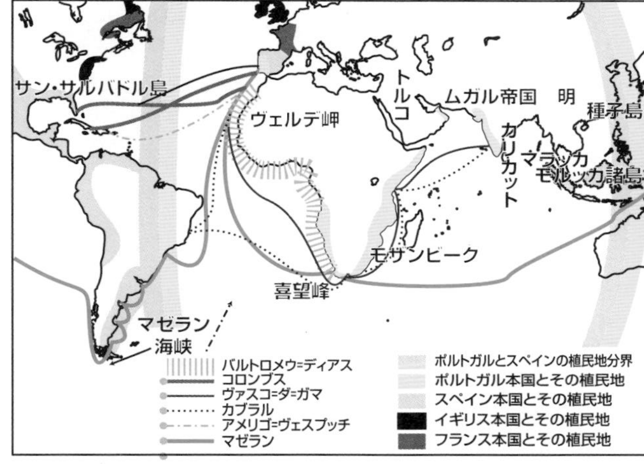

■ポルトガル（アフリカ南回り航路インド航路）

①エンリケ（航海王子）…アフリカヴェルデ岬に到達（15 C前半）。
②バルトロメウ=ディアス…アフリカ南端喜望峰に到達（1488）。
③ヴァスコ=ダ=ガマ…インド航路の開拓。インドの都市カリカットに到着（1498）。
④総督アルブケルケ…インドのゴアに拠点。
⑤マラッカ王朝滅ぼす（1511）…東南アジアで最初のイスラム王朝。
⑥モルッカ諸島（インドネシア）到達…香辛料の原産地。
⑦マカオの居住権取得(1557)…中国(明)から。

■西回り航路（スペインその他） よく出る

①コロンブス…スペイン女王イサベルの後援により，西インド諸島のサン=サルバドル島に到着（1492）。
②カボット父子（イタリア）…イギリス国王ヘンリ７世の援助で北アメリカ東岸探検(1497,98)。
③アメリゴ=ヴェスプッチ（イタリア）…新大陸を発見，詳細ヨーロッパへ(1499)。
④カブラル（ポルトガル）…ブラジルを発見，ここをポルトガル領とする。
⑤バルボア（スペイン）…パナマ地峡を横断，太平洋を発見（1513）。
⑥マゼラン（マガリャンイス）（ポルトガル）…スペイン国王カルロス１世の後援で初の世界一周達成。

■スペインによる新大陸・フィリピン支配

①アステカ帝国…コルテスは，メキシコを侵略し，アステカを征服（1521）。
②インカ帝国…ピサロは，アンデス山脈を侵略し，インカを征服（1533）。
③レガスピ…フィリピン支配の根拠地マニラを建設（1571）。

■新航路発見とその後の影響 よく出る

①商業革命…国際貿易のウエイトが地中海から大西洋へ→北イタリアの諸都市衰退。
②価格革命…新大陸から大量の銀が流入。…貨幣価値の急落・物価騰貴。

出題パターン check!

大航海時代に関する次の事項を年代順に並べると，４番目はどれか。

（1）コロンブスの西インド諸島発見
（2）マゼランの世界一周
（3）ヴァスコ=ダ=ガマのカリカット到着
（4）バルボアの太平洋発見
（5）バルトロメウ=ディアスの喜望峰発見

答え（4）

過去５年の出題傾向 ★★★☆☆

世界史 ⑧ 宗教改革

16世紀初頭，ローマ=カトリック教会に対する疑問に端を発し，遂にはその権威を否定し，そこからの離脱へと向かう。宗教改革は中世的支配が崩壊していく一つの契機といえる。

■改革の先駆者

14世紀から15世紀にかけて，教会刷新運動が展開された。運動を支えた人物に，ウィクリフ（イギリス）やフス（チェコ）がいる。彼らは，コンスタンツ公（宗教）会議（1414～18）で異端とされ，厳しく弾圧されたが，運動の波は着実に広がっていった。特に，オランダ出身でルネサンスの人文主義者エラスムスの著作『愚神礼讃』は，権力志向の聖職者や王侯の悪徳を風刺，後の宗教改革に大きな影響を与え，「エラスムスが産んだ卵をルターが孵(かえ)した」ともいわれる。

■ドイツの宗教改革

ドイツには多くの領邦があるため国家統一が遅れたこともあり，教皇や教会はドイツに対し，干渉や搾取を繰り返した。そのような経緯から，「ドイツはローマの牝牛」といわれた時代に，宗教改革に立ち上がったのが，マルティン=ルター（1483～1546）である。折りしもドイツでは，教皇レオ10世によってサン=ピエトロ大聖堂改築のため，大量の免罪符（贖宥状）が販売されていた。免罪符を買うことにより，神の「救済」がある，と教会が説いたのである。ルターは，『95カ条の論題』によって反対し，これが宗教改革の口火となった（1517）。ルター派の人々は後にプロテスタントと呼ばれ，北ドイツや北欧３国に信仰は広まった。

■スイスの宗教改革

1523年以来，チューリッヒではツヴィングリがミサの廃止など独自の宗教改革を行っていた。運動は周辺にも波及したが，カトリック派との内戦により，彼は1531年に戦死した。フランス人ジャン=カルヴァンが祖国を離れ，宗教改革に取り組もうとしたのもスイスだった。本格的にそれに着手したのが1541年。人間の原罪は自らが救うことはできず，それを決めるのは神であるとし，また，各自が職業労働に励むことは神の栄光を表すこととし，営利活動を肯定した。以降，カルヴァン派の信仰は西欧に波及し，フランスではユグノー，イギリスではピューリタンと呼ばれた。

■イギリス国教会の創設

ヘンリ８世の離婚問題が，イギリス国教会創設の最大の原因といえた。彼は，首長法を発し，ローマ教会から分離独立。その子エリザベス１世はイギリス絶対王政の全盛期を現出した人物でもあるが，統一法を発し，国教会を確立した。

■反宗教改革

カトリック側の巻き返しといえる反宗教改革はスペインから生まれた。イベリア半島にあって，中世を通じてイスラム教徒を駆逐してきたスペイン。中でも異彩を放つのが「イエズス会」である。スペインの貴族出身イグナティウス=デ=ロヨラを初代総長とするこの修道会の特色は，厳格な規律と教皇に対する絶対的服従である。 新旧両派の調停，という意味合いのもとトリエント公会議が開催されたのが1545～63年。しかし，出席したのは旧教側のみであり，新教側は欠席したため，決まった内容は教皇権の至上性を確認したこと，カトリック教義を再確認したことといった，旧教側にとって有利なものだった。新旧の対立は宗教裁判を通して18世紀後半まで尾を引くことになる。

■宗教改革の背景

①教会・聖職者の堕落に対する改革の動き…イギリスのウィクリフ，チェコのフス。

②「聖書」の原典研究進む。

・エラスムス…オランダ。16世紀最大の人文主義者(ヒューマニスト)。『愚神礼讃』。

・ホルバイン…ドイツ。画家。反ローマ描く。

③各国の王権強化進み，教皇権衰退。

■ドイツにおけるルター派の宗教改革 よく出る

①教皇レオ10世，サン=ピエトロ大聖堂改築のため，ドイツで免罪符(贖宥状)を販売。

②マルティン=ルター，免罪符販売に対し，『95カ条の論題』で反対…宗教改革の口火。

③ルター，教会と対立。

・ライプチヒの討論会で聖書中心主義主張。

・神聖ローマ皇帝カール5世から所説の撤回強要。

・ザクセン侯フリードリヒがルターを保護。

・オスマン=トルコ軍ウィーンに迫る。

・ルター派の信仰認める→再び禁止。

■プロテスタントの承認

①ルター派の人々の抗議（プロテスタント）。

②アウクスブルクの和議（1555）。…帝国議会，ルター派の信仰認める。

③北ドイツ・北欧3国に広まる。

■スイスにおけるカルヴァン派の宗教改革

①ツヴィングリがチューリヒにおいて改革(1523年開始)。…失敗。

②カルヴァンがジュネーブで神権政治(1541)。

・予定説…人間の原罪を救うのは神である。

・営利活動肯定…各自が職業労働に励むことは神の栄光を表すこと。

③その後，カルヴァン派の信仰は西欧へ。…フランスでユグノー，イギリスでピューリタンと呼ばれる。

ワンポイント★アドバイス

ルターの宗教改革で「信仰の自由が認められた」といっても，それは個人の信仰の自由ではない。諸侯と自由都市に認められたのである。

■イギリス国教会の創設

①ヘンリ8世…ローマ教会と対立。

・最初の妻との離婚，教皇認めず→旧教離脱。

・首長法（1534）。離婚を認める。イギリス国教会の創設→ローマ教会と絶縁。

②エリザベス1世…絶対王政の全盛期…統一法（1559）によりイギリス国教会確立。

■反宗教改革の動き よく出る

①ローマ教会とスペイン宮廷が中心。

②イエズス会…イグナティウス=デ=ロヨラら。

・フランシスコ=ザビエル（スペイン）。…日本に伝道。中国伝道の途上で病死。

・マテオ=リッチ（イタリア）。…教団初の中国伝道を開始。

③トリエント公会議（1545～63）。

・新教側欠席。旧教側のみの会議となる。

・カトリック教義の再確認。

→宗教裁判へ。

出題パターンcheck!

ヨーロッパにおける宗教改革に関する記述として，正しいものはどれか。

（1）宗教改革は，ローマ教会が財政を補うために，聖書を買わなければ罪が許されないとして，聖書を盛大に売り出したことに端を発する。

（2）ドイツでは，ルターが「人はただ信仰によってのみ救われる」と唱え，カトリック教会や教皇を批判した。

（3）スイスでは，カルヴァンが「自分の仕事に励んで富を蓄えることは罪である」と説き，商工業者を批判した。

（4）ルター派やカルヴァン派はフランスやスペイン，イタリアなど，南ヨーロッパに広まった。

（5）宗教改革に刺激を受けて，カトリック教会側も信仰の立て直しを図った。その中心となったイエズス会は，オランダやイギリスの支援を受け，海外布教に力を入れた。

答え（2）

練習問題1

宗教改革に関する記述として正しいものはどれか。

（1）宗教改革の先駆をなしたフスは，コンスタンツ公会議によって異端とされたが，その後フス派の反乱が続いた。
（2）カルヴァンは，魂の救済は善行によらずキリストの福音への信仰のみによるという確信から，95カ条の論題を発表した。
（3）ルターは，人が救われるか否かはあらかじめ神の意思によって定められていると主張したが，彼の宗派はイギリスではピューリタン，フランスではユグノーなど，様々な名称で呼ばれた。
（4）ドイツでは旧教徒と新教徒との争いが激化し，武力闘争にまで発展したが，結局，政治的妥協がトリエント公会議において成立した。
（5）宗教改革運動の拡大に対し，カトリック教会は内部革新によって勢力を立て直そうとし，アウグスブルクの和議において，教会大分裂を終らせた。

練習問題2

近代初頭のイタリアにおいて起こったルネサンスは，中世を支配したローマ教会的世界観に対する反抗から生まれたものである。同じ頃ドイツにおいて，これと同じ精神がどのような実際行動として発展していったか，正しいものを選びなさい。

（1）民族大移動
（2）産業革命
（3）宗教改革
（4）国民国家の形成
（5）啓蒙思想の発展

練習問題3

欧米諸国のアフリカ分割政策に関する下記の記述のうち，誤っているものはどれか。

（1）イギリスは，ウィーン会議でオランダから獲得したケープ植民地を根拠にして，南アフリカの植民地化を推進した。
（2）1875年，イギリスはエジプトの財政難に乗じて，エジプト太守からスエズ運河会社の株式を買収し，フランスとともにエジプトの内政に干渉した。
（3）イタリアはエリトリアを占領し，ソマリランドを英仏と分割した後，エチオピアに侵入し併合した。
（4）七月革命直前にアルジェリアに進出したフランスはチュニジアの保護国化後，ファショダ事件を契機として，ジ

解答・解説

練習問題1　正答／(1)

●解説／
(1)のフスは，この会議によって焚刑に処せられたが，チェコのフス派が蜂起した。この反乱軍は，皇帝の組織した十字軍を撃退した。
(2)と(3)は主語が逆である。
(4)の文章中にある，「武力闘争」は三十年戦争のこと。この戦争後，ウエストファリア条約が結ばれて，ドイツの諸領邦に国家主権が認められた。
(5)の教会大分裂を終わらせたのは，コンスタンツ公会議（1414～18）である。

練習問題2　正答／(3)

●解説／14世紀イタリアに始まったルネサンスは，その後アルプス山脈を越え，16世紀頃北方ルネサンスと呼ばれるようになる。宗教改革は16世紀に本格化した。神中心の価値観から人間中心へと，近代ヨーロッパの幕開けを飾る歴史的事象という意味では，ルネサンス，宗教改革ともに同様の精神を内包しているといえる。

練習問題3　正答／(4)

●解説／ファショダ事件（1898）は，イギリスの縦断政策とフランスの横断政策が衝突。フランス軍はこれにより撤退した。ジブチ・マダガスカルの領有はファショダ事件より以前のことである。

ブチ・マダガスカルを目指す，アフリカ横断政策に成功した。
（5）ドイツは2度にわたるモロッコ事件を引き起こしたが，イギリスのフランス支援で失敗し，1912年の独仏協定で仏がモロッコを保護国とすることを承認した。

練習問題4

下記の事項のうち，第一次世界大戦から第二次世界大戦開戦までの時期に起きたものでないのはどれか。

（1）ミュンヘン会談
（2）スペイン内乱
（3）イタリアのエチオピア侵略
（4）ソ連の第1次五カ年計画
（5）日ソ中立条約の成立

練習問題5

下記のドイツに関する記述として，誤っているのはどれか。

（1）ヒトラーは，当初ミュンヘンで武装蜂起を起こすが失敗し投獄されたので，合法路線による政権奪取に変更した。
（2）ドイツでは，世界恐慌の波が及ぶと都市の中間層や農民の不満が増大し，彼らの支持を背景にナチスは総選挙に勝利した。
（3）ワイマール憲法を停止し反対党を解散させて一党独裁体制を確立したヒトラー政権は，議会主義の破棄を議会主義のルールで達成した。
（4）社会主義を掲げるナチスは，独占資本・地主を弾圧し，共産党を非合法化した。
（5）反共産主義・反資本主義の共通項として反ユダヤ主義を唱えたヒトラーは，大資本への反感を持つ中間層などの不合理な感情を政治的に利用して，政権獲得後，ユダヤ人弾圧を実行した。

解答・解説

練習問題4　正答／（5）
●解説／
（5）のみ第二次世界大戦開戦後の1941年。
（1）はナチスを許容した（宥和政策）会談で1938年。
（2）のスペイン内乱は1936～39年。
（3）のイタリアのエチオピア侵略は，1935～36年。
（4）のソ連の第1次五カ年計画は，1928～32年。

練習問題5　正答／（4）
●解説／（4）のナチスは，「国家社会主義ドイツ労働者党」という。労働者や農民を引き付けるための呼称，ということだが，現実には独占資本や地主の方を向いていたといえる。

練習問題 6

中国の諸王朝の記述として正しいものを選べ。

（１）紀元前 202 年に成立した漢（前漢）王朝の始祖である高祖は，郡県制を採り，中央集権国家を目指した。
（２）紀元前 221 年に中国を統一した秦王の政は，封建制度を敷いて，血縁関係をもとにした支配を行った。
（３）隋は，それまでの官吏登用法である九品中正法を廃して，科挙制度を初めて導入したが，これは清朝末の 1905 年まで続くことになる。
（４）25 年に漢を復活させた後漢の光武帝は，都を長安から咸陽へ変えたが，政治制度はほぼ前漢のままであった。
（５）隋は，郡国制とともに均田制や府兵制を敷いて，中央集権国家を目指した。

練習問題７

下記の中国における官吏登用法の変遷に関する記述として，誤っているのはどれか。

（１）漢代には，有徳者を地方長官の推薦で官吏に採用する郷挙里選が，武帝により制定された。
（２）三国時代に魏の文帝が制定した九品中正法によって，上級官職が貴族の子弟に独占されたことで，以後貴族政治が成立した。
（３）隋の文帝が制定した科挙制は，学科試験の結果によって官吏への登用を決定するもので，その結果君主権は著しく弱体化した。
（４）北宋時代になると，州試・省試・殿試の三段階試験制が確立し，科挙が完成された。
（５）元の時代には，モンゴル人第一主義により，漢民族の士大夫を冷遇し，科挙は一時中止された。

練習問題８

次は中国の明に関する記述であるが，誤りはどれか。

（１）明を建国したのは，紅巾の乱の指導者朱元璋である。
（２）明は，江南を根拠地として，中国の統一に成功した。
（３）洪武帝は，国土の再建に努め，魚鱗図冊などをつくり改革を実施した。
（４）三藩の乱をおさめた永楽帝は，鄭和を南海遠征に派遣した。
（５）北虜南倭，官僚の内紛などにより，明は李自成に滅ぼされた。

解答・解説

練習問題６　正答／（３）

●解説／
（１）郡県制ではなく，郡国制である。
（２）政は始皇帝のこと。始皇帝は，皇帝任命の官吏を地方に派遣する郡県制により，中央集権国家の体制を目指した。
（４）咸陽ではなく洛陽。
（５）郡国制は隋ではなく，前漢がその建国当初に導入した制度。

練習問題７　正答／（３）

●解説／隋の時代に官吏登用法として導入された科挙制。中正官による推薦を廃止し（598），学科試験にした。これにより，貴族の高級官職独占を防止し，君主権の強化を目指した。

練習問題８　正答／（４）

●解説／明の３代皇帝永楽帝が，鄭和を南海遠征（東南アジア・インド南西岸等）に派遣した，というのは正しい。三藩の乱（1673 ～ 81）は，清朝の初めに起こった漢人武将の反乱。清の武将となって中国平定に貢献した呉三桂ら３人が，康熙帝による弾圧に抗して立ち上がり，一時清朝は動揺した。しかし，康熙帝により鎮圧され，中国支配は確立した。

練習問題9

アヘン戦争および南京条約の記述として正しいものはどれか。

（1）洪秀全は，広州に密輸されたアヘンの没収・廃棄を断行した。
（2）清は，八旗軍の活躍により，イギリスを退けた。
（3）広州の特許商人公行を廃止する。
（4）イギリスに香港を割譲し，上海など4港を開港する。
（5）後に，同様の条約をアメリカ合衆国・ロシアの2国と締結した。

練習問題 10

次のＡ～Ｄは清朝末期の中国に関する記述であるが，歴史的事象を古い順に並べたものとして正しいものはどれか。

A　物資不足や重税による農民の生活難などを背景に，洪秀全が指導する太平天国の乱が起こった。
B　アヘン戦争問題解決のため，広州に派遣された林則徐が強硬策をとり，これに対しイギリスが清との間にアヘン戦争を起こした。
C　列強の中国進出に対する国民の反感が高まり，「扶清滅洋」をスローガンにした義和団が排外運動を展開し，義和団事件が起きた。
D　清朝は，民間鉄道を国有化し，それを担保に外国から借款を得ようとしたが，これに反対する暴動をきっかけとして辛亥革命が起きた。

（1）A→D→B→C　（2）B→A→C→D
（3）B→C→D→A　（4）C→B→A→D
（5）C→D→A→B

解答・解説

練習問題9　正答／（3）

●**解説**／アヘン戦争（1840～42）は，清対イギリス。
（1）人物は，林則徐が正しい。
（2）清の八旗軍はその弱体ぶりをさらし，イギリスの勝利に終ったのでまちがい。
（4）上海・寧波・福州・厦門・広州の5港の開港が正しい。
（5）2国とは，アメリカ合衆国とフランス。

練習問題 10　正答／（2）

●**解説**／時代順に並べてみよう。Ｂはアヘン戦争（1840～42）。Ａの太平天国の乱は 1851 年の出来事。Ｃの義和団の乱は 1900 年。Ｄの辛亥革命は 1911 年。Ａの太平天国の乱のスローガンは「滅満興漢」である。義和団の乱のスローガンと比べながら，覚えておこう。

練習問題 11

世界恐慌後の各国の対策に関する記述として誤っているのはどれか。

（1）アメリカは，民主党のローズヴェルト大統領のもとで，ニューディール政策を実施し恐慌の克服を図った。
（2）イギリスは，マクドナルド挙国一致内閣の下で，金本位制の廃止などの緊縮財政を断行するとともに，オタワ会議でスターリン・ブロックを形成した。
（3）ドイツは，ナチス政権の下でズデーテン併合，アルバニア併合，エチオピア侵略などの対外侵略で経済危機を克服しようとした。
（4）ソ連は，スターリンの一国社会主義政策の下で，第１次五カ年計画を実施していた。
（5）日本は，満州事変後，溥儀を執政として満州国を建国するなど，中国侵略を本格化していった。

練習問題 12

第二次世界大戦までの出来事Ａ～Ｄを，年代順に古いものから新しいものへ並べ替えた場合，妥当なのはどれか。

A　日独伊三国同盟の調印
B　ミュンヘン会談
C　ヒトラー内閣樹立
D　ドイツによるポーランド侵攻

（1）A－B－C－D
（2）A－D－B－C
（3）C－B－D－A
（4）D－B－A－C
（5）D－C－A－B

解答・解説

練習問題 11　　正答／（3）
●解説／（3）のズデーテン地方は，チェコにある。ここが，ナチスに併合されたというのは正しい。アルバニア併合（1939），エチオピア侵略（1935）はイタリアが行ったことで，ドイツの行為ではない。

練習問題 12　　正答／（3）
●解説／日本，ドイツ，イタリアによる日独伊三国同盟の調印は，1940 年。チェコスロバキアのズデーテン地方帰属問題を解決するためのミュンヘン会談の開催は 1938 年。ナチスが第一党に躍進後のヒトラー政権樹立は 1933 年。第二次世界大戦の引き金となったポーランド侵攻は 1939 年。したがって，古い順に並べると，ヒトラー内閣樹立→ミュンヘン会議→ドイツによるポーランド侵攻→日独伊三国同盟の調印，となる。

3 人文科学
地理

出題傾向 地理での頻出テーマを大きく分けると，世界の気候や農業，各国地誌がある。世界の気候では，ケッペンの気候区分（雨温図，ハイサーグラフ，土壌，植生を含む），代表的な小地形（三角州，扇状地等）などの出題がある。しかし，出題の中心となるのは各国地誌であり，アメリカ合衆国，ヨーロッパ，ラテンアメリカ，アジア諸国など，限定された地域が出題されている。直近の試験では，ケッペンの気候区分，世界の気候と地形，日本の地形・気候・産業，鉄鉱石や銅などの資源国に関する問題などが出題されている。なお各国地誌では，時事的な要素も意識しておく必要がある。

学習のコツ

覚えるべき情報が少ないとはいえ，漫然と暗記していくと，苦痛を感じる科目である。各国の地誌を，気候区分などの自然環境とその国の歴史的背景，現在の政治状況などと関連付けするのがポイント。こうして理解していけば，高得点を得ることは困難ではない。まず，現代の世界情勢に関心を持つことから始めよう。その上で知識の深化をはかり，周辺地域への関心を推し広げて行きたい。

難易度＝ 85ポイント

重要度＝ 90ポイント

◆出題の多い分野◆

分野	頻度
アメリカと中国の農業	★★★★★
ケッペンの気候区分とハイサーグラフ	★★★★★
ヨーロッパ地誌	★★★★★
日本の地形と気候	★★★★
ラテンアメリカの地誌	★★★★
ヨーロッパの農業	★★★
アジア·オセアニアの地誌	★★★

過去５年の出題傾向 ★★★★★

地理 ① アメリカと中国の農業

ともに国土が広大で，多様な気候条件の地域を持つため，気候条件に応じた多様な農業が行われている。両国の地域ごとの農業の特色を，気候との関係を踏まえて整理していこう。

■アメリカの農業の特色

アメリカの農業は，よく「適地適作」という語で表現される。冒頭にも述べたように，アメリカは，国内にほぼ全ての気候区を持つといわれるほど多様な気候条件を持つ国であるため，地域ごとにその地域に最も適した形の農業に特化している。

・酪農地帯

北東部と五大湖周辺の冷帯に属する地域では，冷涼な気候を利用しての酪農が盛んである。また，この地域はリンゴの生産も盛んである。

・とうもろこし地帯

酪農地帯・南部の東西に，帯状に広がる地域。とうもろこしの栽培と豚の飼育が盛んである。また，かつてはグレートプレーンズで放牧された牛の肥育が行われる中心でもあった（近年は西部の放牧地域が中心)。

・園芸農業地帯

園芸農業地帯は大西洋沿岸を南北に細長く伸びている。大西洋中部沿岸では，メガロポリスでの消費向けに野菜・果実などを栽培する近郊農業が行われ，亜熱帯性の気候に属するフロリダ半島では，柑橘類などの果実や野菜が栽培されている。

・綿花地帯

南部は，「コットンベルト」と呼ばれる綿花栽培地帯である。ただし近年では地力低下，虫害や土壌侵食により，大豆・とうもろこしと肉牛飼育を中心とする混合農業に移行。

・プレーリー

カナダからアメリカの西～中央部に広がる世界的な農業地帯。肥沃な黒土地帯にあたり，北部から春小麦→とうもろこし→冬小麦→綿花というように，各種の作物が栽培され，小麦ととうもろこしの世界的な生産地域となっている。なお，春小麦とは，春蒔きの小麦のことで，冬蒔きの冬小麦より生産量が少なく，品質が高いため，高価である。北米では春小麦地帯がカナダからアメリカにかけての地域に広がっている。

・グレートプレーンズ

ロッキー山脈東麓に広がる大平原。ステップ気候に属し，牛の大放牧地帯となっている他，土壌が肥沃であるため，センターピボット式と呼ばれるスプリンクラーを利用した灌漑農業も行われている。

・地中海式農業地帯 よく出る

太平洋に面したカリフォルニア州は，地中海性気候に属す地域であり，地中海式農業が行われ，ブドウなどの果実，ナッツ類および野菜の生産が盛んである。特にブドウは，全米で採れるブドウのほとんどを生産している。また，日本輸出向けのジャポニカ種の稲（加州米）の栽培も盛んで，アメリカの米の生産量の世界で占める割合は0.9%（'22）である。

・主要作物の生産（p'22）/ 輸出（e'22）

※○数字は世界順位，%は世界でのシェア

小麦：p④（5.6%）/ e②（12.1%）

とうもろこし：p①（30.0%）/ e①（28.0%）

●アメリカの農牧業地域

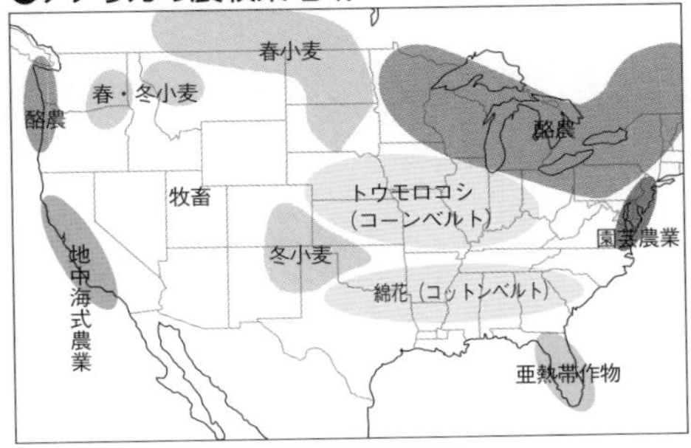

大豆：p④ (33.4%) / e② (36.4%)
綿花：p③ (15.0% ※'21 データ)
※pは生産量，eは輸出量を示す

■中国の農業

中国の農業も，広大な国土に比例して多様であるが，降水量が年間 1,000 mmの線(チンリン山脈・ホワイ河線) を境に，北では畑作が中心となり，南は稲作地域となっている他，新疆ウイグル自治区ではオアシス農業が見られる。作物については，東北地区では大豆・こうりゃん，華北では小麦・粟，華中以南では米が主要作物であるが，他にほぼ全国的にとうもろこしの栽培が盛んであり，歴史的に人口増加の要因となってきた。また，華南では稲の二期作が行われている。

・生産責任制（生産請負制） よく出る

中国では，毛沢東の指導下に，人民公社が組織され，農業の集団化が進められた。しかし，集団化が生産意欲の減退を招いたこともあり，1980 年から農家が家族単位での農業を行う生産責任制が導入されると，この方式への移行が進み，1982 年に人民公社は解体が決定された。

・主要作物の生産（p'22）

小麦：p① (17.0%)
とうもろこし：p② (23.8%)
米：p① (26.9%)
大豆：p④ (5.8%)

※出典：国際連合食糧農業機関（FAO）

●中国の農牧業地域

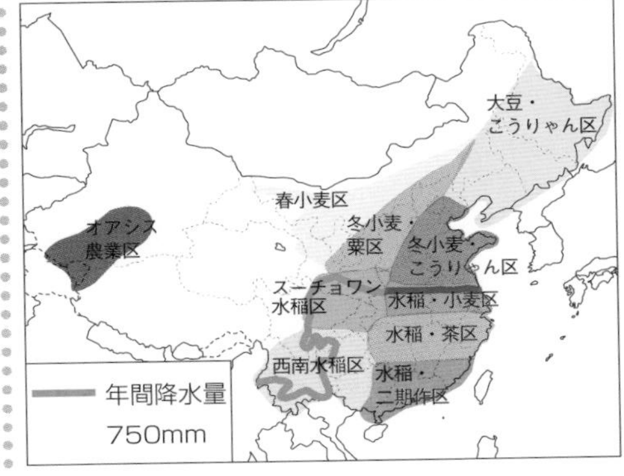

重要語解説

●肥育…アメリカでは肉牛の肥育のために，フィードロットと呼ばれる肉牛肥育場が設けられており，放牧で育てられた牛を，濃厚飼料により約５カ月間で集中的に肥育する。

●生産責任制…農家の個人経営を認め，政府に対して一定量の農作物の生産を請負わせた上で，余剰分を自由に処分できるようにした制度。農民の生産意欲が高まり，万元戸などと呼ばれる富農が出現した。

出題パターン check!

アメリカと中国の農業についての説明として，正しいものはどれか。

（１）大西洋岸のカリフォルニア州では，冷涼な地中海性気候に合わせて，酪農を中心とする地中海式農業が行われている。
（２）アメリカ最大の工業地帯を背景とする五大湖周辺では，工業都市の人口を養うために，野菜などの生鮮食料品を生産する園芸農業が盛んである。
（３）アメリカ南部では，温暖な気候を利用して，歴史的に綿花の栽培が行われてきており，「コットンベルト」と呼ばれている。
（４）旧満州と呼ばれた中国の東北地区では，豊富な河川の水を利用しての高度な灌漑農業が発達し，特に稲は温暖な気候を利用して三期作が行われている。
（５）長江流域を中心とする華中より南の地域では，乏しい降水を効率的に利用した高度の畑作農業が発達し，小麦の世界的な生産地域となっている。

答え（３）

過去５年の出題傾向　★★★★★

地理 ② ケッペンの気候区分とハイサーグラフ

ケッペンの気候区分は，自然地理の頻出分野であるだけでなく，各国地誌でも重要な要素。その代表的な都市と雨温図・ハイサーグラフが正しく組み合わせられるようにしておく。

■ケッペンの気候区分

気温･降水量に植生などの要素を加味してつくられた気候区分法。下のように区分される。

■熱帯（A）

最寒月平均気温18℃以上の気候地域。土壌はやせた赤色土のラトソルである。さらに下記の様に区分される。

・熱帯雨林気候（Af）

西アフリカ・東南アジアなど赤道付近の地域に見られる気候。年中高温多雨で，密林が生育する。代表都市はシンガポール。

・熱帯モンスーン気候（Am）

弱い乾季のある熱帯雨林気候。やはり密林が生育する。代表都市はジャカルタ。

・サバナ気候（Aw）

熱帯雨林気候の高緯度地方に分布。冬季の強い乾季のため密林は生育できず，サバナと呼ばれる長草平原と灌木の疎林が見られる。代表都市はダーウィン（オーストラリア）等。

■乾燥帯（B）

年間降水量500 mm以下の気候地域。全陸地面積の1/4を占める。

・砂漠気候（BW）

年間降水量250 mm以下で，気温の日較差が大きい。植物類はほとんど見られないが，地下水を利用したオアシス農業が行われる。代表都市はカイロ，リヤドなど。

・ステップ気候（BS）

年間降水量は250 mm～500 mmと少ないが，夏季にある程度の降雨があり，ステップと呼ばれる短草草原が広がる。伝統的に馬や羊，ラクダなどの遊牧が行われてきたが，北米のグレートプレーンズやCISのカザフスタンのように，土壌が肥沃で灌漑農業により穀物が生産される地域もある。代表都市はテヘラン，アテネなど。

■温帯（C） よく出る

温帯は最寒月平均気温－3℃以上で18℃未満の気候地域。さらに下記の様に区分される。

・温暖湿潤気候（Cfa）

モンスーン気候ともいう。中国長江流域や北米東南部など，中緯度地方の大陸東岸に見られる。季節風の影響を受け降水量が多い。代表都市は東京，ブエノスアイレスなど。

・西岸海洋性気候（Cfb,Cfc）

西欧やアメリカ西北部など偏西風の影響を受ける中・高緯度地方の大陸西岸に見られる気候。偏西風と暖流の影響により，緯度のわりに冬季も比較的温暖なのが特徴とされる。代表都市はロンドン，パリなど。

・地中海性気候（Cs）

地中海沿岸に典型的に見られる気候。夏季の高温乾燥が特徴で，果樹栽培と小麦栽培を組み合わせた地中海式農業が行われる。代表都市はローマ，タシケントなど。

・温暖冬季少雨気候（Cw）

東南アジア大陸部や中国西南部など，サバナ気候に隣接した地域で見られる気候。温帯諸気候中では，最も気温が高めで，降水量も多い。代表都市は香港，広州など。

■冷帯（D）

亜寒帯ともいう。最寒月平均気温－3℃

未満，最暖月平均気温10℃以上の気候地域。主にポドゾルと呼ばれる灰白色の土壌に被われ，タイガと呼ばれる針葉樹林が見られる。さらに下記の様に区分される。

・冷帯湿潤気候（Df）

年間を通じて平均して降水があり，冬季の降雪が多い。北欧やヨーロッパ，ロシアなどに見られる。代表都市はモスクワなど。

・冷帯冬季少雨気候（Dw）

Dfに比して，冬季に降水が少なく，気温が下がるのが特徴。中国の華北，東北地方，東シベリアなどに見られる。代表都市はイルクーツクなど。

■寒帯（E）

最暖月平均気温10℃未満の気候地域。さらに下記の様に区分される。

・ツンドラ気候（ET）

最暖月平均気温0℃以上の気候区。夏季に永久凍土表層が解けて，地衣類や蘚苔類が生育できるため，これを利用してトナカイ遊牧が行われる。代表都市はバローなど。

・氷雪気候（EF）

最暖月平均気温0℃未満の気候区。グリーンランドや南極に見られる。

●気候区分とハイサーグラフ

出典：気象庁

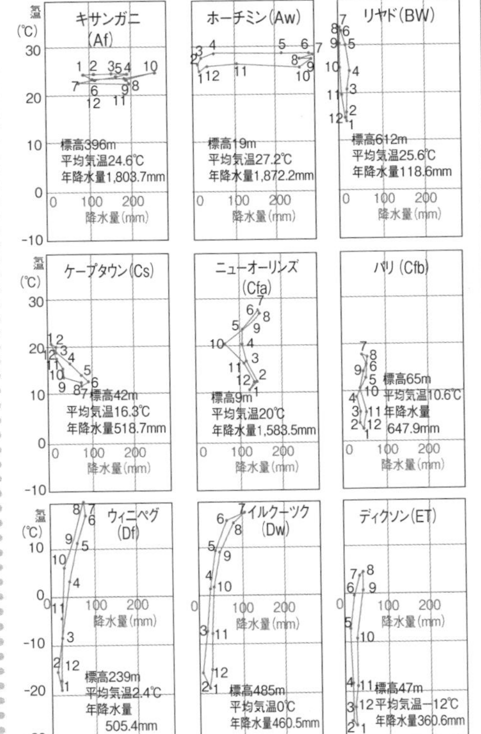

重要語解説

●ラトソル…熱帯から亜熱帯の地方に分布する赤色の成帯土壌で，熱帯モンスーン気候やサバナ気候の地域に典型的に見られる。養分に乏しく農耕にはあまり適さない土壌である。●ポドゾル…冷帯に分布する酸性で灰白色の成帯土壌。土壌中の化学成分が水分により溶脱されるため，養分に乏しく農耕にはあまり適さない土壌である。

出題パターン check!

ケッペンの気候区分に関する記述として，妥当なものはどれか。

（1）熱帯雨林気候は，東南アジアや西アフリカなどの赤道付近の地域に分布する気候区であり，年間を通じて高温多雨なのが特徴で，植生としては密林が見られる。

（2）サバナ気候は，気温は年間を通じて高いが，夏季に乾季があるのが特徴であり，強い乾季のために密林は生育できず，熱帯性の短草草原と灌木の疎林が広がっている。

（3）西岸海洋性気候は，西欧など偏西風の影響を受ける低緯度地方の大陸の西岸に分布する気候区であり，近くを流れる暖流の影響で，夏季にはかなりの高温となる。

（4）地中海性気候は，地中海沿岸やアメリカ東部に分布する気候区であり，夏季に高温多雨となるため，オリーブや果樹の栽培が盛んである。

（5）冷帯湿潤気候は，年間を通じて平均して降水があるのが特徴であり，短い夏に生育する地衣類や蘚苔類を利用してのトナカイ遊牧が見られる。

答え（1）

過去5年の出題傾向 ★★★★★

地理③ ヨーロッパ地誌

ヨーロッパ諸国の地誌は，頻出分野の一つである。気候風土，農業や工業といった地理的な部分から，政治経済・歴史に関わることまで，幅の広い学習が必要となる。

■西欧 よく出る

・イギリス

産業革命の発祥国イギリスでは，機械・鉄鋼・自動車などの伝統的な重工業に加え，近年は電子工業などの先端技術工業も伸びてきている。マンチェスターとリヴァプールを含むランカシャー工業地域，バーミンガムのあるミッドランド工業地域などの他，ロンドン周辺にも工業が発達している。

第二次世界大戦後，労働党の主要産業国有化政策で経済が衰退したが，保守党のサッチャー政権による民営化で経済の活性化に成功した。北海油田の開発で，1980年より石油輸出国となっている。

・フランス

フランスでは第二次世界大戦前には軽工業が大きな比重を占めてきたが，大戦後は重工業化が進んでいる。

主な工業地域にはパリ工業地域，北フランス工業地域，ロレーヌ工業地域がある。1980年代にミッテランの社会党政権が基幹産業の国有化を進めたが，保守派の反対ですぐに修正された。代表的な原子力発電国でもある。

・ドイツ

EU最大の工業国。1990年に旧東ドイツを吸収して統一ドイツが成立。ヨーロッパ最大の工業地帯であるルール工業地域を筆頭に，フランクフルトを擁する上ライン工業地域，ミュンヘンを中心とする南ドイツのバイエルン工業地域，フランスのロレーヌの鉄鉱石と結び付いたザール工業地域，ドレスデンなどを含む旧東独のザクセン工業地域など，多くの工業地域を擁する。

・オランダ

農業や海運業が中心産業だったが，近年工業国へと転身。ライン川下流域の低湿地に位置し，アイセル湖の干拓により造成されたポルダーで名高い。ロッテルダム西方のユーロポートはEUの玄関口とされる。

■南欧 よく出る

・イタリア

国内統合が遅れたこともあって，国内の産業構造の違いや経済格差が顕著。北部はトリノ・ミラノ・ジェノヴァを結ぶ工業の三角地帯に代表される工業地域であるが，南部は大土地所有制の残る後進的な農業地域となっている。近年，南部の工業化が図られているが，南北格差は依然として大きい。

・スペイン

アラゴンとカスティリャが合邦することで成立したスペインは地域性が強く，旧アラゴン領に属したカタロニアでは古くから分離独立運動が行われてきた。南部のアンダルシアはイスラム支配の中心地域。18世紀にイギリスに奪われたジブラルタルをめぐり，現在も領土問題を抱えている。

■北欧

・ノルウェー

農地が国土の3%と農業に不適なため，海運業や漁業などを基幹産業としてきたが，北海油田の開発により，世界有数の石油輸出国となっている。海岸にはフィヨルドが発達する。EU 未加盟国。

・フィンランド

フィン人が人口の大多数を占める国。森林と湖沼の国と呼ばれ，林業とパルプ工業が中心産業である。

■東欧

・チェコ

1993 年にチェコとスロバキアに分離した。オーストリア帝国の工業の中心地域であったため，工業が発達し，現在でも東欧有数の工業国となっている。

・ハンガリー

マジャール人がヨーロッパに侵入後，パンノニア平原に定住して建国。東欧の大国であったが，第一次世界大戦後，ほぼ今日の領土となる。農業国で，領内のプスタはヨーロッパの穀倉地帯の一つ。

●ヨーロッパの鉱工業

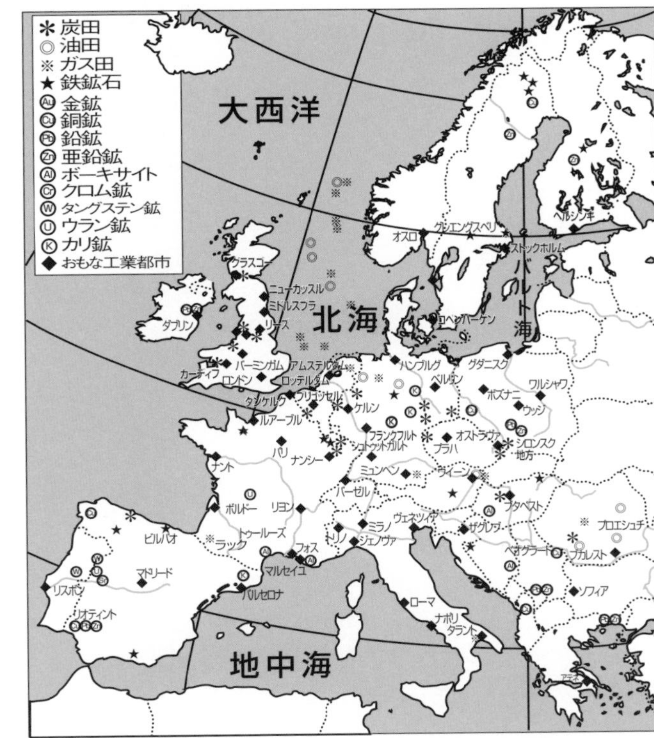

■ EU

1993 年発足。ECSC，EEC，EURATOM が統合された EC を前身とする。加盟国は仏，独，伊，ベネルクス 3 国，アイルランド，デンマーク，ギリシャ，スペイン，ポルトガル，スウェーデン，フィンランド，オーストリア，中東欧 10 カ国，ブルガリア，ルーマニア，クロアチアの計 27 カ国。通貨同盟は 2002 年に完全施行され，ユーロ通貨（EUR）を用いる 19 の加盟国で構成されている。なお，加盟国であったイギリスは，2020 年 1 月にボリス・ジョンソン元首相のもと，正式に EU を離脱した。

出題パターン check!

ヨーロッパ各国について述べたものとして，正しいものはどれか。

（1）フランスは工業の発展が遅れており，繊維や雑貨などの軽工業製品以外はドイツから輸入して，分業化を図っている。

（2）ドイツ領内のザール工業地域はヨーロッパ最大の工業地域である。

（3）イタリアは経済面での地域格差が大きいのが特徴であり，北の農業地域と南の工業地域の差は南北問題と言われる。

（4）ノルウェーは，国土が農業に不適なために，海運業や漁業を主要産業としてきたが，北海油田の開発で工業国へと転身した。

（5）スペインは領内の地域性が根強く，地中海岸のカタロニア地方は古くから分離独立運動を起してきた。

答え（5）

過去５年の出題傾向　★★★★☆

地理 ④ 日本の地形と気候

日本の地形については，主な山脈・河川を覚える他，日本の河流および堆積平野の特徴についても理解しておく。また，雨温図と各都市が正しく組み合わせられるようにしておこう。

■日本の地形

日本は新期造山帯の環太平洋造山帯上に位置しており地震が多い。フォッサマグナによって，山脈が南北に走る東北日本（弧）と山脈が東西に走る西南日本（弧状）に分けられ，西南日本はさらに中央構造線（メディアンライン）により内帯（北側）と外帯（南側）とに分けられる。

・山地

山地が国土面積の3/4を占めているため，森林面積も国土の2/3と多いが，日本アルプスなど高く険しい山脈が多く，開発が難しいので，木材を輸入している。

・河川

日本の河川は，勾配の大きな急流で長さが短く，季節により流量の変動が大きいのが特徴である。そのため水力発電には不向きであり，戦後発電法の中心は火力発電へと移った。

・平野（洪積台地・沖積平野）　よく出る

日本の平野は全て堆積平野である。洪積台地と沖積平野に分かれる。河流が急なので，流域に形成される平野の規模はそれ程大きくはなく，河流が短く山あいからすぐ河口に達するため，扇状地に近いものが多い。また，洪積台地がはっきりとした形で存在するのも特徴の一つである。

・海溝

日本列島の太平洋側には，千島カムチャツカ海溝（－9,550）・日本海溝（－8,020）・伊豆小笠原海溝（－9,780）・南西諸島（琉球）海溝（－7,460）などの諸海溝が見られる。

※（　）は最深部の深度・メートル

・海岸　よく出る

三陸海岸や若狭湾などに複雑な海岸線を持つリアス海岸が見られ，北海道・能登半島以北の日本海岸，関東以北の太平洋岸，西南日本沿岸には海岸段丘が発達している。

■日本の気候

ケッペンの気候区分でいえば，北海道と東北北部は冷帯，本州の大半は温暖湿潤気候に区分されるが，微視的には太平洋側と日本海側，中央高地，瀬戸内海，南西諸島など，地域ごとに異なった気候特徴が見られる。

また，冷帯の地域を除き，季節風の影響を受けて梅雨があり，年間降水量も約1,800 mmと世界的な豪雨地帯となっている。

1．太平洋気候区

太平洋気候区は，冬季に降水量が少ないのが特徴。さらに以下のように区分される。

(1) 東北海道

寒冷・少雨。夏季に霧が発生し，7月の日照が少なくなる。

(2) 三陸（東北太平洋岸）

冷涼・少雨。夏季に吹くやませの影響で，冷害を受けやすい。

(3) 関東・東海

温暖・降水やや少。冬季は晴天乾燥し，関東では乾燥した北風（からっ風）が吹く。

(4) 南海（東海・近畿・四国南部・九州東南）

高温・湿潤。年間降水量が2,500 mmに及ぶ，多雨地帯となっている。

2. 日本海気候区

冬季に乾燥したシベリア気団から吹き出す風が日本海上で水分を吸収して吹きよせるため，降水（雪）量が多くなるのが特徴。さらに以下のように区分される。

(1) 西北海道

冷涼・乾燥。内陸部では夏季高温となる。

(2) 出羽（含青森）

冷涼・降水やや多。対馬海流の影響で，太平洋岸に比べて温暖であり，やませの影響もない。夏季にフェーン現象が起こる。

(3) 北陸

世界的な豪雪地帯。夏季にはフェーン現象で高温となる。

●日本各地の雨温図

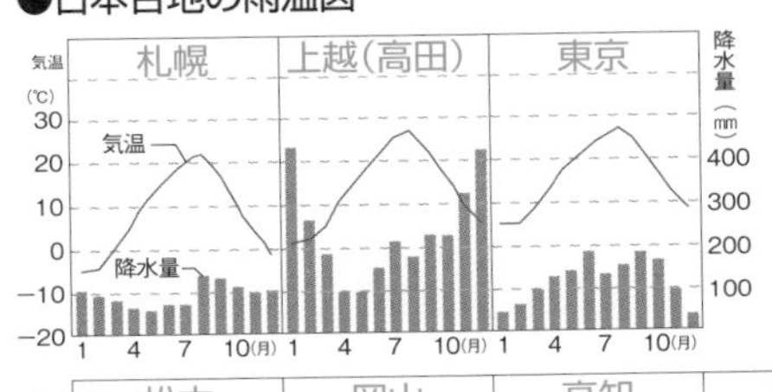

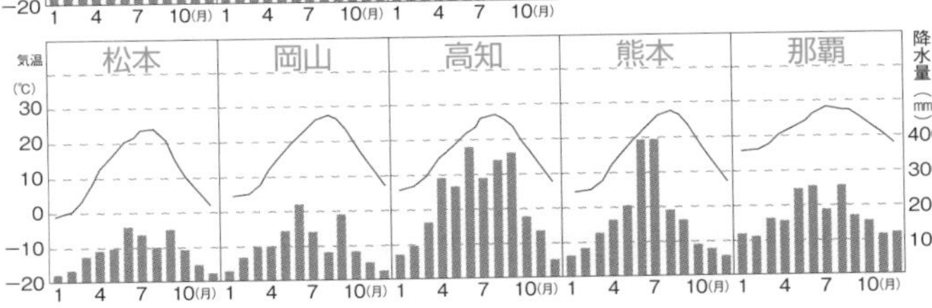

ワンポイント★アドバイス

日本地理は近年出題が増えてきた分野であり，世界地理に比して難度も高めである。日本地理は小中で学習するため，高校用学習参考書より，中学生用の地理辞典などを活用するとよいだろう。ただし，統計年次が古めなので要注意。

(4) 山陰

湿潤で北陸に近い気候だが，降水はやや少なく，気温は高めとなる。

(5) 九州気候区（九州西部）

山陰と南海の中間型。北九州では冬季の降水が山陰に比べてやや少ない。

3. 中央高地

内陸性気候。夏季高温・冬季寒冷，降水は少ない。

4. 瀬戸内気候区

夏季高温・冬季乾燥。南北を山地で挟まれ，降雨（降雪）後の乾燥した風が吹き込むため，年間を通じて降水が少なめで，ため池灌漑が行われている。

5. 南西諸島気候区

亜熱帯性気候。奄美諸島では年間降水量が3,000mmを超えるなど，国内最多雨地域。

※地域区分法には，異説あり。

出題パターン check!

日本の地形と気候に関する記述として，妥当なものはどれか。

(1) 日本はメディアンラインにより，太平洋側の内帯と日本海側の外帯に大きく二分される。内帯の山地は古期造山帯に属すが，外帯の山地は新期造山帯に属し，険しい。

(2) 日本の河川は，欧米の河川に比べて，急流で短いが流量が豊富で安定している点が特徴であるため，水力発電による発電量が全発電量の大半を占めている。

(3) 日本の平野には，構造平野と堆積平野とがある。構造平野とは洪積台地や扇状地などのことであり，堆積平野には三角州などが分類されている。

(4) 北陸地方では，夏季に大陸のシベリア気団から吹き出す湿った風が，中部地方の高山にぶつかり雨を降らせるため，世界的な豪雨地帯となっている。

(5) 瀬戸内地方は，南北を中国山地と四国山地に挟まれ，山陰と四国南部で雨を降らせた後の乾燥した風が吹き込み降水が少ないので，ため池灌漑が行われている。

答え（5）

過去５年の出題傾向 ★★★★☆

地理 ⑤ ラテンアメリカの地誌

公務員試験の地理では出題頻度の高くなる地域。各国の土地利用や民族構成のような地理的分野だけでなく，近代以降の歴史や政治経済を含む幅広い知識を問われる。

■南米大陸の地形と土地利用

大陸西岸の南北には高峻なアンデス山脈が走り，その北部をアマゾン川が東流する。西部海岸中部は，寒流のフンボルト海流の影響で降雨が乏しく，砂漠が見られる。オリノコ川流域の熱帯草原であるリャノでは牛の放牧が行われ，アマゾン川流域にはセルバと呼ばれる熱帯雨林が広がっている。また，ブラジル高原には熱帯草原であるカンポが広がり，ラプラタ川下流域のパンパは世界的な農牧地帯となっている。

■各国地誌

・メキシコ

アステカ文明とマヤ文明の故地にあたる。スペインからの独立後，しばらくは政治は不安定で，領土の北半分をアメリカに奪われるなど国土も縮小したが，1910年～1917年のメキシコ革命以後，石油産業を国有化し，土地改革を実施するなど，社会改革が進められ，政情は安定した。ベネズエラと並ぶラテンアメリカ有数の産油国である。2024年現在，OPECには加盟していないが，加盟候補国となっている。また，銀の産出量は世界１位（2023年）である。

・キューバ

19世紀末スペインの植民地でなくなるが，その後はアメリカの影響下に置かれた。1959年のキューバ革命後，カストロ政権が社会主義陣営に帰属。砂糖が主要収入源である。先住民が早くに死滅し，黒人奴隷が導入されたが，人口の2/3は白人（スペイン系と混血）が占めている。2015年，アメリカとの国交を回復。2021年，バイデン政権はキューバに経済制裁を発動。当面，強硬姿勢で対処する構えを見せている。

・ベネズエラ

ラテンアメリカ有数の産油国。OPECの原加盟国であり，1976年に石油産業を国有化した。現在でも石油収入に大きく依存。

・ペルー

インカ帝国の故地にあたる。世界的な漁業国で，アンチョビーの漁獲により，総漁獲高世界１位を占めた時期もあった。近年エルニーニョ現象の影響による漁獲量の減少が指摘されたが，漁獲量は世界５位（2022年）である。人口の約５割がインディオ，約４割がメスチゾ（インディオとスペイン人の混血）で，白人（スペイン系）は約１割程度。日系人の数は僅かだが，1990年には日系人のフジモリ大統領が誕生した。

・コロンビア

コーヒーの生産は，ブラジル，ベトナム，インドネシアに次いで世界第4位（2022年），輸出も世界第3位（2022年）である。また，石油の輸出も行っており，石炭の埋蔵量も豊富。

・ブラジル

ラテン地域では唯一の旧ポルトガル領にあたり，ポルトガル語が公用語となっている。ブラジル高原東南部を中心に栽培されるコーヒーは，生産は世界第１位（2022年）である。輸出も世界第１位（2022年）である。また世界有数の鉄鉱石の産出は世界２

位（2023年）である。コーヒー豆の単一栽培中心の経済からの脱却を図り，外資導入により工業化に成功，ラテンアメリカ有数の工業国となったが，累積債務に苦しんでいる。アマゾン川の河流を利用した水力発電国である。

・チリ

アンデス山脈沿いに南北に長い国土を持ち，北部は砂漠気候，中部は地中海性気候，その南に西岸海洋性気候，最南端はツンドラ気候に属している。世界的な銅鉱の産出国で，生産は世界第1位（2023年）。日本の銅鉱石輸入相手国である。地中海性気候を利用してのぶどうの生産も盛んで生産量は世界第8位である（2022年）。

・アルゼンチン

冷凍船の発明によるヨーロッパ向けの農産物輸出で発展。ラプラタ川下流域の大平原パンパは世界的な農牧地帯の一つで，とうもろこしの輸出は世界3位（2022年）である。また，ヨーロッパからの移民により国内開発を進めたため，白人が人口の約97%を占めており，イタリア系人口が旧宗主国だったスペイン系人口を超えている。ラテンアメリカ地域では工業化の進んだ国とされるが，対外債務が大きい。1982年，英とフォークランド紛争を起こした。※出典：国際連合食糧農業機関（FAO）/アメリカ地質調査所（USGS）

ワンポイント★アドバイス

近年の出題では，選択肢にかなり多様な情報が盛り込んであるので，各地域の興味のあるところを一つでも覚えておけば，突破口になる。

重要語解説

●テラローシャ…ブラジル南部のサンパウロ州やパラナ州に分布する間帯土壌。玄武岩や輝緑岩が風化して生成され，暗紫色を呈する。肥沃でコーヒー栽培に適しているとされる。

●パンパ…ラプラタ川下流域にアルゼンチン領からウルグアイ領にまたがり広がる温帯草原。年間降水量550mmの線を境に，それ以東の湿潤パンパと以西の乾燥パンパに分かれ，湿潤パンパでは主に小麦・とうもろこしの栽培や牧牛，乾燥パンパでは牧羊が行われる。

●ラテンアメリカの地下資源

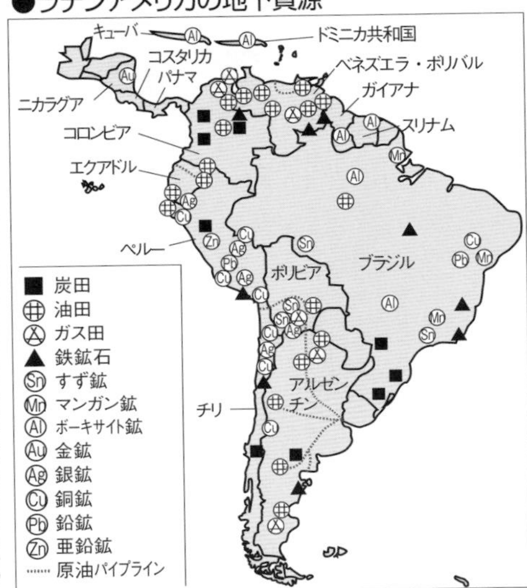

出題パターンcheck!

ラテンアメリカ諸国についての記述として，正しいものはどれか。

（1）アルゼンチンは，ラテンアメリカでは唯一のポルトガルの植民地であるため，公用語にポルトガル語が使用されており，旧宗主国の影響を受けてサッカーが盛んである。

（2）キューバはアステカ文明の故地に建てられた国である。現在ではラテンアメリカ地域有数の産油国となっており，OPECでも重要な地位を占めるようになってきている。

（3）ブラジルは南米大陸最大の国で，コーヒーの世界的な生産国として知られてきたが，現在では大規模な油田の開発により，国有化された石油産業が根幹産業となっている。

（4）チリは世界的な銅鉱の産出国として知られて，日本にも多くの銅鉱を輸出している。また，細長い国土の内，地中海性気候に属す地域ではぶどうの栽培が盛んである。

（5）メキシコは，白人系移民を大量に受け入れることにより開発が進められた国である。特にイタリアからは多くの移民が受け入れられたため，イタリア系白人の人口比率が高い。

答え（4）

過去５年の出題傾向　★★★☆☆

地理⑥ ヨーロッパの農業

西欧や東欧など地域ごとの農業の特色を概観するだけでなく，各国の農業事情も把握しておく。特に英仏独伊ら西欧の主要国については，食糧自給率なども確認しておいて欲しい。

■西欧の農業（含南欧，北欧）

農業生産力の高い西欧諸国では，飼料作物の比重を高くし，畜産物の輸出に重点を置く商業的混合農業が発達している。また，イギリスや北海沿岸では酪農，地中海沿岸では地中海式農業が行われている。

・イギリス よく出る

第二次囲い込み以来，資本主義的農場経営が定着し，農業人口は少ないが，大規模経営が行われる。近年，穀物の自給に成功し，小麦の輸出国となっている。

・フランス よく出る

伝統的な農業国であり，現在でもＥＵ最大の農作物輸出国である。南部の地中海沿岸地域では，地中海式農業が行われている。小麦・とうもろこし・砂糖・食肉・チーズなどの輸出で世界上位を占める。

・ドイツ

混合農業と酪農が行われる。穀物は自給しているが，食肉は輸入している。豚肉やジャガイモの生産が多い。

・オランダ

園芸農業と酪農が中心。農家の経営規模は小さく，穀物自給率は低いが，野菜や食肉・酪農製品などの生産量が多い。

・イタリア

半島部や島嶼では地中海式農業が行われるが，北部のポー川流域などでは混合農業が行われる。小麦は自給できず，輸入国となっているが，ぶどうやトマトなど果実や野菜の生産量は多い。

・デンマーク

度重なる敗戦で国土面積が縮小したが，土地改良により，国土の2/3を農地化し，高度な農業生産性を実現，「酪農王国」と称される。協同組合組織が充実している。

■東欧の農業（含 CIS 諸国）

東欧や CIS 諸国では，商業的農業に比して粗放的な，自給的混合農業が行われている。自給的混合農業では，食用作物生産の比重が高く，畜産物生産の比重が下がる。

・ポーランド

東欧では有数の農業国で国土の約50％（2018年）が農地である。単位面積あたりの小麦の生産性も高い。小麦の他にジャガイモの栽培が盛んである。

・ハンガリー

領内にプスタと呼ばれるヨーロッパの穀倉地帯の一つを擁し，国土の約57.0％（2017年）が農地である。小麦やとうもろこしの栽培が盛んである。

・ロシア

国土の大半は冷帯に属し，気候条件は厳しいが，夏季の高温を利用して農業が行われてきた。小麦や大麦などの麦類やジャガイモの生産量が多い。

・ウクライナ

チェルノーゼムと呼ばれる肥沃な黒色土に覆われた豊かな農業地帯を擁し，世界的な穀倉地帯の一つに数えられる。鉄鉱石や石炭などの天然資源にも恵まれ，鉄鋼業を中心として重化学工業も盛んである。

■主な農産物の生産・輸出

※○数字は 2022 年世界順位

1．小麦
・生産＝③ロシア，⑥フランス，⑨ドイツ，⑪ウクライナ
・輸出＝③フランス，⑤ロシア，⑦ウクライナ，⑩ドイツ，⑪ルーマニア

2．とうもろこし
・生産＝⑦ウクライナ
・輸出＝④ウクライナ，⑤ルーマニア，⑥フランス，⑨ポーランド，⑪ロシア

3．ジャガイモ
・生産＝③ウクライナ，④ロシア，⑥ドイツ，⑧フランス，⑩オランダ
・輸出＝①フランス，②オランダ，③ドイツ，④ベルギー，

4．ぶどう
・生産＝②イタリア，③フランス，④スペイン
・輸出＝④イタリア，⑥オランダ，⑫スペイン

出典：国際連合食糧農業機関（FAO）

●各国の食料自給率（カロリーベース）

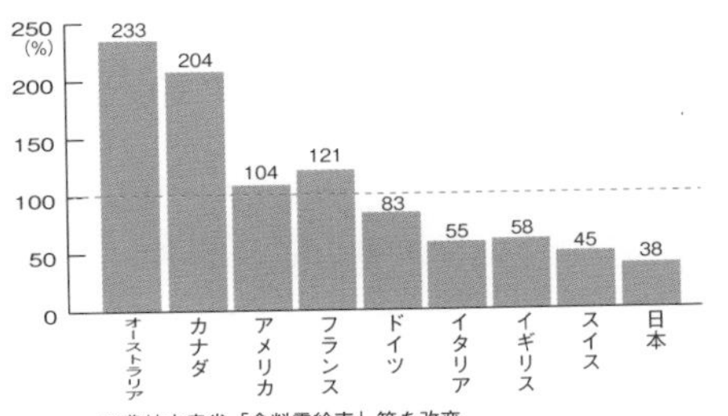

※農林水産省「食料需給表」等を改変
※日本は 2023 年の概算値，他は 2021 年の数値

重要語解説

●地中海式農業…地中海性気候区で見られる農業形態。地中海性気候の夏季の高温乾燥と冬季の降水という気候条件に対応して，夏季にオリーブや果樹の栽培を行い，冬季に小麦を栽培する。

●黒色土…養分に富んだ腐植層を多く含んだ黒色の成帯土壌。肥沃で農耕に適するため，黒色土の分布地域は，世界的な穀倉地帯となる。チェルノーゼムの他に，北米のプレーリー土や南米のパンパ土が代表的な黒色土である。

●ヨーロッパの農業区分図

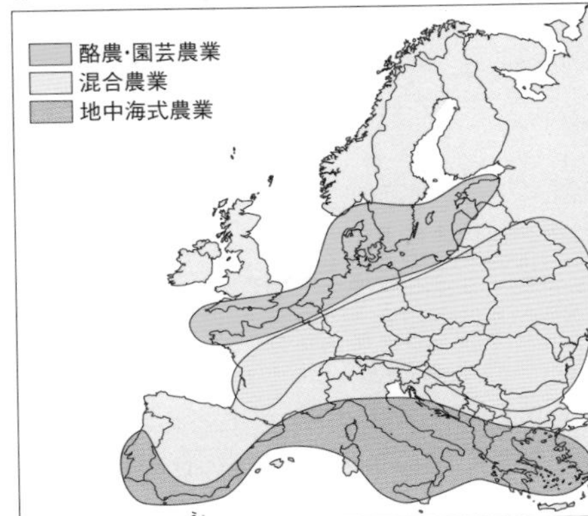

出題パターン check!

ヨーロッパの農業の特色についての説明として，正しいものはどれか。

（1）イギリスでは，第二次囲い込みの結果，地主制が解体され，多くの小作人が自営農化したため，現在でも小規模な自営農民層が人口の大半を占めている。

（2）ドイツはEU最大の工業国であるため，農業人口がきわめて少なく，穀物や食肉など食糧の多くを隣国フランスからの輸入に頼っており，食糧自給率は低い。

（3）イタリアでは，全土にわたって地中海式農業が行われており，農作物の中心は果実や野菜類であり，小麦やとうもろこしはほとんど栽培されていない。

（4）ハンガリーは，国土の約半分を農地が占めており，ハンガリー盆地東半の穀倉地帯であるプスタでは，小麦やとうもろこしが栽培されている。

（5）ロシアは，国土の大半が冷帯に属する厳しい自然環境のため，農業生産が常に不安定であり，小麦などの穀物生産は行われず，主に酪農が行われている。

答え（4）

過去５年の出題傾向 ★★★☆☆

地理 ⑦ アジア・オセアニアの地誌

近年東南アジア諸国の出題頻度が高く，他にも東アジアの中国や韓国，南アジアのインド，西アジアのイスラエル，中央アジアのアフガニスタン，オーストラリアなども学習しておきたい。

■東アジア よく出る

・中華人民共和国

社会主義国だが，近年では沿海部に経済特別区や経済開放区を設定して外資誘致を図るなど開放政策に転じ，工業化が進展。1997年香港，1999年マカオの返還が実現。2001年WTOに加盟。中国政府が香港で統制を強める香港国家安全維持法が2020年に施行。香港に高度な自治を認める「一国二制度」が崩壊の危機に瀕している。

・韓国

東西冷戦下で成立した分断国家。西側に属し，外資導入により急速に重工業化を進め，アジアNIEsの一国に数えられる。1991年に北朝鮮とともに国連に同時加盟。

■東南アジア よく出る

・ベトナム

ベトナム戦争後，東側陣営に属する北ベトナムにより統一された。1986年以来社会主義型市場経済を目指すドイモイ政策を採用，重工業から軽工業・農業へと重点を移行させ，現在では米の主要輸出国に数えられる。1995年ASEANに加盟し，アメリカとの国交も正常化，2007年WTOに加盟。

・フィリピン

スペインからアメリカに割譲された歴史を持つため，カトリック教徒が多い。大土地所有制度が残存し貧富の差が大きい。パイナップルやマニラ麻の栽培が盛んだが，近年工業化が進み，輸出品の９割は工業製品が占める。また長年，南部のミンダナオ島を中心にモロ・イスラム解放戦線による分離独立運動が行われていたが，同島に新たな自治政府を樹立することで政府と合意した（2014年）。

・カンボジア

第二次世界大戦後，フランスから独立したが，ベトナム戦争の影響を受けるなど，政権交代が続き，長らく内戦に苦しんだ。1991年に国連監視の下，内戦が終結，国家再建が進められ，1993年に立憲君主制が樹立された。1999年ASEAN加盟。

・タイ

東南アジアで唯一独立を維持した国。米の輸出国として知られるが，近年では工業製品が輸出の約７割を占めている。2014年の軍によるクーデター後，陸軍プラユット司令官が首相に就任し，軍政を開始。2019年７月には５年ぶりに民政へ復帰した。

・ミャンマー

旧イギリス植民地。独立後，1962年にネ・ウィン軍事政権が樹立され，社会主義路線を採用。エーヤワディー川下流域は東南アジアの主要な稲作地帯の一つで，チーク材の輸出も盛ん。2021年２月，軍事クーデターにより，ウィンミン大統領やスー・チー国家顧問が拘束され軍部が全権を掌握した。

・シンガポール

旧イギリス領で，一時マレーシア連邦に参加したが，1965年に独立。域内一の工業国で，アジアNIEsの一つに数えられ，一人当たりの所得水準は先進国並みである。複合民族国家だが中国系が７割以上。

・マレーシア

旧イギリス領。複合民族国家でマレー人が人口の約6割を占めるが，経済的には中国系・インド系の力が強いため，マレー人優遇策であるブミプトラ政策を採用する。石油や木材，天然ゴム，すずなどに依存していたが，現在では工業製品が輸出の約8割を占め，電子工業が盛んである。

・インドネシア　よく出る

旧オランダ領。域内最大人口を擁し，人口の大半はイスラム教徒。石油産出国として知られ，現在では工業製品が輸出品目の首位で，石油と天然ガスの占める割合も大きい。

・ASEAN（東南アジア諸国連合）

1967年設立の東南アジア地域の地域協力機構。原加盟国はタイ，フィリピン，インドネシア，マレーシア，シンガポールの5カ国(2024年現在10カ国)。2015年にはASEAN経済共同体（AEC）が発足。2020年，撤退を表明したインドに対し，協議復帰に向けてはたらき掛けを続ける方針で一致した。

■その他の地域

・オーストラリア

元来，先住民族のアボリジニが住んでいたが，イギリス人の入植により，多くのアボリジニが虐殺され，アボリジニの人口は90%以上減少。19世紀頃には砂金をきっかけに，ゴールド・ラッシュとなり，移民が急増した。現在，主な輸出品は鉄鉱石や石炭である。国土の約5割が農用地で，その約9割が放牧地である。主要な農作物は，さとうきび，小麦，大麦，牛乳，牛肉，羊毛などである。

・インド

第三世界の盟主的な存在の国の一つ。国民の大半はヒンドゥー教徒で，隣国パキスタンとは宗教的対立により，三次にわたりインド・パキスタン戦争を起こしている。インドでは，近年IT関連の産業が台頭してきており，南部のバンガロールはインドのシリコンバレーと呼ばれている。

・イスラエル

イスラエルの現政府は占領地のユダヤ人の入植を活発に行ってきているが，これに反発するパレスチナ・アラブ人との間に対立が深まってきている。2017年，アメリカがエルサレムをイスラエルの首都とすることを公式に認め，米大使館をエルサレムに移転することを表明。2018年には移転を実施した。

・アフガニスタン

イスラーム法と世俗法に基づく統治が行われ，イスラム国家としての色彩が強い。イスラム主義組織タリバンと米軍との20年間の戦争を経て，2021年に米軍はアフガンから撤収，タリバンが権力を掌握した。

重要語解説

●中東戦争…1948年のイスラエルの建国宣言以来，4次にわたり行われたイスラエルとアラブ諸国の間の戦争。第四次中東戦争の際にアラブ諸国が採用した石油戦略が，第一次石油危機の原因となった。

出題パターンcheck!

アジア諸国について述べたものとして，正しいものはどれか。

（1）韓国は第二次世界大戦後成立した分断国家の一つで，社会主義陣営に属したが，近年は沿海部に経済特別区を設定するなど，積極的な外資導入を図っている。
（2）タイは，帝国主義時代にも植民地化されなかった国である。米の世界的な輸出国として知られるが，近年では他のASEAN原加盟国同様，工業化も著しい。
（3）インドネシアは東南アジアで最大の人口を擁する国で，人口の大半はヒンドゥー教徒である。アジアNIEsの一つに数えられ，先進国並みの所得水準を実現している。
（4）インドは旧フランス植民地で，住民の大半は仏教徒である。独立時のパキスタンと分離して独立したが，その後も対立が続き，三度にわたり武力衝突を起こしている。
（5）イスラエルは，ユダヤ人居住地域であったパレスチナ地域に，アラブ人が大量に流入して建国した国であり，建国以来周辺の諸国との戦争が絶えない状態にある。

答え（2）

練習問題１

アメリカの農業の特色として，妥当なものはどれか。

（１）太平洋沿岸の中部以南では，アメリカ最大の工業地帯である五大湖沿岸工業地域の各工業都市向けの野菜や果物の栽培が行われている。

（２）南部の諸地域はコーンベルトと呼ばれるとうもろこしの栽培地域にあたり，奴隷制による大規模なプランテーションが行われてきた。

（３）世界的な農牧地帯であるプレーリーは，肥沃なポドゾルに覆われ，北から冬小麦，春小麦，綿花，とうもろこしの順で作物が栽培されている。

（４）ロッキー山脈西方に広がるグレートプレーンズは，ステップ気候に属するため，主に羊の放牧と，地下水を利用したオアシス農業が行われている。

（５）カリフォルニア州は，地中海性気候に属するため，夏季の高温乾燥を利用して，オレンジなどの果樹栽培が盛んである他，米の栽培も行われている。

練習問題２

中国の農業の特色として，妥当なものはどれか。

（１）長江とチンリン山脈を結んだ年間降水量800mmの線を境にして，その北では大豆やとうもろこしなどの畑作地帯，南は米の二期作地帯になっている。

（２）旧満州と呼ばれた東北地区は，西岸海洋性気候に属し，高緯度の割に温暖なため，黒龍江水系の豊富な水を利用しての稲作が行われている。

（３）長江中下流域は，温暖な気候と豊富な降雨を利用してのとうもろこしの栽培が盛んであり，ホワイ河流域の華南では，年二度の収穫がある。

（４）年間降水量1,000mmの線の北側に属する黄河流域の地域は，畑作地帯となっており，伝統的な農作物である粟のほかに，小麦が栽培されている。

（５）中華人民共和国成立以後，個別農家が生産を請け負う生産責任制が取られてきたが，貧富の差が拡大したため農業の集団化が進められている。

解答・解説

練習問題１　正答／（５）

●解説／

（１）都市の消費向けに園芸農業が行われているのは，大西洋中部沿岸以南の地域であり，主にメガロポリスの都市市場向けに野菜や果物などが栽培されている。

（２）南部はコットンベルトと呼ばれる綿花栽培地域である。

（３）プレーリーはプレーリー土に被われている。作物は北から春小麦，とうもろこし，冬小麦，綿花の順。

（４）グレートプレーンズはロッキー山脈東部の台地状の平原。牛の放牧と灌漑農業が行われている。

練習問題２　正答／（４）

●解説／

（１）畑作地帯と稲作地帯の境界線は，ホワイ河・チンリン山脈線である。

（２）東北地区でも稲作は行われているが，気候は主に冷帯冬季少雨気候に属す。

（３）長江中下流域は稲作地帯である。また，珠江流域の華南は稲の二期作地帯となっている。

（５）農業の集団化が行われた後，生産責任制が導入され，人民公社が解散された。

練習問題３

日本の各都市と雨温図の組み合わせとして妥当なものはどれか。

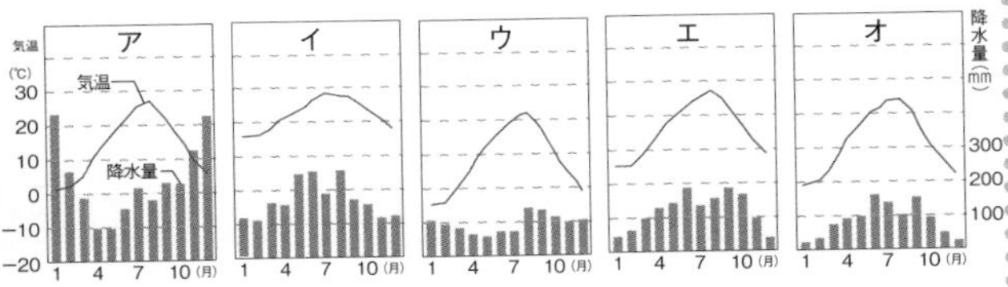

（1）ア－上越
（2）イ－東京
（3）ウ－松本
（4）エ－熊本
（5）オ－高松

練習問題４

ラテンアメリカ諸国の特徴と地図の記号の組み合わせとして妥当なものはどれか。

A．二つの古代文明の故地にあたり，古くから銀の産地として知られる。
B．コーヒーの世界的な産地であったが，近年では工業化が進んでいる。
C．古くからサトウキビの栽培が盛んである。革命により社会主義政権が成立した。
D．白人系の住民の人口比率が高いことで知られ，特にイタリア系住民の数が多い。
E．細長い国土の北部には砂漠があり，中部は地中海性気候に属し，南部は西岸海洋性気候，最南端はツンドラ気候となっている。

（1）A－イ
（2）B－エ
（3）C－ア
（4）D－オ
（5）E－ウ

解答・解説

練習問題３　正答／（1）

●解説／イは那覇，ウは札幌，エは東京，オは松本。北陸は冬季の降雪量が多いので，アの雨温図の冬季に降水量が多いことに着目する。また，イの那覇は高温と降水量の多さ，ウの札幌は冷帯に属するため梅雨が無いこと，エの東京は温暖でありつつ冬季は降水量が少ないこと，オの松本は中央高地に属し，夏季でも冷涼であることが指標となる。

練習問題４　正答／（4）

●解説／Aはメキシコで，二つの古代文明とはアステカ文明とマヤ文明を指している。Bはブラジル。Cはキューバで革命とは1959年のキューバ革命のこと。Dはアルゼンチン。Eはチリについての説明。また，地図ではアがメキシコ，イがキューバ，ウがブラジル，エがチリ，オがアルゼンチンである。よって，正しい組み合わせは，（4）となる。

練習問題5

アジアの国々の特徴と国名の組み合わせとして妥当なものはどれか。

A．旧フランス領で，冷戦期には南北に分断国家が成立したが，長期にわたる内戦を経て，介入してきた超大国を退けた，東側陣営に属す北部の東側の国が全土を統一した。

B．旧イギリス領にあたり，マレー人の他に，中国系・インド系住民が居住している。最大人口を擁するマレー人を保護する政策を採用している。

C．旧アメリカ領であったが，スペイン領であった歴史を持つため，カトリック人口が多い。南部のイスラム教徒の居住地域では，分離独立運動が起こった。

D．旧イギリス領で，宗教の違いから隣国と分離して独立した。国土は隣国をはさんで東西に分かれていたが，西部主導の政治に不満を抱いた東部が分離独立した。

E．共和制移行後，北に隣接する超大国の介入を受けた。超大国の撤退後，国内をほぼ統一した政権が2001年の9.11テロの影響で崩壊している。

（1） A－カンボジア
（2） B－インドネシア
（3） C－フィリピン
（4） D－インド
（5） E－カザフスタン

練習問題6

ケッペンの気候区分のうち，次に説明する気候の雨温図として妥当なものはどれか。

夏季に高温乾燥となるが，冬季には比較的降雨があるので，夏季にオリーブや果樹が栽培され，冬季には小麦がつくられる。

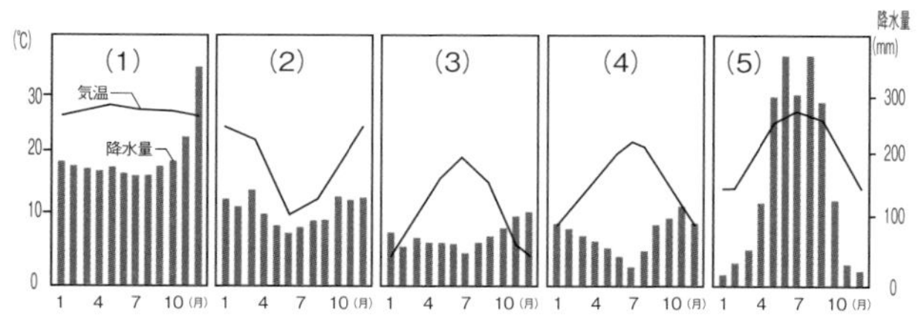

解答・解説

練習問題5　正答／(3)

●解説／Aはベトナム。アメリカの介入を排した北ベトナムが，南北を統一した。Bはマレーシア。ブミプトラ政策を採用している。Cはフィリピンで「カトリック人口が多い」がヒント。Dはパキスタン。イスラム教徒居住地域が，ヒンドゥー教徒居住地域のインドと分離して独立した国で，1971年に東パキスタンがバングラデシュとして分離独立した。Eはアフガニスタン。ソ連軍撤退後の内戦を制して成立したタリバン政権が，9.11テロ後の米英軍の出兵で崩壊している。2021年の米軍のアフガニスタン撤収にともない，タリバンが政権を再び掌握。

練習問題6　正答／(4)

●解説／説明文は，地中海性気候についてのもの。地中海性気候の雨温図は，夏季に温度が上がり，降水量を示す棒グラフが，短くなっているのが特徴である。

練習問題7

ケッペンの気候区分の各気候区についての特色と都市名の組み合わせとして妥当なものはどれか。

A．中高緯度地方の大陸西岸に見られる気候区で，偏西風と暖流の影響を受けるために，緯度が高い割に冬季でも比較的温暖である。

B．中緯度地方の大陸東岸に見られる気候区で，季節風の影響を受けるため，梅雨があるなど降雨が多い。四季が明瞭なのも特徴の一つである。

C．熱帯雨林気候区の外側に分布する気候区で，冬季に乾季があり，ほとんど降雨が無くなる。熱帯性の長草平原と灌木の疎林が広がっている。

D．年間降水量が乏しいが，夏季に降雨があり，短草草原が広がる。歴史的に馬や羊などの遊牧が行われてきたが，灌漑農業により穀倉地帯となる地域もある。

E．寒冷であるが，夏季の気温の上昇により，地衣類や蘚苔類が生育できるため，これを飼料とするトナカイの遊牧が行われている。

（1）A－マドリード
（2）B－ブエノスアイレス
（3）C－シンガポール
（4）D－カイロ
（5）E－モスクワ

練習問題8

ヨーロッパの各国の農業の特色と国名の組み合わせとして妥当なものはどれか。

A．国際河川の河口部に位置する低湿地で，干拓により国土を増やしてきた。園芸農業が盛んで，肉類や乳製品の主要輸出国となっている。

B．歴史的に西欧を代表する農業国であり，現在でも小麦や乳製品，肉類の大輸出国である。南部の沿海地域では地中海式農業が行われている。

C．歴史的に，西欧諸国穀倉の役割を果たしてきた東欧有数の農業国で，現在でも国土の半分近くが農地である。特にジャガイモの生産では世界上位に入る。

D．19世紀の敗戦により国土が急速に縮小したが，客土による土地改良により豊かな農業国として国家を再建し，現在では「酪農王国」と呼ばれる。

E．一部地中海性気候やステップ気候に属する国土は，チェルノーゼムと呼ばれる肥沃な黒色土に覆われ，世界的な穀倉地帯となっている。

解答・解説

練習問題7　正答／(2)

●**解説**／Aは西岸海洋性気候，Bは温暖湿潤気候，Cはサバナ気候，Dはステップ気候，Eはツンドラ気候についての説明。これに対し，マドリードは地中海性気候，シンガポールは熱帯雨林気候，カイロは砂漠気候，モスクワは冷帯湿潤気候に属する都市である。

練習問題8　正答／(2)

●**解説**／Aはオランダ。ライン川下流に位置し，ポルダーと呼ばれる干拓地で名高い。Bはフランス。現在でもEU最大の農業国といわれる。Cはポーランドで，ジャガイモの生産量は世界で9位（2021年）である。Dはデンマークで，現在は国際競争力の高い農業国として知られる。Eはウクライナで，黒土地帯は旧大陸ながら，企業的穀物農業が行われている。

（1） A－デンマーク
（2） B－フランス
（3） C－オランダ
（4） D－ウクライナ
（5） E－ポーランド

練習問題９

ヨーロッパ諸国の特色と地図中の記号の組み合わせで妥当なものはどれか。

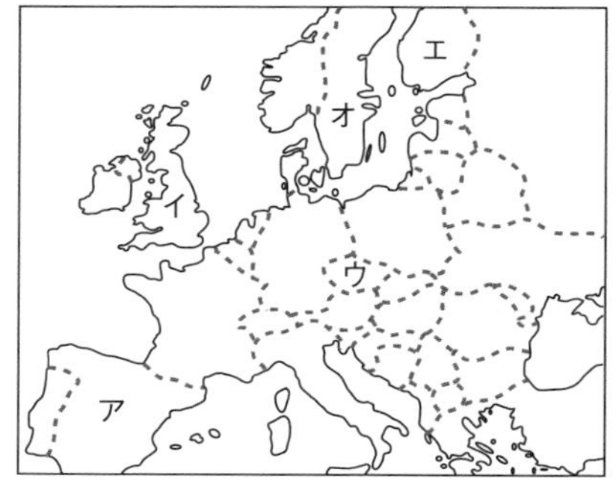

A．産業革命発祥地にあたり，近年では石油輸出国となっている。
B．アジア系民族が人口の大半を占める。森林と湖沼が多く，パルプ工業が盛んである。
C．第二次世界大戦後，米英仏ソの四国により分割占領された歴史を持つ。1995 年に EU に加盟した。
D．国土は農業には不適で漁業や海運業が主要産業であったが，現在は世界有数の産油国となっている。
E．歴史的にドイツと深い関係を持ち，第一次大戦後独立した。1993 年に連邦を解消して，現在の国となった。

（1） A－ア
（2） B－エ
（3） C－オ
（4） D－ウ
（5） E－イ

解答・解説

練習問題９　正答／（2）

●解説／ A はイギリス。B はフィンランド。C はオーストリアで，1955 年に独立し，永世中立国となり，1995 年に EU に加盟している。D はノルウェーで，北海油田の開発により，輸出量が増加した。E はチェコ。チェコは第一次世界大戦後，民族的に近いスロバキア人とともにチェコスロバキアを建国したが，両民族の歴史的伝統や経済力の差から求心性が弱く，ナチス台頭期に一度解体した。第二次世界大戦後，復興し，1969 年には連邦制を採用したが，不満は解消されず，1993 年にスロバキアが分離した。なお，スロバキアは歴史的に長くハンガリー領であった。地図についてはアがスペイン，イがイギリス，ウがチェコ，エがフィンランド，オがスウェーデンとなっている。

人文科学

倫理

出題傾向

思想分野からの出題については，毎年出題しているのは特別区だけであり，他の初級試験では出題は見られない。なおかつ1問だけの出題であり，他の人文科学の科目に比べると重要度は低くなる。したがって，深い理解よりも，ポイントをおさえて広範な範囲に対応できるようにしておきたい。中心となるのは，西洋および東洋の思想史であり，基本的な内容で十分である。西洋は古代および近世，近代の思想家が対象となり，東洋では特に古代中国の思想家に関する理解が求められる。直近の試験では，デカルトやライプニッツといった西洋哲学者の出題があった。

学習のコツ

重要度を考えると，出題範囲をおさえて効率的に学習したい科目となる。西洋および中国の思想史は，人文科学でも重要度の高い世界史とリンクする内容になるため，世界史と並行して学習するようにすると，短時間で学習効率を高める効果も期待できる。西洋および東洋の思想家については，大まかな思想の歴史的な流れや背景も汲み取り，思想家の名前に加えて，思想の特徴が問われても対応できるようにしておきたい。

難易度＝ 85ポイント

重要度＝ 70ポイント

◆出題の多い分野◆

西洋の思想家　★★★★

中国近現代に影響を与えた思想家　★★★★

過去５年の出題傾向　★★★★☆

倫理① 西洋の思想家

西洋思想の学習は範囲が広く多岐にわたるので後回しにしがちだが，早めの整理がポイント。思想と思想家，さらに思想家の思想内容を示すキーワードをしっかりおさえておくこと。

■古代ギリシャの思想家

◇自然哲学…神話的世界観を否定，世界の根源（アルケー）を求める。
・タレス：万物の根源は水。
・ピタゴラス：万物の根源は数。
・ヘラクレイトス：万物の根源は火。
・デモクリトス：原子論を唱える。
・エンペドクレス：四元説を唱える。
◇ソフィストの登場（知恵のある人）…真理の相対性を説き，民主主義を啓蒙。→詭弁に陥る。
・プロタゴラス：人間は万物の尺度である。
◇ソクラテス…「無知の知」を思想的出発点とし，問答法により普遍的真理を探求。
・真の知は必ず徳（正しい行為）を導く。
◇プラトン…「イデア論」を説き，理想主義の哲学を展開。善のイデアを認識した哲学者が政治を行うべき（哲人政治）とする。
◇アリストテレス…イデア論を批判。エイドス論，中庸・ポリスの理論を展開。

■合理論と経験論　よく出る

◇デカルト…合理論の祖。演繹法による思考。
・方法的懐疑により，一切を疑った上で，「我思う，故に我あり」の原理を獲得。
◇スピノザ…汎神論。
◇ライプニッツ…単子論⇒予定調和説。
◇F. ベーコン…経験論の祖。
・伝統的学問が持つ偏見（イドラ）を批判。
・４つのイドラを排除→帰納法の提唱。

４つのイドラ
①種族のイドラ＝感覚上の偏見 ②洞窟のイドラ＝個人の偏見 ③市場のイドラ＝言葉の不適切な使用による偏見 ④劇場のイドラ＝権威や伝統の無批判な受容 ⇒イドラを排除することで精神の束縛から解放，真理の認識が可能。

■ドイツ観念論

◇カント…批判哲学を樹立。理論理性の範囲を経験的世界に限定。道徳の問題を意思能力としての実践理性（良心）の立場

プラトンの思想	イデア論	・真の世界は完全無欠の世界，すなわち永遠不変のイデアの世界であり，イデアは理性でのみ捉えうる普遍的な本質。
	理想国家論	・人間の霊魂を3つの機能（理性・意志・欲望）に分け，それに対応した徳（知識・勇気・節制）とこれらの徳が調和した状態である「正義」をあわせて4元徳とした。 ・国家の統治も霊魂の3つの機能に対応させ，統治階級（哲人），防衛階級（武人），生産階級（庶民）を考え，その調和による理想国家を構想。
アリストテレスの思想	エイドス論	・存在するもの全てを，一定の形であるエイドス（形相）と素材であるヒュレー（質料）からなるとした。 ・エイドスはヒュレーの目的，個物に内在して現実化していく運動因。
	中庸とポリスの理論	・過度な感情や欲望を抑制して中庸の命ずる知性的徳は，教育や学習によって獲得される（中庸＝倫理的徳）。 ・人間はポリス（政治的）動物⇒ポリスの優位性，ポリスに帰属する存在としての人間。

から考察。
・道徳は定言命法（絶対的無条件の命令）の形をとる＝「汝の意志の格率（信条）が常に同時に普遍的立法の原理として妥当しうるように行為せよ」。
◇ヘーゲル…ドイツ観念論の大成者で近代哲学の完成者。
・世界を絶対者の自己展開としてとらえ，絶対精神の自己外化（疎外）により説明。
・絶対精神＝精神の第一段階である主観的（個人的）精神と第二段階である客観的（社会的）精神が総合されたもの。
⇒絶対精神は国家において自由を実現。

■功利主義と実証主義

◇ベンサム…善悪の判断基準を「最大多数の最大幸福」に求める。
・快楽は計算可能と主張（量的功利主義）。
・善なる行為への動機として，外的（法律的）制裁を重視。
◇J.S. ミル…「人にしてもらいたいように他人のためにし，わが身を愛するようにあなたの隣人を愛せよ」（マタイ福音書）に功利主義の道徳を重ね合わせる。
・快楽に，質的な差異を認める（質的功利主義）。
・内的制裁（良心）を重視。
⇒「満足した豚であるより不満足な人間の方がよい。満足した愚者であるよりも不満足なソクラテスがよい」
◇コント…実証主義。実際に確かめることのできる経験的事実のみを学問の源泉とする。
・社会学の創始者。
・人間の知識の進化を神学的段階，形而上学的段階，実証的段階の三段階の法則で主張。
・社会の進歩も三段階の法則に従い，軍事的，法律的，産業的な段階として現れるとした。

■実存主義　よく出る

◇キルケゴール…有神論的実存主義者。
・主体的真理（いかに生きるか）を求める。
◇ヤスパース…有神論的実存主義者。
・限界状況で自己の有限性を自覚，超越者の存在を感じる。
◇ニーチェ…無神論的実存主義者。
・神は死んだ⇒キリスト教的価値観の否定。
・権力への意志を体現する理想的人間＝超人。
◇サルトル…無神論的実存主義者。
・実存は本質に先立つ。
◇ハイデッガー…人間は世界と関わり，はたらきかける存在＝世界内存在。

現代思想

＜プラグマティズム＞行動の有用さこそ真理。行動と経験を重視。
・パース，ジェームズ，デューイ
＜構造主義＞人間中心の思想から「構造」概念を思想の中心とする。
・レヴィ=ストロース（未開社会の親族構造解明）
・フーコー（狂気，非理性を排除・隔離した近代文明を批判）

重要語解説

●演繹法と帰納法…演繹法は普遍的原理から論理的な筋道によって特殊的な結論を導き出す推論の方法で，代表例に三段論法がある。帰納法は特殊な事例の集積により一般的命題を得る方法。
●実存主義…自ら自由な選択で主体的に自己を形成，人間の本質や人間性を体現する現実の存在としての実存を解明し，自己の内面的改革を通して人間性の回復と，生きる意味を探求する。

出題パターン check!

以下の思想家に関する記述として正しいものは，次のうちどれか。

（1）プロタゴラスは「万物の根源は水である」と説いた。
（2）F. ベーコンはありのままの自然を認識するにはイドラから解放される必要があるとした。
（3）サルトルの根本思想は「権力への意志」にあり，生を徹底的に肯定した。
（4）ニーチェの根本思想は「真理の有用性」にあり，思想を行為の道具と見なしている。
（5）デューイは世界を重層的な構造としてとらえ，人間を構造の中の一要素と考えた。

答え（2）

日本史 世界史 地理 倫理 文学芸術 国語

過去5年の出題傾向 ★★★★☆

倫理② 中国近現代に影響を与えた思想家

古代中国の思想，諸子百家の思想家，思想的特徴を整理すること。また，その代表的思想である儒家と道家の対立，儒家の流れを汲む朱子学，対立する陽明学がポイント。

■諸子百家の思想 よく出る

◇時代背景…中国古代の春秋・戦国時代（前770～前221年），富国強兵のため新しい才能を求める諸侯と，登用を願って時代に処する道を説き，活発な思想活動を展開した思想家が存在した。彼らを「諸子百家」と呼ぶ。

諸子百家の分類

流派	主な思想家	思想的特徴
儒家	孔子・孟子・荀子	仁と礼
道家	老子・荘子	無為自然
陰陽家	鄒衍	陰陽五行説
法家	韓非子	法治
名家	公孫竜	論理
墨家	墨子	兼愛と非攻
縦横家	蘇秦・張儀	外交
雑家	呂不韋・劉安	折衷
農家	許行	農本主義

■儒家の思想 よく出る

◇孔子…理想＝道徳に基づいた政治の実現。

・道徳の内容＝「仁」：①愛としての仁。
②忠恕としての仁。
③克己復礼としての仁。

・愛としての仁：人と人が親しみ愛し合う。
⇒親子の愛…孝・兄弟の愛＝悌←仁の基本。

・忠恕…まごころと思いやり。

・克己復礼…私欲に克ち，実践の規範である礼に従うこと。

◇孟子…人間は生来「惻隠の心」がある。ゆえに，人の性は本来「善」（性善説）。

・人には生来，次の4つの心が備わっている。
①「惻隠の心」…他人を思いやる気持ち
②「羞悪の心」…悪をにくむ心
③「辞譲の心」…人を敬う心
④「是非の心」…善悪を分別する心

・この4つの心がそれぞれ「仁・義・礼・智」の端（四端）であるとする。

・仁と義を重視：「仁は人の心，義は人の道」。

・覇道（私欲に基づく力による政治）を

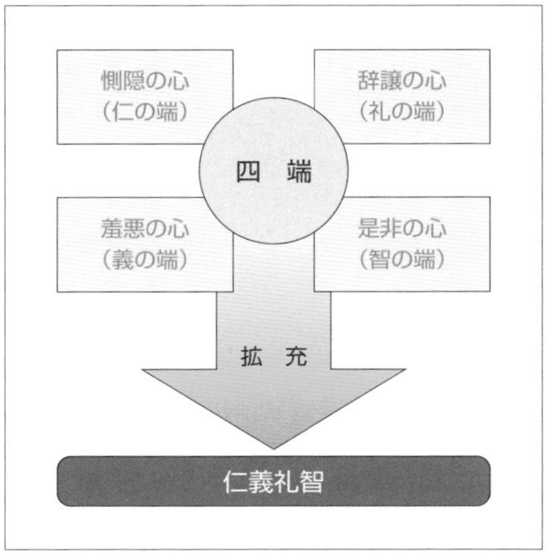

否定。
・王道（仁をもってする政治）を説く。
◇**荀子**…「人の性は悪，その善なるものは偽」
・人間は本来「悪」であり，後天的な人為（じんい）（＝偽）によって善となる（性悪説）。
・人は本来「悪」であるが，自己の欲望を放任するのではなく，それを限界づける「礼」に従わねばならない。

■道家の思想

◇**老子**…思想の中心＝「道」⇒万物存在の根源。
・「道は万物の奥」にあって万物を成り立たせるもの。
・「無為自然」：人間の知や欲望による作為や人為を排し，万物の根源たる道のはたらきに従ってありのままに生きること。
・政治的理想＝無為の政治。
・その理想の形態＝小国寡民。
◇**荘子**…思想の中心＝道。
・人間によって分別された世俗的世界を超え，とらわれない自由な境地を理想とする。
⇒理想とする境地にある人間＝「真人（しんじん）」。
＝世俗的世界の根拠としての道を体得した人。
・「無用の用」：平素，役に立たないとされているもののうちにこそ，かえって大きなはたらきがある，ということ。人は有用の用しかわからないが，道の立場から見れば，無用の用に生きることが大切。

■宋代に興った新儒学（宋学≧朱子学）

◇**朱子**…孔子以来の儒学を革新，新儒学である朱子学を打ち立てた。
・人間が理想の人間であるためには，理を受けた本然の性のはたらきが，気のはたらきである欲によって妨げられないようにしなくてはならない，とする。

方法①／主観的には「敬」：雑念を取り去り精神を集中して内省すること。
方法②／窮理：事物の理に至ってその理を窮め（格物），理についての知を獲得すること＝格物致知。

■明代の思想（陽明学）

◇**王陽明**…宋代，朱子と対立した陸象山の思想を継承。
・自分の心の理である良知（人間に本来備わっているもの）をはたらかせること（致良知）で事物の理を求めることができる（格物），とした＝格物致知。
・心は常に良知そのものであり，その心の発動が理であることを求められる。
・知ることと，行うことは同じ心のはたらきで，合一している＝知行合一。

ワンポイント★アドバイス

中国の思想の中で，諸子百家からの出題は多い。それぞれの思想の系譜とともに，キーワードとなる思想家の思想的特徴をつかんでおくこと。

重要語解説

●小国寡民…老子が理想とした社会の姿。小さな国で，人口も少なく，人々は素朴で，自給自足生活を送り，隣国とはきわめて近くても行き来をしない社会。
●陸象山…宋代の思想家。朱子と対立した。朱子が「事物の理を窮めることで天下万物の一理を得る（性即理）」としたのに対して，象山の思想の中心はその「一理はわが心に備わっている（心即理）」とした。

出題パターン check!

諸子百家の流派と思想家と思想的特徴として正しい組み合わせは，次のうちどれか。

（1）儒家―孟子―性悪説
（2）道家―荀子―無為自然
（3）陰陽家―荘子―陰陽五行説
（4）道家―老子―道
（5）朱子学―朱子―知行合一

答え（4）

練習問題1

思想家と思想内容に関する記述の中で正しいものは，次のうちどれか。

（1）プラトンは，イデア論を説き，善のイデアを認識した哲学者が政治を行う「哲人政治」を主張。
（2）デカルトは，個々の事例から普遍的法則を導く帰納法を提唱。
（3）J.S. ミルは，善悪の判断基準を「最大多数の最大幸福」に求める功利主義を提唱した。
（4）ニーチェは，実存は本質に先立つとして，人間を未来に向け自ら創造していく存在とした。
（5）フーコーは，構造主義の創始者であり，未開社会の親族構造を解明，神話の構造を追究した。

練習問題2

以下の記述中，中国思想家の思想の中で孟子の思想は，次のうちどれか。

（1）仁の道，君子の道を説き，儒教倫理の基礎を確立した。
（2）性悪説を唱え，人間は利己的性質を有するがゆえに教育による矯正の必要性を説いた。
（3）万物の根源としての「道」を説き，その「道」に従う無為自然の生き方を理想とした。
（4）性善説を唱え，覇道を否定し，有徳なる君主による徳治すなわち王道政治を説いた。
（5）絶対無差別の道を説き，その道と一体となった無我の境地に達した真人を理想とした。

解答・解説

練習問題1　正答／（1）

●解説／
（1）正しい。
（2）デカルトは演繹法。問題の記述はF. ベーコン。
（3）ベンサムの内容。ミルはベンサムの量的快楽計算を否定，快楽に質的な差異を認める。
（4）サルトルの記述。サルトルはニーチェとともに無神論的実存主義者である。
（5）レヴィ・ストロースの内容。

練習問題2　正答／（4）

●解説／
（1）孔子の思想。
（2）荀子の思想。
（3）老子の思想。
（4）正しい。
（5）荘子の思想。

例えば孟子の思想であれば，「性善説」「王道政治」がポイント。各思想家たちの特徴を把握しておくと簡単。

5 人文科学 文学芸術

出題傾向

文学芸術の分野は，主に日本文学と西洋の美術・音楽からの出題が中心である。日本文学は，近代以前では平安時代の日記文学や物語文学などの古典文学からの出題が圧倒的に多い。他には江戸時代の俳諧，歌舞伎もよく出題される。出題の多数を占めている近代以降では，明治期の写実主義・浪漫主義・自然主義に関する問題が多い。それぞれの主要な作家や作品名を確認しておこう。西洋の美術ではフランスの印象派と後期印象派に関する出題が中心である。直近の試験では東京特別区で，海外の画家についての問題が出されている。

学習のコツ

日本文学は平安時代・江戸時代・明治時代を中心に学習を進めていこう。西洋美術は，印象派と後期印象派の画家と作品名を記憶しておくこと。西洋音楽も，古典派と国民学派の作曲家と作品名をしっかり確認しておく。文学芸術分野の問題は，作家名と作品名を覚えておけば，解ける問題が大半。そのため，様々な主義や流派の内容については，基本的なところのみをおさえておけば十分である。

◆出題の多い分野◆

分野	頻度
日本の文学（近代〜）	★★★★
日本の文学（近代以前）	★★★★
西洋美術・音楽	★★★★
西洋文学	★★★

難易度＝ 85ポイント

重要度＝ 80ポイント

過去５年の出題傾向　★★★★☆

文学芸術 ① 日本の文学（近代〜）

写実主義・浪漫主義・自然主義・白樺派と夏目漱石・森鷗外については必須事項。また村上龍・村上春樹・吉本ばななどの現代作家や現代の作品に関する出題も増えてきた。

Ⅰ 明治時代の文学

■写実主義（明治 20 － 30 年頃） よく出る

「リアリズム」。実際の人間の感情や社会のありさまをありのままに描く。

①坪内逍遥『小説神髄』『当世書生気質』
②二葉亭四迷『小説総論』『浮雲』
③尾崎紅葉『金色夜叉』『多情多恨』
④幸田露伴『五重塔』『風流仏』

■浪漫主義（明治 30 － 40 年頃）

「ロマンチシズム」。現実を超えた夢や理想を描く。恋愛や青年の情熱を重視。

①森鷗外『舞姫』
②北村透谷『厭世詩家と女性』
③樋口一葉『たけくらべ』

■自然主義（明治末） よく出る

写実的描写を徹底させ，人間と社会の葛藤や醜悪さを克明に描く。

①島崎藤村『破戒』『家』
②田山花袋『蒲団』
⇒「露骨なる描写」を唱える。
③正宗白鳥『何処へ』
④徳田秋声『あらくれ』

Ⅱ 大正時代の文学

■耽美派（明治末〜大正前期）

道徳や建前を超えた人間の官能や情欲の世界を描く。新浪漫主義。

①永井荷風『あめりか物語』『ふらんす物語』
②谷崎潤一郎『刺青』『春琴抄』『細雪』
⇒「悪魔主義」と称され，既成の道徳や社会モラルを超えた美や人間の情念の深みを追究した。

■白樺派（明治末－大正 12 年）

人間の良心と社会の理想を信頼し，追究した。新理想主義。

①武者小路実篤『お目出たき人』『友情』
②志賀直哉『城の崎にて』『和解』『暗夜行路』
③有島武郎『カインの末裔』『或る女』

■新現実主義（大正期）

◇新思潮派

理知的・客観的に人間を分析し，描写する。東京帝国大学の学生同人誌「新思潮」（第３次・第４次）が活動の中心。

①芥川龍之介『羅生門』『鼻』『地獄変』『或阿呆の一生』
②菊池寛『恩讐の彼方に』『父帰る』

◇三田派

慶應大学の文芸誌「三田文学」を中心に活動。浪漫的な傾向が強い。

①佐藤春夫『田園の憂鬱』
②室生犀星『愛の詩集』『あにいもうと』

■余裕派・高踏派（明治末－大正初期）

余裕を持って人間や社会を見つめていく姿勢を保つべきだとする「反自然主義」の立場。

①夏目漱石『吾輩は猫である』『坊っちゃん』『三四郎』『それから』『門』『行人』『こころ』『道草』『明暗』
⇒人間的利己心を超越した「非人情」や

「則天去私」の境地を理想とした。
②森鷗外『ヰタ・セクスアリス』『雁』『阿部一族』『高瀬舟』『渋江抽斎』
⇒自らを傍観者と見なした。晩年は歴史小説中心。

Ⅲ 昭和の文学

■プロレタリア文学(大正中期－昭和初期)

大正デモクラシーや労働者の自覚の高まりとともに「革命の文学」として生まれた。
①宮本百合子『伸子』
②小林多喜二『蟹工船』
⇒昭和８年当時の特別高等警察に逮捕され，拷問を受けて死亡した。この事件がきっかけで，プロレタリア文学は衰退した。
③徳永直『太陽のない街』
④佐多稲子『キャラメル工場から』

■芸術派（大正末期－昭和初期）

政治に文学が従属することを拒否し，芸術至上主義的な立場を唱えた。

◇新感覚派 よく出る

欧米の前衛文学の傾向を取り入れ，新しい感覚を通じた斬新な表現を目指す。文芸誌「文芸時代」が活動の中心。
①横光利一『日輪』
②川端康成『伊豆の踊子』『雪国』
⇒昭和 43 年にノーベル文学賞受賞。昭和 47 年自殺。

◇新興芸術派

昭和２年の「文芸時代」廃刊後に，後を継ぐかたちで結成された。
①梶井基次郎『檸檬』
②井伏鱒二『山椒魚』『黒い雨』

◇新心理主義派

欧米の意識の流れ描写手法を取り入れた。
①堀辰雄『風立ちぬ』『美しい村』

■戦後の文学

◇無頼派（新戯作派）

戦後の混乱の中で既成の価値観や秩序を正面から問い直す。
①坂口安吾『堕落論』
②太宰治『斜陽』『人間失格』

◇戦後派以降

戦争経験を基に人間と社会の姿を透徹した視線で描く。
①野間宏『真空地帯』（第一次戦後派）
②三島由紀夫『仮面の告白』『金閣寺』『豊饒の海』（第二次戦後派）
③大岡昇平『野火』（第二次戦後派）
④安部公房『砂の女』（第二次戦後派）
⑤吉行淳之介『砂の上の植物群』（第三の新人）
⑥遠藤周作『海と毒薬』『沈黙』（第三の新人）

■現代文学

①大江健三郎『死者の奢り』『飼育』『万延元年のフットボール』『同時代ゲーム』
②五木寛之『蒼ざめた馬を見よ』『青春の門』
③村上龍『限りなく透明に近いブルー』『愛と幻想のファシズム』
④村上春樹『風の歌を聴け』『ノルウェイの森』『ダンス・ダンス・ダンス』

■現代の女性作家

①山崎豊子『大地の子』
②柳美里（ゆうみり）『家族シネマ』
③吉本ばなな『キッチン』
④三浦しをん『まほろ駅前多田便利軒』

出題パターン check!

正しい説明が書かれている選択肢を選びなさい。
（1）夏目漱石は自然主義に属する作家で，代表作に『吾輩は猫である』がある。
（2）田山花袋の『蒲団』は男女の葛藤を写実主義の作風で描いた作品である。
（3）森鷗外はドイツから帰国した後に『舞姫』という浪漫主義的な作品を発表した。
（4）島崎藤村の『若菜集』は写生的な表現を用いた詩集である。
（5）『鼻』で夏目漱石の賞賛を浴びた芥川龍之介は同人誌「三田文学」で活躍した。

答え（3）

過去５年の出題傾向　★★★★☆

文学芸術　② 日本の文学（近代以前）

平安時代の日記文学と物語文学の流れは必ずおさえておこう。また江戸時代の俳諧についても，芭蕉・蕪村・一茶の特徴と，それぞれの違いを確認しておくこと。

■日記文学　よく出る

①『土佐日記』（935 年頃）紀貫之
女性に仮託して記されている。

②『蜻蛉日記』（10 世紀末）藤原道綱母
夫への愛憎と息子への愛情の記述。

③『和泉式部日記』（1008 年頃）和泉式部
敦道親王との恋愛の記録。

④『紫式部日記』（1010 年頃）紫式部
宮中の生活や様子を活写。人物批評も。

⑤『更級日記』（1060 年頃）菅原孝標女（すがわらのたかすえのむすめ）
13 歳の少女期から 52 歳の晩年までの回想録。

■随筆

①『枕草子』（11 世紀初頭）清少納言
長短 318 段からなる人間･社会への批評。

②『方丈記』（1212 年）鴨長明
社会の無常と人生の流転・はかなさ。

③『徒然草』（14 世紀前半）兼好法師
全 243 段。人生・社会・自然・技芸など多彩な関心と批評。

■軍記物語

①『平家物語』（13 世紀後半）
仏教的無常観を背景にして平家一門の栄枯盛衰の運命を描く。琵琶法師によって語られることで広く普及した。

◎日記と随筆◎

日記…日付をつけて日々の出来事や思いを綴る。
随筆…日付にとらわれず，折に触れて関心のあることを思いのままに綴る。

■物語文学

①『竹取物語』（10 世紀前半）作者不詳
現存最古の物語。「かぐや姫」の物語。

②『伊勢物語』（10 世紀前半）
和歌を中心とした歌物語。

③『大和物語』（10 世紀後半）
純愛を題材にした歌物語。

④『宇津保物語』（10 世紀後半）
宮廷生活が題材。

⑤『落窪物語』（10 世紀後半）
継子（ままこ）いじめを題材にした物語。「継子もの」。

⑥『源氏物語』（11 世紀初頃）紫式部
全 54 帖。三部作。光源氏とその子薫の女性遍歴と半生が，宮廷生活や当時の社会・世相とともに描写されている。

■詩歌

①『懐風藻』（751 年）編者未詳
日本初の漢詩集。淡海三船（おうみのみふね）編纂の説あり。

②『万葉集』（8 世紀後半）大伴家持
現存最古の和歌集。約 4,500 首。

③『凌雲集』（814 年）
最初の勅撰漢詩集。

④『性霊集』（9 世紀前半）弘法大師空海
個人による漢詩文集。

⑤『古今和歌集』（905 年）紀友則・紀貫之など。日本初の勅撰和歌集。20 巻約 1,100 首。

⑥『梁塵秘抄』（12 世紀）

江戸期文学の特徴

前期（幕府成立－18世紀半ば）…関西中心・庶民的・町民文化の反映・浮世草子・俳諧
後期（18世紀半ばー幕末）…江戸中心・仏教や儒教の勧善懲悪思想・歌舞伎・滑稽本

当時の流行歌である「今様」が収録される。
⑦『新古今和歌集』（1205年）藤原定家ら20巻約2,000首の短歌。技巧的表現。

■江戸期の文学

◇浮世草紙（17世紀）
井原西鶴『好色一代男』『好色五人女』『日本永代蔵』『世間胸算用』
⇒現実の世間や人間を写実的に描いた。

◇読本（18－19世紀）
①上田秋成『雨月物語』
②滝沢馬琴『南総里見八犬伝』
⇒伝奇的な娯楽小説。

◇滑稽本（19世紀）
①十返舎一九『東海道中膝栗毛』
②式亭三馬『浮世風呂』『浮世床』
⇒庶民の人情や滑稽な姿を描く。

◇俳諧　よく出る
①松尾芭蕉…元は武士。貞門と談林を経て蕉風（正風）を確立。伊賀上野出身。俳諧を芸術的レベルへと昇華させた。『猿蓑』『野ざらし紀行』『更科紀行』『笈（おい）の小文』『おくのほそ道』などが代表作。
②与謝蕪村…画家・俳人。摂津（大坂）出身。絵画的・唯美的表現。『新花摘』。
③小林一茶…農民出身。信濃（長野）出身。素朴な人情を素直に表現。『おらが春』。

■芸能

◇南北朝・室町時代
①能／観阿弥・世阿弥親子によって猿楽能が洗練され，舞台芸能として完成された。
②狂言／庶民的滑稽さを演じる。能と能の間に演じられる。

◇江戸時代
①歌舞伎／歌舞伎踊り（出雲阿国）が起源とされ元禄時代に元禄歌舞伎として完成される。鶴屋南北などが有名。
②浄瑠璃／近松門左衛門が代表的脚本作家。『出世景清』『曽根崎心中』『心中天の網島』『女殺油地獄』

●貞門・談林・蕉風●
○貞門俳諧…松永貞徳。形式を重視。
○談林俳諧…西山宗因。自由な表現・発想を重視。
○蕉風俳諧…松尾芭蕉。幽玄・閑寂の美を表現。「さび」「しをり」「もののあはれ」以来の美的感性と俳諧の世俗性の融合。

◎「もののあはれ」と「をかし」◎

もののあはれ…紫式部『源氏物語』
⇒感情的・情緒的。繊細・優美な感受性。
をかし…清少納言『枕草子』
⇒理知的・知性的。明快・機知に富んだ観察力と批評精神。

出題パターン check!

作家と作品が正しくない選択肢を選びなさい。

（1）源氏物語　紫式部
（2）蜻蛉日記　藤原道綱母
（3）更級日記　菅原孝標女
（4）方丈記　兼好法師
（5）雨月物語　上田秋成

答え（4）

過去５年の出題傾向　★★★★☆

文学芸術 ③ 西洋美術・音楽

圧倒的に印象派と後期印象派に関連する問題が多い。主要な画家と代表作の名称を確認しておくこと。特に，印象派のモネ，後期印象派のゴッホとゴーギャンは頻出。

Ⅰ 19世紀の美術

■印象派 よく出る

従来の絵画に対して，実際の世界の光と色彩を再現しようとした。点描法が用いられる。

①マネ「草上の昼食」
②モネ「印象，日の出」「睡蓮」
③ルノワール
「ムーラン・ド・ラ・ギャレット」
④ドガ「踊り子」

■後期印象派 よく出る

印象派の鮮明な色彩と強烈な光を保ちながら，形態の明確さも併せて表現しようとした。また，対象をどのように描き手が受け止めたかという主観的印象を前面に出して表現するようになった。

①セザンヌ「サント・ヴィクトワール山」
②ゴッホ「ひまわり」「星月夜」
「糸杉のある道」
③ゴーギャン「イア・オラナ・マリア」
「タヒチの女」

Ⅱ 20世紀の美術

■フォービズム（野獣派）

後期印象派の流れを汲み，さらに鮮烈な色彩と非写実的で大胆な構図を追究した。

①マチス「ダンス」「帽子の女」
②ルオー「ミセレーレ」「受難」

■キュビズム

写実的に描写するのではなく，対象の幾何学的構造を分析・統合して表現する。描き手の主観性がさらに強く画面に表される。

①ブラック「クラリネットのある静物」
②ピカソ「アビニオンの娘たち」「ゲルニカ」

■エコール・ド・パリ

ロシアや東欧，ヨーロッパ各地からパリにやってきて創作に専念した人々を指す。表現スタイルは画家によって多彩。

シャガール「私と村」「誕生日」
「青いサーカス」

■シュルレアリスム

フロイトの精神分析理論を芸術創作に応用。無意識に潜むイメージや情念を描く。

サルバドール・ダリ「内乱の予感」
「聖アントニウスの誘惑」

■表現主義

「印象派―後期印象派―キュビズム」というフランス美術の流れとは一線を画したドイツ美術の潮流。強烈な感情表現と色彩の強調，形態のデフォルメなどが特徴。

カンディンスキー「即興」「相互の和音」

Ⅲ 音楽

■バロック

17－18世紀半ば。宗教的主題に基づいた曲。

①バッハ「マタイ受難曲」
「トッカータとフーガ」

②ヘンデル「水上の音楽」「ラルゴ」

■古典派

18 世紀後半－19 世紀初め。楽曲全体の調和と均衡が重視された。

①ハイドン　交響曲「告別」「驚愕」
⇒「交響曲の父」と称される。

②モーツァルト　オペラ「フィガロの結婚」オペラ「ドン・ジョヴァンニ」

③ベートーヴェン　交響曲「運命」「田園」，ピアノ・ソナタ「月光」「悲愴」「熱情」
⇒「楽聖」と称される。

■ロマン派

19－20 世紀。様式美よりも内面的表現が重視された。

◇前期ロマン派（感受性の詩的表現）

①シューベルト　交響曲「未完成」

②シューマン　ピアノ曲「トロイメライ」

③メンデルスゾーン　劇音楽「真夏の夜の夢」

④ショパン「軍隊ポロネーズ」

⑤ヨハン・シュトラウス　「美しく青きドナウ」「皇帝円舞曲」

⑥ブラームス「ドイツ・レクイエム」

⑦リスト「ハンガリー狂詩曲」

⑧ワーグナー　オペラ「ローエングリン」オペラ「トリスタンとイゾルデ」

◇後期ロマン派（明確な主題・精神性を重視）

①ブルックナー「交響曲第 4 番」

②マーラー「交響曲第 1 番」

③リヒャルト・シュトラウス　交響詩「ツァラトゥストラはかく語りき」，オペラ「サロメ」

④フォーレ「レクイエム」

■国民楽派　よく出る

19 世紀の民族主義の高まりを反映。ロシア・スラブ出身の音楽家が中心。

①ムソルグスキー　交響詩「禿山の一夜」

②チャイコフスキー　交響曲「悲愴」
舞踊組曲「白鳥の湖」「くるみ割り人形」

③ドボルザーク　交響曲「新世界より」

④スメタナ　交響詩「わが祖国」

⑤シベリウス　交響詩「フィンランディア」

■近代音楽

◇印象派…微妙な印象を細部まで描写しようとした。

①ラヴェル「ボレロ」

②ドビュッシー「牧神の午後への前奏曲」

◇表現主義…絵画の表現主義と同じく，内面の情感を表出。

①シェーンベルク「浄夜」「期待」「月に憑かれたピエロ」

②ベルク「ヴォツェック」…後期ロマン派の情感的表現を否定し客観的様式を強調。

③ストラヴィンスキー「火の鳥」「春の祭典」

世界遺産

1972年第17回ユネスコ（国際連合教育科学文化機関）で「世界遺産条約」が採択され，「世界遺産」と認定された文化・自然複合遺産の保護と保存が遺産所在国の義務として求められることになった。

【近年の日本の世界遺産】

①佐渡島の金山
②北海道･北東北の縄文遺跡群
③奄美大島、徳之島、沖縄島北部及び西表島
④百舌鳥･古市古墳群
⑤長崎と天草地方の潜伏キリシタン関連遺産
⑥「神宿る島」宗像･沖ノ島と関連遺産群
ル･コルビュジエの建築作品

日本では計26件（2024年8月時点）

出題パターン check!

誤った組み合わせの選択肢を選びなさい。

（1）ゴッホ　後期印象派
（2）ピカソ　キュビズム
（3）モネ　シュルレアリスム
（4）カンディンスキー　表現主義
（5）ルノワール　印象派

答え（3）

過去５年の出題傾向　★★★☆☆

文学芸術 ④ 西洋文学

それほど出題は多くないが，各作家の代表作品名は確認しておきたい。イギリスのシェイクスピア，ロシアのトルストイ，フランスの象徴主義は要注意項目である。

■イギリス文学　よく出る

①ウィリアム・シェイクスピア

生涯に37編の戯曲を発表した。座付き役者でもあった。「イギリス文学の祖」とも称されている。

『ハムレット』『オセロ』『リア王』
『マクベス』（四大悲劇）
『真夏の夜の夢』『ヴェニスの商人』
『お気に召すまま』（喜劇）
『リチャード三世』
『ジュリアス・シーザー』（史劇）

②エミリ・ブロンテ『嵐が丘』
③シャーロット・ブロンテ『ジェイン・エア』
④オスカー・ワイルド
『ドリアン・グレイの肖像』
⑤D・H・ロレンス『チャタレー夫人の恋人』
⑥ジェームズ・ジョイス『ユリシーズ』

■アメリカ文学

①エドガー・アラン・ポー

耽美的作風。フランスや日本の象徴派作家にも多大な影響を与えた。

『黒猫』『アッシャー家の崩壊』

②アーネスト・ヘミングウェイ

「失われた世代」の代表的作家。戦争や極限状況の中での人間の葛藤や絶望を描く。1954年ノーベル文学賞受賞。1961年自殺。

『武器よさらば』『誰がために鐘は鳴る』
『日はまた昇る』『老人と海』

◎失われた世代⇒第一次世界大戦後の文学潮流。既成のモラルへの信頼を喪失した若者を描く。

③O・ヘンリー『最後の一葉』
『賢者の贈り物』
④フィッツジェラルド
『偉大なるギャツビー』
⇒「失われた世代」の作家。
⑤マーガレット・ミッチェル
『風と共に去りぬ』
⑥テネシー・ウィリアムズ『ガラスの動物園』『欲望という名の電車』
⑦アーサー・ミラー『セールスマンの死』
⇒特に1960年代以降のアメリカ文学は，現代社会の中で，自己の無力感・挫折感に苦しむ人間の焦燥や葛藤が主題となっている。

■フランス文学　よく出る

◇写実主義（ありのままの人間像）
①スタンダール『赤と黒』『パルムの僧院』
②バルザック『谷間の百合』『従妹ベット』
③フローベール『ボバリー夫人』
◇ロマン主義（冒険と希望・無限の精神）
①ヴィクトル・ユゴー『レ・ミゼラブル』
◇自然主義（自然科学のように厳密な描写）
①エミール・ゾラ『居酒屋』『ナナ』
⇒「ゾライズム」は日本の自然主義に大きな影響を与えた。
②モーパッサン『女の一生』『脂肪の塊』
◇信仰と文学（キリスト教と人間）
①ジッド『狭き門』
『一粒の麦もし死なずば』
⇒1947年ノーベル文学賞受賞。

◇実存の文学（人間存在の孤独と不安）

①アルベール・カミュ『異邦人』『ペスト』
⇒特に「不条理の文学」と呼ばれる。人間存在の虚無を描く。1957 年ノーベル文学賞受賞。

②ジャン・ポール・サルトル『嘔吐』『出口なし』『聖ジュネ』
⇒政治と文学の問題。個人と社会参加。1964 年ノーベル文学賞を辞退。

■ドイツ文学

ドイツ文学はロマン主義的傾向が強い。

①ゲーテ『若きウェルテルの悩み』『ファウスト』
⇒「ドイツ近代文学の父」。日本文学にも影響大。

②フランツ・カフカ『変身』『城』『審判』
⇒「実存文学の祖」。現代人の孤独と不安を描く。

③ヘルマン・ヘッセ『車輪の下』『荒野の狼』『デミアン』『知と愛』『シッダールタ』
⇒第二次世界大戦後は，東洋思想に関心を持ち，西欧的人間観・世界観の行き詰まりを克服しようとした。1946 年ノーベル文学賞受賞。

④トーマス・マン『魔の山』『トニオ・クレーゲル』『ベニスに死す』
⇒ 1929 年ノーベル文学賞受賞。

⑤ギュンター・グラス『ブリキの太鼓』
⇒現代社会の欺まん性や管理社会の危険性を告発する。1999 年ノーベル文学賞受賞。

■ロシア文学

①ツルゲーネフ『猟人日記』『初恋』

②ドストエフスキー『悪霊』『白痴』『永遠の夫』『罪と罰』『カラマーゾフの兄弟』
⇒ロシア文学を代表する作家。19 世紀のロシア社会の矛盾と葛藤を克明に描いた。

③トルストイ『復活』『アンナ・カレーニナ』『戦争と平和』
⇒ドストエフスキーと並んでロシア文学を代表する作家。キリスト教信仰と人道的人間観が基調にある。

④パステルナーク『ドクトル・ジバゴ』
⇒ロシア革命の動乱を生きた人々の運命を描く。1958 年ノーベル文学賞の受賞が決まったが，当時のソ連政府の圧力で辞退。

⑤ソルジェニーツィン『イワン・デニーソヴィチの一日』『収容所群島』
⇒旧ソ連社会の歪みを克明に描く。1970 年ノーベル文学賞受賞。

主要詩歌作品

◎ドイツロマン主義

・ゲーテ『西東詩集』『ヘルマンとドロテーア』

・リルケ『ドゥイノの悲歌』

◎フランス象徴主義の三大詩人

※「象徴主義」は，言葉の音楽性を活かして多義的な意味を詩文に込めて表現する。

・ヴェルレーヌ『叡智』

・ランボー『地獄の季節』

・マラルメ『半獣神の午後』

◎イギリスのノーベル賞詩人

・イェイツ『塔』
1923年ノーベル文学賞受賞。魔術的・夢幻的世界観。

・T・S・エリオット『荒地』
1948年ノーベル文学賞受賞。荒涼とした世界。

出題パターン check!

誤った記述の選択肢を選びなさい。

（1）シェイクスピアの作品は坪内逍遥によって初めて翻訳・紹介された。

（2）田山花袋はエミール・ゾラの自然主義に影響を受けた。

（3）夏目漱石はドイツに留学して，ゲーテのロマン主義を学んだ。

（4）白樺派の武者小路実篤はトルストイの人道主義に共感した。

（5）二葉亭四迷はロシアのツルゲーネフの作品を翻訳して紹介した。

答え（3）

練習問題1

平安時代から鎌倉時代にかけての日記文学に関しての記述として，正しいものは次のどれか。

（1）『和泉式部日記』は和泉式部と帥宮敦道親王（そちのみやあつみち）との恋愛の経験が記されている。
（2）『蜻蛉日記』は藤原顕綱（ふじわらのあきつな）の娘が堀河天皇の思い出を記したもの。
（3）『土佐日記』は藤原道綱の母が歌人の心がけなどについての随想をつづったもの。
（4）『更級日記』は紀貫之が女性に仮託して平仮名で様々な感懐を記している。
（5）『十六夜日記』は『源氏物語』で有名な紫式部が宮中の出来事について思いをつづったもの。

練習問題2

次のA～Cは，わが国の古典文学の冒頭部分であるが，それぞれの作者の組み合わせとして，妥当なのはどれか。

A「行く河の流れは絶えずして，しかも，もとの水にあらず。淀みに浮かぶうたかたは，かつ消え，かつ結びて，久しくとどまりたるためしなし」
B「月日は百代の過客にして，行きかふ年もまた旅人なり。舟の上に生涯を浮かべ，馬の口とらへて老いを迎ふる者は，日々旅にして旅を住みかとす」
C「いづれの御時にか，女御・更衣あまたさぶらひたまひける中に，いとやむごとなき際にはあらぬが，すぐれて時めきたまふありけり」

	A	B	C
（1）	鴨長明	松尾芭蕉	清少納言
（2）	鴨長明	松尾芭蕉	紫式部
（3）	兼好法師	松尾芭蕉	清少納言
（4）	兼好法師	与謝蕪村	紫式部
（5）	鴨長明	与謝蕪村	紫式部

練習問題3

次の文中の空欄AとBに当てはまる文学作品の組み合わせとして正しいものはどれか。

・与謝野晶子は，浪漫的歌集（A）の短歌に見られるような，情熱的歌風の持ち主である。
・正岡子規は，（B）を著して万葉風の素朴で率直な歌風を提唱し，根岸短歌会を興して短歌革新運動を行った。

解答・解説

練習問題1　正答／(1)

●解説／
（1）正しい。
（2）『蜻蛉日記』の作者は藤原道綱の母。夫への愛情と嫉妬，息子への情愛などが記されている。
（3）『土佐日記』の作者は紀貫之。当時女手（おんなで）と呼ばれた平仮名で日記を書いた。初めての日記文学。
（4）『更級日記』の作者は菅原孝標女。13歳から52歳までの半生を回想したもの。
（5）『十六夜日記』の作者は阿仏尼（あぶつに）。子どものために鎌倉に赴く様が記されている。

練習問題2　正答／(2)

●解説／Aは『方丈記』（1212年）の冒頭部分。作者は鴨長明。京都下鴨神社の次男として生まれるが，父の死によって家職を継げず，出家した。他に『発心集』『無名抄』などの著作がある。Bは『おくのほそ道』(1702年)。作者は松尾芭蕉。貞門俳諧と談林俳諧を経て蕉風俳諧を立てる。生涯を旅で過ごし50歳で没する。『野ざらし紀行』『笈の小文』『更科紀行』『猿蓑』など。辞世の句「旅に病んで夢は枯野をかけめぐる」も有名で必須。Cは『源氏物語』（11世紀初め頃）。作者は紫式部。優れた漢詩人・歌人藤原為時の娘。夫との死別ののち『源氏物語』を書き始めた。藤原道長に認められて一条天皇の中宮彰子に仕えることとなった。『源氏物語』は全三部，54帖からなる。

練習問題3　正答／(5)

●解説／A『みだれ髪』（明治34年）。与謝野晶子の歌集。夫の与謝野鉄幹が主宰した雑誌『明星』に多くの浪漫的短歌を発表した。源氏物語の口語訳も行っている。B『歌よみに与ふる書』(明治31年）は，それまでの古今和歌集

	A	B
(1)	『みだれ髪』	『若菜集』
(2)	『みだれ髪』	『海潮音』
(3)	『若菜集』	『海潮音』
(4)	『若菜集』	『歌よみに与ふる書』
(5)	『みだれ髪』	『歌よみに与ふる書』

練習問題4

次のA～Cの文学作品の書き出しと作者名の組み合わせとして妥当なものはどれか。

A　或日の暮方の事である。一人の下人が，羅生門の下で雨やみを待っていた。広い門の下にはこの男の外に誰もいない。

B　国境の長いトンネルを抜けると雪国であった。夜の底が白くなった。

C　幼時から父は，私によく，金閣のことを語った。私の生まれたのは，舞鶴から東北の，日本海へ突き出たうらさびしい岬である。

	A	B	C
(1)	芥川龍之介	森鷗外	志賀直哉
(2)	菊池寛	川端康成	志賀直哉
(3)	菊池寛	川端康成	三島由紀夫
(4)	芥川龍之介	川端康成	三島由紀夫
(5)	芥川龍之介	森鷗外	三島由紀夫

練習問題5

次の作家のうち，ふたりとも「第三の新人」に属する組み合わせはどれか。

(1)	大江健三郎	遠藤周作
(2)	大江健三郎	吉行淳之介
(3)	安岡章太郎	高橋和巳
(4)	安岡章太郎	遠藤周作
(5)	大江健三郎	高橋和巳

解答・解説

を範とする古今調の短歌を批判し，率直にありのままをうたいあげる「写生説」を提唱した。『若菜集』（明治30年）は島崎藤村の浪漫的で詩情豊かな作風の詩集。『海潮音』（明治38年）は，上田敏による訳詩集。フランスの象徴主義の作品が翻訳紹介されている。

練習問題4　正答／(4)

●解説／Aは『羅生門』（大正4年）の冒頭。芥川龍之介。人間や社会の現実を理知的にとらえて技巧を駆使して描写する。新現実主義・新思潮派に属する。他に『鼻』『地獄変』『河童』『歯車』など。Bは『雪国』（昭和10－12年），川端康成。欧米の前衛芸術の手法を取り入れ，新しい感覚での描写を追究した。新感覚派。他に『伊豆の踊子』『禽獣』『古都』など。Cは『金閣寺』（昭和31年），三島由紀夫。戦後の社会の中で人間の本質を探った。第二次戦後派。他に『仮面の告白』『豊饒の海』など。

練習問題5　正答／(4)

●解説／安岡章太郎『悪い仲間』（昭和28年），吉行淳之介『驟雨』（昭和29年），遠藤周作『海と毒薬』（昭和32年）がここでは第三の新人に属する。第三の新人の作家達は「私」という人間の在り方を探究した。

練習問題6

近代日本文学の基礎をつくった一人で，写実主義の理論書『小説総論』の作者は『あひびき』と『めぐりあひ』を翻訳した。この二つの作品の原作者の名前（A）と国（B）の組み合わせが正しいものはどれか。

	A	B
(1)	シェークスピア	イタリア
(2)	ツルゲーネフ	ロシア
(3)	バルザック	ドイツ
(4)	ゲーテ	ドイツ
(5)	ドストエフスキー	ロシア

練習問題7

次のA～Cは19世紀から20世紀にかけて西洋美術界で活躍した画家に関する記述である。画家名との組み合わせが正しいものはどれか。

A　印象主義の代表的画家で，1874年の第一回印象派展に出品した「印象，日の出」が印象派という名称が生まれるきっかけとなった。

B　後期印象派の代表的画家の一人。遠近法を無視し明るくて鮮やかな色彩と，素朴で力強い構図に特徴がある。「タヒチの女」「黄色のキリスト」などが代表作。

C　印象派の代表的人物で，女性や子どもなどの人物画を独特の柔らかく優しい構図と温かい色調で描いた。代表作は「ムーラン・ド・ラ・ギャレット」。

	A	B	C
(1)	モネ	ゴッホ	ルノワール
(2)	モネ	ゴーギャン	ドガ
(3)	シャガール	ゴーギャン	ドガ
(4)	シャガール	ゴッホ	ルノワール
(5)	モネ	ゴーギャン	ルノワール

解答・解説

練習問題6　正答／(2)

●解説／『あひびき』『めぐりあひ』は19世紀ロシアの作家ツルゲーネフの『猟人日記』からの翻訳。翻訳者二葉亭四迷は，自分でも写実主義に基づいた小説『浮雲』（明治20－22年）を発表した。四迷は書き言葉を話し言葉と一致させる言文一致体（口語体）を提唱し，自分の作品でも用いた。

練習問題7　正答／(5)

●解説／Aはモネ。他には「睡蓮」「サン・ラザール駅」などが有名。Bはゴーギャン。浮世絵にも関心があり，その表現法を取り入れてもいる。1891年タヒチに移住し，南国の自然の中で創作を続けた。Cはルノワール。優しい情感豊かな色彩と構図に特徴があり「色彩の魔術師」とも称された印象派の巨匠。ゴッホは後期印象派を代表する画家の一人。代表作は「ひまわり」「星月夜」など。1888年以降の晩年の二年間に南仏のアルルで描かれた作品が最も高く評価されている。

6 人文科学

国語

出題傾向 国語の出題は主に漢字の基本的知識と四字熟語・故事成語・ことわざに関する知識の確認問題が中心になる。以前頻出していた文法問題は減少しつつあるが，近年の試験で助動詞の用法なども出題されているので，基本的知識を整理しておく。漢字の学習に際しては，同音異義語・同訓異義語・対義語などを整理しながら正しい意味や用法を確認することが不可欠。また，送り仮名のつけ方や仮名遣いに関する正しい知識を持っているかを問う問題もよく出題される。直近の試験では，同音異義語，ことわざ·慣用句，敬語，四字熟語，古文などが出題されている。

学習のコツ

国語で求められる漢字力や語彙力は，あくまで一般社会人として当然知っておくべき常識的な範囲のものである。それゆえ，特殊な言葉や表現まで無理に学習の範囲をひろげる必要はない。四字熟語にしても，一般に新聞や文学書などで目にする範囲のもの。試験勉強という意識ではなく，一人前の社会人として恥ずかしくない教養を身につけるため，という心構えで学習を進めるとよい。

難易度＝ 70ポイント

重要度＝ 65ポイント

◆出題の多い分野◆

故事成語（四字熟語） ★★★★★

故事成語（ことわざ） ★★★★★

同音異義語·同訓異義語 ★★★★

漢字の基礎知識 ★★★

過去5年の出題傾向　★★★★★

国語 ① 故事成語（四字熟語）

四字熟語は近年出題頻度が増加しており，問題のバリエーションも多様化しつつあるので，重点的に学習しておこう。英語と四字熟語の融合問題も増えているので要注意。

■主な四字熟語（1）「一（いち）」が使われている熟語　よく出る

① 一期一会（いちごいちえ）…一生でただ一回限りの出会いのこと。
② 一日千秋（いちじつせんしゅう）…一日がまるで千年のように待ち遠しいこと。
③ 一攫千金（いっかくせんきん）…簡単な仕事で莫大な利益を得ること。
④ 一石二鳥（いっせきにちょう）…一つのことで，同時に二つの利益を手に入れること。
⑤ 一朝一夕（いっちょういっせき）…短い期間のこと。
⑥ 心機一転（しんきいってん）…気持をすっかり転換すること。
⑦ 千載一遇（せんざいいちぐう）…千年に一度というくらいの滅多にない機会のこと。
⑧ 唯一無二（ゆいいつむに）…たった一つで他にはないこと。
⑨ 危機一髪（ききいっぱつ）…髪の毛一本くらいのところまで迫った危機のこと。
⑩ 一視同仁（いっしどうじん）…誰に対しても同じように仁愛を施すこと。

■主な四字熟語（2）数字が使われている熟語

① 海千山千（うみせんやません）…世の中の裏も俗な部分も全て知っていること。
② 三寒四温（さんかんしおん）…三日寒い日が続いた後で四日暖かい日が続き，交互に繰り返すこと。
③ 朝三暮四（ちょうさんぼし）…表面の違いにこだわって実質が同じことに気付かないこと。
④ 五里霧中（ごりむちゅう）…見通しや予測が全く立てられないこと。
⑤ 三拝九拝（さんぱいきゅうはい）…人に依頼などで丁寧に何度も頭を下げること。
⑥ 百家争鳴（ひゃっかそうめい）…多くの学者が自由に自分の意見を述べ合うこと。
⑦ 四苦八苦（しくはっく）…とても苦しむこと。困難が絶えないこと。
⑧ 千差万別（せんさばんべつ）…多種多様，様々に異なること。
⑨ 四分五裂（しぶんごれつ）…ばらばらに分かれてしまうこと。
⑩ 再三再四（さいさんさいし）…何度も繰り返すこと。

■人間観察の四字熟語　よく出る

① 巧言令色（こうげんれいしょく）…口が上手く愛想がいいこと。
② 清廉潔白（せいれんけっぱく）…心が清らかで私欲がないこと。
③ 大胆不敵（だいたんふてき）…物事を恐れず，敵をものともしないこと。
④ 品行方正（ひんこうほうせい）…行いやふるまいが正しいこと。
⑤ 直情径行（ちょくじょうけいこう）…自分の感情のままにふるまうこと。

二字熟語

—熟語は四字熟語だけじゃない—

圧巻(あっかん)…もっとも優れた部分。
蛇足(だそく)…よけいな付け足し。
杞憂(きゆう)…不要な心配や気苦労。
矛盾(むじゅん)…つじつまが合わないこと。
蛍雪(けいせつ)…苦労して学ぶこと。
白眉(はくび)…同類のなかで一番優れた人物や書物。

⑥ 博覧強記(はくらんきょうき)…非常に多くの書物を読んで覚えていること。
⑦ 意気揚揚(いきようよう)…気持ちが盛り上がって得意な様子であること。
⑧ 大言壮語(たいげんそうご)…言うことばかり大きいこと。
⑨ 東奔西走(とうほんせいそう)…目的を達成するために忙しく走り回ること。
⑩ 付和雷同(ふわらいどう)…自分の考えがなく，他人の意見に軽々しく同調すること。

■人生や世の中に関する四字熟語

① 因果応報(いんがおうほう)…過去の行いが現在の自分の境遇をもたらしていること。
② 有為転変(ういてんぺん)…絶えず変化して定まることがないこと。
③ 栄枯盛衰(えいこせいすい)…隆盛と衰亡，栄えることと衰えること。
④ 初志貫徹(しょしかんてつ)…最初の目標を最後まで貫き通すこと。
⑤ 大器晩成(たいきばんせい)…大きな才能を持つ人間ほど才能の開花に時間がかかること。
⑥ 酔生夢死(すいせいむし)…夢の中のように，虚しく一生を終えること。
⑦ 則天去私(そくてんきょし)…自己にこだわる心を捨てて自然の摂理に従って生きること。
⑧ 順風満帆(じゅんぷうまんぱん)…物事が全て順調に進んでいくこと。
⑨ 明鏡止水(めいきょうしすい)…邪念や雑念がなく，澄み切った静かな心境であること。
⑩ 老成円熟(ろうせいえんじゅく)…経験を積むことで熟練してゆくこと。

四字熟語の英語による説明の例

諸行無常(しょぎょうむじょう)……万物は常に変化して少しの間もとどまらないということ。
All things are in flux and nothing is permanent.

◎故事成語って何?◎

主に中国の古典に記されている逸話に基づいてできた言葉である。人生の教訓や社会生活の知恵を述べたものが多く，現代でも新聞や雑誌，テレビ報道などでも頻繁に用いられている。

出題パターン check!

次の四字熟語のうち漢字表記が正しいものは，次のうちどれか。

(1) 危救存亡(ききゅうそんぼう)
(2) 試考錯誤(しこうさくご)
(3) 芯小棒大(しんしょうぼうだい)
(4) 絶対絶命(ぜったいぜつめい)
(5) 竜頭蛇尾(りゅうとうだび)

答え (5)

過去５年の出題傾向　★★★★★

国語 ② 故事成語（ことわざ）

日本語表現に対する社会全体の関心の高まりもあり，四字熟語同様に出題数が非常に多くなっている。社会人として通用する常識を養う意味からも，十分な学習をしておこう。

■主なことわざ（１） よく出る

① 石の上にも三年…辛抱して努力を続ければ，必ず成果が上がる。
② 医者の不養生…専門家に限って自分自身では専門の知識を実践していないことがある。
③ 衣食足りて礼節を知る…生活が安定して初めて道徳心が出てくる。
④ 馬の耳に念仏…他人の言葉に耳を貸さないで，聞き流してしまう。
⑤ 虎穴（こけつ）に入らずんば虎子（こじ）を得ず…危険を冒すこと無しに成功できない。
⑥ 小人閑居（しょうじんかんきょ）して不善（ふぜん）を為す…卑しい人間は暇があると悪い行いをする。
⑦ 人間万事塞翁（さいおう）が馬…人生は災いが幸いを呼び，幸いが災いを招くというように，あらかじめ予測することができないものだ。
⑧ 百聞は一見に如（し）かず…何度も話を聞くよりも，一度，目で見たほうがきちんと理解できる。
⑨ 覆水（ふくすい）盆に返らず…一度してしまったことは，二度と元に戻すことができない。
⑩ 類は友を呼ぶ…似た者同士は自然に集まってくる。

■主なことわざ（２）

① 青は藍より出でて藍より青し…弟子が自分を導いてくれた先生よりも優れている。
② 一寸の光陰（こういん）軽んずべからず…わずかな時間でも無駄にせず大事に使うべき。
③ 艱難（かんなん）汝を玉にす…苦しい経験を通じて人は成長できる。
④ 君子危うきに近寄らず…人間的に優れた者は，危険を冒すことを避けて，身を慎む。
⑤ 天網恢恢疎（てんもうかいかいそ）にして漏らさず…どのような悪事も必ず報いを受ける。
⑥ 馬脚（ばきゃく）をあらわす…ぼろを出す。偽っていた姿が剥がれて本当の姿をさらけ出す。
⑦ 待てば海路（かいろ）の日和（ひより）あり…慌てずにいればやがて好機が訪れる。
⑧ 目は口ほどにものをいう…目には言葉以上に本当の気持が表れるものだ。
⑨ 病膏肓（こうこう）に入る…不治の病にかかる。問題が手のつけられない状況に至る。

同じ意味のことわざ

そのことわざの意味するところをよく理解しておこう

「医者の不養生」「坊主の不信心」
…理屈が分かっている人間が自分では実行せず口先だけであること。

「良薬，口に苦し」「忠言耳に逆らう」
…身のためになる誠意ある忠告ほど聞く耳が痛いものだ。

反対の意味を持つことわざ

セットで覚えておくと試験でも応用しやすい

反対↕ 君子危うきに近寄らず…賢明な人間は危険を冒さずに自分の身を慎むものだ。
虎穴に入らずんば虎子を得ず…危険を冒すこと無しに成果を得ることはできない。

反対↕ 玉，磨かざれば光なし…才能が豊かな者でも，努力を重ねなければ結果は出せない。
栴檀は双葉より芳し…大成する人間は，幼少の時期から優れているものだ。

⑩ ローマは一日にしてならず…どのような目標も短時日では達成できない。

■必須ことわざ集（1） よく出る

① 悪事千里を走る…悪行はすぐに世間に広まるものだ。
② 魚心あれば水心…好意を持ってくれる相手には，こちらもそれなりの好意を持つものだ。
③ 蝸牛角上（かぎゅうかくじょう）の争い…きわめて些細なことで争う。
④ 鹿を逐（お）う者は山を見ず…利益の追求に夢中の人間は周囲を見渡すことができない。
⑤ 他山（たざん）の石とする…他人のよくない言行を通じて，自分を磨き成長させる。
⑥ 隣の芝生は青い…他人のことは実際より恵まれているように見えるものだ。
⑦ 爪に火をともす…ろうそくの代わりに爪に火をともして生活する意。極端に倹約する。
⑧ 捕らぬ狸の皮算用（かわざんよう）…努力もしないで望みが実現したときの夢想に耽る。
⑨ 笛吹けども踊らず…どれほど誘い促しても，人がこれに応じて行動に出ない。
⑩ 門前雀羅（もんぜんじゃくら）を張る…訪れる人もなく寂しくさびれている。

■必須ことわざ集（2）

① 雨降って地固まる…問題事が生じたことで結果的に土台がしっかりする。
② 井の中の蛙（かわず）大海を知らず…広い世間を知らないで，自己満足している。
③ 雉（きじ）もなかずば撃たれまい…余計なことを言わなければ，禍を招かずにすむ。
④ 狭き門より入れ…真実に到達するには，困難な道から進む必要がある。
⑤ 栴檀（せんだん）は双葉（ふたば）より芳（かんば）し…大成する者は幼い頃から並外れて優れた才を示す。
⑥ 千慮（せんりょ）の一失（いっしつ）…思慮深い人間でも時には失策を犯すものだ。
⑦ 出る杭は打たれる…突出して振舞う者は，周囲から制裁される。
⑧ 瓢箪（ひょうたん）から駒が出る…予想外の大きな利益や結果が得られる。
⑨ 刎頸（ふんけい）の交わり…生死を共にするほどの深い友情をかわした友。
⑩ 李下（りか）に冠（かんむり）を正さず…他人の疑いを招くような振る舞いは慎むべきだ。

出題パターン check!

左項と右項とも意味が同じことわざである選択肢を選びなさい。

（1）石橋をたたいて渡る	果報は寝て待て
（2）灯台もと暗し	待てば海路の日和あり
（3）提灯に釣鐘	月とすっぽん
（4）人間万事塞翁が馬	馬の耳に念仏
（5）仏つくって魂入れず	三人寄れば文殊の知恵

答え（3）

過去５年の出題傾向　★★★★☆

国語 ③ 同音異義語・同訓異義語

日本語には同じ読み方で全く異なった言葉がたくさんある。また，全く違う言葉なのに，同じような意味を持った言葉も多い。試験ではよく狙われる分野である。

■間違えやすい同音異義語（１） よく出る

① イガイ　⇒　意外・以外・遺骸
② イギ　⇒　意義・異議・威儀
③ カクシン⇒　革新・核心・確信
④ カンショウ⇒　干渉・観賞・感傷・鑑賞
⑤ カンシン⇒　感心・歓心・関心
⑥ シュウシュウ⇒　収集・収拾
⑦ ツイキュウ⇒　追求・追及・追究
⑧ ホショウ⇒　保障・保証・補償
⑨ ユウセイ⇒　優勢・優生・優性
⑩ リンカイ⇒　臨界・臨海

■間違えやすい同音異義語（２）

① 事務をイカン（移管）する。…イカン（遺憾）に思う。
② 伝統をケイショウ（継承）する。…ケイショウ（敬称）は略させていただきました。
③ キョウギ（協議）は継続中だ。…キリスト教のキョウギ（教義）を学ぶ。
④ キョウセイ（強制）的な勧誘。…歯のキョウセイ（矯正）治療をはじめた。
⑤ 契約をコウカイ（更改）する。…コウカイ（公海）上での難破。
⑥ シュウチ（羞恥）心がない。…この事件はすでにシュウチ（周知）のものだ。
⑦ 記事をテンサイ（転載）する。…テンサイ（天災）による被害。
⑧ 物価がトウキ（騰貴）した。…不法トウキ（投棄）は犯罪だ。
⑨ 真理はフヘン（普遍）だ。…フヘン（不偏）不党の中立の立場を守る。
⑩ 彼をムシ（無視）する。…ムシ（無私）の姿勢で社会に貢献せよ。

頻出テーマ　混同しないよう，日頃から新聞や小説などで，具体的な使い分けの用例を確認しておこう。

◎「あう」の違い

「会う」…人にあうこと。
「合う」…話や考えなどが一致すること。
「遭う」…予期しない人物や出来事に出あうこと。好ましくないことに出あうこと。
「逢う」…めぐりあうこと。

◎三つの「ついきゅう」

「追求」…目的となるものを手に入れようと追い求めること。
「追究」…ある事柄を明らかにし解明しようとすること。
「追及」…原因や責任の所在をはっきりするために問いただすこと。

■間違えやすい同訓異義語 よく出る

① あう (母と会う，話が合う，偶然に出遭う，好きな人に巡り逢う)
② あげる (手を上げて答える，国旗を揚げる)
③ あつい (熱いおそば，暑い夏の日)
④ あらわす (感情を表す，やっと姿を現した，遂に傑作を著した)
⑤ おかす (法を犯してはならない，人の権利を侵す，危険を冒す)
⑥ おさめる (税金を納める，学問を修める，国を治める)
⑦ すすめる (話を先に進める，夕食を勧める，彼を委員として薦める)
⑧ たずねる (道順を人に尋ねる，友人宅を訪ねる)
⑨ つとめる (解決に努める，会社に勤める，委員長の役職を務める)
⑩ はかる (便宜を図る，深さを測る，重さを量る，会議に諮る)

■読み方が意外にわからない言葉（1）

① 慌てる（あわてる）
② 侮る（あなどる）
③ 憤る（いきどおる）
④ 頑な（かたくな）
⑤ 滞る（とどこおる）
⑥ 訝る（いぶかる）
⑦ 慮る（おもんぱかる）
⑧ 覆す（くつがえす）
⑨ 虐げる（しいたげる）
⑩ 罵る（ののしる）

■読み方が意外にわからない言葉（2）

① 逸話（いつわ）
② 禍福（かふく）
③ 懐中（かいちゅう）
④ 閑静（かんせい）
⑤ 享楽（きょうらく）
⑥ 一隅（いちぐう）
⑦ 教唆（きょうさ）
⑧ 遵守（じゅんしゅ）
⑨ 漸次（ぜんじ）
⑩ 放逐（ほうちく）

●覚えておこう●

憤る…強い怒りにかられる。
訝る…怪しいと思う。
慮る…尊重する。考えに入れる。
禍福…わざわいとしあわせ。
懐中…ふところの中。
閑静…静かでひっそりしている。
遵守…尊重して守る。

ワンポイント★アドバイス

言葉は単独で使われるのではなく，文章の中や，その言葉が使われている文章と一緒に覚える方が楽な場合がある。そのためにも日頃から新聞や読書に親しんでおくのが大切。

出題パターン check!

誤った漢字が用いられている選択肢を選びなさい。

（1）公海・更改・降灰（こうかい）
（2）体制・態勢・耐性（たいせい）
（3）追及・追究・追求（ついきゅう）
（4）鑑賞・緩衝・観照（かんしょう）
（5）永世・永逝・永星（えいせい）

答え（5）

過去５年の出題傾向　★★★☆☆

国語 ④ 漢字の基礎知識 間違えやすい漢字・対義語

一般に日常生活の中で用いられている言葉でも，正確な漢字の読み方ができずに曖昧なままになっている場合が多い。ここではそうした基本的な知識の確認をしていこう。

■読み方の確認練習―頻度順―

意外に自分では気付かない場合があるので要注意。

(1) よく見る言葉①

① 素人（しろうと）　② 担う（になう）　③ 日和（ひより）　④ 安堵（あんど）
⑤ 杜撰（ずさん）　⑥ 癒着（ゆちゃく）　⑦ 瓦解（がかい）　⑧ 挨拶（あいさつ）
⑨ 嫉妬（しっと）　⑩ 出納（すいとう）

(2) よく見る言葉②

① 信憑性（しんぴょうせい）　② 誹謗（ひぼう）　③ 査察（ささつ）
④ 捏造（ねつぞう）　⑤ 欺瞞（ぎまん）　⑥ 為替（かわせ）
⑦ 猛暑（もうしょ）　⑧ 若人（わこうど）　⑨ 贔屓（ひいき）
⑩ 造詣（ぞうけい）

(3) 間違えやすい漢字

① 専門（専問×）　② 価値観（価値感×）　③ 完璧（完壁×）　④ 貨幣（貨弊×）
⑤ 弊害（幣害×）　⑥ 成績（成積×）　⑦ 蓄積（蓄績×，畜積×）
⑧ 疎外（疎害×）　⑨ 理不尽（理不人×）　⑩ 真剣（真険×）

■読み方の確認練習―試験に出やすい特殊な言葉―　よく出る

次の言葉は普段は用いられることの少ない言葉だが，試験では狙われやすい言葉なので確認しておこう。

① 傀儡（かいらい）　② 爛漫（らんまん）　③ 蹂躙（じゅうりん）
④ 猜疑心（さいぎしん）　⑤ 陳述（ちんじゅつ）　⑥ 素粒子（そりゅうし）
⑦ 払拭（ふっしょく）　⑧ 諮問（しもん）　⑨ 牽引（けんいん）
⑩ 喚起（かんき）

●傀儡……あやつり人形。他人によって操られているもの。（例）傀儡政権。

◇「雨」のつく言葉

① 雫　（しずく）　② 霞　（かすみ）　③ 霜　（しも）　④ 霧　（きり）
⑤ 雹　（ひょう）

◇「火」のつく言葉　※訓読みのひらがなの後のカタカナは送りがな

① 炎　（ほのお；エン）　② 焔　（ほのお；エン）　③ 燥　（かわク；ソウ）
④ 灼　（やク；シャク）　⑤ 焚　（たク；フン・ブン）

■対義語の確認練習―頻度順―

対照的な意味内容を持つ言葉は，一緒に整理して覚えよう。

(1)

① 膨張（ぼうちょう）⇔収縮（しゅうしゅく）
② 進歩（しんぽ）⇔退行（たいこう）
③ 未熟（みじゅく）⇔成熟（せいじゅく）
④ 具体（ぐたい）⇔抽象（ちゅうしょう）
⑤ 過激（かげき）⇔穏健（おんけん）
⑥ 倹約（けんやく）⇔浪費（ろうひ）
⑦ 保守（ほしゅ）⇔革新（かくしん）
⑧ 冗長（じょうちょう）⇔簡潔（かんけつ）
⑨ 本質（ほんしつ）⇔皮相（ひそう）
⑩ 真性（しんせい）⇔疑似（ぎじ）

(2)

① 必然（ひつぜん）⇔偶然（ぐうぜん）
② 直感（ちょっかん）⇔推理（すいり）
③ 中枢（ちゅうすう）⇔末端（まったん）
④ 謙虚（けんきょ）⇔傲慢（ごうまん）
⑤ 公表（こうひょう）⇔隠蔽（いんぺい）
⑥ 幻滅（げんめつ）⇔憧憬（しょうけい）
⑦ 洗練（せんれん）⇔粗雑（そざつ）
⑧ 迅速（じんそく）⇔遅滞（ちたい）
⑨ 誠実（せいじつ）⇔欺瞞（ぎまん）
⑩ 用心（ようじん）⇔迂闊（うかつ）

(3)

① 大胆（だいたん）⇔細心（さいしん）
② 受理（じゅり）⇔却下（きゃっか）
③ 忘却（ぼうきゃく）⇔想起（そうき）
④ 総合（そうごう）⇔分析（ぶんせき）
⑤ 主観（しゅかん）⇔客観（きゃっかん）
⑥ 独立（どくりつ）⇔従属（じゅうぞく）
⑦ 栄達（えいたつ）⇔零落（れいらく）
⑧ 集合（しゅうごう）⇔離散（りさん）
⑨ 能動（のうどう）⇔受動（じゅどう）

●食に関する重要漢字●

① 煎餅（せんべい）
② 醤油（しょうゆ）
③ 味噌（みそ）
④ 白菜（はくさい）
⑤ 雑炊（ぞうすい）

●住に関する重要漢字●

① 軒下（のきした）
② 天井（てんじょう）
③ 瓦葺（かわらぶき）
④ 床の間（とこのま）
⑤ 大黒柱（だいこくばしら）

ワンポイント★アドバイス

漢字学習の基本は辞書を引くこと。意味のわからない言葉を漢字だけ覚えようとしても無理。意味がわかって初めて，きちんと正しい漢字の用法もマスターできるもの。わからない言葉があったらまず辞書で意味を確認しよう。「急がば廻れ」の精神を忘れずに。

出題パターン check!

次の中で対義語が正しくあげられていない選択肢を選びなさい。

（1）公表―隠蔽，誠実―欺瞞
（2）抽象―具体，収縮―伸展
（3）諮問―答申，受理―棄却
（4）没頭―専心，真性―疑似
（5）理念―現実，神妙―驕慢

答え（4）

練習問題1

次のA～Eのうち，正しい漢字を使用した四字熟語の組み合わせとして，妥当なのはどれか。

A　意気揚々　　B　一騎当千

C　主格転倒　　D　臨期応変

E　和気合々

（1）　A，B

（2）　A，E

（3）　B，C

（4）　C，D

（5）　D，E

練習問題2

次のA～Eのうち，下線部の漢字の用い方として，正しいものの組み合わせはどれか。

A　このドラマの登場人物は全て架空の人物だ。

B　そのことは，既製の事実となっている。

C　彼は，彼女に責任を転化した。

D　この小説は，世相を反影している。

E　彼女は，事故の損害を補償した。

（1）　A，B

（2）　A，E

（3）　B，C

（4）　C，D

（5）　D，E

練習問題3

次のA～Eのうち，下線部の漢字の読み方として，妥当なものの組み合わせはどれか。

A　座に着くとき軽く会釈する　（かいしゃく）

B　巧妙な手口で預金を詐取する　（さくしゅ）

C　もっと精進したまえ。　（しょうじん）

D　暫時お待ち願います。　（ぜんじ）

E　作品を逐次発表する。　（ちくじ）

（1）　A，B

（2）　A，E

（3）　B，D

（4）　C，D

（5）　C，E

解答・解説

練習問題1　正答／（1）

●解説／A意気揚々（いきようよう）。得意になって威張るさま。B一騎当千（いっきとうせん）。一騎で千人の敵と対抗できる力を持っていること。C正しくは主客転倒（しゅかくてんとう）。大事なことと些細なことを取り違えること。D正しくは臨機応変（りんきおうへん）。時と場合に応じて適切に対応策を講じること。E和気藹々（わきあいあい）。なごやかで友好的な雰囲気。

練習問題2　正答／（2）

●解説／A架空（かくう）。空想や想像で考えられたこと。B正しくは既成（きせい）。すでにできあがっていること。C正しくは転嫁（てんか）。他人になすりつけること。D正しくは反映（はんえい）。あることの影響が他にもたらされること。E補償（ほしょう）。損失などを金品で償うこと。⇒保証：確かだとうけあうこと。保障：危険から守ること。

練習問題3　正答／（5）

●解説／Aえしゃく：あいさつ。おじぎ。Bさしゅ：だまし取ること。C正しい。一生懸命努力すること。修行に励むこと。Dざんじ：しばらくの間。E正しい。順番に，の意。

練習問題4

次のA～Eのうち，下線部の語句の用いられ方が正しいものを選んだ組み合わせとして，妥当なのはどれか。

A　この重大な任務は彼には役不足だ。
B　死中に活を求める思いで，あえて危険な賭に出る。
C　誰にでも親切な八方美人なので会社の人気者です。
D　乗りかかった船だから，後へは引けない。
E　折り紙つきの乱暴者だから，気をつけた方がよい。

（1）　A，C
（2）　A，D
（3）　B，D
（4）　B，E
（5）　C，E

練習問題5

熟語の意味を説明した記述として，妥当なのはどれか。

（1）「一気呵成（いっきかせい）」とは，一つのことに集中して気を散らさないこと。
（2）「乾坤一擲（けんこんいってき）」とは，運命をかけてのるかそるかの大勝負をすること。
（3）「朝三暮四（ちょうさんぼし）」とは，命令が頻繁に改められて一定しないこと。
（4）「百花繚乱（ひゃっかりょうらん）」とは，色々な立場の学者が自由に議論しあうこと。
（5）「千載一遇（せんざいいちぐう）」とは，多くの物事がみな同じ調子で変化のないこと。

練習問題6

全て読み方が正しいのはどれか。

（1）不定愁訴（ふていしゅうそ），多士済々（たしすみずみ）
（2）悪口雑言（あっこうざつげん），一言居士(いちげんきょし)
（3）生殺与奪（せいさつよだつ），一朝一夕（いっちょういっせき）
（4）荒唐無稽（こうとうむけい），有象無象（ゆうぞうむぞう）
（5）盛者必衰（せいじゃひっすい），一世一代（いっせいいちだい）

解答・解説

練習問題4　正答／(3)

●解説／Aその人の能力や才覚に比べて，任務や仕事が軽すぎること。B正しい。危機的な状況の中で助かる道を見出すこと。C誰に対してもいい顔をすること。批判的な意味で用いられる。D正しい。すでに取り掛かった事柄を途中で止めることができない場合に用いる。E保証つきの確かなこと。「折り紙」とは，「刀剣類などの鑑定書」の意味。

練習問題5　正答／(2)

●解説／
（1）一気に物事を遂行し，なしとげること。
（2）正しい。
（3）目の前の違いにばかりこだわって，結局同じ結果になることに気付かないこと。問題文の記述にある意味を表す熟語は「朝令暮改（ちょうれいぼかい）」。
（4）すぐれた人や業績が一時にたくさん現れること。
（5）めったにめぐり遭えない好機のこと。「千載」とは「千年」の意味。

練習問題6　正答／(3)

●解説／
（1）不定愁訴は正しい。多士済々（たしせいせい）。
（2）悪口雑言（あっこうぞうごん），一言居士（いちげんこじ）。
（3）両方とも正しい。
（4）荒唐無稽は正しい。有象無象（うぞうむぞう）。
（5）盛者必衰（じょうしゃひっすい），一世一代（いっせいちだい）。

練習問題7

次のことわざの組み合わせA～Eのうち，双方の意味が類似するものを選んだ組み合わせとして，妥当なものはどれか。

A　先んずれば人を制す　—　急がば廻れ
B　門前市を成す　—　門前雀羅を張る
C　立つ鳥跡を濁さず　—　水清ければ魚棲まず
D　弘法も筆の誤り　—　猿も木から落ちる
E　柳に雪折れなし　—　柔よく剛を制す

（1）　A，B
（2）　A，D
（3）　C，D
（4）　D，E
（5）　B，E

練習問題8

A～Eの慣用句とその意味が適切なもののみを全てあげているのはどれか。

A　雨後の筍　苦難を乗り越えて初めて実りを得られるということ。
B　漁夫の利　当事者が争っている隙に乗じて，他者が利益を横取りすること。
C　青雲の志　実現不可能な野望のために身を滅ぼすこと。
D　李下の冠　他人から疑いをかけられるような行いは慎むべきだという戒め。
E　他山の石　他人の家庭の問題には，余計な口出しはするべきではないという戒め。

（1）　A，B，D　　（2）　B，D，E
（3）　B，D　　（4）　C，D
（5）　C，D，E

練習問題9

次のことわざのうち，反対の意味を表すのはどの組み合わせか。

（1）ひょうたんから駒　—　魚心あれば水心
（2）帯に短し，たすきに長し　—　馬の耳に念仏
（3）類は友を呼ぶ　—　焼け石に水
（4）果報は寝て待て　—　蒔かぬ種は生えぬ
（5）石の上にも三年　—　石橋を叩いて渡る

解答・解説

練習問題7　正答／(4)

●解説／A「先んずれば人を制す」は「相手より早く行動することで有利になる」という意味。B「門前雀羅を張る」の「雀羅」とは「雀を捕らえるために使う網のこと。C「水清ければ魚棲まず」は，清廉すぎる人は，かえって人に親しまれず孤立してしまうという意味。D「弘法も筆の誤り」「猿も木から落ちる」は，ともに「技芸の優れた者も時には誤ることがある」という意味。E「柳に雪折れなし」は「柔軟なものの方が堅固なものよりも困難に打ち勝つことができる」という意味で，「柔よく剛を制す」とほぼ同義。

練習問題8　正答／(3)

●解説／A（うごのたけのこ）雨が降った後に次々と伸び出てくる筍のように訳もなく次々と物事が生じてくること。B（ぎょふのり）正しい。C（せいうんのこころざし）。立身出世を願う功名心。D正しい。(りかのかんむり）李はスモモ。李の木の真下に立ったままで冠を広げて直していると，李の実を盗もうとしていると疑われるかもしれない。それと同じように，他人から怪しまれる行いは慎むのがよいという意味。E（たざんのいし）。他人のよくない言行も自分を成長させる手がかりになるということ。

練習問題9　正答／(4)

●解説／
(2)「帯に短し，たすきに長し」は「中途半端で何かの役に立たないこと」。
(4)「果報は寝て待て」は「幸運は慌てずに心静かに待つ方がよい」という意味で，「自分で努力しなければ結果は得られない」という「蒔かぬ種は生えぬ」とは対照的な意味。

第三章

自然科学

数学
物理
化学
生物
地学

◎自然科学攻略法◎

●公務員試験最新情報

直近では，物理が道府県，政令指定都市，東京都，市役所は1問，特別区は2問出題されている。化学は道府県，政令指定都市，東京都特別区が2問，東京都，市役所は1問出題された。生物は，道府県，政令指定都市，東京都が1問で，東京都特別区，市役所は2問出題された。地学はすべての試験で1問の出題で，数学は道府県，政令指定都市で1問出題された。

●試験の効果的対策

苦手な科目ほど，手をつけずに後回しになることが多い。本書の自然科学分野を一通り読み終えたならば，毎日1題でよいので練習問題を解いていくこと。自然科学は日常生活とかけ離れた領域なので，常に強制的に目にふれさせておくことが大切。また，小中学生用の図鑑などもよい刺激になる。地学分野（天体，火山，気象）でその効果は高いので，図書館などで目を通すのも一案だろう。

日々の学習では，正解以外の選択肢のどこが誤りかを正しておくことが大切である。何度か解いて正答番号を覚えていたとしても，必ず「○○は××となれば正しい」と思いながら解くこと。

●解法のポイント

最終的には，計算領域で正解を導き出すには5分程度の時間を要するが，それ以外の知識の確認問題では，1分程度で解けるようにしたい。このときは，特に誤った選択肢についての理由等は丁寧に考えなくともよい。一般知識の問題では，できるだけ短時間で終え，知能分野の時間を捻出することが合格の鍵である。

計算領域では，選択肢の値の違いを確認してから計算を始めるのもポイント。わずかな違いでは，およその計算は不向きであるが，選択肢の値が互いに2割以上異なっていれば，およその計算で求めても十分正答に近い値にたどり着くことができる。特に等加速度運動（落下運動）では，およその計算で求められることが多い。

以下，各科目ごとに見てみよう。

物理は，公式だけでは解けない。電気の問題では，公式よりも回路の性質が大切。運動では，問題に書かれていない数値を考えることである。例えば，最高地点の高さや時間では，物体の速度は0であり，この値を利用しないと計算はできない。また，物体を投げ上げる場合の重力加速度は負の値として用いる，といった考え方が大切。

化学は，暗記項目と計算とが混在しているので，化学が苦手な受験生は，とりあえず物質の性質からおさえること。周期表はおよその性質と各族の性質をおさえておく。化学反応式では，係数と気体の体積比は等しいので，この計算だけはできるように。

生物では，参考書では図に名称が書かれている場合が多く，わかりやすいが，試験では文字のみの場合がほとんどである。表に書き直して覚え直すことが大切である。

地学は，出題数が最も少ないが，気象（前線と天気の変化，気団と四季），岩石の分類，惑星の特徴程度はきちんと覚えておくこと。

暗記にあたっては，中途半端な知識ではかえって混乱する。一つひとつの項目を確実に覚えていくことが得点につながる。

自然科学

数学

出題傾向 数学の出題は高等学校の数学Ⅰ，数学Ａから大部分出題されている。図形に関する問題は中学校レベルの問題も出題されている。出題分野は今後もあまりかわらないと予想されるので，とにかく基礎をしっかりおさえておくことが重要である。特に，数学に苦手意識を持っているのであれば，中学レベルまで戻って学習することが重要である，今まで出題されている頻度の高い分野は２次関数，三角比・三角関数，数と式，図形と式，図形である。直近の試験では，２次関数，因数分解について出題されている。

学習のコツ

まず，各分野に出てくる公式が，どのように導き出されたかを理解しておこう。次に，各分野のそれぞれの公式に関連する問題を解いてみて，つまずいたときは，解答・解説をよく読み，どうしてそうなるのかを理解し，繰り返すことが大切である。自然科学の他の科目と同様，例年類似の問題が出題されるケースが多いので，過去問への取り組みは欠かしてはならない。

難易度＝ 80ポイント

重要度＝ 90ポイント

◆出題の多い分野◆

分野	頻度
2次関数	★★★★★
三角比・三角関数	★★★★
数と式	★★★★★
方程式と不等式	★★★
図形と式	★★★
図形	★★

過去５年の出題傾向 ★★★★★

数学 ① ２次関数Ⅰ　２次関数のグラフ

２次関数では，グラフを描けることが問題を解くカギとなるので，色々なパターンのグラフが描けるようにしておくことが大切である。

■ $y=ax^2$ のグラフ

放物線 $y=ax^2$ のグラフの対称軸は y 軸，頂点は原点である。

$a>0$ のとき，グラフは下に凸，$a<0$ のときは上に凸である。

$a>0$ のとき　　　　$a<0$ のとき

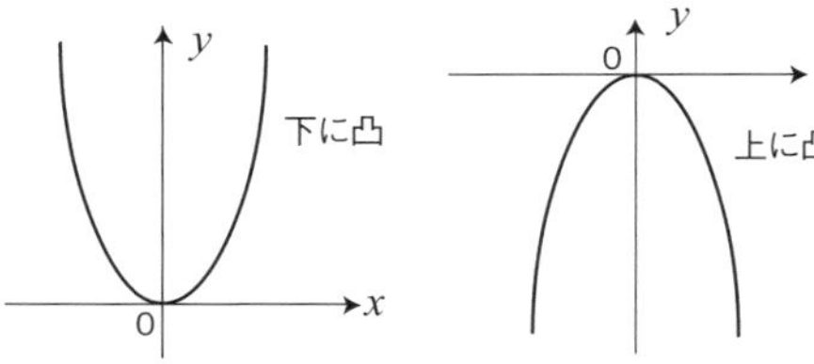

■ $y=ax^2+q$ のグラフ

$y=ax^2+q$ のグラフは，$y=ax^2$ のグラフを y 軸方向に q だけ平行移動した放物線であり，頂点は点 $(0,q)$，対称軸は y 軸である。

例　$y=x^2+2$

x	⋯ −3	−2	−1	0	1	2	3	⋯⋯
x^2	⋯⋯9	4	1	0	1	4	9	⋯⋯
x^2+2	⋯ 11	6	3	2	3	6	11	+2⋯

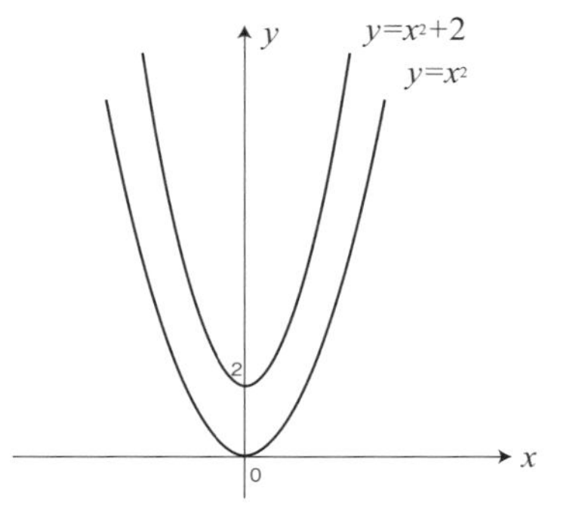

■ $y=a(x-p)^2$ のグラフ

$y=a(x-p)^2$ のグラフは，$y=ax^2$ のグラフを x 軸方向に p だけ平行移動した放物線であり，頂点は点 $(p,0)$，対称軸は直線 $x=p$ である。

例　$y=(x-2)^2$

x	⋯−3	−2	−1	0	1	2	3	⋯⋯
$(x-2)^2$	⋯ 25	16	9	4	1	0	1	⋯⋯

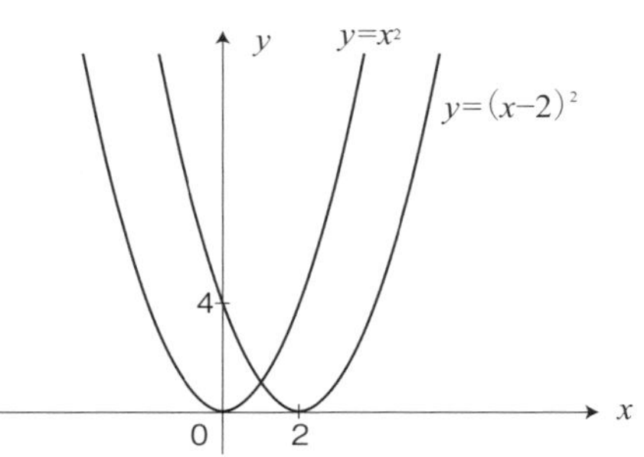

■ $y=a(x-p)^2+q$ のグラフ　よく出る

$y=a(x-p)^2+q$ のグラフは，放物線 $y=ax^2$ のグラフを x 軸方向に p，y 軸方向に q だけ平行移動した放物線である。

頂点は点 (p,q)

対称軸は直線 $x=p$

例　$y=(x-2)^2+3$

このグラフは，$y=x^2$ のグラフを

x 軸方向に２

y 軸方向に３　平行移動したものである。

頂点 $(2,3)$

対称軸　$x=2$

■ $y=ax^2+bx+c$ のグラフ　よく出る

$$y=ax^2+bx+c$$
$$=a\left(x^2+\frac{b}{a}x\right)+c$$
$$=a\left\{\left(x+\frac{b}{2a}\right)^2-\left(\frac{b}{2a}\right)^2\right\}+c$$
$$=a\left(x+\frac{b}{2a}\right)^2-a\left(\frac{b}{2a}\right)^2+c$$
$$=a\left(x+\frac{b}{2a}\right)^2-\frac{b^2-4ac}{4a}$$

2次関数 $y=ax^2+bx+c$ のグラフは，$y=ax^2$ のグラフを平行移動した放物線である。

頂点 $\left(-\frac{b}{2a},\ -\frac{b^2-4ac}{4a}\right)$

軸　$x=-\frac{b}{2a}$

y 軸との交点 $(0,\ c)$

例　$y=-x^2-4x-1$
$=-(x^2+4x)-1$
$=-(x+2)^2+3$

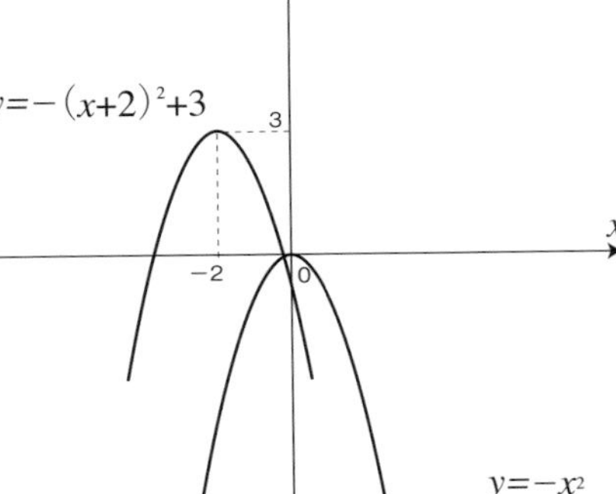

■ $y=a(x-\alpha)(x-\beta)$ のグラフ

$\alpha \neq \beta$ のとき，

2次関数 $y=a(x-\alpha)(x-\beta)$ のグラフは，x 軸と2点 $(\alpha,\ 0)$，$(\beta,\ 0)$ で交わる放物線となる。

例　$y=(x-1)(x-3)$
　x 軸との交点 $(1,\ 0)$ $(3,\ 0)$

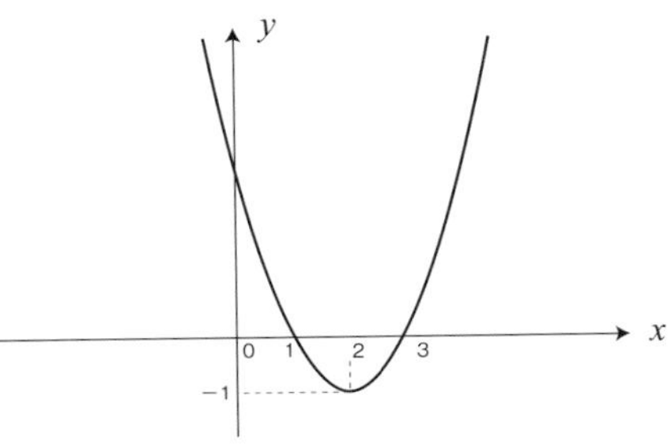

頂点の x 座標　$\frac{1+3}{2}=2$

出題パターン check!

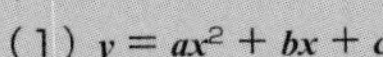

右の図のようなグラフは，次のどの方程式で与えられるか。
（ただし，a，b，c は正の数）

（1）$y=ax^2+bx+c$
（2）$y=-ax^2+bx+c$
（3）$y=-ax^2+b$
（4）$y=-a(x-b)^2$
（5）$y=-ax^2$

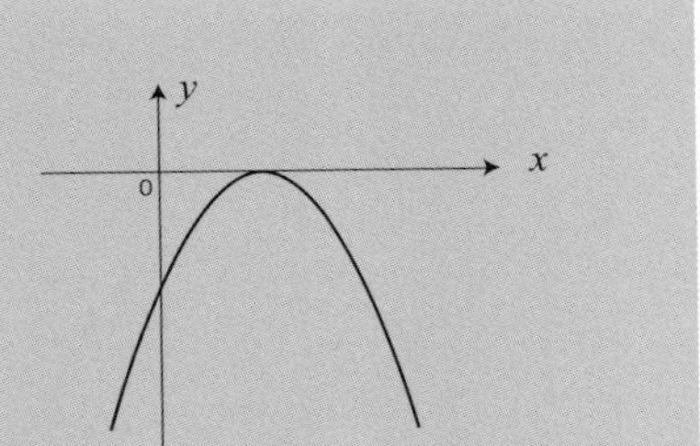

答え（4）

過去５年の出題傾向 ★★★★★

数学 ② ２次関数Ⅱ　２次関数の応用

２次関数の最大値，最小値に関係する問題は例年頻出している。また，２次関数のグラフと x 軸との共有点と，２次方程式の解，判別式の関係を理解しておくことが必要である。

■ ２次関数の最大値，最小値

2次関数　$y=ax^2+bx+c\ (a\neq 0)$

$$=a\left(x+\frac{b}{2a}\right)^2-\frac{b^2-4ac}{4a}$$

$a>0$のとき

$x=-\dfrac{b}{2a}$ のとき，最小値 $-\dfrac{b^2-4ac}{4a}$

をとり，最大値はない。

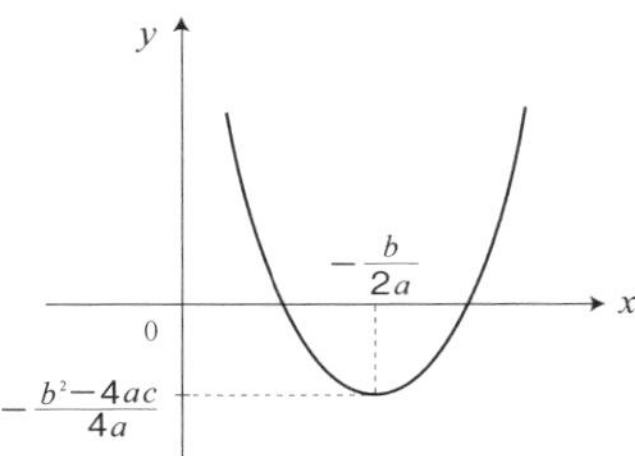

例　$y=2x^2-8x+7$

$x=-\dfrac{-8}{2\cdot 2}=2$のとき，

最小値 $-\dfrac{(-8)^2-4\cdot 2\cdot 7}{4\cdot 2}=-1$をとる。

$a<0$のとき，

$x=-\dfrac{b}{2a}$ のとき，最大値 $-\dfrac{b^2-4ac}{4a}$

をとり，最小値はない。

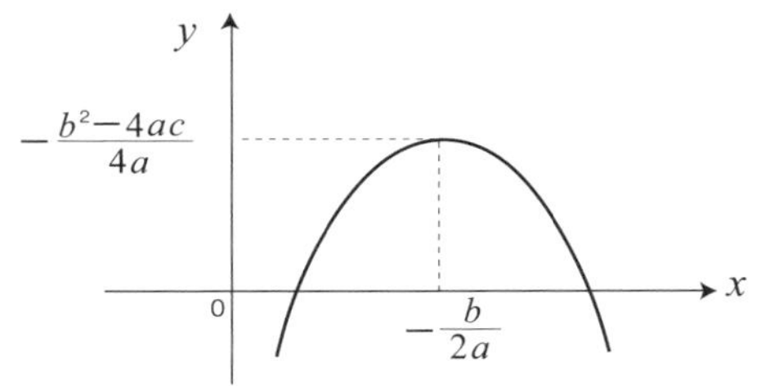

例　$y=-x^2+4x+1$

$x=-\dfrac{4}{2\cdot(-1)}=2$のとき，

最大値 $-\dfrac{4^2-4\cdot(-1)\cdot 1}{4\cdot(-1)}=5$をとる。

■定義域が制限された場合の最大値，最小値　よく出る

定義域内のグラフを描いて，グラフより最大値，最小値を求める。

例　$y=x^2-2x+3\ (0\leqq x\leqq 3)$の最大値と最小値

$y=x^2-2x+3$

$=(x-1)^2+2$

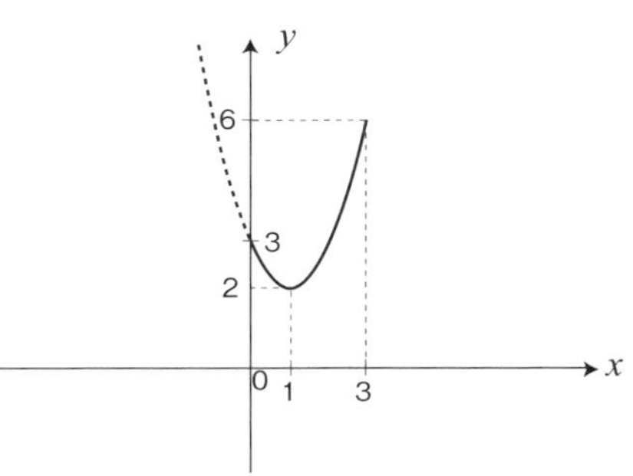

$x=3$ のとき，最大値　6

$x=1$ のとき，最小値　2

ワンポイント★アドバイス

定義域が制限された場合の最大値，最小値を求めるときは，必ずグラフを描いて考えるようにする。

■２次関数と２次方程式　よく出る

２次関数 $y=ax^2+bx+c$ のグラフと x 軸に共有点がなければ，

２次方程式　$ax^2+bx+c=0$ の解はない。

よって，

２次関数 $y=ax^2+bx+c$ のグラフと x 軸との共有点の個数は，

２次方程式　$ax^2+bx+c=0$ の解の個数を判別する判別式 $D=b^2-4ac$ の値で判別できる。

$D=b^2-4ac$	$D>0$	$D=0$	$D<0$
解の個数＝共有点の個数	2個	1個	0個
2次関数のグラフと x 軸	$a>0$のとき		
	$-\frac{b}{2a}$　x	$-\frac{b}{2a}$　x	$-\frac{b}{2a}$　x
	$a<0$のとき		
	$-\frac{b}{2a}$　x	$-\frac{b}{2a}$　x	$-\frac{b}{2a}$　x

例　２次関数 $y=2x^2-x-1$ において，

２次方程式　$2x^2-x-1=0$ の

$D=b^2-4ac$　を計算すると，

$D=(-1)^2-4\cdot2\cdot(-1)=9>0$

になるから，関数のグラフは x 軸の異なる２点で交わる。

■２次関数と２次不等式

２次不等式は２次関数のグラフを利用して解く。

$D=b^2-4ac$	$D>0$	$D=0$	$D<0$
$y=ax^2+bx+c$ のグラフ $(a>0)$	α　β　x	$-\frac{b}{2a}$　x	$-\frac{b}{2a}$　x
$ax^2+bx+c=0$ の解	異なる2つの解 $x=\alpha,\ \beta$	1つの解 $x=-\frac{b}{2a}$	解はない
$ax^2+bx+c>0$ の解	$x<\alpha,\ \beta<x$	$-\frac{b}{2a}$ を除くすべての実数	すべての実数
$ax^2+bx+c<0$ の解	$\alpha<x<\beta$	解はない	解はない
$ax^2+bx+c\geqq0$ の解	$x\leqq\alpha,\ \beta\leqq x$	すべての実数	すべての実数
$ax^2+bx+c\leqq0$ の解	$\alpha\leqq x\leqq\beta$	$x=-\frac{b}{2a}$	解はない

例　２次不等式 $-x^2+4x-3<0$ を，解いてみる。

まず，与えられた２次不等式の両辺に -1 をかけると，

$x^2-4x+3>0$　となる。

左辺を因数分解すると，

$(x-1)(x-3)>0$

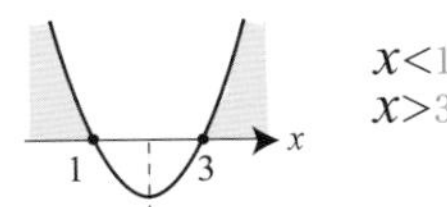

$x<1$
$x>3$

出題パターン check!

２次関数 $y=ax^2+bx+c$ のグラフが右図のような放物線になるとき，係数 a, b, c と b^2-4ac のうち，その符号が正になるのは次のうちどれか。

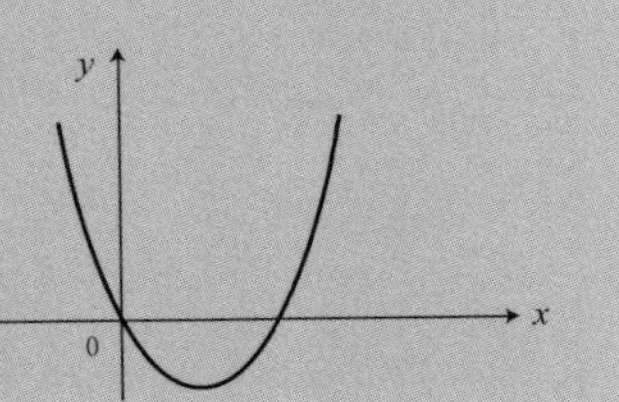

（1）b　（2）$a,\ b,\ c$
（3）$a,\ b,\ b^2-4ac$　（4）$a,\ b^2-4ac$
（5）$a,\ b,\ c,\ b^2-4ac$

答え（4）

過去５年の出題傾向　★★★★☆

数学 ③ 三角比・三角関数

三角比の問題は例年頻出している。特に三平方の定理などとからめて出題される場合が多い。また，正弦定理，余弦定理，三角形の面積への応用などもおさえておくことが必要である。

■正接・正弦・余弦

右図の直角三角形ABCにおいて，

正接（tan）

$\tan A = \frac{a}{b}$

$a = b \tan A$

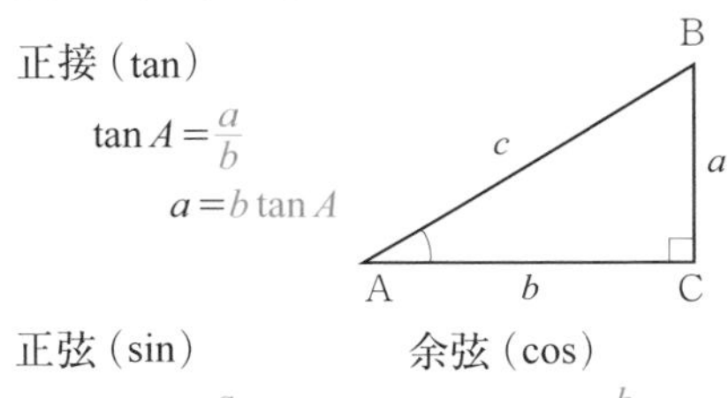

正弦（sin）

$\sin A = \frac{a}{c}$

$a = c \sin A$

余弦（cos）

$\cos A = \frac{b}{c}$

$b = c \cos A$

例　下図から，次のことがわかる。

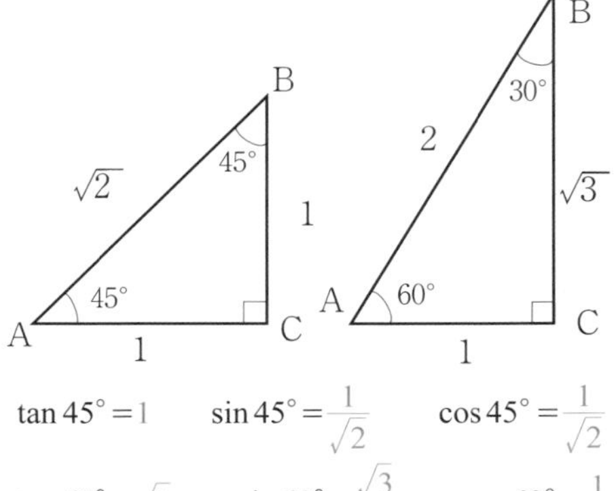

$\tan 45° = 1$　　$\sin 45° = \frac{1}{\sqrt{2}}$　　$\cos 45° = \frac{1}{\sqrt{2}}$

$\tan 60° = \sqrt{3}$　　$\sin 60° = \frac{\sqrt{3}}{2}$　　$\cos 60° = \frac{1}{2}$

$\tan 30° = \frac{1}{\sqrt{3}}$　　$\sin 30° = \frac{1}{2}$　　$\cos 30° = \frac{\sqrt{3}}{2}$

■ 90°－θ の三角比

$\sin(90° - \theta) = \cos\theta$　　$(0 \leqq \theta \leqq 90°)$

$\cos(90° - \theta) = \sin\theta$

$\tan(90° - \theta) = \frac{1}{\tan\theta}$

■三角比の相互関係　よく出る

右図の直角三角形において，

$\sin A = \frac{a}{c}$ ……①

$\cos A = \frac{b}{c}$ ……②

$\tan A = \frac{a}{b}$ ……③

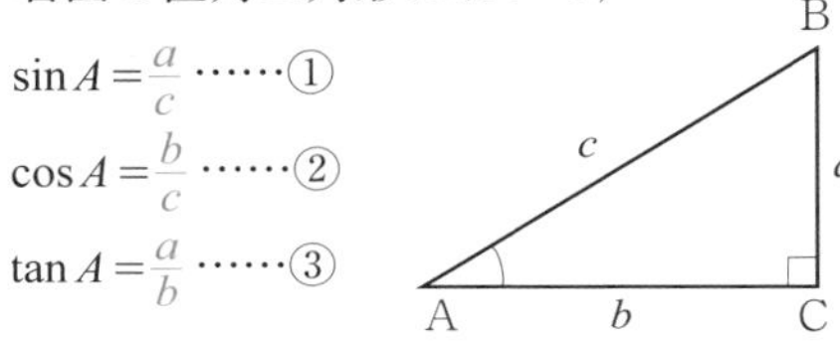

①，②より

$a = c \sin A$…①'　$b = c \cos A$…②'

①'，②'を③へ代入する。

$\tan A = \frac{c \sin A}{c \cos A} = \frac{\sin A}{\cos A}$

また三平方の定理より，

$(c \sin A)^2 + (c \cos A)^2 = c^2$

両辺を c^2 で割ると，

$\sin^2 A + \cos^2 A = 1$

よって，三角比の相互関係は，

$$\tan\theta = \frac{\sin\theta}{\cos\theta}, \quad \sin^2\theta + \cos^2\theta = 1$$

$\sin^2\theta + \cos^2\theta = 1$ の両辺を $\cos^2\theta$ で割る。

$$1 + \tan^2\theta = \frac{1}{\cos^2\theta}$$

■単位円と三角比

原点０を中心とする半径１の円を単位円という。

$\sin\theta = y$

$\cos\theta = x$

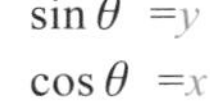

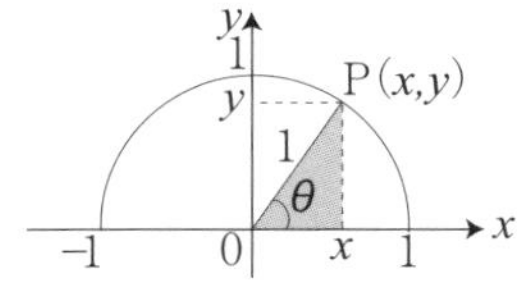

$\tan\theta = \dfrac{y}{x}$

点 P の座標は，
$(\cos\theta, \sin\theta)$ である。

■ 180°－θの三角比

$\sin(180° - \theta) = \sin\theta \quad (0 \leqq \theta \leqq 90°)$

$\cos(180° - \theta) = -\cos\theta$

$\tan(180° - \theta) = -\tan\theta$

例 $\sin 120° = \sin(180° - 60°) = \sin 60°$

$\cos 135° = \cos(180° - 45°) = -\cos 45°$

$\tan 150° = \tan(180° - 30°) = -\tan 30°$

■正弦定理

△ ABC において，その外接円の半径を R とすると，

$$\frac{a}{\sin A} = \frac{b}{\sin B} = \frac{c}{\sin C} = 2R$$

■余弦定理 よく出る

$a^2 = b^2 + c^2 - 2bc\cos A$

$b^2 = c^2 + a^2 - 2ca\cos B$

$c^2 = a^2 + b^2 - 2ab\cos C$

例　右下図において

$a^2 = b^2 + c^2 - 2bc\cos A$
$= 5^2 + 8^2 - 2 \cdot 5 \cdot 8\cos 60°$
$= 25 + 64 - 40$
$= 49$

$a = \sqrt{49} = 7$

■三角形の面積

△ ABC の面積を S とすると，

$$S = \frac{1}{2}bc\sin A = \frac{1}{2}ca\sin B = \frac{1}{2}ab\sin C$$

例　$b=4$，$c=3\sqrt{3}$，$A=60°$ のとき，
△ ABC の面積 S は，

$$S = \frac{1}{2}bc\sin A$$
$$= \frac{1}{2} \times 4 \times 3\sqrt{3} \times \sin 60°$$
$$= \frac{1}{2} \times 4 \times 3\sqrt{3} \times \frac{\sqrt{3}}{2}$$
$$= 9$$

◇代表的な角の三角比の値

	0°	30°	45°	60°	90°	120°	135°	150°	180°
$\sin\theta$	0	$\frac{1}{2}$	$\frac{1}{\sqrt{2}}$	$\frac{\sqrt{3}}{2}$	1	$\frac{\sqrt{3}}{2}$	$\frac{1}{\sqrt{2}}$	$\frac{1}{2}$	0
$\cos\theta$	1	$\frac{\sqrt{3}}{2}$	$\frac{1}{\sqrt{2}}$	$\frac{1}{2}$	0	$-\frac{1}{2}$	$-\frac{1}{\sqrt{2}}$	$-\frac{\sqrt{3}}{2}$	-1
$\tan\theta$	0	$\frac{1}{\sqrt{3}}$	1	$\sqrt{3}$	／	$-\sqrt{3}$	-1	$-\frac{1}{\sqrt{3}}$	0

出題パターン check!

右図において，CD の長さとして最も近いものは次のうちどれか。

（1）16.4cm
（2）17.0cm
（3）17.6cm
（4）18.2cm
（5）18.8cm

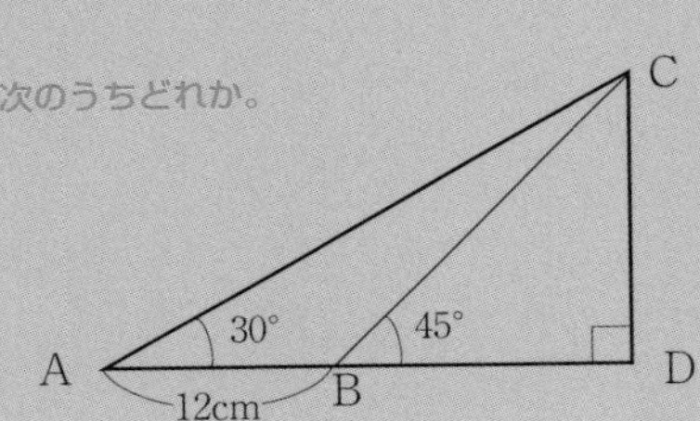

答え（1）

過去５年の出題傾向 ★★★★★

数学 ④ 数と式

数と式は出題される確率は高いが，ほとんどが基本的な問題である。したがって，乗法の公式や因数分解の公式をしっかり使いこなせるようにしておくことが大切。

■指数法則 よく出る

m,n を整数とする。

① $a^m \times a^n = a^{m+n}$

② $(a^m)^n = a^{m \cdot n}$

③ $(ab)^n = a^n b^n$

例 ・$a^2 \times a^3 = a^{2+3} = a^5$

・$(a^2)^3 = a^{2\times 3} = a^6$

・$(ab)^3 = a^3 b^3$

・$(3a^2) \times (2a^5) = (3 \times 2)a^{2+5} = 6a^7$

・$(-2x^3y^4)^2 = (-2)^2(x^3)^2(y^4)^2$
$= 4x^6y^8$

■乗法公式

① $(a+b)^2 = a^2+2ab+b^2$

② $(a-b)^2 = a^2-2ab+b^2$

③ $(a+b)(a-b) = a^2-b^2$

④ $(x+a)(x+b) = x^2+(a+b)x+ab$

⑤ $(ax+b)(cx+d)$
$= acx^2+(ad+bc)x+bd$

⑥ $(a+b)(a^2-ab+b^2) = a^3+b^3$

⑦ $(a-b)(a^2+ab+b^2) = a^3-b^3$

⑧ $(a+b)^3 = a^3+3a^2b+3ab^2+b^3$

⑨ $(a-b)^3 = a^3-3a^2b+3ab^2-b^3$

例 ・$(2x+3)^2 = (2x)^2+2\cdot 2x\cdot 3+3^2$
$= 4x^2+12x+9$

・$(2x+y)(2x-y) = (2x)^2-y^2 = 4x^2-y^2$

・$(2x+4)(3x-5)$
$= (2\cdot 3)x^2+\{2\cdot(-5)+4\cdot 3\}x+4\cdot(-5)$
$= 6x^2+2x-20$

・$(x-2)^3 = x^3-3\cdot x^2\cdot 2+3\cdot x\cdot 2^2-2^3$
$= x^3-6x^2+12x-8$

■乗法公式の応用

例 ・$(x+y+z)^2 = \{(x+y)+z\}^2$
$= (x+y)^2+2(x+y)z+z^2$
$= x^2+2xy+y^2+2xz+2yz+z^2$
$= x^2+y^2+z^2+2xy+2yz+2xz$

・$(x^2+x+1)(x^2-x+1)$
$= \{(x^2+1)+x\}\{(x^2+1)-x\}$
$= (x^2+1)^2-x^2$
$= x^4+2x^2+1-x^2$
$= x^4+x^2+1$

■因数分解の公式 よく出る

① $a^2+2ab+b^2 = (a+b)^2$

② $a^2-2ab+b^2 = (a-b)^2$

③ $a^2-b^2 = (a+b)(a-b)$

④ $x^2+(a+b)x+ab = (x+a)(x+b)$

⑤ $acx^2+(ad+bc)x+bd$
$= (ax+b)(cx+d)$

⑥ $a^3+b^3 = (a+b)(a^2-ab+b^2)$

⑦ $a^3-b^3 = (a-b)(a^2+ab+b^2)$

例 ・$x^2-6xy+9y^2 = x^2-2\cdot x\cdot 3y+(3y)^2$
$= (x-3y)^2$

・$9x^2-4y^2 = (3x)^2-(2y)^2$
$= (3x+2y)(3x-2y)$

・$x^2-7x+12 = (x-3)(x-4)$
（和が－7，積が 12 になるのは，－3，－4）

・$3x^2+7xy-6y^2$
$= 3x^2+7y\cdot x-2y\cdot 3y$
$= (3x-2y)(x+3y)$

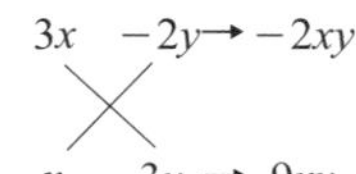

・$a^3+27 = a^3+3^3$
$= (a+3)(a^2-a\cdot 3+3^2)$
$= (a+3)(a^2-3a+9)$

■色々な因数分解

2個以上の文字を含む式を因数分解するときは，次数の低い文字に着目して整理する。

例

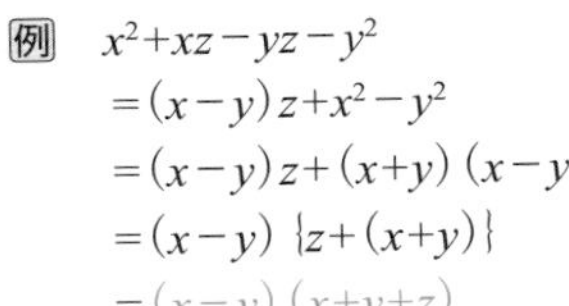

$x^2+xz-yz-y^2$
$=(x-y)z+x^2-y^2$
$=(x-y)z+(x+y)(x-y)$
$=(x-y)\{z+(x+y)\}$
$=(x-y)(x+y+z)$

■実数の絶対値

実数 a に対して，数直線上の点と原点との距離 a を絶対値といい，$|a|$ と表す。

$|-5|=5$　$|5|=5$
-5　0　5

$$|a|=|-a|,\ |a|=\begin{cases} a\ (a\geqq 0のとき) \\ -a\ (a<0のとき) \end{cases}$$

例　$|x-3|=4$ を満たす実数 x は，
$x-3=\pm 4$ より，$x=7$ または $x=-1$ である。

実数 a,b について，一般に次のことが成り立つ。

$$|-a|=|a|,\ |a|^2=a^2,\ |a|\geqq 0$$

$$|a\cdot b|=|a|\cdot|b|,\ \left|\frac{a}{b}\right|=\frac{|a|}{|b|}\ (b\neq 0)$$

絶対値を含む式は，場合分けして絶対値をはずして扱う。例えば関数 $y=|x-2|$ の場合は，$x-2\geqq 0\ (x\geqq 2)$ のとき，
$x-2<0\ (x<2)$ のときに分ける。
グラフは次のようになる。

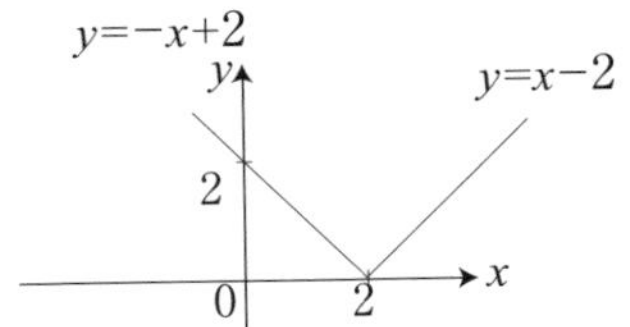

■平方根

二乗して a になる数を a の平方根という。

例　9の平方根は 3 と -3 である。3の平方根は $\pm\sqrt{3}$ である。

■平方根の性質　よく出る

①$a\geqq 0$のとき，$\left(\sqrt{a}\right)^2=a$

②$\sqrt{a^2}=\begin{cases} a\ (a\geqq 0のとき) \\ -a\ (a<0のとき) \end{cases}$

$a>0$，$b>0$のとき

③$\sqrt{a}\sqrt{b}=\sqrt{ab}$

④$\dfrac{\sqrt{a}}{\sqrt{b}}=\sqrt{\dfrac{a}{b}}$

⑤$a>0$，$m>0$のとき　$\sqrt{m^2a}=m\sqrt{a}$

例　$\sqrt{10}\times\sqrt{5}=\sqrt{10\cdot 5}=\sqrt{5^2\times 2}=5\sqrt{2}$
$\sqrt{3}-\sqrt{12}+\sqrt{27}=\sqrt{3}-2\sqrt{3}+3\sqrt{3}$
$=2\sqrt{3}$

■分母の有理化

①$\dfrac{a}{\sqrt{b}}=\dfrac{a\sqrt{b}}{\sqrt{b}\cdot\sqrt{b}}=\dfrac{a\sqrt{b}}{b}$

②$a\neq b$のとき

$$\frac{c}{\sqrt{a}+\sqrt{b}}=\frac{c\left(\sqrt{a}-\sqrt{b}\right)}{\left(\sqrt{a}+\sqrt{b}\right)\left(\sqrt{a}-\sqrt{b}\right)}=\frac{c\left(\sqrt{a}-\sqrt{b}\right)}{a-b}$$

$$\frac{c}{\sqrt{a}-\sqrt{b}}=\frac{c\left(\sqrt{a}+\sqrt{b}\right)}{\left(\sqrt{a}-\sqrt{b}\right)\left(\sqrt{a}+\sqrt{b}\right)}=\frac{c\left(\sqrt{a}+\sqrt{b}\right)}{a-b}$$

出題パターン check!

次の［ア］，［イ］に入る組み合わせとして，正しいのは次のどれか。

$a+\dfrac{1}{a}=5$のとき，　$a^2+\dfrac{1}{a^2}=$［ア］，$a^3+\dfrac{1}{a^3}=$［イ］

	(1)	(2)	(3)	(4)	(5)
［ア］	21	23	23	24	24
［イ］	90	90	110	110	120

答え（3）

過去５年の出題傾向　★★★☆☆

数学 ⑤ 方程式と不等式

方程式と不等式は単独で出題されることは少ないが，関数と関連させて出題されることがある。しかし，ほとんどが基本的な問題なので，類題を多くこなすことが大事である。

■不等式の性質　よく出る

①$a>b \Rightarrow a+c>b+c$

②$a>b \Rightarrow a-c>b-c$

③$c>0$のとき，$a>b \Rightarrow ac>bc$

④$c>0$のとき，$a>b \Rightarrow \frac{a}{c}>\frac{b}{c}$

⑤$c<0$のとき，$a>b \Rightarrow ac<bc$

⑥$c<0$のとき，$a>b \Rightarrow \frac{a}{c}<\frac{b}{c}$

■１次不等式

１次不等式とは，移項して整理したとき，$ax+b>0$ や $ax+b \geqq 0$ の形にできる不等式である。

例

$$3(x-1)-2x<4x-2$$
$$3x-3-2x<4x-2$$
$$x-3<4x-2$$
$$-3x<1$$
$$x>-\frac{1}{3}$$

■絶対値記号を含む不等式　よく出る

$$|2x-4|<x+1$$

①　$2x-4 \geqq 0$ のとき，$x \geqq 2$

$2x-4<x+1$　$x<5$

よって，条件より　$2 \leqq x<5$

②　$2x-4<0$ のとき，$x<2$

$-(2x-4)<x+1$　$x>1$

よって，条件より　$1<x<2$

①，②より

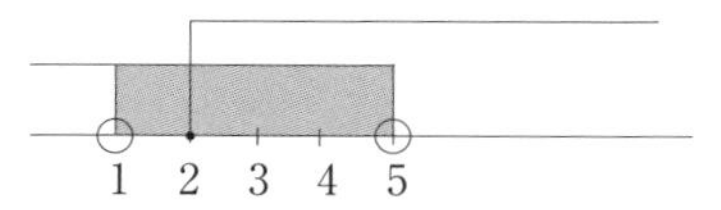

$\therefore 1<x<5$

■連立不等式

例
$$\begin{cases} 3x-2 \leqq x+6 \cdots\cdots ① \\ 3(2-x)<10+x \cdots\cdots ② \end{cases}$$

①より，$3x-x \leqq 6+2$

$2x \leqq 8$　$x \leqq 4 \cdots ①'$

②より，$6-3x<10+x$

$-3x-x<10-6$

$-4x<4$

$x>-1 \cdots\cdots ②'$

①'，②'より

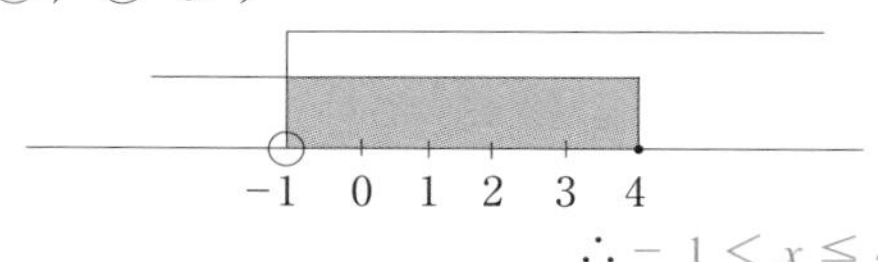

$\therefore -1<x \leqq 4$

■１次不等式の応用

例　ノートをある冊数買う予定で文房具店に行った。1冊300円のノートにすると500円不足するので，1冊200円のノートを予定した冊数だけ買ったところお金が残った。買う予定にしていたノートの冊数は何冊以上か。

買う予定にしていたノートの冊数をx冊とすると，所持金は$300x-500$円である。

したがって

$$300x-500>200x$$

これを解くと，

$$300x-200x>500$$
$$100x>500$$
$$x>5$$

xは5冊より多くなければいけないから

6 冊以上となる。

■ 2 次方程式の解法 1，因数分解で解ける場合 よく出る

2 次方程式 $ax^2+bx+c=0$ において左辺が 1 次式の積に因数分解できるとき，

$PQ=0 \longleftrightarrow P=0$ または $Q=0$

例　方程式 $x^2+x-12=0$ は左辺を因数分解すると，

$(x-3)(x+4)=0$

これより　$x-3=0$ または $x+4=0$

ゆえに，解は，$x=3,\ -4$

■ 2 次方程式の解法 2，$x^2=k$ の形の 2 次方程式

$x^2=k$ と変形できる 2 次方程式は，$k>0$ のとき，

$x^2=k$ の解は，$x=\pm\sqrt{k}$

例　方程式 $x^2-3=0$ は -3 を移項して，

$x^2=3$

よって，解は　$x=\pm\sqrt{3}$

例　方程式 $x^2-5x+2=0$ を解く場合，

2を移項すると，$x^2-5x=-2$

xの係数=5に注目して，両辺に$\left(\frac{5}{2}\right)^2$を加えると，

$$x^2-5x+\left(\frac{5}{2}\right)^2=-2+\left(\frac{5}{2}\right)^2$$

$$\left(x-\frac{5}{2}\right)^2=\frac{17}{4}$$

したがって，$x-\frac{5}{2}=\pm\frac{\sqrt{17}}{2}$

ゆえに，$x=\frac{5\pm\sqrt{17}}{2}$

■ 2 次方程式の解の公式

2 次方程式 $ax^2+bx+c=0$ の解は，

$b^2-4ac \geqq 0$ のとき，

$$x=\frac{-b\pm\sqrt{b^2-4ac}}{2a}$$

例　方程式 $4x^2-6x-1=0$ の解は，

$$x=\frac{-(-6)\pm\sqrt{(-6)^2-4\cdot4\cdot(-1)}}{2\cdot4}$$

$$=\frac{6\pm2\sqrt{13}}{8}=\frac{3\pm\sqrt{13}}{4}$$

■ 2 次方程式の応用・解の個数

2 次方程式 $ax^2+bx+c=0$ の解は，

$D=b^2-4ac$ とするとき，

$D>0$ ならば，異なる 2 つ。

$D=0$ ならば，ただ 1 つ（重解）。

$D<0$ ならば，ない。

■ 2 次方程式の文章題

例　たて 2 m，横 4 m のテーブルがある。この上に，面積がこのテーブルの 2 倍のテーブル掛けをかけて，たてと横が同じ長さだけたれるようにした。このテーブル掛けのたて，横の長さを求めなさい。

たて，横にたれる部分を x m とすると，

$(2+x)(4+x)=2\cdot2\cdot4$

$x^2+6x+8=16$

$x^2+6x-8=0$

$x>0$ より，$x=-3+\sqrt{17}$

よって，たては $-1+\sqrt{17}$ m，横は $1+\sqrt{17}$ m

出題パターン check!

$(5-x)^2=(2x-1)^2$ の解は，次のうちどれか。

(1) $x=4,\ 5$
(2) $x=2,\ 5$
(3) $x=-4,\ 2$
(4) $x=\frac{1}{2},\ 5$
(5) $x=\frac{1}{5},\ \frac{1}{2}$

答え（3）

過去５年の出題傾向 ★★★☆☆

数学 ⑥ 図形と式

図形と式の分野も例年よく出題されている。特に，点と直線の関係や，円と直線の関係などがよく出題されているので，これらの関係を整理しておこう。

■２点間の距離

２点 $P_1(x_1,y_1)$, $P_2(x_2,y_2)$を与えたとき，
２点間の距離 $P_1P_2=\sqrt{(x_2-x_1)^2+(y_2-y_1)^2}$

例　$P_1(1,1)$, $P_2(-2,3)$の２点間の距離は，
$\sqrt{(-2-1)^2+(3-1)^2}=\sqrt{9+4}=\sqrt{13}$

■分点の距離　よく出る

①線分P_1P_2を$m:n$に内分する点

$$\left(\frac{nx_1+mx_2}{m+n}, \frac{ny_1+my_2}{m+n}\right)$$

②線分P_1P_2を$m:n$に外分する点

$$\left(\frac{-nx_1+mx_2}{m-n}, \frac{-ny_1+my_2}{m-n}\right)$$

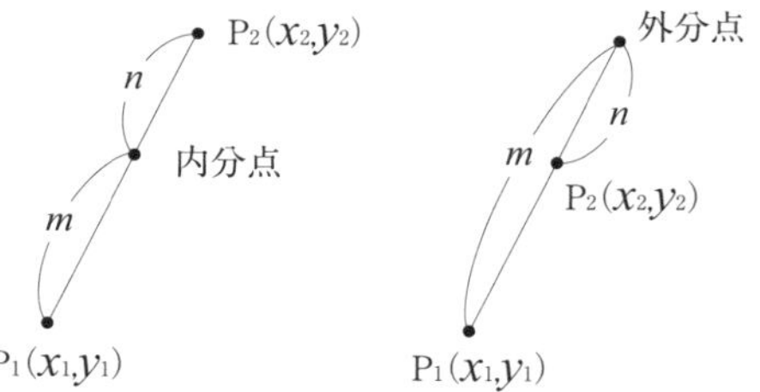

例　$P_1(1,2)$, $P_2(4,5)$のとき，線分P_1P_2を５：２に外分する$R(x,y)$は

$$x=\frac{-2\cdot1+5\cdot4}{5-2}=6$$
$$y=\frac{-2\cdot2+5\cdot5}{5-2}=7$$
$R(6,7)$

別解

P_1Rを３：２に内分する点が$P_2(4,5)$と考えてもよい。

■三角形の重心

３点 $A(a_1, a_2)$, $B(b_1, b_2)$, $C(c_1, c_2)$を頂点とする△ABCの重心の座標は，

$$\left(\frac{a_1+b_1+c_1}{3}, \frac{a_2+b_2+c_2}{3}\right)$$

例　$A(0,6)$, $B(-1,1)$, $C(5,3)$のとき△ABCの重心Gは

$$x=\frac{0-1+5}{3}=\frac{4}{3}\quad y=\frac{6+1+3}{3}=\frac{10}{3}$$
$$G\left(\frac{4}{3}, \frac{10}{3}\right)$$

■直線の方程式

①傾きm，y切片nの直線の方程式
$y=mx+n$

②点(x_1, y_1)を通り，傾きmの直線の方程式
$y-y_1=m(x-x_1)$

③２点(x_1, y_1), (x_2, y_2)を通る直線の方程式

$x_1\neq x_2$のとき，$y-y_1=\dfrac{y_2-y_1}{x_2-x_1}(x-x_1)$

$x_1=x_2$のとき，$x=x_1$

例　２点$(-1, -4)$, $(2, -1)$を通る直線の式は，

$$y+4=\frac{-1+4}{2+1}(x+1)$$
$y=x-3$

■直線の平行条件と垂直条件　よく出る

２直線 $y=mx+n$, $y=m'x+n'$について，

①一致　⟷ $m=m'$, $n=n'$
②平行　⟷ $m=m'$, $n\neq n'$
③垂直　⟷ $mm'=-1$

例　点(3,1)を通り，直線$x-3y+6=0$に垂直な直線の方程式は，

$x-3y+6=0$より　$y=\frac{1}{3}x+2$

垂直な直線の傾きをmとすると，

$m\cdot\frac{1}{3}=-1$より　$m=-3$

y切片をnとすると，垂直な直線の方程式は，

$y=-3x+n$

この直線が点(3,1)を通るから，

$1=-3\cdot3+n$　$n=10$

よって，$y=-3x+10$となる。

■点と直線の距離　よく出る

点(x_0, y_0)から直線$ax+by+c=0$に引いた垂線の長さdは，

$$d=\frac{|ax_0+by_0+c|}{\sqrt{a^2+b^2}}$$

例　点A（−2, 3）から直線$y=-3x+2$に引いた垂線の長さdは，

$$d=\frac{|3(-2)+3-2|}{\sqrt{9+1}}=\frac{5}{\sqrt{10}}=\frac{\sqrt{10}}{2}$$

■円の方程式

①中心原点（0,0）半径rの円の方程式

$$x^2+y^2=r^2$$

例　中心が原点（0,0）で，半径$\sqrt{3}$の円の方程式は，

$x^2+y^2=3$

②中心C（a,b），半径rの円の方程式

$(x-a)^2+(y-b)^2=r^2$

例　中心C(1, −2)で，半径$\sqrt{5}$の円の方程式は，

$(x-1)^2+(y+2)^2=5$

■円の接線

①円$x^2+y^2=r^2$の周上の1点（x_1, y_1）における接線は，

$x_1x+y_1y=r^2$

例　中心が原点（0,0）とする円における，円周上の点A（$-1,\sqrt{3}$）における接線の方程式は，

$-1\cdot x+\sqrt{3}\,y=4$

$x-\sqrt{3}\,y+4=0$

②円$(x-a)^2+(y-b)^2=r^2$の周上の1点（x_1, y_1）における接線は，

$(x_1-a)(x-a)+(y_1-b)(y-b)=r^2$

■円と直線の位置関係

円と直線の方程式を連立して得られる2次方程式の判別式をD，円の半径をr，円の中心と直線の距離をdとする。

① $D>0$，$d<r$ ⟷ 異なる2点で交わる。

② $D=0$，$d=r$ ⟷ 接する。

$D<0$，$d>r$ ⟷ 共有点を持たない。

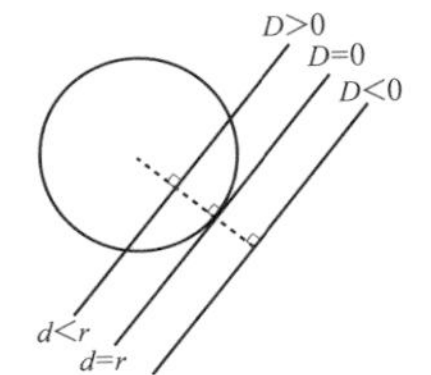

出題パターン check!

$x^2+y^2-6x+2y+1=0$は円の方程式であるが，この円の中心座標と半径の組み合わせとして，正しいものはどれか。

(1) 中心（3, −1）で，半径3
(2) 中心（2, 1）で，半径5
(3) 中心（2, −3）で，半径1
(4) 中心（3, 1）で，半径4
(5) 中心（2, −1）で，半径2

答え（1）

過去５年の出題傾向 ★★☆☆☆

数学 ⑦ 図形

図形の分野も例年よく出題されている。図形の問題では，面積・体積の求め方や初等幾何の諸定理などを利用する問題が多いので，中学校からの基礎を再確認することが大切である。

■図形の計量 よく出る

・円の面積　$S=\pi r^2$　r：半径

・扇形の面積　$S=\pi r^2\times\dfrac{\theta}{360°}$

$=\dfrac{1}{2}lr$

・ひし形の面積　$S=\dfrac{ab}{2}$

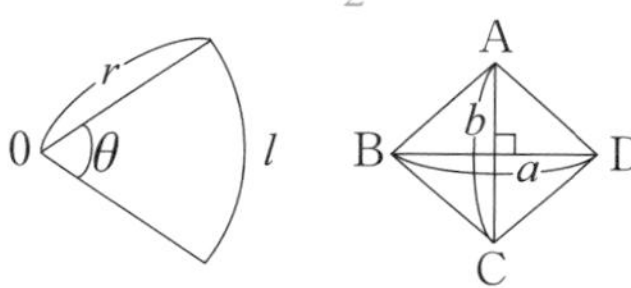

・球の表面積　$S=4\pi r^2$

球の体積　$V=\dfrac{4}{3}\pi r^3$

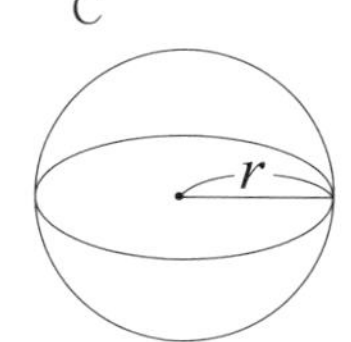

円柱の体積　$V=\pi r^2h$

円錐の体積　$V=\dfrac{1}{3}\pi r^2h$

表面積は展開図を考える。

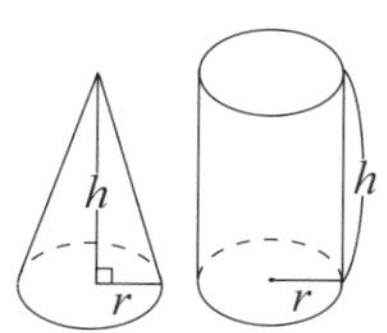

■三角形の合同条件

・３組の辺がそれぞれ等しい。

・２組の辺とその間の角が，それぞれ等しい。

・１組の辺とその両端の角が，それぞれ等しい。

■三角形の相似条件

・３組の辺の比が等しい。

・２組の辺の比とその間の角が等しい。

・２組の角が等しい。

■相似な三角形の面積比

相似な三角形の面積比は，相似比の二乗に等しい。

例　右の図で MN//BC なので

AM：MB=AN：NC

=1：2

△ABC と△AMN

は相似で，相似比は 3：1 であるから，

△ABC, △AMN の面積を S, T とすると，

$S:T=3^2:1^2=9:1$

■相似な図形の面積比 よく出る

相似な図形の面積比は，相似比の二乗に等しい。

例　半径がそれぞれ ar, br である２つの円の面積は，それぞれ，$\pi(ar)^2$，$\pi(br)^2$ である。

それらの比は，

$\pi(ar)^2:\pi(br)^2$

$=a^2\pi r^2:b^2\pi r^2$

$=a^2:b^2$

■相似な立体の表面積の比と体積の比

相似な立体で相似比が $m:n$ のとき，

表面積の比は，$m^2:n^2$

体積の比は，$m^3:n^3$

例　次の図の直方体 F, F' は相似で相似比が $1:k$ である。F, F' の表面積を S, S'，体積を V, V' とする。

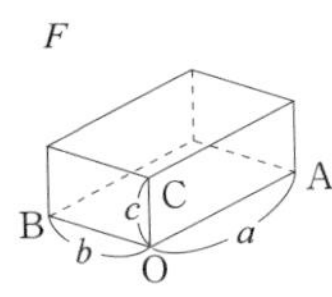

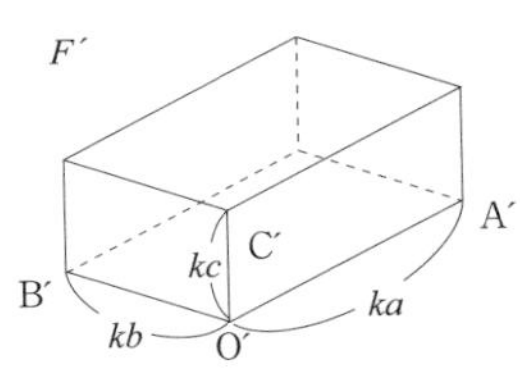

直方体 F において $OA=a$, $OB=b$, $OC=c$ とすると，直方体 F' において，$O'A'=ka$, $O'B'=kb$, $O'C'=kc$ である。

表面積は，$S=2(ab+ac+bc)$

$S'=2k^2(ab+ac+bc)$

$S:S'=1^2:k^2=1:k^2$

体積は，$V=abc$

$V'=ka\cdot kb\cdot kc=k^3abc$

$V:V'=1^3:k^3=1:k^3$

■三角形の性質

・重心

三角形の3本の中線の交点。重心はそれぞれの中線を 2：1 に内分する。

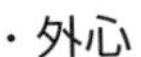

・外心

三角形の各辺の垂直二等分線の交点。

OA=OB=OC

・内心

三角形の3つの内角の二等分線の交点。

IP=IQ=IR

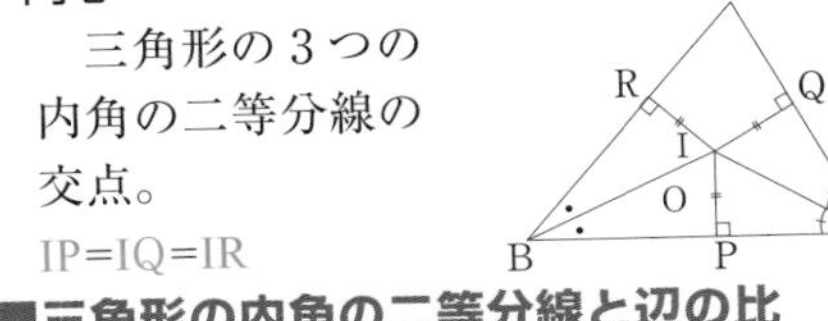

■三角形の内角の二等分線と辺の比

△ABC の∠A の二等分線と辺 BC との交点を P とすると，

BP：PC=AB：AC

■円周角の定理

1つの弧に対する円周角の大きさは一定であり，その弧に対する中心角の大きさの半分である。

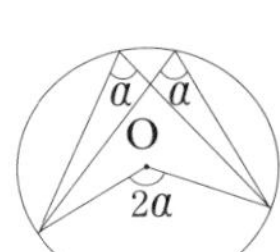

■円に内接する四角形

円に内接する四角形では

①向かいあう内角の和は，180° である。

$\angle a+\angle c=180°$

②1つの内角は，それに向かいあう内角の外角に等しい。

■接線と弦のつくる角

円の接線とその接点を通る弦がつくる角は，その角の内部にある弧に対する円周角に等しい。

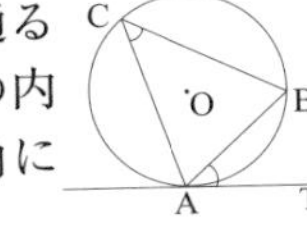

∠BAT=∠ACB

■方べきの定理

円の2つの弦 AB,CD が円内の点 P で交わるとき，

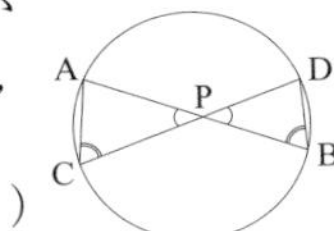

PA・PB=PC・PD

（△PAC ∽△PDB より）

■接線と方べき

円 O の外部の点 P からひいた接線の接点を T とし，P を通る直線が円 O と2点 A,B で交わるとき，

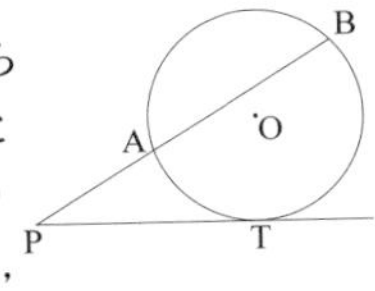

$PA\cdot PB=PT^2$

出題パターン check!

右の正方形の色のついた部分の面積はいくらか。

(1) $\frac{1}{3}\pi x^2$

(2) $\frac{1}{4}\pi x^2$

(3) $\frac{1}{5}\pi x^2$

(4) $\frac{1}{6}\pi x^2$

(5) $\frac{1}{9}\pi x^2$

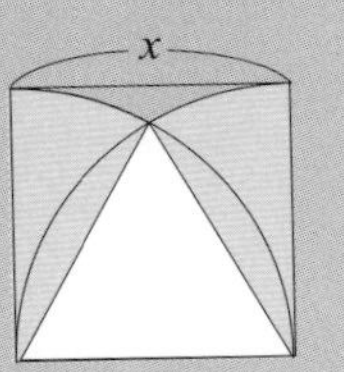

答え（4）

練習問題1

右のグラフの式は次のうちどれか。

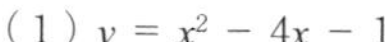

(1) $y = x^2 - 4x - 1$
(2) $y = x^2+4x+1$
(3) $y = -x^2+4x-1$
(4) $y = -x^2+4x+1$
(5) $y = -x^2-4x-1$

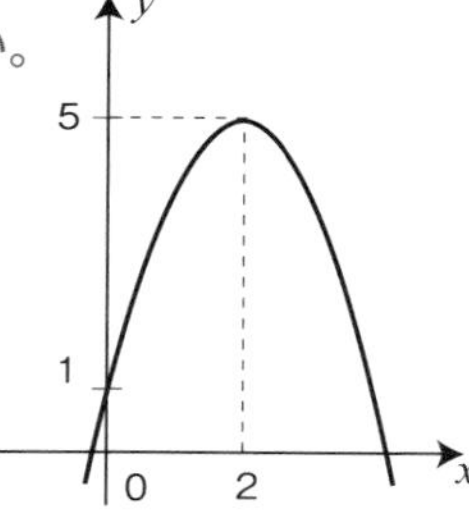

練習問題2

放物線 $y = -x^2-4x+1$ をどのように平行移動すると，放物線 $y = -x^2+6x-7$ に重なるか。

(1) x 軸方向に5，y 軸方向に－3
(2) x 軸方向に－3，y 軸方向に5
(3) x 軸方向に2，y 軸方向に5
(4) x 軸方向に5，y 軸方向に2
(5) x 軸方向に2，y 軸方向に－3

練習問題3

関数 $y = 2x^2-8x-4$ $(1 \leqq x \leqq 5)$ の最大値と最小値は次のうちどれか。

(1) $x = 1$ のとき，最小値－10
　　$x = 5$ のとき，最大値6
(2) $x = 2$ のとき，最小値－10
　　$x = 5$ のとき，最大値6
(3) $x = 1$ のとき，最小値－10
　　$x = -2$ のとき，最大値20
(4) $x = 2$ のとき，最小値－12
　　$x = 5$ のとき，最大値6
(5) $x = 2$ のとき，最小値－10
　　$x = 0$ のとき，最大値－4

解答・解説

練習問題1　　正答／(4)

●解説／グラフの頂点は(2，5)であるから，$y=a(x-2)^2+5$ となる。
また，点(0，1)を通っているから，

$1 = 4a + 5$
$-4a = 4$
$a = -1$

よって，求める式は，

$y = -(x-2)^2+5$
$= -x^2+4x+1$ となる。

練習問題2　　正答／(1)

●解説／

$y = -x^2-4x+1$ を平方完成すると，
$y = -(x+2)^2+5$ となる。
$y = -x^2+6x-7$ を平方完成すると，
$y = -(x-3)^2+2$ となる。

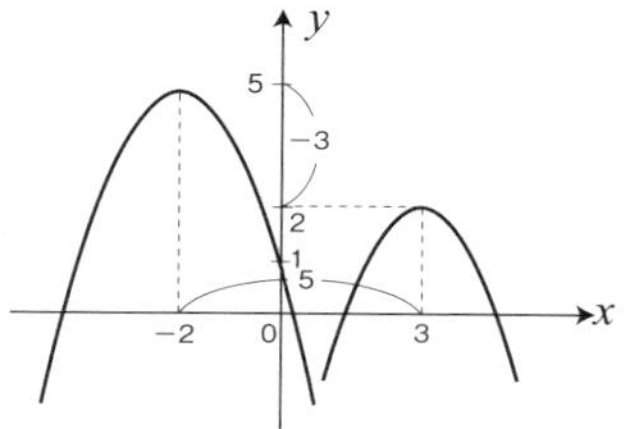

練習問題3　　正答／(4)

●解説／関数 $y = 2x^2-8x-4$ を平方完成すると，
$y = 2(x-2)^2-12$ となる。
定義域が $(1 \leqq x \leqq 5)$ であるから，
下の図の実線部分である。

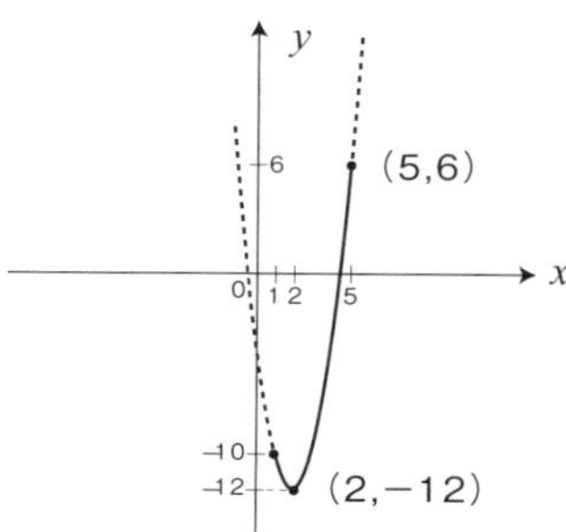

練習問題4

$\dfrac{\cos\theta}{1+\sin\theta}-\dfrac{\cos\theta}{1-\sin\theta}$ を簡単にしたものは次のうちどれか。

（1）$\cos\theta$
（2）$\tan\theta$
（3）$-2\tan\theta$
（4）$-\dfrac{1}{\cos\theta}$
（5）$-\sin\theta$

練習問題5

次の（　）にあてはまるものは次のうちでどれか。

△ABC において，

AC=3　$\sin B=\dfrac{2}{5}$　$\sin C=\dfrac{2}{3}$ のとき

AB=（　　）である。

（1）$\dfrac{3}{2}$
（2）5
（3）$\dfrac{15}{2}$
（4）$\dfrac{6}{5}$
（5）15

練習問題6

$2x^2+5xy+2y^2+5x+y-3$ の因数分解で正しいものはどれか。

（1）$(x-2y+3)(2x-y-1)$
（2）$(x+2y-3)(2x-y-1)$
（3）$(x+2y+3)(x-2y-1)$
（4）$(x+2y-3)(x+2y-1)$
（5）$(x+2y+3)(2x+y-1)$

練習問題7

$\dfrac{2\sqrt{3}-5\sqrt{5}}{\sqrt{5}-\sqrt{3}}$ を簡単にしたものは次のうちどれか。

（1）$\dfrac{19+3\sqrt{15}}{2}$　（2）$\dfrac{-19-3\sqrt{15}}{2}$
（3）$\dfrac{-19+3\sqrt{15}}{2}$　（4）$\dfrac{-31-7\sqrt{15}}{2}$
（5）$\dfrac{-31+7\sqrt{15}}{2}$

解答・解説

練習問題4　正答／（3）

●解説／与式を通分する。

$$与式=\frac{\cos\theta(1-\sin\theta)-\cos\theta(1+\sin\theta)}{(1+\sin\theta)(1-\sin\theta)}=\frac{-2\cos\theta\ \sin\theta}{1-\sin^2\theta}$$

ここで，$\sin^2\theta+\cos^2\theta=1$ から，
$1-\sin^2\theta=\cos^2\theta$

$$与式=\frac{-2\cos\theta\ \sin\theta}{\cos^2\theta}=\frac{-2\sin\theta}{\cos\theta}=-2\tan\theta$$

練習問題5　正答／（2）

●解説／正弦定理を使う。

$\dfrac{AB}{\sin C}=\dfrac{AC}{\sin B}$ より

$\dfrac{AB}{\frac{2}{3}}=\dfrac{3}{\frac{2}{5}}$

$AB=3\times\dfrac{5}{2}\times\dfrac{2}{3}=5$

A　（　）　3　B　C

練習問題6　正答／（5）

●解説／与式を x について整理する。

$2x^2+(5y+5)x+(2y^2+y-3)$
$=2x^2+(5y+5)x+(y-1)(2y+3)$

$x\begin{pmatrix}1 & 2y+3\\ 2 & y-1\end{pmatrix}+(y-1)(2y+3)$

$=\{x+(2y+3)\}\{2x+(y-1)\}$
$=(x+2y+3)(2x+y-1)$

練習問題7　正答／（2）

●解説／分母を有理化する。

$$与式=\frac{(2\sqrt{3}-5\sqrt{5})(\sqrt{5}+\sqrt{3})}{(\sqrt{5}-\sqrt{3})(\sqrt{5}+\sqrt{3})}=\frac{2\sqrt{15}+6-25-5\sqrt{15}}{5-3}=\frac{-19-3\sqrt{15}}{2}$$

練習問題８

x の２次方程式 $3x^2+(2a+8)x+5a+2=0$ が重解を持つような a の値として，正しいものは次のうちどれか。

（１）2
（２）3
（３）5
（４）2，3
（５）2，5

練習問題９

直線 $(a+2)x-(1-2a)y+(4a-7)=0$ が直線 $4x+3y-1=0$ に平行となるような a の値として，正しいものは次のうちどれか。

（１）1
（２）2
（３）4
（４）6
（５）8

練習問題 10

A（－1,2），B（3,－2）を直径の両端とする円の方程式として，正しいのは次のうちどれか。

（１）$x^2+(y-1)^2=8$
（２）$x^2+y^2=8$
（３）$(x-1)^2+(y-1)^2=2\sqrt{2}$
（４）$(x-1)^2+y^2=8$
（５）$(x-1)^2+y^2=2\sqrt{2}$

練習問題 11

次の図の x，y，z の大きさの組み合わせとして，正しいのは次のうちどれか。

	x	y	z
（１）	38°	50°	38°
（２）	38°	68°	38°
（３）	25°	50°	25°
（４）	25°	50°	38°
（５）	38°	50°	25°

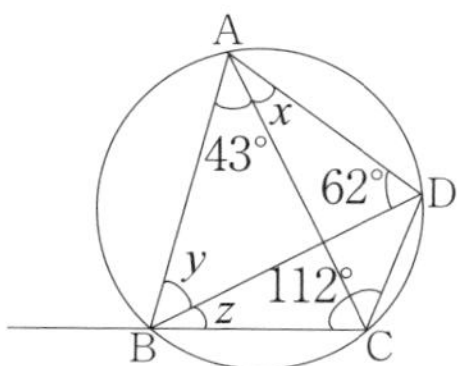

解答・解説

練習問題８　正答／（5）

●解説／判別式を利用する。重解を持つのは，$D=0$ のときである。

$D=(2a+8)^2-4\cdot3\cdot(5a+2)$
$=4a^2+32a+64-60a-24$
$=4a^2-28a+40$
$=4(a^2-7a+10)$
$=4(a-2)(a-5)=0$
$\therefore a=2,5$

練習問題９　正答／（2）

●解説／平行であるための条件は，傾きが等しくなること。

与式，$y=\dfrac{a+2}{1-2a}x+\dfrac{4a-7}{1-2a}$ と

$y=-\dfrac{4}{3}x+\dfrac{1}{3}$ が平行になるためには，

$\dfrac{a+2}{1-2a}=-\dfrac{4}{3}\,(1-2a\neq0)$ かつ

$\dfrac{4a-7}{1-2a}\neq\dfrac{1}{3}$

$\therefore 3a+6=-4+8a \quad a=2$

練習問題 10　正答／（4）

●解説／ AB の中点 C が円の中心になる。

$C\left(\dfrac{-1+3}{2},\ \dfrac{2-2}{2}\right)$

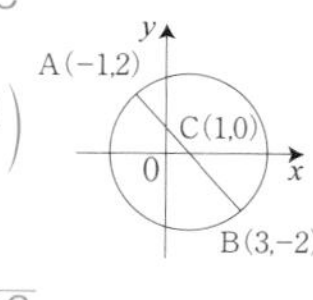

すなわち（1,0）

半径は，

$AC=\sqrt{4+4}=2\sqrt{2}$

よって，求める方程式は，

$(x-1)^2+y^2=8$

練習問題 11　正答／（3）

●解説／１つの弧に対する円周角の大きさは一定である，ということと，円に内接する四角形の向かい合う内角の和は180°である，ということを利用する。

$\angle x=\angle z$（$\overset{\frown}{CD}$ を共有）

$\angle x+43°+112°=180°$ より，

$\angle x=25°$

$\angle ADB=\angle ACB=62$

$\angle DCA=112-62=50$

$\angle DCA=\angle DBA$

よって，$\angle y=50°$

$\therefore \angle x=\angle z=25°$，$\angle y=50°$

2 自然科学

物理

出題傾向 物理の問題は，物理基礎からの出題が大部分を占め，全体的にあまり難度は高くない。その中でも力学からの出題が目立っている。力学の内容は，運動（等加速度運動），力のつり合い，運動の法則，仕事とエネルギーの内容がほとんどである。特に運動は頻出しているので，時間を割いて学習しておきたい。力学以外では，電気と磁気，熱とエネルギー，波動，原子の分野からの出題が見られる。出題箇所が比較的限定されているので，暗記事項は優先的にきっちりとおさえておきたい。直近の試験では，電流と電子，速度，力のつりあい，仕事率などが出題されている。

学習のコツ

まず，教科書をよく読み，教科書に載っている公式をよく理解し，解答を見なくても例題を解けるようにしておく。基礎的な問題の出題が多いので教科書の問い，練習問題，章末の問題をしっかりやって，理解ができているか確認。重要ポイントや公式はまとめて書き出しておく。毎年，類似の問題が出題される傾向にあるので，過去問へは必ず取り組んでおこう。

難易度＝ 90ポイント

重要度＝ 80ポイント

◆出題の多い分野◆

分野	頻度
運動の表し方	★★★★★
熱とエネルギー	★★★★★
運動と力	★★★★
運動量とエネルギー	★★★★
電流と電子	★★★★
波動	★★★

過去５年の出題傾向　★★★★★

物理 ① 運動の表し方

この分野では等加速度運動が中心となる。時間と速さ・距離の関係を，グラフをからめて出題される場合が多く見られるので，類題を数多くこなすことが大切である。

■速さ

・速さの定義…単位時間あたりの移動距離。

$v = \frac{x}{t}$

v　速さ［m/s］
t　時間［s］
x　距離［m］

例　100m を 15s で走る人の速さは，

$\frac{100}{15} \fallingdotseq 6.7$［m/s］

■速度

・速度…運動の向きと速さとを合わせて考える（ベクトル）。

例　東向きに速さ 10m/s で動く自動車の速度を + 10m/s とすると，西向きに速さ 10m/s で動く自動車の速度は − 10m/s となる。

■加速度

・加速度の定義…単位時間あたりの速度変化。

$a = \frac{v - v_0}{t}$

a 加速度［m/s^2］
t 時間　［s］
v_0 初速度［m/s］
v　t 秒後の速度［m/s］

例　ある瞬間の速度 v_0 が 1.0m/s で，それから 3.0 秒後の速度が同じ向きに 10.0m/s であったときの加速度は，

$\frac{10 - 1}{3} = 3.0$［m/s^2］

■等加速度直線運動

一定の加速度で，まっすぐ進む運動。

$v = v_0 + at$

$x = v_0 t + \frac{1}{2}at^2$

$2ax = v^2 - v_0^2$

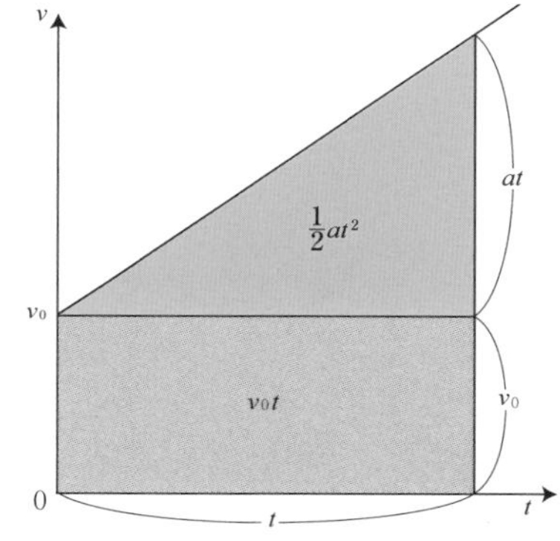

等加速度直線運動の移動距離

※移動距離は，上の $v - t$ グラフの面積で求められる。

例　速さ 10m/s で直進していた自動車が一定の加速度で速度を増し，10 秒後に 30m/s の速さになった。加速した 10 秒間にこの自動車が進んだ距離は，

$a = \frac{30 - 10}{10} = 2.0$［$m/s^2$］

$x = v_0 t + \frac{1}{2}at^2$ より

$x = 10 \times 10 + \frac{1}{2} \times 2 \times 10^2$

$= 100 + 100 = 200$［m］

■ $v\text{−}t$ グラフの見方　よく出る

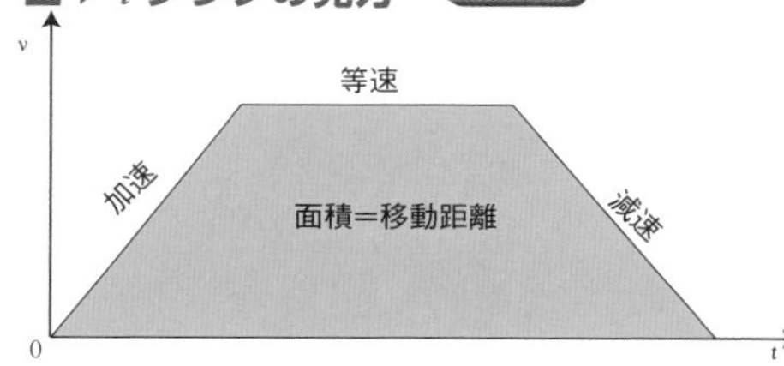

例　図は，電車がA駅を出てからB駅に着くまでの速さと経過時間を表したグラフである。発車後50秒間の加速度の大きさは，

$$a=\frac{20-0}{50}=0.40\,[\mathrm{m/s^2}]$$

B駅に近づき，減速中の加速度は，

$$a=\frac{0-20}{200-160}=-0.50\,[\mathrm{m/s^2}]$$

A,B両駅間の距離 x は，$v-t$ 図が囲む台形の面積であるから，

$$x=\frac{\{(160-50)+200\}\times 20}{2}$$
$$=3{,}100[\mathrm{m}]=3.1[\mathrm{km}]$$

■自由落下　よく出る

重力加速度 g=9.8［m/s²］

・自由落下の式

$$v=gt$$
$$y=\frac{1}{2}gt^2$$
$$2gy=v^2$$

例　高さ78.4mのビルの上から物体を静かに落下させると地面に到達する時間は，

$$78.4=\frac{1}{2}\times 9.8\times t^2 \qquad t^2=16$$
$$t=4.0\,[\mathrm{s}]$$

■投げ下ろし

投げ下ろした場合も，手から離れたあとは重力だけによる落下となる。

g = 9.8［m/s²］

$$v=v_0+gt$$
$$y=v_0t+\frac{1}{2}gt^2$$
$$2gy=v^2-v_0^2$$

■投げ上げ

投げ上げ運動は，上向きを正とすると加速度 $-g$ の等加速度運動である。

・投げ上げの式

$$v=v_0-gt$$
$$y=v_0t-\frac{1}{2}gt^2$$
$$-2gy=v^2-v_0^2$$

例　初速が19.6m/sで鉛直方向に投げ上げられた物体が到達する最高の高さは，最高点では $v=0$ となるから，

$$0=19.6-9.8t \qquad t=2.0\,[\mathrm{s}]$$

よって，

$$y=19.6\times 2-\frac{1}{2}\times 9.8\times 2^2$$
$$=19.6 \qquad y=19.6\,[\mathrm{m}]$$

■水平投射　よく出る

・水平方向…等速直線運動

・鉛直方向…自由落下運動

$$v_x=v_0,\quad x=v_0t,\quad v_y=gt,\quad y=\frac{1}{2}gt^2$$

■斜方投射

・水平方向　$v_x=v_0\cos\theta$

$x=v_0\cos\theta t$

・鉛直方向　$v_y=v_0\sin\theta-gt$

$y=v_0\sin\theta t-\frac{1}{2}gt^2$

$v_y^2-v_0^2\sin^2\theta=-2gy$

出題パターン check!

下のグラフは，直線上を動いた点の速度と時間の関係を表したものである。この点が動き始めてから16秒後までに，出発点から最も離れた距離は何mか。

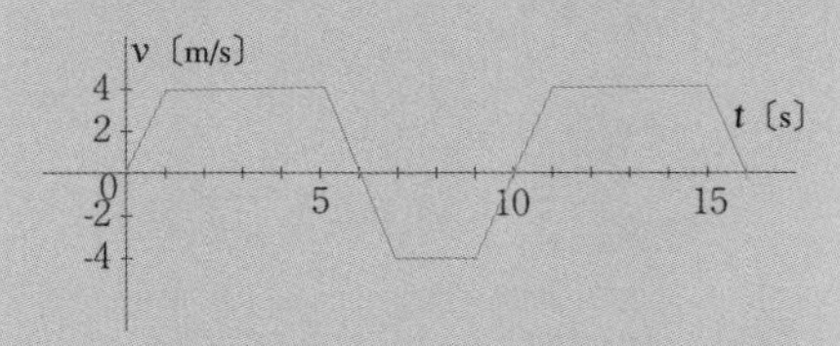

（1）20 m　　（2）28 m
（3）32 m　　（4）40 m
（5）52 m

答え（2）

過去５年の出題傾向 ★★★★★

物理 ② 熱とエネルギー

この分野では熱平衡や，比熱，熱に関する自然現象の問題が多く出題されている。ほとんどが中学校で学習したことが基本となっているので，もう一度基礎を整理しておこう。

■熱量

物体を熱するとあたたまる。このとき物体が得たエネルギーを熱といい，その量を熱量という。熱はエネルギーの一種であるから，単位もJ（ジュール）を用いる。

■熱平衡

一般に，温度の違う物体を接触させたり，まぜ合わせたりするとき，高温の物体から低温の物体に熱が移動し，やがて温度が等しくなる。これを熱平衡という。

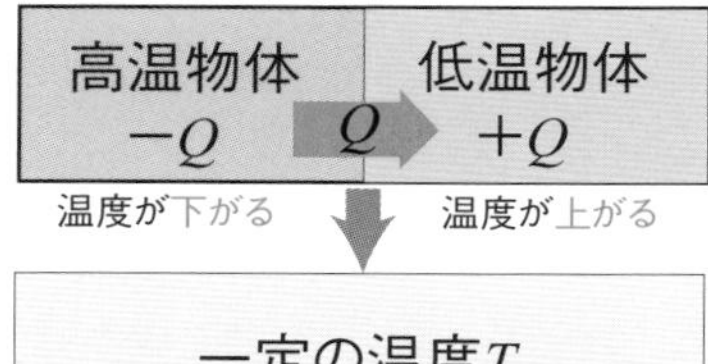

■比熱

物質1gの温度を1K（ケルビン）だけ上昇させるのに必要な熱量をいう。

単位　J/g・K
（ジュール毎グラム毎ケルビン）

・色々な物質の比熱

物質	比熱[J/g･K]
鉛	0.129
銀	0.235
銅	0.379
鉄	0.435
アルミニウム	0.880
エタノール	2.31
水	4.2

（0°Cにおける比熱）

■熱容量 よく出る

物質の質量×　比熱　＝熱容量

m[g]　×　c[J/g･K]　＝C[J/K]

■熱量と比熱の関係

[熱量] [質量] [比熱] [温度差]

$Q = m \times c \times t$

[J]　[g]　[J/g･K]　[K]

例　断熱容器に入れた10℃の水100gに，90℃に熱した100gの鉄球を入れた後の全体の温度Tは，

鉄が失った熱量（鉄の比熱0.44）

$100 \times 0.44(90 - T)$

水が得た熱量（水の比熱4.2）

$100 \times 4.2(T - 10)$

が等しくなるから，

$100 \times 0.44(90 - T) = 100 \times 4.2(T - 10)$

$T \fallingdotseq 18$

18℃となる。

■熱の伝わり方

・伝導……熱が物質の内部を伝わって，高温部から低温部へ移動する現象。

例　鉄の棒の一方を熱すると，他方に熱が伝わっていく。

・対流……熱の移動が物質の流動に伴って起こる現象。

例　ストーブの熱で部屋中が暖かくなる。

・放射……熱を伝える中間物質の有無にかかわらず熱が移動する。

例　太陽の熱が地球に伝わる。

■熱の仕事当量 よく出る

1cal の熱に相当する仕事の量をいい，記号 J で表す。

W[J]の仕事が全て Q[cal]の熱に変換したとすれば，

$W=JQ$　J：熱の仕事当量

$J=4.2$[J/cal]

例　4.2×10^2 [J]の運動エネルギーを持っていた物体が床との摩擦によって静止したとき，運動エネルギーが全て熱に変化したとすると発生する熱量は，

$4.2\times10^2=4.2\times Q$

$Q=1.0\times10^2$ [cal]

である。

■物質の状態変化

・潜熱……蒸発熱や融解熱をいう。

①蒸発熱……1 [g]の液体が同温の気体になるとき必要な熱量。

例　100℃の水 1g が 100℃の水蒸気 1g になるとき 2,258J の熱を必要とする。

②融解熱……1 [g]の固体が同温の液体になるとき必要な熱量。

例　0℃の氷 1g が 0℃の水 1g になるとき 335J の熱を必要とする。

・状態変化……固体⇄液体，液体⇄気体などの状態変化には，熱の出入りが伴う。潜熱は，分子間にはたらく引力にさからって，分子がより自由に動ける配列状態に変わるためのエネルギーとして使われる。

■気体の法則 よく出る

・ボイルの法則……温度が一定のとき，一定質量の気体の体積 V は圧力 P に反比例する。

$P_1V_1=P_2V_2=$ 一定

（圧力　$P_1\rightarrow P_2$，体積　$V_1\rightarrow V_2$）

・シャルルの法則…圧力が一定のとき，気体の体積 V は絶対温度 T に比例する。

$\dfrac{V_1}{T_1}=\dfrac{V_2}{T_2}=$ 一定

（体積 $V_1\rightarrow V_2$，絶対温度 $T_1\rightarrow T_2$）

・ボイル・シャルルの法則…ボイルの法則・シャルルの法則をまとめると，

$\dfrac{P_1V_1}{T_1}=\dfrac{P_2V_2}{T_2}$　{ 圧力 $P_1\rightarrow P_2$，体積 $V_1\rightarrow V_2$，絶対温度 $T_1\rightarrow T_2$ }

■内部エネルギー

気体分子の熱運動によるエネルギーの総和。

■熱と内部エネルギー（熱力学の第一法則）

$Q\ =\ (U-U_0)\ -\ W$

加えた熱　内部エネルギーの増加　気体がした仕事

■可逆変化

外部に変化を残さずに，完全にはじめの状態にもどるような変化。

例　空気抵抗を無視したときの振り子の運動など。

■不可逆変化

現象が一方的で，逆向きに進行させるにはエネルギーを必要とする。

例　高温の物体から低温の物体への熱の伝導など。

出題パターン check!

次の 1～5 の現象で不可逆変化はどれか。ただし，1つとは限らない。

（1）月が地球の周りを公転している現象。
（2）あたたかい容器に入れた氷が溶けていく。
（3）床をすべる物体が摩擦力を受けて止まる。
（4）煙突からの煙が，街全体に広がっていく。
（5）真空中での振り子の運動。

答え（2），（3），（4）

過去５年の出題傾向

物理③ 運動と力

この分野では力のつり合い・合成・分解，フックの法則，摩擦力，運動方程式に関する問題がよく出題されている。やはり，基礎的な問題が多いので教科書をよく理解しておこう。

■力の表し方

力は速度と同じように，大きさと向きを持つベクトル量である。

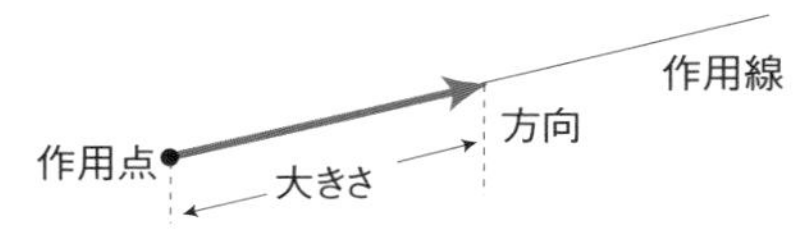

■２力のつり合い

２力のつり合う条件。

・１つの物体にはたらく。
・力の大きさが等しい。
・２力の向きが反対である。
・同一作用線上にある。

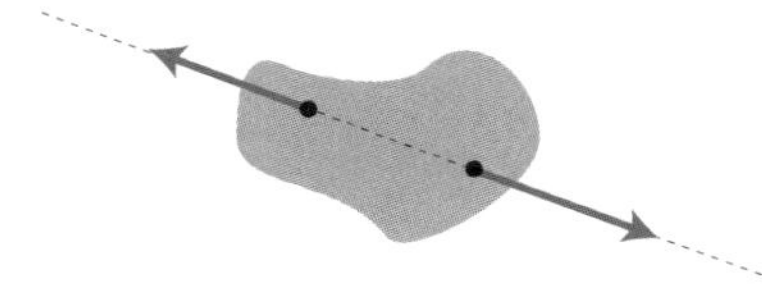

■力の合成と分解 よく出る

・平行四辺形の法則

$\vec{a}+\vec{b}=\vec{c}$

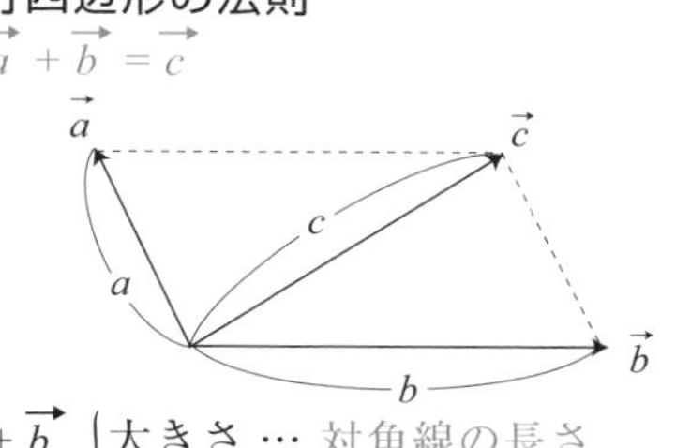

$\vec{a}+\vec{b}$ {大きさ … 対角線の長さ／向き …… 対角線の向き

■力のつり合い

１つの物体に２つ以上の力が加わるとき，物体にはたらく力の合力が0のときつり合う。

力を直角の２方向に分けたとき，

$F_1x+F_2x+F_3x+\cdots\cdots\cdots=0$

$F_1y+F_2y+F_3y+\cdots\cdots\cdots=0$

例　下図で，重さ1.0kgwのおもりを天井の１点Ｏから糸でつるし，糸の途中の点Ｃを水平に引いて，糸のOC部分が鉛直線と45°になるようにした。このとき，水平に引いている力の大きさは，

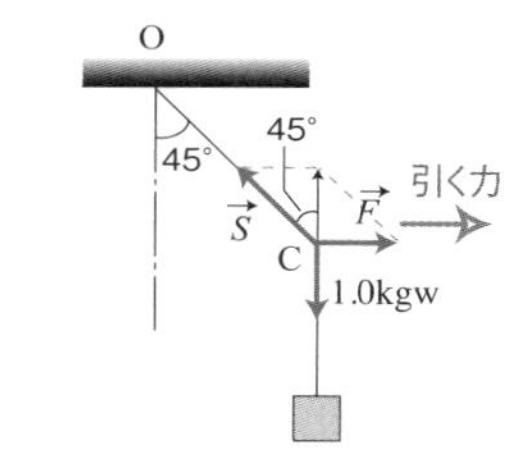

1.0［kgw］となる。

■質量と重さ

力の単位にはＮ（ニュートン）が使われる。

1［kgw］＝9.8［N］

・重さ（*weight*）…物体に加わる重力の大きさ。［N］
・質量（*mass*）…物体を構成する物質の量。［kg］

例　質量60kgの人の地球上での重さは，

$60\times9.8=588$［N］

重力が地球の1/6の月面上では，

$60\times9.8\times\frac{1}{6}=98$［N］である。

■弾性力 よく出る

・フックの法則

つるまきばねを引き伸ばした場合，変形が少ないうちは自然の長さからの伸びに比例して，弾性力が強くなる。

［弾性力］［ばね定数］［伸び（縮み）］

$F = k \times x$

［N］　［N/m］　［m］

例　ばね定数 100N/m のばねを 6.0cm 伸ばすには，F=100 × 0.06=6.0［N］の力を加えなければならない。

■摩擦力

平面に置かれた物体を水平に引っ張っても力が弱いうちは物体は動き出さない。これは張力 T と同じ大きさで反対向きの力 F が平面から物体にはたらいているためである。この力を摩擦力という。

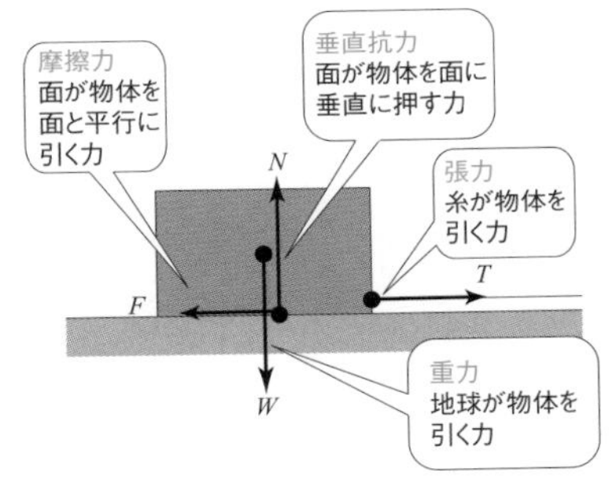

■最大摩擦力 よく出る

張力 T をしだいに大きくしていくと，摩擦力もそれに応じて大きくなり，つり合った状態になる。張力がそれより大きくなると物体はすべり始める。物体が動き出す直前の摩擦力を最大摩擦力という。

［最大摩擦力］［静止摩擦係数］［垂直抗力］

$F_{max} = \mu \times N$

［N］　［N］

※最大摩擦力は垂直抗力に比例する。

例　水平な机に質量 2.5kg の物体をおき，水平な向きの力を加えつつ力を次第に大きくしていったところ，力が 9.8N を超えたとき物体はすべりだした。g=9.8m/s^2 として，静止摩擦係数を求めると，

$9.8 = \mu \times 2.5 \times 9.8$

$\mu = \frac{2}{5} = 0.4$ となる。

■動摩擦力

すべっている物体に面からはたらく摩擦力を動摩擦力という。

［動摩擦力］［動摩擦係数］［垂直抗力］

$F' = \mu' \times N$

［N］　［N］

■ニュートンの運動の法則

・慣性の法則（運動の第１法則）

物体に他から力が加わらないか，または加わっている力がつり合っている場合には，はじめ静止している物体は静止し続け，動いている物体は等速度運動を続ける。

・運動方程式（運動の第２法則）

物体に加速度 a が生じているときは，力 F がおよぼされており，その力 F の大きさは物体の質量 m ×加速度 a の値に等しい。

F［N］= m［kg］× a［m/s^2］

・作用反作用の法則（運動の第３法則）

２つの物体が互いにおよぼし合う作用と反作用は，同一作用線上にあり，大きさは等しく，逆向きである。

出題パターン check!

20m/s の速さで運動をしている質量 2.0kg の物体に，力を加えて，2.0 秒間で停止させた。加えた力はいくらか。

（1）物体の運動の向きに 20N
（2）物体の運動の向きと逆に 40N
（3）物体の運動の向きと逆に 20N
（4）物体の運動の向きと逆に 80N
（5）物体の運動の向きに 40N

答え（3）

過去５年の出題傾向 ★★★★☆

物理 ④ 運動量とエネルギー

この分野では運動量保存の法則，仕事，力学的エネルギー保存の法則が中心となる。特に，球の衝突，滑車を使った仕事，振り子に関する問題がよく出題されている。

■運動量と力積 よく出る

・**運動量**…運動の激しさを表す量で，質量 m と速度 v の積で表す。単位は kg・m/s［キログラムメートル毎秒］

運動量［kg・m/s］＝ m［kg］× v［m/s］

・**力積**…物体に加えた力 $\vec{F}$ と，その力のはたらいた時間 t との積で表す。単位は N・s［ニュートン秒］

力積［N・s］＝ $\vec{F}$［N］× t［s］

・**運動量と力積の関係**

［現在の運動量］［はじめの運動量］［力積］

$$m\vec{v} - m\vec{v_0} = \vec{F}t$$

［kg・m/s］［kg・m/s］［N・s］

※運動量の変化は加えられた力積に等しい。

例　静止している 0.8kg のサッカーボールをけったところ 10m/s の速さでとんでいった。このときボールに加えられた力積は，次のようになる。

0.8 × 10 = 8.0［N・s］

■運動量保存の法則 よく出る

衝突における作用反作用の力以外に，外から力が加わらない限り，衝突前後の運動量の総和は一定量に保たれる。

［衝突前の運動量の和］［衝突後の運動量の和］

$$m_1v_1 + m_2v_2 = m_1v_1' + m_2v_2'$$

例　物体 A が一直線上を進み，物体 B が A を追いかけて同一直線上を進んでいる。A の運動量は 1.0kg・m/s，B の運動量は 2.0kg・m/s である。B が A に追突し，A の運動量が 1.4kg・m/s になったとき，B の運動量は，

Ⓑ→Ⓐ　→〈衝突〉Ⓑ→　Ⓐ→

1.0 ＋ 2.0 = 1.4 ＋ m_Bv_B'

m_Bv_B' = 1.6［kg・m/s］

■反発係数

［反発係数］

$$e = \frac{v_2' - v_1'}{v_1 - v_2} \quad \frac{［遠ざかる速さ］}{［近づく速さ］}$$

e の値	衝突前の名前	衝突のようす
e =1	弾性衝突	ドカーン 近づく速さ＝遠ざかる速さ
0＜ e ＜1	非弾性衝突	ドカーン 近づく速さ＞遠ざかる速さ
e =0	完全非弾性衝突	ドカーン 遠ざかる速さ=0（結合する）

例　下図のように，質量 2.0kg の球 A と質量 1.0kg の球 B が衝突した。衝突後の球 B の速度は，（右向きを正とする）

2 × 4 ＋ 1 ×（－ 2）=2 × 1 ＋ 1 × v_B'

v_B' =4.0［m/s］となる。

また，反発係数 e は，

$$e = \frac{4-1}{4-(-2)} = \frac{3}{6} = 0.50$$

となる。

<衝突前>　<衝突中>　<衝突後>

■**床と球の衝突**

ボールを h［m］の高さから落下させて h'［m］の高さまではね返ったときの反発係数 e は，

$$e=\sqrt{\frac{h'}{h}}$$

例　4m の高さから球 A を落下させたところ，床から 1m の高さまではね返った。このときの反発係数は，

$$e=\sqrt{\frac{1}{4}}=\frac{1}{2}=0.50$$

■**仕事**

［仕事］　［力］　［距離］

$$W = F \times s$$

［J］　［N］　［m］

※1J（ジュール）は，1N の力を加えてその方向に 1m 動いたときの仕事の大きさである。

1［J］＝1［N･m］

例　質量 1.0kg の荷物に 3.0N の力を水平に加え続けて，その方向に 2.0m 移動させたときの仕事は，

3.0 × 2.0=6.0［N･m］=6.0［J］

■**仕事の原理**

てこや滑車などの道具を使っても，道具の重さや摩擦が無視できる場合，仕事は変わらない。

■**仕事率**

単位時間（一般に 1 秒）あたりの仕事の量。

$$P(\text{仕事率})[\mathrm{W}]=\frac{W(\text{仕事})[\mathrm{J}]}{t(\text{時間})[\mathrm{s}]}$$

例　右図のように質量 10kg の荷物を動滑車を利用して高さ 1.0m まで 2.0 秒かけて持ち上げたとき，綱を引く力は

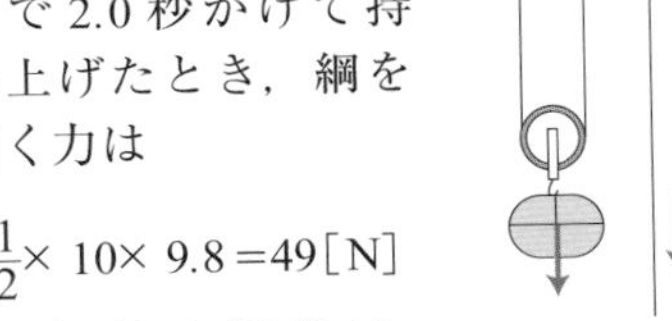

$$\frac{1}{2}\times 10\times 9.8=49[\mathrm{N}]$$

綱を引く距離は，1.0 × 2=2.0［m］となる。

このことから人がした仕事は，49 × 2=98［J］，この仕事率は，

$\frac{98}{2}=49$［W］　である。

■**重力による位置エネルギー**

質量 m の物体が重力加速度 g の場所において，高さ h で持つエネルギー。

［位置エネルギー］［質量］［重力加速度］［高さ］

$$E_p = m \times g \times h$$

［J］　［kg］　［m/s²］　［m］

■**運動エネルギー**

質量と速さの 2 乗の積に比例。

$$E_k=\frac{1}{2}mv^2$$

■**運動エネルギーと仕事**

運動エネルギーの変化はその間にされた仕事に等しい。

［現在の運動エネルギー］［はじめの運動エネルギー］［力・距離］

$$\frac{1}{2}mv^2 - \frac{1}{2}mv_0^2 = F\times s$$

［J］　［J］　［N］［m］

■**力学的エネルギー保存の法則**

位置エネルギー E_p と運動エネルギー E_k の和（力学的エネルギー）は一定に保たれる。

$E_p + E_k$ = 一定

出題パターン check!

図のように A 地点から静かに球をころがしたとき，B 地点から飛び出すときの速さはいくらか。ただし，斜面の摩擦はないものとし，重力加速度を 9.8m/s² とする。

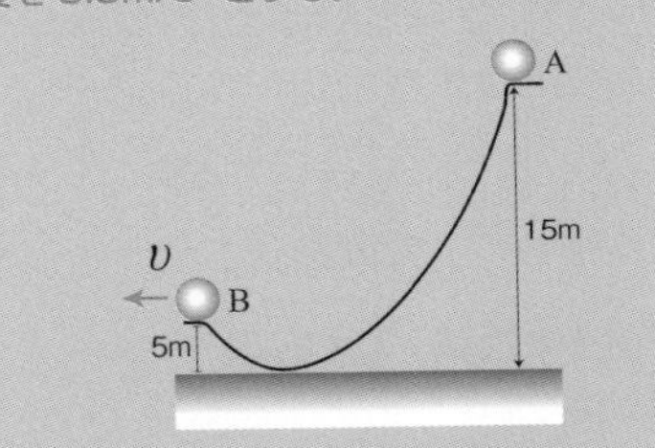

（1）8m/s　（2）10m/s　（3）12m/s
（4）14m/s　（5）16m/s

答え（4）

過去５年の出題傾向　★★★★☆

物理 ⑤ 電流と電子

この分野では，オームの法則を利用する直列回路や並列回路の問題，キルヒホッフの法則に関する問題，電力量に関する問題が多く出題されている。

■電気量と電流の関係

電流が運ぶ電気量は，電流と時間の積で求められる。

［電気量］　［電流］［時間］

$Q = I \times t$

［C］　［A］　［s］

■オームの法則

導体を流れる電流は電圧に比例する。

［電圧］［電気抵抗］［電流］

$V = R \times I$

［V］　［Ω］　［A］

例　1.2kΩの抵抗を電池につないだら，15mAの電流が流れたとき，つないだ電池の電圧は，

$V=1.2\times10^3\times1.5\times10^{-2}=18$［V］である。

■電気抵抗と抵抗率

抵抗は長さ l に比例し，断面積Sに反比例する。 $R=\rho\frac{l}{S}$ ［導体の長さ］［導体の断面積］

ρ：抵抗率［Ω・m］

例　ある導線の抵抗は8Ωであった。この導線を真ん中で折ってより合わせたあとの抵抗の値は，

$8\times\frac{1}{2}\times\frac{1}{2}=2$［Ω］である。

［長さ］［断面積］

■電気抵抗の接続　よく出る

①直列接続

各抵抗を流れる電流は一定である。

$R=R_1+R_2+\cdots\cdots+R_n$

〔直列〕 R_1 R_2 R_n

②並列接続

各抵抗にかかる電圧は一定である。

$$\frac{1}{R}=\frac{1}{R_1}+\frac{1}{R_2}+\cdots\cdots+\frac{1}{R_n}$$

例　図のように，

$R_1=1.8$［Ω］, $R_2=2.0$［Ω］, $R_3=3.0$［Ω］の抵抗を接続したときの合成抵抗 R は，

R_2 と R_3 の合成抵抗

R_{23}は $\frac{1}{R_{23}}=\frac{1}{2.0}+\frac{1}{3.0}$

A　R_1 1.8Ω　B　R_2 2.0Ω　R_3 3.0Ω　C

$R_{23}=1.2$［Ω］

$R=R_1+R_{23}=1.8+1.2=3.0$［Ω］

■キルヒホッフの法則　よく出る

①第一法則…回路中に分岐点があるとき，分岐点に流れ込む電流と分岐点から流れ出る電流は等しい。

②第二法則…回路を一巡してもとの場所にもどるとき，途中の各部の電位差を符号つきで順次加えた値は0となる。

例　下図のような回路に，電流 I_1, I_2, I_3［A］が流れている。このとき分岐点cでは，キルヒホッフの第一法則より，

$I_3=I_1+I_2$

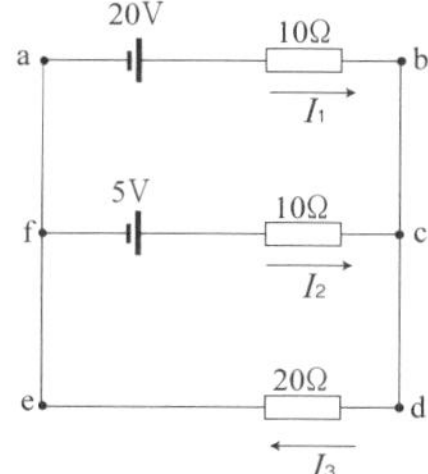

閉回路abdeaについては第二法則から，

$20=10I_1+20I_3$

閉回路fcdefについても

$5=10I_2+20I_3$ が成り立つ。

■ホイートストンブリッジ

$R_1R_4=R_2R_3$

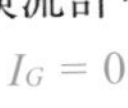

検流計を流れる電流

$I_G=0$

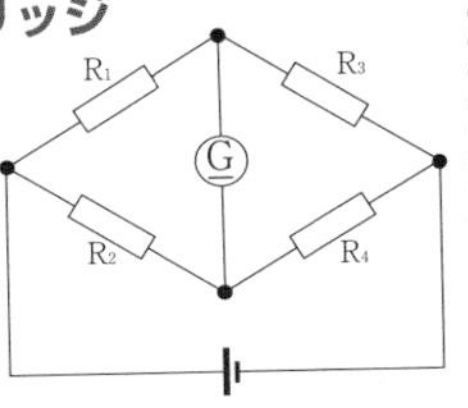

■ジュールの法則

ジュール熱は電流の2乗と抵抗と時間に比例する。

[熱量] [抵抗]([電流])² [時間]

$W = R \times I^2 \times t$

[J]　[Ω]　[A]²　[s]

上式はオームの法則を考慮すると，

$W=IVt=I^2Rt$ [J]

とすることもできる。

例　抵抗体に10Vの電圧を加えたら，1.0Aの電流が流れた。5分間通電するとき発生する熱は，$W=1.0\times10\times5\times60=3.0\times10^3$ [J]となる。

■電力量

電流がする仕事 $W=IVt$[J]

■電力

電流の仕事率 $P=\frac{W}{t}=IV=I^2R=\frac{V^2}{R}$[W]

例　1Ωの抵抗に10Vの電圧を加えると，その消費電力は，

$$P=\frac{V^2}{R}=\frac{10^2}{1}=100[\mathrm{W}]$$

である。

■電子

①陰極線……真空放電の実験で，陰極から飛び出す粒子の流れ。

②陰極線の性質

・直進性を持つ。

・負電荷を持つ。

・陰極の金属の種類によらない。

③陰極線の実体

電子の流れである。

例　右図は真空放電管である。電極AとB，CとDの間にそれぞれ直流電源をつないだ。その結果，光のすじが上方に曲った。このとき，

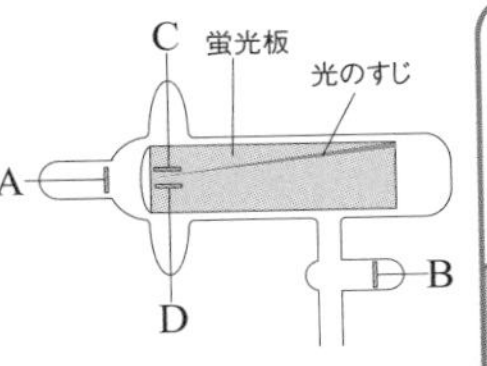

電極AとDが－極，CとBが＋極である。

■原子　よく出る

①原子の構造　Z:原子番号　A:質量数

e[C]：電気素量

②質量数と原子番号

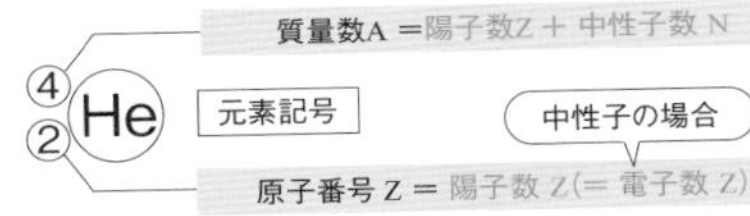

③放射線の種類と作用の強さ

放射線	本体	電荷	電離作用	物質透過力	A,Zの変化
α線	⁴Heの原子核	+2e	大	小	${}^A_ZX \xrightarrow{\alpha} {}^{A-4}_{Z-2}X'$
β線	電子	-e	中	中	${}^A_ZX \xrightarrow{\beta} {}^{A}_{Z+1}X'$
γ線	電磁波	0	小	大	―

④半減期

$t=0$ における原子核の数を N_0，時刻 t に残っている同種の原子核の数を N とすると半減期 T との関係は，$\frac{N}{N_0}=\left(\frac{1}{2}\right)^{\frac{t}{T}}$

出題パターン check!

電気の記述として正しいものは，次のうちどれか。

（1）10Ωの抵抗に1Vの電圧をかけると10Aの電流が流れる。

（2）2Ωの抵抗に10Vの電圧をかけるとその消費電力は20Wである。

（3）1kWの電気器具を5時間使ったときの電力量は5kWhである。

（4）導線の断面積を2倍にすると抵抗も2倍になる。

（5）ある抵抗に流れる電流を測定するためには，電流計を抵抗と並列につなぐ。

答え（3）

過去５年の出題傾向　★★★☆☆

物理 ⑥ 波動

この分野では光や音の性質，ドップラー効果やうなり，凸レンズや凹レンズに関する問題がほとんどである。難問はあまり出題されていないので教科書を中心に学習しておこう。

■波動と媒質

自然界では，色々な原因でゆれが起こる。ゆれは周囲の物質に影響し，次から次へと広がっていく。このようなゆれを振動といい，振動が引き起こされて広がっていく周囲の動きを波動（波）という。また，波を伝える物質を媒質という。

■縦波と横波

・横波……振動方向と波の進行方向が直角。

例　弦を伝わる波，地震のS波など。

・縦波……振動方向と波の進行方向が平行。

例　音波，地震のP波など。

■波長と周期

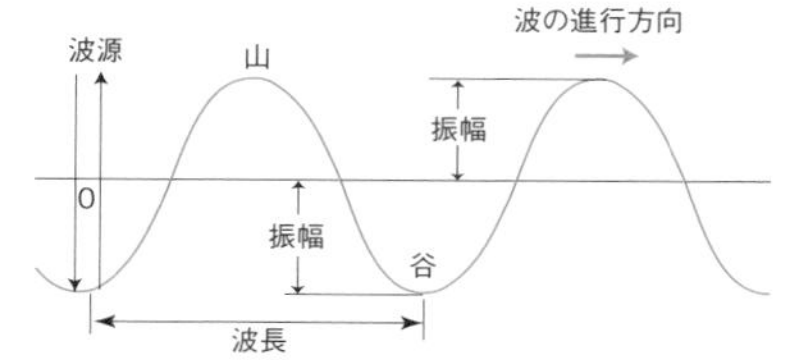

・周期…媒質が1回振動する時間でTで表す。

・振動数…1秒間に媒質が繰り返す振動の回数で単位はHz（ヘルツ）が使われる。

■波の基本式　よく出る

波の速さ		振動数		波長		[m]
v	$=$	f	$\times$	λ	$=$	$\dfrac{\lambda}{T}$
[m/s]		[Hz]		[m]		[s]

例　波長3mの波が6m/sの速さで進んでいるとき，この波の振動数と周期は，

$6=f\cdot 3$　$f=2$[Hz] で，

$6=\dfrac{3}{T}$　$T=0.5$[s] となる。

■ホイヘンスの原理

波が伝わるとき，ある瞬間における波面上の各点は，次の瞬間波源となり，そこから球面波（素元波）が出て，その球面波の接線が次の瞬間の波面となる。

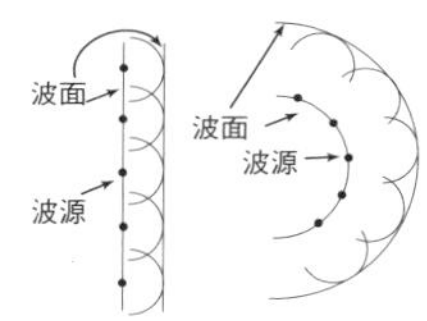

■波の回折

波が障害物の後ろ側にまでまわりこむ現象をいう。

■反射の法則

入射角 θ_1 ＝反射角 θ_2

■屈折の法則

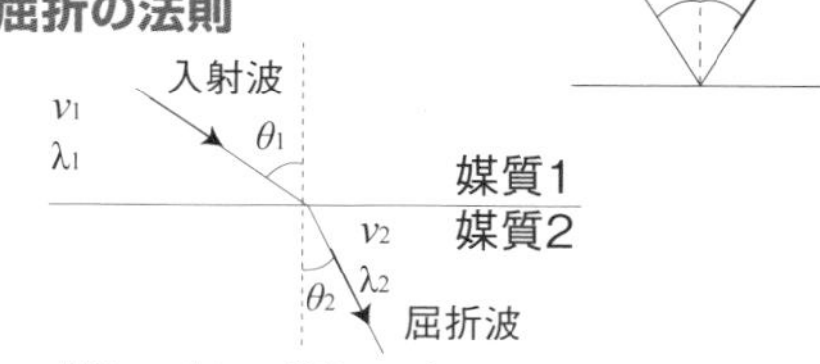

$$\frac{v_1[\mathrm{m/s}]}{v_2[\mathrm{m/s}]}=\frac{\lambda_1[\mathrm{m}]}{\lambda_2[\mathrm{m}]}=\frac{\sin\theta_1}{\sin\theta_2}=n$$

（v_1：媒質1での速さ，v_2：媒質2での速さ，λ_1：媒質1での波長，λ_2：媒質2での波長，$\sin\theta_1$：入射角，$\sin\theta_2$：屈折角，n：屈折率）

■定常波

たがいに反対の向きに同じ速さで進む，波長と振幅の等しい２つの波が重なってできる進行しない波で，腹と節を持つ。節と節（腹と腹）の間隔は半波長である。

$\frac{7}{4}T$と$2T$の間で生じている波

■音波

$$v = 331.5 + 0.6t$$

[m/s]　[m/s]　[℃]

例　気温 15 ℃ の大気中の音の速さは，

$v = 331.5 + 0.6 \times 15$

$= 340.5$　　約 341 [m/s]

■うなり

毎秒のうなりの回数は2つの音波の振動数の差で求められる。 $f = |f_1 - f_2|$

例　300Hz の音と 303Hz の音を同時に聞くと，1 秒間に聞こえるうなりの回数は，

$f = |300-303| = 3$ [回]

である。

■共振・共鳴

物体の固有振動数に合わせて規則的に変化する外力を加えると，物体はエネルギーを吸収し，大きく振動する。このような現象を共振，音を生じる場合は特に共鳴と呼ぶ。

■ドップラー効果　よく出る

音源と観測者が相対的に近づくとき音が高く聞こえ，遠ざかるとき低く聞こえる現象をドップラー効果という。

$$f = \frac{V - v_0}{V - v_s} \cdot f_0$$

$V - v_0$ …… [音速ー観測者の速さ] [m/s]

$V - v_s$ …… [音速ー音源の速さ] [m/s]

f [Hz] 聞こえる振動数　　f_0：音源の振動数

※音源から観測者に向かう方向を正とする。

例　400Hz の音を出しながら 20m/s の速さで近づいてくる自動車がある。このとき，静止している観測者が聞く音の振動数は，

$f = \frac{340}{340 - 20} \times 400 = 425$ [Hz] となる。

※音速を 340 [m/s] とする。

■光波

・真空中の光速

$c = 3.0 \times 10^8$ [m/s]

■光の反射・屈折

・反射……反射の法則にしたがい，

入射角＝反射角

絶対屈折率 $n = \frac{c}{v} = \frac{\lambda}{\lambda'}$

v：媒質中の光の速さ，λ：真空中の波長

λ'：媒質中の波長

例　屈折率 1.5 のガラスの中を進む光の速さは，真空中の光の速さを 3.0×10^8 [m/s] とすると，

$1.5 = \frac{3.0 \times 10^8}{v}$　　$v = 2.0 \times 10^8$ [m/s]

■レンズの写像公式　よく出る

$$\frac{1}{a} + \frac{1}{b} = \frac{1}{f}$$

a：レンズの前方を正
b：レンズの後方を正
f：凸レンズで正
　凹レンズで負

像の倍率(m)

$$m = \left| \frac{b}{a} \right|$$

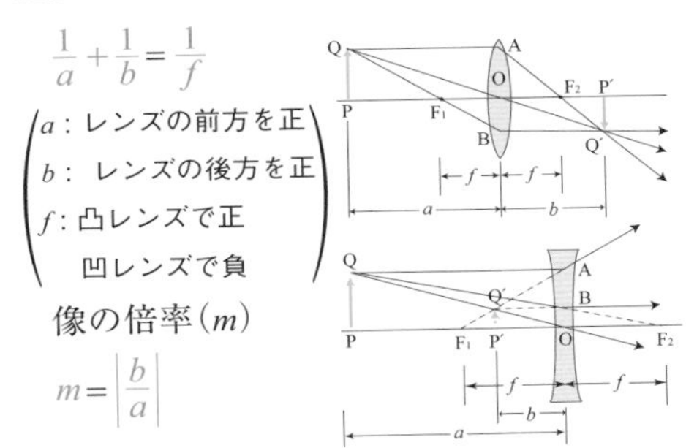

■全反射

光が屈折率の大きい媒質から小さい媒質へ入射する場合，入射角が臨界角 i_0 より大きくなると光は全て反射され，屈折光はなくなる。

$\sin i_0 = \frac{1}{n}$　n：屈折率

出題パターン check!

音に関する記述のうちで，正しいのはどれか。

（1）音の速さは，水中では空気中より遅い。
（2）同じ空気中を伝わる音の場合は，振動数の高い音ほど速く伝わる。
（3）夜間に音波が遠くまで伝わるのは，地上の温度が高いからである。
（4）15℃ の空気中を伝わる音の速さは，430m/s である。
（5）汽笛を鳴らしながら電車がすれちがうとき，汽笛は近づいている間は高く聞こえる。

答え（5）

練習問題1

湖のほとりのホテルの屋上から，湖水面に向って小鉄球を力いっぱい水平に投げたらおよそ何秒後に湖水面に達するか。ただし，湖水面からホテルの屋上までの高さは80mとし，空気の抵抗は無視するものとし，重力加速度を9.8 m/s^2 とする。

（1）3秒
（2）4秒
（3）5秒
（4）6秒
（5）7秒

練習問題2

次の組み合わせにおいて不適当なものを選べ。

（1）力………ニュートン　[N]
（2）加速度…メートル／(秒)^2　[m/s^2]
（3）速度……メートル／秒　[m/s]
（4）変位……メートル　[m]
（5）質量……キログラム重　[kgw]

練習問題3

右図のように水平面に対して30°および60°傾いた斜面があり，物体AおよびBが斜面上にあって，ひもで結ばれている。Aが60kg，Bが30kgであると，物体は斜面上をどのように動くか。また，Aだけを55kgの物体に換えたとき，物体はどう動くか。ただし，斜面と物体の間に摩擦がなく，ひもによる抵抗もないものとする。

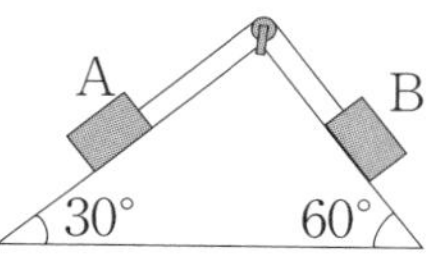

	Aが60kgの場合	Aが55kgの場合
（1）	Aが下に動く	Bが下に動く
（2）	Aが下に動く	Aが下に動く
（3）	A，Bとも動かない	Bが下に動く
（4）	Bが下に動く	Bが下に動く
（5）	Bが下に動く	A，Bとも動かない

解答・解説

練習問題1　正答／(2)

●**解説**／水平に投げたのだから，垂直方向には力が加えられていない。したがって，垂直方向の力は重力のみである。よって，自由落下運動と考えてよい。

$$\frac{1}{2}gt^2=80$$
$$t^2 \fallingdotseq 16.3$$
$$t \fallingdotseq 4$$

練習問題2　正答／(5)

●**解説**／kgw, gwは質量の単位ではなく，力の単位である。質量の単位はkgあるいはgである。単位がわからなくなったら，式に単位を入れてみるとよい。

練習問題3　正答／(2)

●**解説**／このような問題は図にして考える。物体A，Bにはたらく重力を斜面に平行な力と，斜面に垂直な力とに分けて，斜面に平行な力のみ比べればよい。

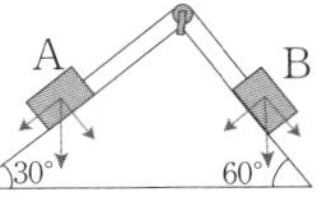

Aが60kgの場合，
$60 \times \sin 30° = 30$
$30 \times \sin 60° \fallingdotseq 26$　A＞B
Aが55kgの場合
$55 \times \sin 30° = 27.5$　A＞B

練習問題4

右図のように，水平な面上に同じ大きさの球A，Bがある。その質量はAが250g，Bが180gである。いま，Aが一定の速さで転がって，静止しているBに衝突したら，A，Bともに同じ方向に転がった。その速さはAが15㎝/s，Bが25㎝/sであった。衝突する前のAの速さは，毎秒何㎝か。ただし，衝突は完全衝突で，摩擦その他の抵抗はないものとする。

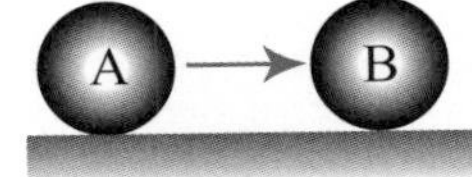

（1）23cm/s
（2）25cm/s
（3）29cm/s
（4）33cm/s
（5）36cm/s

練習問題5

次の各項のうち，慣性に関する記述として最も適当なものはどれか。

（1）ガラス製のコップを石の上に落とすと割れるが，タタミの上に落とすと割れない。
（2）靴の底についた泥をとるとき，靴のかかとを持って地面をたたくと取れる。
（3）ボートに乗っているとき，相手のボートを引くと自分のボートも引かれる。
（4）止まっている乗用車に後方からトラックが追突したため，乗用車がその方向に移動した。
（5）大砲が砲弾を発射した瞬間，砲身が後退した。

練習問題6

下図のような3個の滑車に重さWの荷物を下げ，いま矢印の方向に2m引いたとき，Wは下から何m上がるか。

（1）0.2m
（2）0.5m
（3）1.0m
（4）1.5m
（5）2.0m

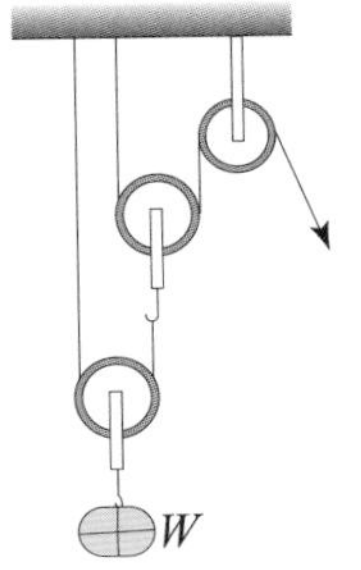

解答・解説

練習問題4　正答／(4)

●解説／2球の衝突の場合，運動量保存の法則，$m_1v_1 + m_2v_2 = m_1v_1' + m_2v_2'$を利用する。この問題では，

$m_1=250$, $m_2=180$

$v_2=0$,$v_1'=15$, $v_2'=25$ を代入

$250v_1 + 180 \times 0 = 250 \times 15 + 180 \times 25$

$$250v_1 = 8{,}250$$

$$v_1 = 33 \ [\mathrm{cm/s}]$$

練習問題5　正答／(2)

●解説／静止している物体は，外力が作用しない限り永久に静止していようとするし，運動している物体は運動を続けようとする。これを運動の第1法則（慣性の法則）という。

靴の底についた泥は，力を加えない限りとれないので，該当するといえる。

練習問題6　正答／(2)

●解説／道具を使うことにより力が$\frac{1}{2}$になると，動く距離は2倍となり仕事の量は変わらない（仕事の原理）。Wの荷重を支える動滑車は2本の綱が支えており，その1本の綱にかかる荷重は，また動滑車で支えているので，矢印にかかる荷重は，

$\frac{1}{2}W \times \frac{1}{2} = \frac{1}{4}W$となる。物体になされる仕事量は，$\frac{1}{4}W \times 2 = W \times x$より$x = 0.5$となる。

練習問題7

振り子に関する記述として最も適当なものはどれか。

（1）周期は重力の加速度の平方根に比例する。
（2）糸の長さを2倍にすると，その周期は2倍となる。
（3）同じ振り子を高いところで振ると，低いところで振るときよりも周期が早くなる。
（4）振幅が小さいとき，周期は振幅に反比例する。
（5）おもりの運動エネルギーが増したり減ったりすることは，おもりの位置エネルギーが増したり，減ったりすることに関係がある。

解答・解説

練習問題7　正答／（5）

●**解説**／振り子の糸の長さを l，周期を T，重力加速度を g とすると，

$T=2\pi\sqrt{\frac{l}{g}}$ という関係がある。

よって，周期はおもりの質量や振幅には無関係といえる。また，運動エネルギーと位置エネルギーの和は一定である（力学的エネルギー保存の法則）。このことから（5）が正答である。

練習問題8

質量 Mkg の 100℃の湯に質量 $2M$kg の 13℃の水を加えてまぜるとその湯の温度は何℃になるか。ただし，容器や空気中などへは，熱をうばわれないものとする。

（1）34℃
（2）36℃
（3）38℃
（4）40℃
（5）42℃

練習問題8　正答／（5）

●**解説**／質量 M[kg] の 100℃の水と，質量 $2M$[kg] の 13℃の水との熱量の合計を求め，これを全体の水の量で割ることで求められる。

$M\times100+2M\times13=126M$ [cal]

$\frac{126M}{M+2M}=42$　42℃

練習問題9

質量1kg のある金属の塊を 35℃に熱し，20℃の水 350g の中に入れたところ，金属の塊も水もともに 30℃となった。この金属の比熱はいくらか。ただし，熱は外部に逃げないものとし，水の比熱を 1cal/g・K とする。

（1）0.4cal/g・K
（2）0.5cal/g・K
（3）0.6cal/g・K
（4）0.7cal/g・K
（5）0.8cal/g・K

練習問題9　正答／（4）

●**解説**／熱量は「質量×比熱×温度差」で求められる。熱量は保存されるから金属の失った熱量＝水の得た熱量で式を立てる。金属の比熱を C とすると，

$$1{,}000\times C\times(35-30)=350\times1\times(30-20)$$

$$5{,}000C=3{,}500$$

$$C=0.7\ [\text{cal/g・K}]$$

1 [cal] = 4.2 [J] であるから，水の比熱は 4.2 [J/g・K] とも表す。

練習問題10

音の性質について，次の文の中で正しくないものはどれか。

（1）音の高さは，音波の振動数の大小によって決まる。
（2）音の強さは，音波の振幅の大小によって決まる。
（3）音の音色は，音波の波形によって決まる。

練習問題10　正答／（5）

●**解説**／音の高さは，音波の振動数，強さは振幅の大きさ，音色は波形によって決まる。音波の速度は，温度が高くなると，速くなる。これは，空気を構成している窒素分子や酸素分子の

（4）音波はたて波である。
（5）音波の速度は温度に無関係である。

練習問題 11

振動数 615Hz の音さと，振動数 618Hz の音さを鳴らすと，1分間に何回うなりを生ずるか。

（1） 150 回
（2） 160 回
（3） 170 回
（4） 180 回
（5） 190 回

練習問題 12

振動数の等しい静止音源 A，B がある。この AB 間を自転車に乗った人が 3m/s の速さでまっすぐに走ったとき，1秒間に 9 回のうなりを観測したという。静止音源の振動数はいくらか。音速を 340m/s とする。

（1） 170Hz
（2） 340Hz
（3） 510Hz
（4） 680Hz
（5） 850Hz

練習問題 13

凸レンズに光をあてると色々な像ができる。次の記述のうち正しいものはどれか。

（1）凸レンズの焦点距離より 2 倍以上はなれた所に物体を置くと，物体より大きな倒立の実像ができる。
（2）焦点距離よりは遠く，焦点距離の 2 倍よりは近い所に物体を置くと，物体より小さな倒立の実像ができる。
（3）焦点距離と同じ位置に物体を置くと，像は結ばない。
（4）焦点距離内に物体を置くと，物体より大きな正立の実像ができる。
（5）焦点距離の 2 倍の位置に物体を置くと，物体より 2 倍大きな倒立の実像ができる。

解答・解説

運動が激しくなり，運動が伝わりやすくなるためである。

練習問題 11　　正答／（4）

●**解説**／毎秒のうなりの回数は 2 つの音波の振動数の差で求められる。

$f = 618 - 615 = 3$［回／秒］

1 分間では，

$3 \times 60 = 180$［回／分］となる。

練習問題 12　　正答／（3）

●**解説**／音源と観測者が相対的に動くとき，音が高く聞こえたり低く聞こえたりする現象をドップラー効果という。静止している音源に近づく観測者の聞く振動数は $f = \frac{V-v}{V} f_0$　（V: 音速　v: 観測者の速さ　f_0: 音源の振動数）

音源から遠ざかる観測者の聞く振動数は，$f = \frac{V+v}{V} f_0$

AB 間を走る人が聞くうなりの回数は，この f と f' の差である。よって

$\frac{V+v}{V} f_0 - \frac{V-v}{V} f_0 = 9$

$\frac{2v}{V} \times f_0 = 9$

$\frac{2 \times 3}{340} \times f_0 = 9$ より　$f_0 = 510$［Hz］

練習問題 13　　正答／（3）

●**解説**／作図すると次のようになる。

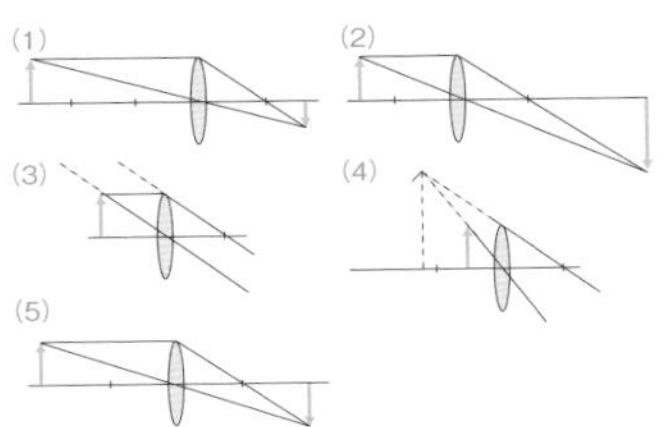

練習問題 14

光波および音波に関する記述の中で，正しいものはどれか。

（1）音波は回折するが，光波は回折を起こさない。
（2）音波は干渉を起こすが，光波は干渉を起こさない。
（3）組織の一様な媒体内では，光波は直進するが，音波は必ずしも直進しない。
（4）光波は横波であるが，音波は縦波である。
（5）光波および音波の振幅の大小は音波の場合は音の強弱に影響し，光波においては色の差異が生ずる。

練習問題 15

家庭内（電圧 100V）で同時に 100W の電球 3 個と 60W の電球 2 個をつけるには，安全器のヒューズは何 A 以上のものをつけなければならないか。

（1） 1［A］
（2） 2［A］
（3） 3［A］
（4） 4［A］
（5） 5［A］

練習問題 16

可変抵抗 r_1（10 Ω）と抵抗 r_2（10 Ω）を使い，右図のような回路をつくった。可変抵抗を a から b に移動すると，電流計 M に示される電流の変化は次のうちどれか。

（1） 0 ～ 0.8［A］
（2） 10 ～ 20［A］
（3） 20 ～ 40［A］
（4） 40 ～ 60［A］
（5） 60 ～ 80［A］

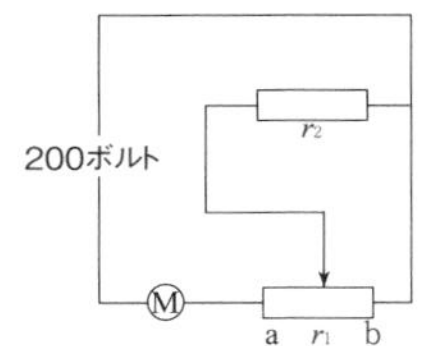

練習問題 17

ラジウムの半減期が 1600 年とすると，40g のラジウムが 5g になるのは何年後か。

（1） 1600 年後
（2） 3200 年後
（3） 4800 年後
（4） 5200 年後
（5） 6400 年後

解答・解説

練習問題 14　正答／（4）

●解説／光も音も波である。光波は波長の短い電磁波で横波であり，音波は縦波である。光も音も波の性質である反射，屈折，回折，干渉の現象を示す。光波の振動数の大小は光の色に関係し，音の振動数の大小は音の高低に関係する。

練習問題 15　正答／（5）

●解説／電力[W]＝電流[A]×電圧[V]で求められる。家庭の電圧は 100［V］であるから，100[W]＝ I[A]× 100[V] よって，100W の電球 1 個に 1［A］の電流が流れている。同様に 60［W］の電球には 0.6[A] 流れている。このことから全ての電球では，1[A]× 3 ＋ 0.6 [A]× 2=4.2[A]の電流が流れる。よって，（5）が正しい。

練習問題 16　正答／（3）

●解説／可変抵抗を b に移動したときは，全体の抵抗は r_1 の 10 Ωだけとなり，a に移動したときは，並列回路となり全体の抵抗 R は $\frac{1}{R}=\frac{1}{10}+\frac{1}{10}$ より R ＝ 5 Ωとなる。オームの法則から 10 Ωのときは，20［A］，5 Ωのときは 40［A］となる。

練習問題 17　正答／（3）

●解説／ 40g のラジウムが 5g になるには $\frac{5}{40}=\frac{1}{8}=\left(\frac{1}{2}\right)^3$ より，半減期の 3 倍の時間がかかる。よって，1600 × 3 ＝ 4800 年後となる。

3 自然科学 化学

出題傾向 化学の問題は，中学校レベルから化学基礎までの基礎的な出題がほとんどであり，出題の形式としては計算の問題はあまり多くなく，記述の誤りを見つける問題や穴埋めの問題が多く見られる。他の科目と比べて，全ての分野から均等に出題される傾向にあるが，中でも化学の基礎である物質の構成，物質の状態，化学変化からの出題は多く，暗記しなければならない要素が多いのでしっかり時間をかけて学習しておく必要がある。直近の試験では，中和，炭素，物質の構成，酸化と還元などが出題されている。

学習のコツ

この科目が苦手な人は，まず，中学校で学習した化学の基本事項を整理。暗記しなければならないものはしっかり覚えよう。次に化学基礎の教科書をよく読むこと。ポイントをまとめてから，教科書に載っている例題や小問を解けるようにしておく。そうすれば，ほとんどの計算問題には対応できる。また，記述問題や穴埋め問題にも対応できるよう，化学用語の意味をしっかり頭に入れておく必要がある。

難易度＝ 80ポイント

重要度＝ 80ポイント

◆出題の多い分野◆

分野	評価
物質の構成	★★★★★
物質の状態	★★★★
物質の変化	★★★★
無機物質	★★★★
有機化合物	★★★

過去５年の出題傾向 ★★★★★

化学 ① 物質の構成

この分野では物質の分類，原子の構造，物質量と化学反応式，化学の基本法則からの出題が多い。問題は基本的なものが多いので，基礎をよく理解しておくことが大切である。

■純物質と混合物

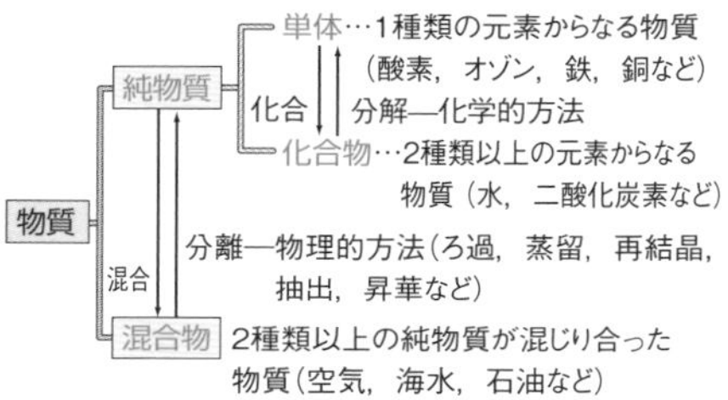

※純物質は，物質によって融点や沸点，密度などが決まっている。

■元素と単体

・元素…物質の構成成分。
・単体…元素からできている実際の物質。

■同素体

同じ元素からできていて，性質の異なる単体を同素体という。

例 炭素 C…ダイヤモンド，黒鉛
酸素 O…酸素（O_2），オゾン（O_3）
リン P…黄リン，赤リン
硫黄 S…斜方硫黄，単斜硫黄

■混合物の分離

・ろ過…液体とその液体に溶けない固体とをろ紙を用いて分離する。
・蒸留…液体を加熱して気体とし，冷却して再び液体にする。
・分留…沸点の違いを利用して，液体の混合物を蒸留により分離する。
・再結晶…溶液を冷却して，結晶になるものを分離する。
・抽出…液体または固体の混合物に適当な溶媒を加え，目的の物質を溶媒に溶かして分離する。
・昇華…固体の混合物を加熱して，直接気体になる物質を分離する。

■原子の構造 よく出る

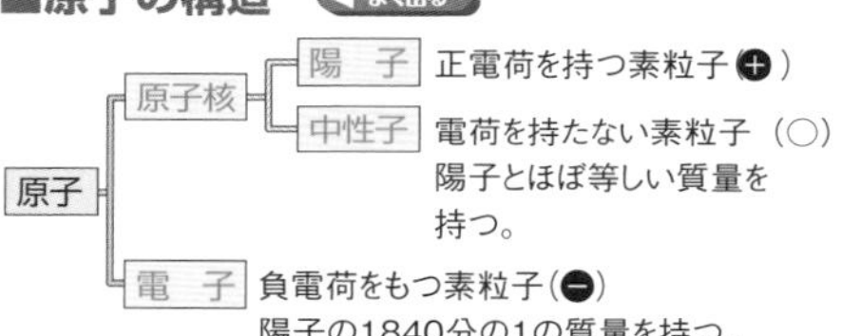

例 ヘリウムの電子構造

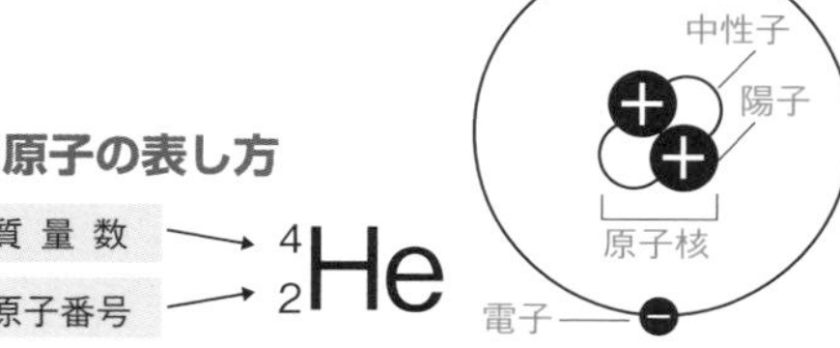

■原子の表し方

質量数 → $^{4}_{2}He$ ← 原子番号

質量数＝陽子の数＋中性子の数
原子番号＝陽子の数（＝電子の数）

■同位体（アイソトープ）

原子番号が同じで，中性子数が異なる原子同士をいう。質量は異なるが，化学的性質は等しい。

例 水素の同位体 $^{1}_{1}H$ と $^{2}_{1}H$（重水素原子）
酸素の同位体 $^{16}_{8}O$ $^{17}_{8}O$ $^{18}_{8}O$

■原子の電子配置

・電子殻…電子は，原子核のまわりに存在し，いくつかの層（電子殻）に分かれている。

電子殻	K殻	L殻	M殻	N殻	…	n番目の殻
電子の最大数	2個	8個	18個	32個	…	$2n^2$個

■電子配置

電子は，ふつう内側の電子殻から順に満たされる。K 殻に 2 個，L 殻以上では 8 個の電子が入ると，安定した電子配置になる。

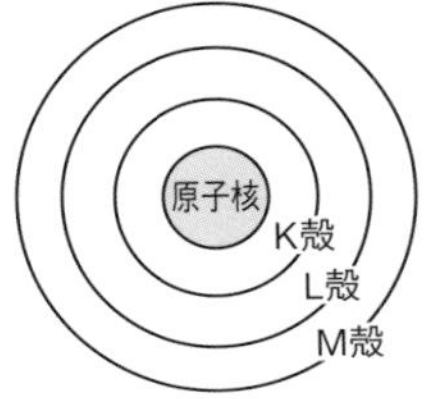

■価電子

最外殻電子で，原子の性質と関係が深い。希ガスは安定なので価電子の数は 0 とする。希ガスの電子配置を持つ電子殻→閉殻。

■イオンの生成 よく出る

原子が電子を失うか，もらうかして，希ガス型の電子配置になる。

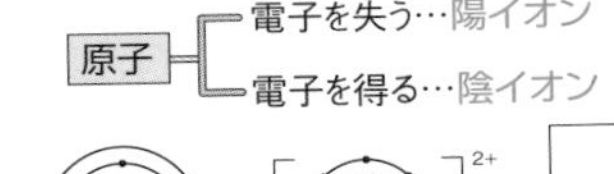

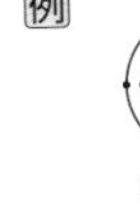

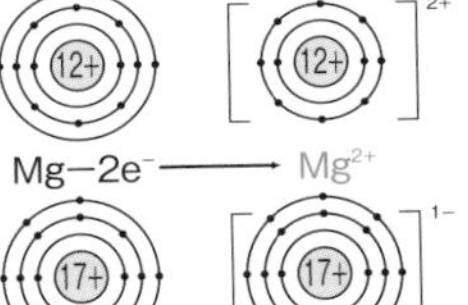

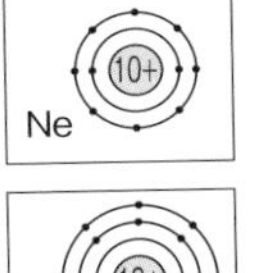

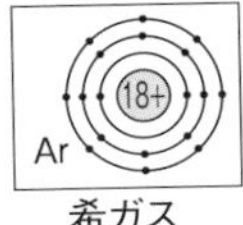

希ガス

■元素の周期表

- 周期律…元素を原子番号の順に配列するとその性質が規則的に変化する。
- 周期表…周期律にしたがって，元素を表に整理したもの。

■原子量・分子量・式量 よく出る

- 原子量… ${}^{12}_{6}C = 12$ としたときの，各元素の原子の相対質量。
- 分子量…分子を構成している元素の原子量の総和（分子の相対質量）。

例　H_2O：1.0 × 2 ＋ 16.0=18.0

- 式量…組成式やイオン式を構成する元素の原子量の総和。

例　NaCl：23.0 ＋ 35.5=58.5

■物質量（モル，mol）

- 1 mol…6.02×10^{23} 個の原子・分子・イオンなどの集団。
- アボガドロ定数… 1 mol あたりの粒子数。6.02×10^{23} 個
- モル質量…原子量・分子量・式量に g 単位をつけた質量。

例　1 mol の NaCl の質量＝ 58.5g

■化学反応式

- 化学反応式のつくり方

①反応物質（左辺）→生成物質（右辺）

②左辺と右辺の各原子の数が等しくなるように係数をつける（最も簡単な整数比）。

例　N_2 ＋ $3H_2$ → $2NH_3$（アンモニア）

■化学反応式の表す量的関係

物質 化学反応式	窒素 ＋ 水素 → アンモニア N_2 ＋ $3H_2$ → $2NH_3$
分子数の比	1分子　3分子　2分子 6.0×10^{23}個　$3 \times (6.0 \times 10^{23})$個　$2 \times (6.0 \times 10^{23})$個
物質量の比	1mol　3mol　2mol
質量の比 （質量保存の法則）	28g　3×2g　2×17g 28g ＋ 6g ＝ 34g
標準状態での気体の体積の比 （気体反応の法則）	22.4L　3×22.4L　2×22.4L 1 ： 3 ： 2

■化学の基本法則

質量保存の法則	化学反応の前後で，物質の質量の総和は変わらない。
定比例の法則	化合物中の成分元素の質量の比は一定である。
倍数比例の法則	2つの元素が化合してできる数種類の化合物について，一方の元素の一定量と化合する他方の元素の質量の比は，簡単な整数比になる。
気体反応の法則	気体の反応では，同温・同圧において，反応する気体と生成する気体の体積の比は，簡単な整数比になる。
アボガドロの法則	同温・同圧において，すべての気体は同体積中に同数の分子を含む。

出題パターン check!

次の元素のうち，2 価の陽イオンになりやすいものはどれか。

A ナトリウム　B ヨウ素　C ヘリウム
D 塩素　E カルシウム　F カリウム
G アルゴン　H バリウム

（1）CとD　（2）AとG
（3）BとF　（4）EとH
（5）DとH

答え（4）

過去５年の出題傾向　★★★★☆

化学②　物質の状態

物質の三態と状態変化に伴う熱の出入り，気体の圧力，溶質・溶媒・溶液と濃度との関係，溶解度，コロイドなどからの出題が目立つ。計算問題にも対応できるようにしてほしい。

■物質の三態　よく出る

・物質の三態と状態変化

物質の状態は，温度と圧力によって変化する。

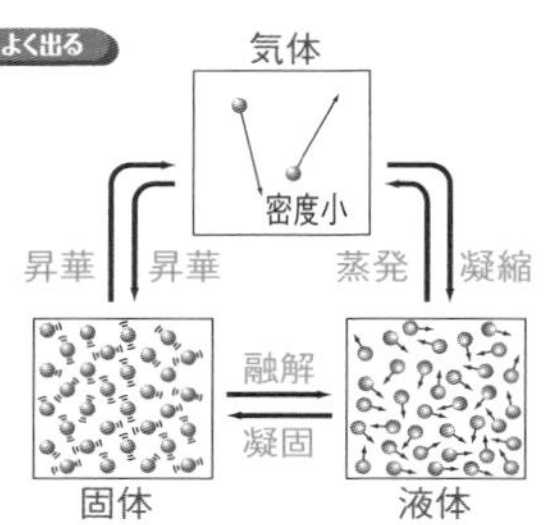

・状態変化に必要な熱エネルギー

融解熱…物質 1mol が融解するときに必要な熱量（kJ/mol）。

蒸発熱…物質 1 mol が蒸発するときに必要な熱量（kJ/mol）。

■状態変化と温度

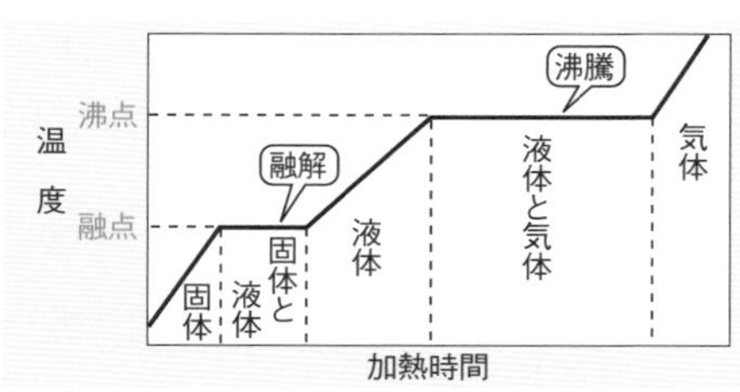

融点，沸点では，加えた熱エネルギーが状態変化に使われるため温度が上昇しない。

■気体の圧力

$$\text{圧力}=\frac{\text{面を押す力}}{\text{力がはたらく面積}}=\frac{\text{単位時間に衝突する粒子の数}}{\text{器壁の面積}}$$

1 atm=760mmHg=101,325Pa（パスカル）

例　1,900mmHg は，1,900 ÷ 760=2.5atm である。

1.3atm は 1.3 × 760=988mmHg である。

■気体の法則　よく出る

・ボイルの法則

温度が一定のとき，一定の物質量の気体の体積 V は圧力 P に反比例する。圧力 P_1 の時の体積が V_1 であった気体に，P_2 の圧力をかけたら V_2 になったとすると，

$$P_1V_1 = P_2V_2 = (k)$$

・シャルルの法則

圧力が一定のとき，一定の物質量の気体の体積 V は絶対温度 T に比例する。

$$\frac{V_1}{T_1}=\frac{V_2}{T_2}\ (=k)$$

・ボイル・シャルルの法則

一定の物質量の気体の体積 V は，圧力 P に反比例し，絶対温度 T に比例する。

$$\frac{P_1V_1}{T_1}=\frac{P_2V_2}{T_2}$$

■気体の状態方程式

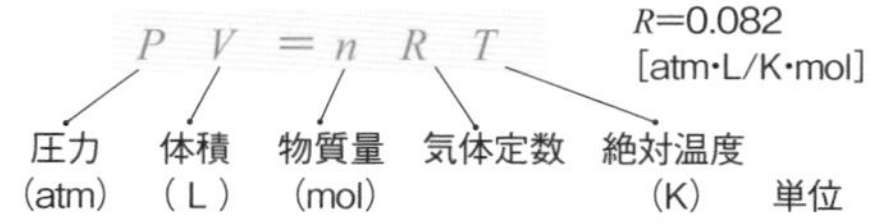

例　27 ℃，1.5atm で 4.1L の気体がある。この気体の物質量は，

$1.5 \times 4.1 = n \times 0.082 \times (273 + 27)$

$n = 0.25$（mol）

■ドルトンの分圧の法則

混合気体の全圧は，成分気体の分圧の和に等しい。

例　全圧 P ＝分圧 P_1 ＋分圧 P_2

■溶液と溶解

・**溶質と溶媒と溶液**…液体（溶媒）に物質（溶質）が溶け，均一に混ざり合ったものを溶液という。

・**水和**…溶質分子が水分子と結びつき，とり囲まれること。

・**電解質**…水中で電離し，イオンになる溶質。溶液は電気を通す。

例　塩化ナトリウム NaCl → Na^{+} ＋ Cl^{-}

・**非電解質**…電離しない溶質の溶液は電気を通さない。

例　エタノール，ショ糖

■溶解度

・**飽和溶液**…ある温度で溶けることのできる最大量の溶質を溶かした溶液。

・**溶解度**…水（溶媒）100g に溶ける溶質の最大質量［g］の数値。

・**溶解度曲線**…温度と溶解度の関係を示した図。一般に，固体の溶解度は温度が上がると大きくなる。

■気体の溶解度

気体の溶解度は温度が高くなるほど減少し，圧力が高くなるほど増加する。

・**ヘンリーの法則**…一定温度で一定体積の溶媒に溶ける気体の物質量は，その気体の圧力（分圧）に比例する。

例　0℃ 1atm で 0.01mol 溶ける気体は，0℃ 3atm で 0.03mol 溶ける。

■溶液の濃度　よく出る

質量パーセント濃度	%	溶液100g中の溶質の質量で表す。	$\frac{溶質の質量(g)}{溶液の質量(g)}\times100$	$\frac{w}{W+w}\times100$
モル濃度	mol/L	溶液1l中の溶質の物質量で表す。	$\frac{溶質の物質量(mol)}{溶液の体積(L)}$	$\frac{n}{V}$
質量モル濃度	mol/kg	溶媒1kgに溶けた溶質の物質量で表す。	$\frac{溶質の物質量(mol)}{溶媒の質量(kg)}$	$n\times\frac{1000}{W}$

W：溶媒の質量(g)，w：溶質の質量(g)，V：溶液の体積(L)，n：溶質の物質量(mol)

例　0.20mol の水酸化ナトリウムを水に溶かして 50mL にしたいとき，この水溶液のモル濃度は，

$$0.20\times\frac{1000}{50}=4.0\ [\mathrm{mol/L}]$$ となる。

■沸点上昇と蒸気圧降下

・**蒸気圧降下**…不揮発性物質を溶かした溶液の蒸気圧は，純溶媒の蒸気圧より低くなる。

・**沸点上昇**…溶液の蒸気圧が低くなるため，溶液の沸点は上昇する。

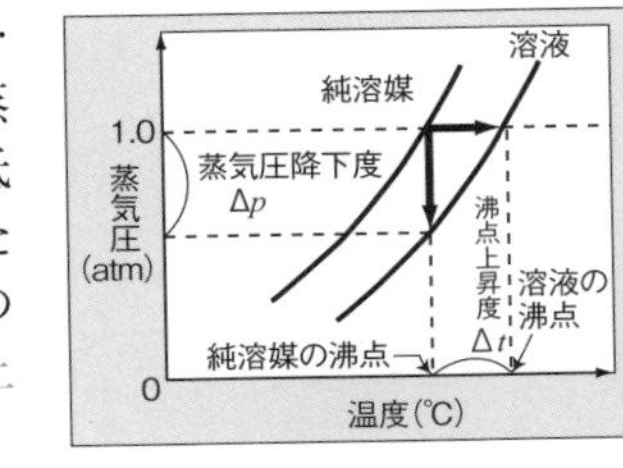

・**凝固点降下**…溶液の凝固点は純溶媒の凝固点より低くなる。

■コロイド

直径が 10^{-7} ～ 10^{-5}cm の粒子をコロイド粒子といい，この粒子が分散媒中に分散している状態をコロイドという。

・**コロイド溶液の性質**

チンダル現象	コロイド粒子が光を散乱させ，光の通路が輝いて見える現象。
ブラウン運動	コロイド粒子が，熱運動する溶媒粒子に衝突されて行う不規則な運動。限外顕微鏡（側面から光を当てて観察する顕微鏡）で観察できる。
電気泳動	コロイド粒子は正または負に帯電しているため，コロイド溶液に直流電圧を加えると，反対符号の電極へコロイド粒子が移動する現象。
透析	半透膜を利用して，コロイド溶液を精製する操作。コロイド溶液を半透膜に入れて水中につるすと，イオンや小さな分子が半透膜を通って除かれる。

出題パターン check!

容積を変えることのできる容器に，一定量の気体を入れ，温度を一定に保ったまま，体積を半分にしたらどうなるか。

（1）気体分子の平均速度が 2 倍になる。
（2）気体分子の平均速度が半分になる。
（3）気体分子の容器の壁を押す圧力は 2 倍になる。
（4）気体分子の容器の壁を押す圧力は半分になる。
（5）気体分子の平均の運動エネルギーが 2 倍になり，圧力は 4 倍になる。

答え（3）

過去５年の出題傾向 ★★★★☆

化学 ③ 物質の変化

この分野では酸と塩基と中和反応，金属のイオン化傾向，電池，電気分解からの出題が多い。中学校の第１分野が基礎となっているのでもう一回見直しておこう。

■酸と塩基の定義

H^+ を出すか OH^- を出すか（アレーニウスの定義），または H^+ を出すか受けとるか（ブレンステッドの定義）で酸か塩基を判断。

定義	酸	塩基
アレーニウス	電離してH^+を生じる物質	電離してOH^-を生じる物質
ブレンステッド	H^+を与える物質	H^+を受け取る物質

■酸と塩基の分類

・酸の価数…酸１分子から出すことができる H^+ の数。

・塩基の価数…塩基１分子から出すことができる OH^- の数。

価数	酸	塩基
1価	HCl, HNO_3, CH_3COOH	$NaOH, KOH, NH_3$
2価	$H_2SO_4, H_2CO_3, (COOH)_2, H_2S$	$Ca(OH)_2, Ba(OH)_2$

・酸・塩基の強弱

$$電離度 = \frac{電離している電解質の物質量(mol)}{溶けている電解質全体の物質量(mol)}$$

強酸（強塩基）…電離度が大きい酸（塩基）

弱酸（弱塩基）…電離度が小さい酸（塩基）

例

強酸	HCl, HNO_3, H_2SO_4	強塩基	$NaOH, KOH, Ca(OH)_2, Ba(OH)_2$
弱酸	CH_3COOH, H_2CO_3	弱塩基	$NH_3, Fe(OH)_3$

■水素イオン濃度と pH

・水のイオン積 Kw

$Kw = [H^+][OH^-] = 1.0 \times 10^{-14} [mol/L]^2$ (25℃)

・pH（水素イオン指数）

$[H^+] = 1 \times 10^{-n}$ mol/L → pH=n

例 $[H^+] = 1 \times 10^{-7}$ mol/L → pH = 7 (25℃)

H^+の濃度 (mol/L)	10^{-1}	10^{-2}	10^{-3}	10^{-4}	10^{-5}	10^{-6}	10^{-7}	10^{-8}	10^{-9}	10^{-10}	10^{-11}	10^{-12}	10^{-13}	10^{-14}
pH	1	2	3	4	5	6	7	8	9	10	11	12	13	14
水溶液の性質	酸性 ←						中性	→ 塩基性						

■中和反応 よく出る

・中和…酸から生じた H^+ と塩基から生じた OH^- から H_2O が生成する反応。

［酸］＋［塩基］→［水］＋［塩］

例 $HCl + NaOH \rightarrow H_2O + NaCl$

$H_2SO_4 + 2NaOH \rightarrow 2H_2O + Na_2SO_4$

$2HCl + Ca(OH)_2 \rightarrow 2H_2O + CaCl_2$

$H_2SO_4 + Ca(OH)_2 \rightarrow 2H_2O + CaSO_4$

・中和の量的関係

酸の出す H^+ の物質量＝塩基の出す OH^- の物質量。

例 c [mol/L] の a 価の酸 v [mL] と，c' [mol/L] の b 価の塩基 v' [mL] がちょうど中和している。

$$c \times \frac{v}{1{,}000} \times a = c' \times \frac{v'}{1{,}000} \times b$$

■塩の分類

正塩（中性塩），酸性塩，塩基性塩がある。水溶液の液性とは無関係。

正　塩	酸のH^+も塩基のOH^-も残っていない塩	$NaCl, CaSO_4$
酸性塩	酸としてのH^+が残っている塩	$NaHCO_3$, $KHSO_4$
塩基性塩	塩基としてのOH^-が残っている塩	$Mg(OH)Cl, Cu(OH)Cl$

■正塩の加水分解

塩	水溶液の性質	例
弱酸と強塩基の塩	加水分解して，塩基性を示す	CH_3COONa $CH_3COO^- + H_2O \rightleftarrows CH_3COOH + OH^- + Na^+$
強酸と弱塩基の塩	加水分解して，酸性を示す	NH_4Cl $NH_4^+ + H_2O \rightleftarrows NH_3 + H_3O^+ + Cl^-$
強酸と強塩基の塩	加水分解しない。正塩は電離して中性を示す	$NaCl, KNO_3$
弱酸と弱塩基の塩	加水分解して，ほぼ中性を示す	$CH_3COONH_4, (NH_4)_2CO_3$

■酸化と還元

酸素・水素の授受や，電子の授受で定義できる。

	酸素の授受	水素の授受	電子の授受	酸化数の増減
酸化	酸素と結びつく反応	水素を失う反応	電子を失う反応	酸化数の増加
還元	酸素を失う反応	水素と結びつく反応	電子を得る反応	酸化数の減少

■酸化数

酸化される原子，還元される原子をはっきりさせるめやすとなる。

・酸化数の決め方

決め方	例
①単体中の原子の酸化数=0	H_2　H=0
②化合物中の水素原子の酸化数=+1 酸素原子の酸化数=−2	H_2O　H=+1 O=−2
③化合物を構成する原子の酸化数の総和は0	NH_3　N=−3 H=(+1)×3 }総和0
④単原子イオンの酸化数=イオンの価数	Na^+　+1
⑤多原子イオン　総和は多原子イオンの価数	NH_4^+　(−3)+(+1)×4=+1

■酸化剤と還元剤

・酸化剤…他の物質を酸化し，それ自体は還元される。

例　オゾン O_3，過酸化水素 H_2O_2，塩素 Cl_2
酸化マンガン(Ⅳ) MnO_2，硝酸 HNO_3

・還元剤…他の物質を還元し，それ自体は酸化される。

例　水素 H_2，ナトリウム Na
硫化水素 H_2S，過酸化水素 H_2O_2

※ H_2O_2 はふつう酸化剤としてはたらくが，強い酸化剤に対しては還元剤としてはたらく。

■金属のイオン化傾向

金属が水に溶けて陽イオンになる性質を金属のイオン化傾向という。

(イオン化傾向) 金属	大 K Ca Na	Mg	Al Zn Fe Ni Sn Pb (H) Cu Hg Ag	Pt Au 小
空気との反応	常温でただちに酸化される	加熱により酸化	強熱により酸化	酸化されない
水との反応	常温で水と反応→水素発生	※	高温で水蒸気と反応→水素発生 / 反応しにくい	
酸との反応	酸化力のない酸（塩酸・希硫酸）と反応して水素を発生して溶ける		硝酸・熱濃硫酸に溶ける	王水*に溶ける

※熱した水と反応

*王水は濃硝酸と濃塩酸を１：３の体積比で混合したもの

■電池 よく出る

イオン化傾向の異なる２種類の金属を電解質の水溶液にひたし，両電極を導線でつなぐと電子の流れが生じ，電池ができる。

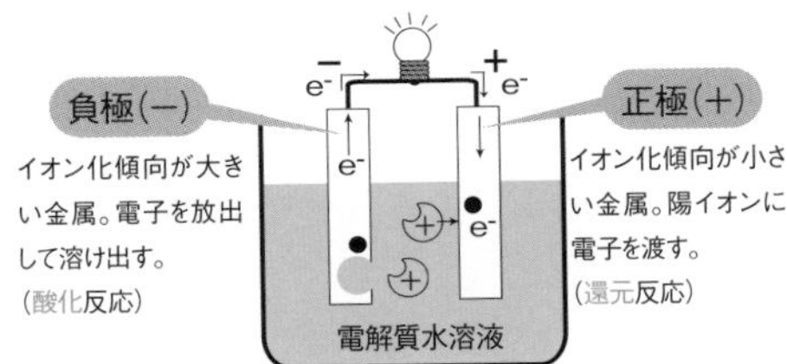

■電池の種類

電池名[起電力] 電池式		反応	特徴
ボルタ電池[約1.1V] (-)Zn ¦ H_2SO_4aq ¦ Cu (+)	−	$Zn \rightarrow Zn^{2+}+2e^-$	発生する水素のために起電力が低下し，電流が流れにくくなる（分極*）。
	+	$2H^++2e^- \rightarrow H_2$	
ダニエル電池[約1.1V] (-)Zn ¦ $ZnSO_4aq$ ¦ $CuSO_4aq$ ¦ Cu(+)	−	$Zn \rightarrow Zn^{2+}+2e^-$	水素による分極は起こらない。
	+	$Cu^{2+}+2e^- \rightarrow Cu$	
乾電池(マンガン電池)[約1.5V] (-)Zn ¦ NH_4Claq, $ZnCl_2aq$ ¦ MnO_2,C(+)	−	$Zn \rightarrow Zn^{2+}+2e^-$	MnO_2は減極剤としてもはたらく。携帯に便利。実際の反応は，より複雑なものである。
	+	$MnO_2+NH_4^++e^- \rightarrow MnO(OH)+NH_3$	
鉛蓄電池[約2.1V] (-)Pb ¦ H_2SO_4aq ¦ PbO_2(+)	−	$Pb+SO_4^{2-} \rightleftarrows PbSO_4+2e^-$	充電可（二次電池）。放電により，正・負極とも$PbSO_4$でおおわれ，希硫酸の濃度は減少する。
	+	$PbO_2+4H^++SO_4^{2-}+2e^- \rightleftarrows PbSO_4+2H_2O$	

*減極剤（分極をふせぐ物質）として，酸化剤（H_2O_2など）を加えると，起電力が回復する。

■電気分解 よく出る

電解質の水溶液に外部から電子の流れを起こし，酸化還元反応を起こす。

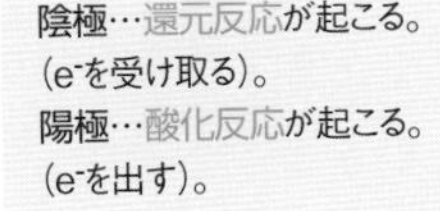

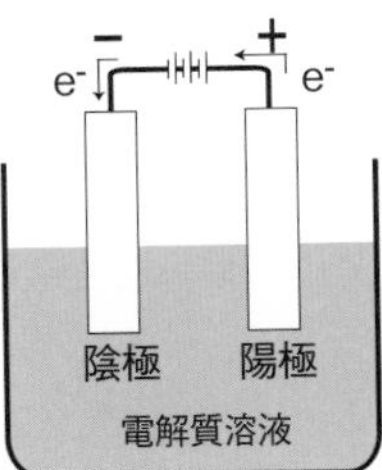

例 塩化銅(Ⅱ)水溶液の電気分解(白金電極)
(陰極) $Cu^{2+}+2e^- \rightarrow Cu$
(陽極) $2Cl^- \rightarrow Cl_2+2e^-$

出題パターン check!

硫酸 9.8g を過不足なく中和するのに必要な水酸化カルシウムは何 g か。ただし，原子量は H=1，O＝16，S＝32，Ca＝40 とする。

(1) 3.7g　(2) 4.2g
(3) 7.4g　(4) 9.8g
(5) 11.1g

答え (3)

過去５年の出題傾向 

化学 ④ 無機物質

この分野では周期表の見方と各元素の特徴がよく出題されている。元素がどのように分類されているかをしっかり把握しておくことが大切である。

■周期表と元素の分類 よく出る

・典型元素…１族，２族，12～18族の元素群。元素の性質の周期性がはっきりしている。

・遷移元素…３～11族の元素群。原子番号が増えても化学的性質はあまり変化しない。

・イオン化エネルギー…単独の原子の最外殻から電子１個をとり除くのに必要なエネルギー。

・電子親和力…イオン化エネルギーとは逆に単独の原子が１個の電子をとり入れて陰イオンになるとき放出するエネルギー。

・電気陰性度…結合している原子が，電子を引きつける強さを表す量。電気陰性度の差が大きいほどイオン結合性が強く，小さいほど共有結合性が強い。

・アルカリ金属…１族で価電子数１個，１価の陽イオンになりやすい。

・アルカリ土類金属…２族で価電子数２個，２価の陽イオンになりやすい。

・ハロゲン…17族で価電子数７個，１価の陰イオンになりやすい。

・希ガス…18族で最外殻が閉殻をつくり，化学的に安定している。

■非金属元素の単体と化合物 よく出る

・ハロゲン単体の性質

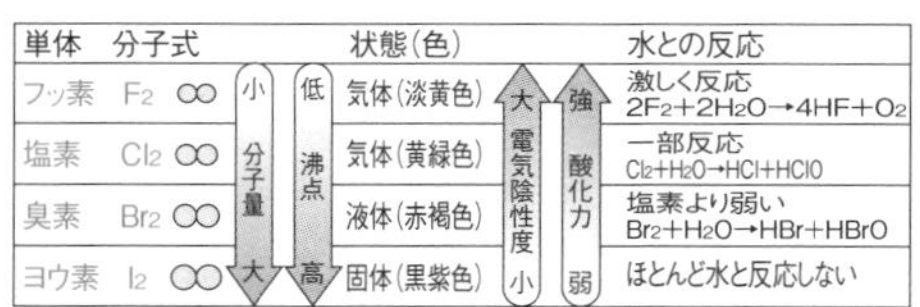

単体	分子式	分子量（小→大）	沸点（低→高）	状態（色）	電気陰性度（大→小）	酸化力（強→弱）	水との反応
フッ素	F_2	小	低	気体（淡黄色）	大	強	激しく反応 $2F_2+2H_2O \rightarrow 4HF+O_2$
塩素	Cl_2			気体（黄緑色）			一部反応 $Cl_2+H_2O \rightarrow HCl+HClO$
臭素	Br_2			液体（赤褐色）			塩素より弱い $Br_2+H_2O \rightarrow HBr+HBrO$
ヨウ素	I_2	大	高	固体（黒紫色）	小	弱	ほとんど水と反応しない

・硫黄の化合物…硫黄は16族であるから

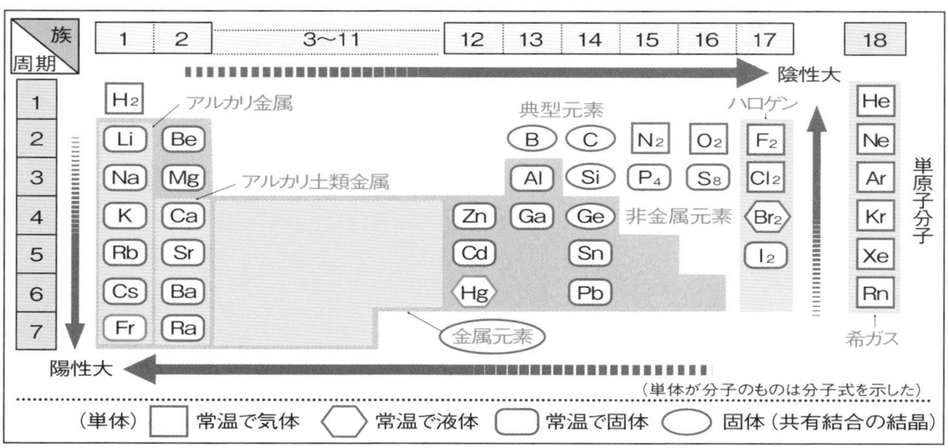

価電子数が6個である。よって，最高酸化数は＋6，最低酸化数は－2である。

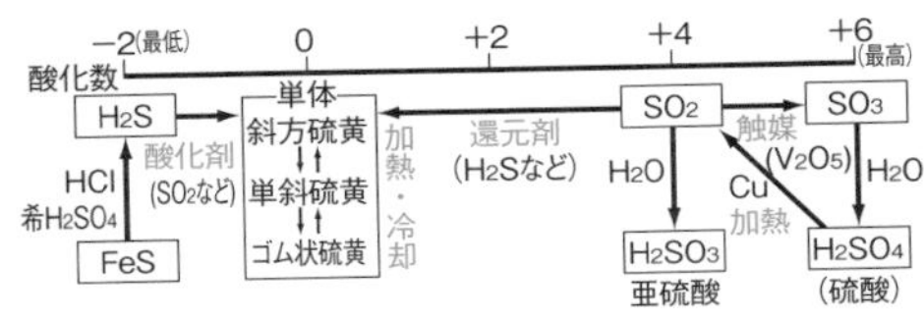

・窒素の化合物…窒素は15族であるから価電子数が5個である。よって，最高酸化数は＋5，最低酸化数は－3である。

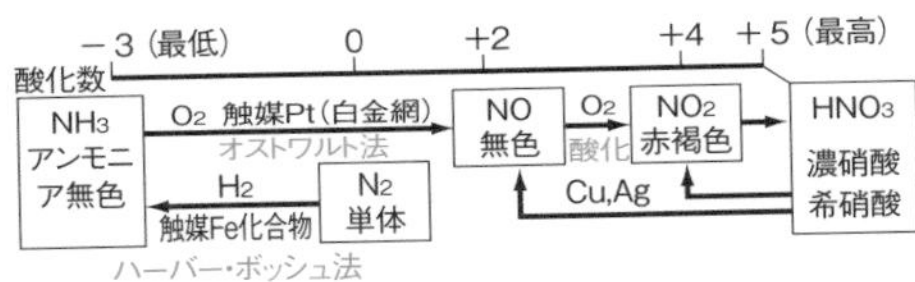

■気体の捕集法

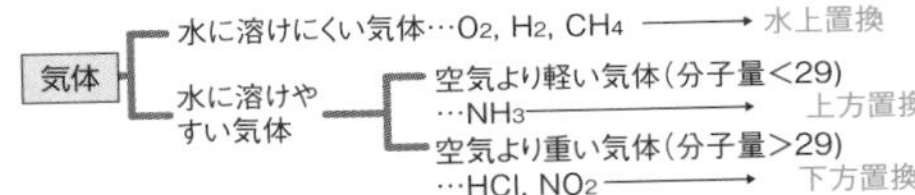

■1族・2族の典型金属元素　よく出る

	アルカリ金属（1族）	アルカリ土類金属（2族）	マグネシウム（2族）
原子の電子配置	価電子1個，1価の陽イオンになりやすい	価電子2個，2価の陽イオンになりやすい	
特　徴	密度小，融点低い，やわらかい	密度やや小，融点やや高い（アルカリ金属より大），やわらかいがアルカリ金属よりかたい	
反応性	K＞Na＞Li	Ba＞Sr＞Ca＞Mg	
水との反応	常温で激しく反応，水素を発生	常温で反応，水素を発生（アルカリ金属よりおだやか）	沸騰水と反応，水素を発生
酸素との反応	常温でただちに酸化物になる（石油中に保存する）	常温で容易に酸化物になる（アルカリ金属よりおだやか）	常温で反応しにくい（燃焼は強い光を伴う）
炎色反応	Li：深赤 Na：黄 K：赤紫	Ca：橙赤 Sr：深赤 Ba：黄緑	炎色反応を示さない

■アンモニア・ソーダ法（ソルベー法）

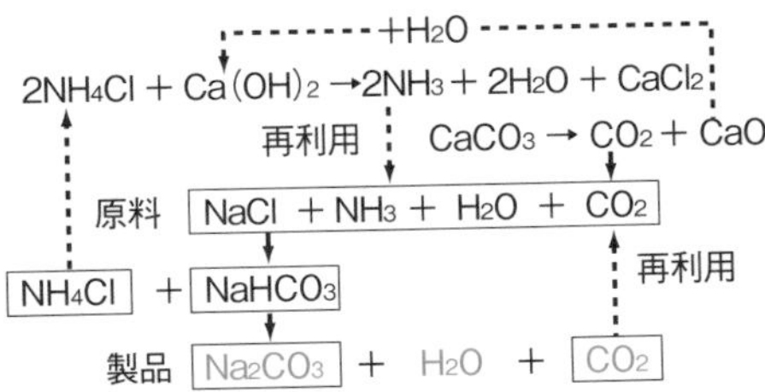

■1族・2族以外の典型金属元素

・両性元素…Al,Zn,Sn,Pb。単体が塩酸などの強酸にも，水酸化ナトリウム水溶液などの強塩基にも溶け，水素を発生する。

■遷移元素の特徴

原子番号が増加する0，大部分が1つ内側の電子殻に入り，1～2個が価電子となる。

↓

①隣の元素と類似。
②全て金属元素。
③融点が高く，密度が大きい。
④色々な酸化数をとる。
⑤イオンや化合物が有色。

■遷移元素とその化合物

・銅の化合物…銅の原子価には1価と2価があり，2種の酸化物をつくる。

酸化銅（Ⅰ）Cu_2O
酸化銅（Ⅱ）CuO

・銀の化合物…塩化物イオンCl^-を含む化合物と反応して塩化銀 $AgCl$ の白色の沈澱を生じる。

例　硝酸銀 $AgNO_3$

出題パターン check!

周期表の縦を「族」というが，アルカリ金属と呼ばれる周期表1族の元素についての正しい記述はどれか。

（1）原子はいずれも最外殻に7個の電子を持っており，このため互いによく似た性質を示す。
（2）単体の性質を比較すると，沸点，融点，融解熱は原子番号が増すにつれて大きくなる。
（3）電子を出しやすい原子・分子と化合して，容易にイオン結合による分子がつくられる。
（4）電子を出しにくい非金属元素の原子と化合するときには，共有結合による分子がつくられる。
（5）イオン化エネルギーがいちじるしく小さく，他の原子・分子に電子を与え1価の陽イオンになりやすい。

答え（5）

過去５年の出題傾向　★★★☆☆

化学 ⑤ 有機化合物

この分野はかなり難しいと思われているが，アルカン，アルケン，アルキンなどの炭化水素，アルコールなどの基本的な問題が出題されている。教科書で十分対応できる。

■有機化合物の特徴　よく出る

①炭素原子の共有結合により，鎖状，環状の基本構造をつくる。

②構成する元素の種類は少ない（C, H, O, N, S, ハロゲンなど）。

③化合物の種類は多い（100万種以上）。

④分子からできている物質が多く，融点，沸点は低い。

⑤燃えやすい物質が多い。

⑥水に溶けにくく，有機溶媒（アルコール　ベンゼン）に溶けやすい物質が多い。

■有機化合物の分類

炭素原子間の結合のしかたによって次のように分類できる。

飽　和	不飽和
−C−C− 単結合だけ	＞C＝C＜　−C≡C− 二重結合,三重結合を含む

鎖式(Cが鎖のように次々とつながっている)	環式(Cの鎖が環になっている)
C−C−C−C	C−C / C−C（環）

■官能基

有機化合物特有の性質を示す原子団をいう。

例　アルデヒド基 −CHO，カルボキシル基 −COOH，ケトン基 ＞CO，アミノ基 $-NH_2$，エーテル結合 −O−

■異性体

分子式は同じであっても構造や性質が異なる物質。

例　ブタンとイソブタン

ブタン：$CH_3-CH_2-CH_2-CH_3$（H−C−C−C−C−H，各Cに H が結合）

イソブタン：中央のCに CH_3 が枝分かれした構造（H−C−C−C−H の中央Cに H−C−H）

■炭化水素

炭素Cと水素Hだけからなる有機化合物のこと。

■炭化水素の分類

	飽和炭化水素	不飽和炭化水素	
	単結合のみ	二重結合1個	三重結合1個
鎖式炭化水素（脂肪族炭化水素）	アルカン C_nH_{2n+2} 例 CH_3-CH_3 エタン $CH_3-CH_2-CH_3$ プロパン	アルケン C_nH_{2n} 例 $CH_2=CH_2$ エチレン $CH_3-CH=CH_2$ プロペン(プロピレン)	アルキン C_nH_{2n-2} 例 $CH≡CH$ アセチレン $CH≡C-CH_3$ プロピン
	脂環式炭化水素		芳香族炭化水素
環式炭化水素	シクロアルカン C_nH_{2n} 例 シクロヘキサン（CH_2 6個の環）	シクロアルケン C_nH_{2n-2} 例 シクロヘキセン（H_2C, CH=CH を含む環）	例 ベンゼン（CH 6個の環）

■炭化水素の性質

・アルカン…C_nH_{2n+2}　単結合のみからなる鎖式炭化水素（飽和）。

①置換反応をする。

②一般に，分子量が大きいほど，融点・沸点が高い。

③天然ガスや石油に含まれている。

例　メタン CH_4，エタン C_2H_6，プロパン C_3H_8，ブタン C_4H_{10}，ペンタン C_5H_{12}，ヘキサン C_6H_{14}

・アルケン…C_nH_{2n}　鎖式炭化水素で二重結合を１つ持つ（不飽和）。

①二重結合を持つので，水素，ハロゲン，ハロゲン化水素などと反応し，付加反応を起こす。

②エチレンやプロピレンは，適当な触媒や温度，圧力のもとで多数の分子が付加反

応して，大きな分子（高分子）になる。これを付加重合という。

例　エチレン C_2H_4，プロピレン C_3H_6

・**アルキン**…C_nH_{2n-2}　鎖式炭化水素で三重結合を１つ持つ（不飽和）。

①水素，ハロゲン化水素，水，酢酸などと付加反応を起こす。

例　アセチレン C_2H_2

製法 $CaC_2 + 2H_2O \rightarrow C_2H_2 + Ca(OH)_2$

■アルコール　R-OH　よく出る

炭化水素の水素原子をヒドロキシル基（水酸基－OH）で置き換えた化合物である。

①ヒドロキシル基が同じであれば，分子量の小さいものほど融点，沸点が低く，水に溶けやすい。

②溶液は中性である。

例　メタノール CH_3OH，エタノール C_2H_5OH

プロパノール C_3H_7OH

■エーテル　R-O-R´

酸素原子に２個の炭化水素基が結合した化合物である。

①揮発性があり，引火しやすい。

②ナトリウムとは反応しにくい。

③麻酔剤として使われる。

■アルデヒド　R-CHO

アルデヒド基－CHO を持っている化合物である。

①還元性があるので銀鏡反応，フェーリング反応を示す。

②有機溶媒に溶けやすく，C の数が少ないものは水にも溶けやすい。

例　アセトアルデヒド　CH_3CHO

ホルムアルデヒド　$HCHO$

■ケトン　R-CO-R´

ケトン基 ＞C=O に２つの炭化水素基が結合した化合物である。

①還元性がない。

②アルデヒドの②と同じ。

例　アセトン　CH_3COCH_3

エチルメチルケトン　$C_2H_5COCH_3$

■カルボン酸　R-COOH

カルボキシル基－COOH を含む化合物。

①水に溶け，弱酸性を示す。

②炭酸水素ナトリウムや炭酸ナトリウムと反応して CO_2 を発生する。

例　酢酸　CH_3COOH

■エステル　R-COO-R´

エステル結合を含む化合物。

①水に溶けにくく，芳香性の液体。

②強塩基を加えて加熱すると，塩とアルコールに分解→けん化。

■芳香族炭化水素　よく出る

分子中にベンゼン環を持つ炭化水素。

・**主な芳香族炭化水素**

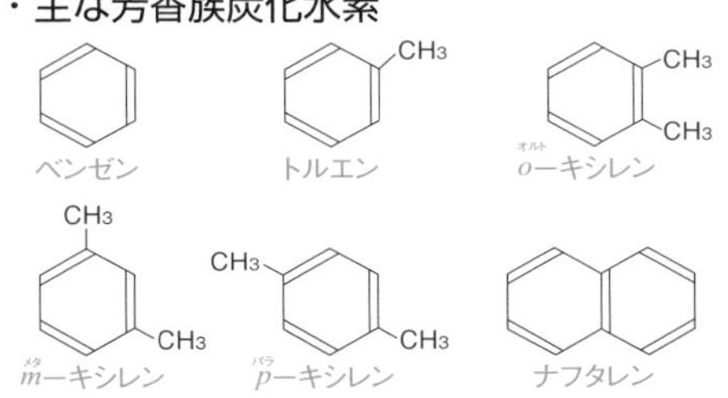

・**ベンゼン（環）の反応**

付加反応より置換反応が生じやすい。

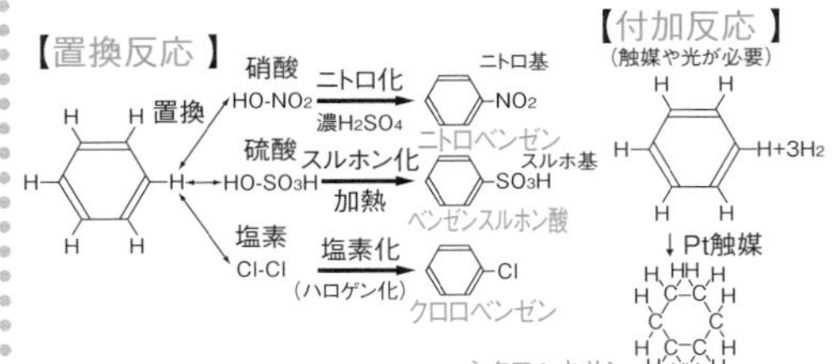

出題パターン check!

メタン CH_4，エタン C_2H_6 などの炭化水素はアルカンと呼ばれる。アルカンに属する物質で，１分子中の水素原子数が 20 であるものの１分子中の炭素原子数はいくらか。

（1） 8　　（2） 9
（3） 10　　（4） 11
（5） 12

答え（2）

練習問題1

下の（　）の中に入るものを次から選びなさい。

物質には全て原子があり，その中にある一定の位置を持つ（　）がある。そうしてその（　）が分解，化合などの化学作用を起こすのであり，その物質の持つ電気の量は（　）1個の整数倍である。

（1）陽子
（2）中性子
（3）半陽子
（4）電子
（5）中間子

練習問題2

1モルという語について不適当な説明文はどれか。

（1）分子数を数える単位として使われる。
（2）1モルの分子とは，6.02×10^{23} 個の分子のことである。
（3）0℃，1気圧のもとで気体分子1モルの体積は22.4Lである。
（4）1モルの分子の質量は，種類に関係なく一定である。
（5）1モルの分子の質量は分子量に単位名グラムをつけた値に等しい。

練習問題3

右図はある原子の電子配置を示したものである。この原子の化合物は次のどれか。

（1）H_2O　　（2）NaCl
（3）$MgCl_2$　　（4）CO_2
（5）NH_3

+12

練習問題4

次のA～Eのうち，物質同士が互いに同素体であるものを選んだ組み合わせとして妥当なのはどれか。

A 黄リンと赤リン
B 一酸化炭素と二酸化炭素
C ダイヤモンドと黒鉛
D メタンとエタン
E 酸素とオゾン

（1）A, B, D　　（2）A, C, D　　（3）A, C, E
（4）B, C, E　　（5）B, D, E

解答・解説

練習問題1　正答／（1）

●**解説**／原子は正電荷の原子核と負電荷の電子からできている。原子核は正電荷を持つ陽子と電気的に中性な中性子からできている。普通の状態では，原子核の周辺を陽子と同数の電子がとりまき，原子核の正電荷を中和している。原子核の質量や電気量を測定すると，陽子のほぼ整数倍に近い値となる。化学変化では，原子の配列が変わって新しい物質に変化するが，原子の種類や総数は変化しない。

練習問題2　正答／（4）

●**解説**／分子や原子，イオンの数を数える単位としてモル（mol）が使われている。1モルは 6.02×10^{23} 個に等しく，また分子1モルの質量から単位名グラムを除いた値が分子量である。0℃，1気圧のもとで気体分子1モルの体積は気体の種類に関係なく22.4Lである。

練習問題3　正答／（3）

●**解説**／原子核のまわりの電子は，電子殻にわかれて存在する。電子殻は，原子核に近い順に，K殻，L殻，M殻……と呼ばれ，それぞれ，2個，8個，18個，……の電子が入ることができる。図は電子数が12個であるから原子番号12のMgである。

練習問題4　正答／（3）

●**解説**／同素体とは同じ元素からなる単体で，性質が異なる。試験によく出る同素体は以下の4つである。

S：斜方硫黄と単斜硫黄とゴム状硫黄
C：ダイヤモンドと黒鉛
O：酸素とオゾン
P：黄リンと赤リン

練習問題5

次のア，イに適する語句の組み合わせはどれか。

ナトリウムの原子量は23.0である。ナトリウム原子34.5gは（ア）molで，ナトリウム原子が（イ）個含まれている。

	ア	イ
（1）	0.5 mol	6.02×10^{23} 個
（2）	1.0 mol	6.02×10^{23} 個
（3）	1.5 mol	9.03×10^{23} 個
（4）	2.0 mol	9.03×10^{23} 個
（5）	2.5 mol	12.04×10^{23} 個

練習問題6

物質の状態変化とそのときに吸収または放出される熱量に関する記述として正しいものは，次のうちどれか。

（1）固体が液体になるときに放出される熱量を融解熱という。
（2）固体が気体になるときに放出される熱量を昇華熱という。
（3）液体が固体になるときに吸収される熱量を凝固熱という。
（4）液体が気体になるときに吸収される熱量を融解熱という。
（5）気体が液体になるときに放出される熱量を凝縮熱という。

練習問題7

沸騰水中に塩化鉄（Ⅲ）を少量加えると，電解質を含んだ赤褐色のコロイド溶液になる。この溶液をセロハンの袋に入れ，流水中に放置すると電解質が除かれる。これは何によるか。

（1）凝析
（2）透析
（3）塩析
（4）電気泳動
（5）ブラウン運動

練習問題8

次のうち，正しいものはどれか。

（1）水素イオン指数pHは，酸性が強くなるにつれて大きくなる。
（2）重水素はH_3の分子式で表される。
（3）1Åとは10^{-8}mmである。
（4）板ガラスの主成分はSiO_2,Na_2O,CaOである。
（5）少量の電解質で凝析するのは，親水コロイドである。

解答・解説

練習問題5　正答／（3）

●**解説**／ナトリウム1molの質量は原子量にグラム単位をつけたものであるから23.0gである。よって34.5gのナトリウムは，$34.5 \div 23.0 = 1.5$molとなる。また，1molの原子数は，6.02×10^{23}個であるから，1.5molでは，$6.02 \times 10^{23} \times 1.5 = 9.03 \times 10^{23}$個となる。

練習問題6　正答／（5）

●**解説**／物質の状態変化では，固体→液体（融解），液体→気体（蒸発），固体→気体（昇華）への変化の場合は熱が吸収される。逆に，気体→液体（凝縮），液体→固体（凝固），気体→固体（昇華）の場合は熱が放出される。
（1）は熱が吸収されるので誤り。
（2）も熱が吸収されるので誤り。
（3）は逆に熱が放出されるので誤り。
（4）は融解ではなく蒸発である。

練習問題7　正答／（2）

●**解説**／疎水コロイドに電解質を加えると，電気的反発力を失い沈澱する。これを凝析という。また，親水コロイドに電解質を多量に加えると水和水を失い沈澱する。これを塩析という。コロイド溶液に直接電圧を加えると，反対符号の電極へコロイド粒子が移動する現象は電気泳動。コロイド粒子が熱運動する分散粒子に衝突されて行う不規則な運動はブラウン運動。

練習問題8　正答／（4）

●**解説**／pH7が中性で，7より小さくなれば酸性が強くなっていく，また7より大きくなればアルカリ性が強くなっていく。pH1～pH14まで。（2）の重水素は^2H。（3）の1Å（オングストローム）は10^{-10}mである。

練習問題9

物質の電子の授受に着目して電子を失った場合，酸化されたといい，電子を得た場合は還元されたという。次の変化のうち，左辺の化合物が還元されたと言えるのはどれか。

ア　$H_2S \rightarrow S$　　イ　$HCOOH \rightarrow HCHO$
ウ　$AgNO_3 \rightarrow Ag$　　エ　$Cu(OH)_2 \rightarrow CuO$
オ　$FeO \rightarrow FeO_3$

（1）アとイ　（2）イとウ　（3）ウとエ
（4）エとオ　（5）アとオ

練習問題 10

次のもので酸化剤としても還元剤としてもはたらくものはどれか。

（1）臭素
（2）金属マグネシウム
（3）シュウ酸
（4）過酸化水素水
（5）重クロム酸カリウム

練習問題 11

下図のようにして，塩化第二銅水溶液に適当な直流電圧をかけると，塩化第二銅水溶液は電気分解される。陽極に発生，または析出する物質は何か。

（1）銅
（2）水素
（3）酸素
（4）塩素
（5）塩化水素

練習問題 12

亜鉛とスズは希塩酸に溶けて水素を発生するが，銅は希塩酸に溶けない。また塩化スズの溶液にみがいた亜鉛片を入れると表面が黒くなる。この結果，亜鉛，銅，スズ，水素のイオン化傾向の大きさの順序は次のうちどれが正しいか。

（1）スズ＞水素＞亜鉛＞銅
（2）亜鉛＞銅＞水素＞スズ
（3）銅＞水素＞スズ＞亜鉛
（4）亜鉛＞スズ＞水素＞銅
（5）水素＞亜鉛＞スズ＞銅

解答・解説

練習問題9　正答／(2)
●解説／有機化合物ではH，Oの増減で，酸化還元を判断するとわかりやすい。Oの減少は還元である。無機化合物では，電子の授受または酸化数の増減できまる。

練習問題10　正答／(4)
●解説／物質を酸化する力の強いものを酸化剤，還元する力の強いものを還元剤という。過酸化水素水や亜硫酸ガスのように，酸化剤としても還元剤としてもはたらくものがある。

練習問題11　正答／(4)
●解説／$CuCl_2 \rightarrow Cu^{2+} + 2Cl^-$に電離するから，塩素イオン（$Cl^-$）は陽極に引きよせられ，極に電子を与え，原子に酸化される。塩素原子の2個はすぐ結合して塩素分子となって遊離する。陰極では銅イオン（Cu^{2+}）が電子を受け取って，銅原子に還元されて極の表面に析出する。

練習問題12　正答／(4)
●解説／イオン化傾向の大きいものから並べたものを，イオン化列と呼んでいる。K,Ca,Na,Mg,Al,Zn,Fe,Ni,Sn,Pb(H_2),Cu,Hg,Ag,Pt,Au の順である。水素よりもイオン化傾向の大きな金属は，酸にあうと水素イオンH^+に1個の電子を与え，イオンとなって溶解する。水素イオンよりイオン化傾向の小さい金属はこのような反応をせず，水素を発生して溶けることはない。

練習問題 13

ハロゲン元素 F，Cl，Br，I に関する記述として誤っているのはどれか。

（1）ハロゲン原子は 7 個の価電子を持ち，外から電子 1 個を得て 1 価の陰イオンになりやすい。また，金属元素と結合し，ハロゲン化物の塩をつくる。

（2）ハロゲンの単体は 2 原子分子である。また，原子番号が大きいほど融点や沸点が高く，逆に原子番号が小さいほど酸化力は大きい。

（3）大気中では太陽からの紫外線によって F_2 から同素体 F_3 がつくられる。地上約 20km 付近の同素体 F_3 の層は紫外線を吸収して生物を保護している。

（4）ハロゲン化水素は常温で気体であり，水に溶けて酸性を示す。そのうち HF の水溶液は弱酸であり，石英やガラスなどのケイ酸を溶かす。

（5）ハロゲン単体の酸化力の違いは，水素や水との反応にあらわれる。水素との反応では酸化力の強い F や Cl では爆発的に反応してハロゲン化水素を生じるが，酸化力の弱い Br や I は一部が反応するだけである。

解答・解説

練習問題 13　正答／（3）

●解説／太陽の紫外線から生物を守っているのは地上約 20km 付近にあるオゾン（O_3）層である。O_3 は酸素 O_2 の同素体であり，太陽の紫外線によって，大気中の O_2 からつくられる。ハロゲンは，17 族に属する元素であり，単体は F_2,Cl_2,Br_2,I_2 など分子の状態で存在している。ハロゲンの酸化力は，$F_2 > Cl_2 > Br_2 > I_2$ の順になっている。

練習問題 14

金属と非金属との比較についての正しい記述は次のどれか。

（1）金属は固体であるが，非金属には共通の態様がない。

（2）非金属は金属よりも延性，展性に富んでいる。

（3）非金属は電気の良導体であるが，金属はそうではない。

（4）金属は熱の良導体であるが，非金属は伝導率が低い。

（5）金属は非金属のように異なる他の金属と溶け合わない。

練習問題 14　正答／（4）

●解説／金属元素は，元素約 120 種のうち約 70 種で次の特徴がある。

①水銀のほかは常温で不透明な固体である。

②金属光沢がある。

③熱，電気の良導体である。

④展延性がある。

⑤酸の水素と置換して塩をつくる。

⑥水に溶けると陽イオンとなる。

練習問題 15

メタン (CH_4)80g を完全に燃焼させたとき，消費された酸素の体積はどれか。ただし，原子量は H = 1，C = 12，O = 16 とし，酸素の体積は，0℃，1 気圧におけるものとする。

（1）112L

（2）140L

（3）168L

（4）196L

（5）224L

練習問題 15　正答／（5）

●解説／メタンの燃焼を化学反応式で表すと次のようになる。

$$CH_4 + 2O_2 \rightarrow CO_2 + 2H_2O$$

上の式からメタンの分子量は 16g，そのとき 2 モル（2 × 22.4L）の酸素が消費されている。よって，

$$16:80 = 2 \times 22.4 : x$$

$$x = \frac{80 \times 2 \times 22.4}{16} = 224\text{L}$$

練習問題 16

炭素化合物の完全燃焼の化学反応式で誤っているものはどれか。

（1）$CH_4 + 2O_2 \rightarrow CO_2 + 2H_2O$
（2）$2C_2H_6 + 7O_2 \rightarrow 4CO_2 + 6H_2O$
（3）$C_3H_8 + 4O_2 \rightarrow 3CO_2 + 5H_2O$
（4）$C_2H_4 + 3O_2 \rightarrow 2CO_2 + 2H_2O$
（5）$2C_2H_2 + 5O_2 \rightarrow 4CO_2 + 2H_2O$

練習問題 17

炭素，水素および酸素からできている化合物の組成（重量%）を調べたら，炭素 64.9%，水素 13.5%，酸素 21.6% であった。この化合物を表す組成式として正しいものは，次のうちどれか。ただし，炭素，水素および酸素の原子量はそれぞれ 12，1，16。

（1）$C_4H_{10}O$
（2）C_2H_6O
（3）C_2H_4O
（4）CH_4O
（5）CH_2O

練習問題 18

気体の性質に関する記述として，妥当なのはどれか。

（1）アンモニアは，分子式で CH_4 と表され，比重が空気より大きく，人体に有害な気体で，アンモニアの水溶液は酸性を示す。
（2）一酸化炭素は，分子式で CO と表され，炭素を含む物質が完全燃焼すると発生し，比重が空気より大きく，人体に有害な気体である。
（3）塩素は，分子式で Cl_2 と表され，塩素系漂白剤と中性洗剤とを混合すると発生し，比重が空気より小さく，人体に有害な気体である。
（4）メタンは，分子式で NH_3 と表され，比重が空気より大きく，人体に有害な気体で，可燃性を有する。
（5）硫化水素は，分子式で H_2S と表され，比重が空気より大きく，人体に有害な気体で，腐卵臭を有する。

解答・解説

練習問題 16　正答／（3）

●解説／（1）はメタン，（2）はエタン，（3）はプロパンである。これらはアルカンに属している。アルカンの燃焼は，$C_nH_{2n+2} + \{(3n+1) \div 2\} O_2 \rightarrow nCO_2 + (n+1) H_2O$ である。（4）はアルケンに属するエチレン，（5）はアルキンに属するアセチレンである。

練習問題 17　正答／（1）

●解説／有機化合物の組成式をその組成から求めるときは，組成（重量%）÷原子量の比から各原子の原子の数の比を求めることができる。

$$C : H : O = \frac{64.9}{12} : \frac{13.5}{1} : \frac{21.6}{16}$$

≒ 4 : 10 : 1 となる。よって，組成式は $C_4H_{10}O$ となる。

練習問題 18　正答／（5）

●解説／

（1）アンモニアの分子式は NH_3。また，アンモニア水溶液はアルカリ性を示す。
（2）一酸化炭素は炭素を含む有機物が不完全燃焼すると発生する。
（3）塩素は空気よりも比重が大きい。
（4）メタンの分子式は CH_4。

自然科学

生物

出題傾向 生物の問題は中学校レベルから生物基礎までのほぼ全域にわたり幅広く出題されている。生物は時事に関係する分野からの出題もあるので，日頃から注意しておこう。出題頻度の高い分野は，基本となる細胞の構造とはたらきから始まり，酵素，神経とホルモンと恒常性の維持など，人体に関するものである。近年の試験でも，ヒトの器官系，血液の循環などが出されている。また，遺伝，緑色植物の光合成などの同化，呼吸に代表される異化，生態系など環境についての出題も見られる。直近の試験では，血液，遺伝子，酵素，ヒトの肝臓などが出題されている。

学習のコツ

まず，中学校の内容をまとめてある簡単な参考書をよく読み中学校の内容を把握する。次に高校の生物基礎の教科書より，出題頻度の高い分野の内容をノートにまとめる。また，重要語句を書き出して意味をよく理解して覚えておこう。それからあまり量の多くない基礎問題集をやり，つまずいたらその分野をもう一回復習することである。最後に過去の問題で総仕上げをする。

難易度＝ 80ポイント

重要度＝ 95ポイント

◆出題の多い分野◆

分野	頻度
細胞の構造と機能	★★★★★
代謝とエネルギー	★★★★★
生物体の調節と恒常性	★★★★★
遺伝	★★★★
生殖と発生	★★★
刺激の受容と動物の行動	★★★

過去５年の出題傾向 ★★★★★

生物① 細胞の構造と機能

この分野は生物の基本で，また重要な部分である。特に細胞の各部の名称とはたらき，細胞膜の性質，体細胞分裂の基本的なことはしっかり頭に入れておこう。

■細胞の発見

1665年，フックは自作の顕微鏡でコルクの薄片を観察し，それが多数の小部屋に仕切られていることを発見し，「cell（細胞）」と名付けた。

・細胞説

1838年，シュライデンが植物について，1839年，シュワンが動物について細胞説を唱えた。

■細胞の構造とはたらき よく出る

核	核膜	核を包む二重の膜で，多数の核孔がある。
	核液	核内を満たす液で，液体状またはコロイド状である。
	染色体	DNA（遺伝子）とタンパク質からなり，核内に分散している。酢酸カーミン溶液や酢酸オルセイン溶液によって染まる。
	核小体	RNAを含む球状体で，1～数個ある。
細胞質	細胞膜	タンパク質と脂質からなり，**選択透過性**を持つ。
	ミトコンドリア	内外二層の膜からなり，内膜は突出してクリステをつくる。好気呼吸に関する各種の酵素を含み，好気呼吸の場となる。
	色素体	**葉緑体**，**有色体**，**白色体**などがある。葉緑体は，クロロフィル・カロテン・キサントフィルなどの**同化色素**を含み，**光合成の場**となる。動物細胞にはない。
	中心体	動物細胞，および藻類などの一部の植物細胞に見られる。2個の中心粒からなり，**細胞分裂**に関係する。
	ゴルジ体	扁平な袋が重なりあった層状の構造体で，細胞の**分泌活動**に関係する。
	小胞体	管状または袋状の膜構造で，物質の輸送に関係する。
	リボソーム	RNAを含み，タンパク質合成の場となる。
	細胞質基質	コロイド状で，種々の酵素を含む。
	細胞壁	セルロースなどを主成分とする**全透性**の膜で，細胞の形を保持する。動物細胞にはない。
	液胞	成長した植物細胞によく発達する。内部の**細胞液**には無機塩類・糖類・有機酸・アントシアンなどを含む。
	細胞含有物	デンプン粒・脂肪粒のほか，種々の結晶体がある。

・**原形質**…生命活動を営んでいる核と細胞質をいう。

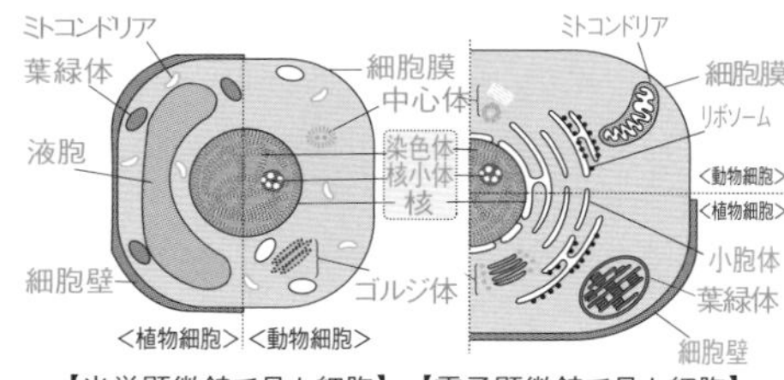

【光学顕微鏡で見た細胞】【電子顕微鏡で見た細胞】

■原核細胞と真核細胞

・**原核細胞**…核などの構造がないが，DNAの分子が裸の状態で存在。

例　細菌類・ラン藻類の細胞（原核生物）

・**真核細胞**…核を持っているふつうの細胞。

例　菌類・動物・植物の細胞（真核生物）

■細胞膜の性質 よく出る

①**半透性**…水溶液中の溶媒（水）分子は通すが，溶けている溶質分子は通さない。

②**選択透過性**…半透性の膜であるが溶質のうち比較的小さい分子などを選択的に通す。

③**能動輸送**…濃度差に逆らって特定の物質を出入りさせるしくみ。細胞膜は，細胞に必要な物質や細胞の内に多いK^+を取

り込み，細胞の外に多いNa^+を外へ出す。これはエネルギ ーを必要とする。

■半透膜と浸透圧

・**拡散**…濃度の異なる溶液を接触させると，やがて均一の濃度になる現象。

・**浸透**…半透膜を通して，水分子だけが移動する現象。

・**浸透圧**…溶液が半透膜を通して水分子を引き込もうとする力。溶液の濃度に比例する。

■動物細胞と浸透

・**溶血**…赤血球を低張液に浸すと細胞内へ水が入って破裂する現象をいう。

・**生理食塩水**…動物細胞と等張な食塩水。

■植物細胞と浸透

吸水力（S）＝浸透圧（P）－膨圧（T）

①低張液（蒸留水）に浸したとき

蒸留水に浸したとき，細胞の体積は最大になる。(P=T,S=0)

②等張液に浸したとき

限界原形質分離 (P=S,T=0)

③高張液に浸したとき

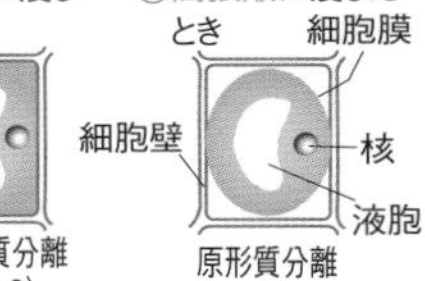

原形質分離 (T=0)

■細胞分裂

・**体細胞分裂**…体細胞が増殖するときに起こる。染色体数は変化しない。

1個の母細胞（$2n$）→2個の娘細胞（$2n$）

・**減数分裂**…生殖細胞ができるときに起こる。染色体は半減する。

■体細胞分裂 よく出る

核分裂に続いて細胞分裂が起こる。

時期		植物細胞	動物細胞	過　程
間期		核膜 染色体 核小体 中心体		核内ではDNAを含む染色体が複製され，細胞質ではタンパク質が合成されて分裂の準備を整えた母細胞となる。
分裂期（核分裂）	前期	染色体 中心体		縦に裂け目のあるひも状の染色体が現れる。核膜と核小体が消失し，紡錘糸ができはじめる。動物細胞では，中心体が分かれて両極に移動。
	中期	紡錘体 赤道面 染色体 星状体		棒状となった染色体が，細胞の赤道面に並ぶ。各染色体に縦の裂け目がみられる。紡錘糸は各染色体の動原体に付着し，紡錘体が完成する。
	後期	動原体		各染色体は縦裂面で分離し，それぞれ紡錘糸に引かれるように両極へ移動する。両極に集まった染色体の組み合わせは，母細胞と変わらない。
	終期	細胞板 娘核		染色体は間期の状態にもどり，核膜と核小体が再び現れて2個の娘核ができる。細胞質分裂がはじまり，間期に入って2個の娘細胞が完成する。

■動物の組織

上皮組織		体表や器官をおおい，保護・感覚・吸収・分泌に関与する。
結合組織		組織や器官のすきまを満たし，これらを結合・支持する。皮膚の真皮，骨，軟骨，脂肪，血液など。
神経組織		神経細胞（ニューロン）からなる。刺激の受容，興奮の伝導・伝達に関与する。
筋組織	平滑筋	内臓筋…横紋なし。単核で紡錘形。収縮は緩やかで，疲労しにくい。
	横紋筋	骨格筋…横紋あり。多核で長大。収縮は速やかで，疲労しやすい。
		心筋…横紋あり。単核で分枝。収縮は速やかで，疲労しにくい。

■植物の組織

・**分裂組織**…細胞分裂を繰り返す組織。

例　茎頂や根端の分裂組織，形成層。

・**組織系**

表皮系		クチクラやワックスなどの水を通しにくい層を持つ表皮からなる。表皮細胞の他に孔辺細胞（葉緑体を持つ）や根毛などがある。
維管束系	師部	師管（生細胞）…葉でつくられた栄養分の通路。細胞が縦に連なり，細胞間の隔壁には細かい穴がふるいの目のようにあいている。
	木部	道管（死細胞）…根から吸収した水分，養分の通路。細長い細胞が縦に連なり，その間の隔壁が消滅してできる。
基本組織系		柔組織……植物体の大部分を占め，種々の生理作用に関与する。 例　同化組織（さく状組織，海綿状組織），貯蔵組織
		機械組織…植物体を支持する。細胞壁は厚く，木化している。 例　厚壁組織（厚膜組織），厚角組織，繊維組織

【葉の組織】

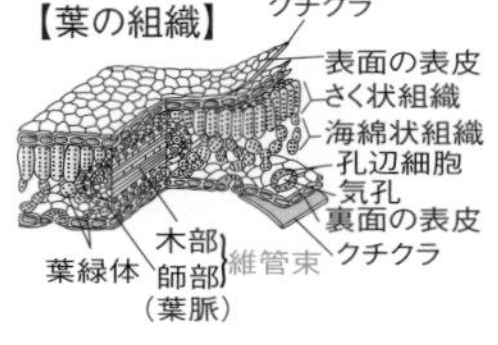

【茎の組織】

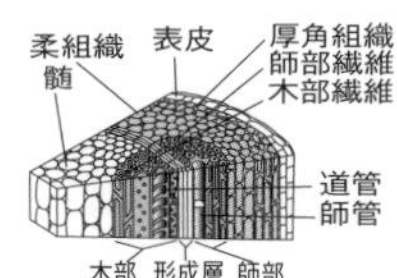

出題パターン check!

細胞の原形質に含まれるミトコンドリアのはたらきとして，正しい記述はどれか。

（1）細胞内のエネルギーをつくりだすはたらきを持つ。
（2）細胞分裂を助けるはたらきを持つ。
（3）細胞内の老廃物のたまり場の役割をする。
（4）細胞内の物質を分泌するはたらきを持つ。
（5）細胞への物質の出し入れを調節するはたらきをする。

答え（1）

過去５年の出題傾向　★★★★★

生物② 代謝とエネルギー

この分野は生物の中でも化学的な要素が多い分野なので，苦手意識を持ってしまう人が多いが，重要な分野である。特に呼吸と光合成の関係はしっかりと把握しておこう。

■物質代謝とエネルギー代謝

・**物質代謝**…生体内で行われる化学反応による物質の合成と分解。

①**同化**…外界から取り入れた物質をもとに体物質が合成される過程。エネルギー吸収反応である。例　光合成

②**異化**…体内の有機物が簡単な物質に分解される過程で，一般に，エネルギー放出反応である。例　呼吸

・**エネルギー代謝**…物質代謝に伴って起こるエネルギーの出入り。

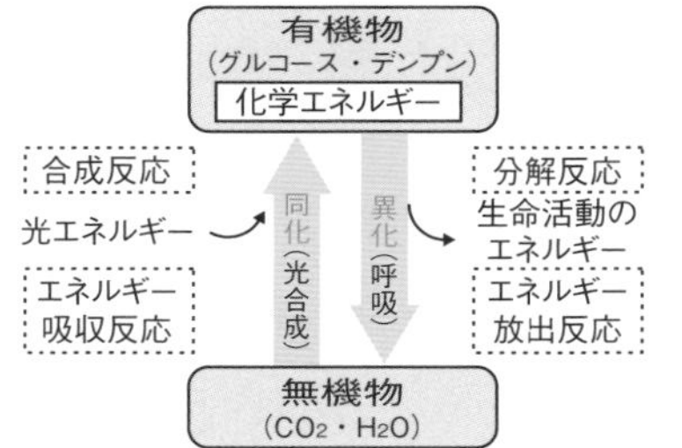

■ATP（アデノシン三リン酸）

生体内でエネルギー代謝のなかだちをする物質。

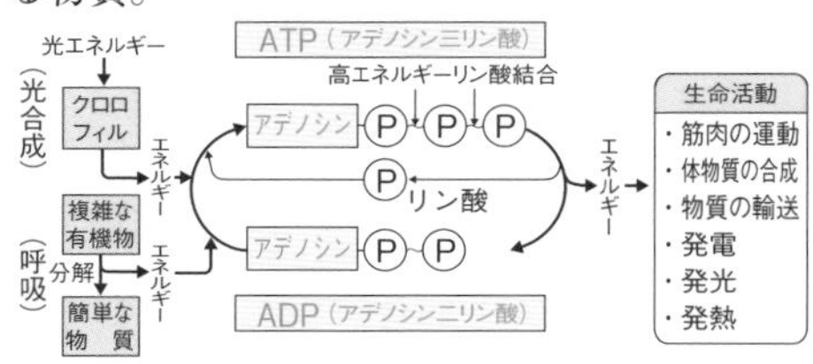

■酵素

生体内における化学反応を促進する触媒である。主にタンパク質からできている。

・酵素の特性　よく出る

①**基質特異性**…それぞれの酵素は特定の基質のみに作用する。

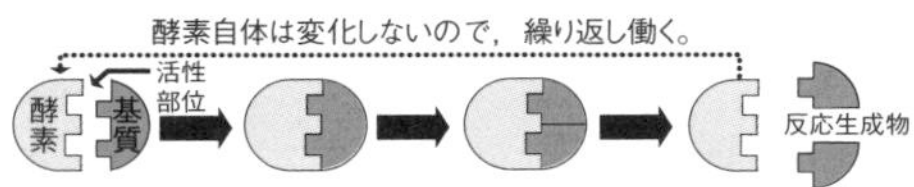

②**最適温度**…酵素反応に適した温度35°～40℃，0℃付近でははたらかず，60℃以上では変性する。

③**最適 pH**…酵素の種類により最も適した pH がある。

例　アミラーゼpH6.9，ペプシンpH1.5～2.0，トリプシン pH8.2～8.7。

■呼吸

有機物を分解し，生命活動に必要なエネルギーを得る異化のはたらきを呼吸といい，酸素を必要としない嫌気呼吸，酸素を必要とする好気呼吸とがある。

■好気呼吸の３つの過程　よく出る

①**解糖系（細胞質基質）**

$C_6H_{12}O_6 \rightarrow 2C_3H_4O_3 + 4[H] + 2ATP$

（グルコース）（ピルビン酸）

この反応では酸素は不要で，脱水素酵素がはたらき，2ATP が生成する。

②**クエン酸回路（ミトコンドリア）**

$2C_3H_4O_3 + 6H_2O \rightarrow 6CO_2 + 20[H] + 2ATP$

この反応では脱炭酸酵素，脱水素酵素がはたらく回路の途中で水が加わり，CO_2 が発生し，2ATP が生成する。

③**電子伝達系（ミトコンドリア）**

$24[H] + 6O_2 \rightarrow 12H_2O + 34ATP$

①，②の過程で取りはずされた水素は，いくつかのシトクロム系酵素群の間を受け渡され，最終的に酵素と結合し，H_2O を生成。34ATP が生成する。

■好気呼吸の全過程

$C_6H_{12}O_6$ ＋ $6O_2$ ＋ $6H_2O$ → $6CO_2$ ＋ $12H_2O$ ＋ 688kcal（38ATP）

■呼吸基質と呼吸商

・呼吸基質…呼吸に使われる材料。

・呼吸商（RQ）…呼吸基質により異なる。

$$呼吸商（RQ）=\frac{発生した CO_2 量}{吸収した O_2 量}$$

例　脂肪

$2C_{57}H_{110}O_6+163O_2$

$\rightarrow 114CO_2+110H_2O$

$RQ=CO_2/O_2=114/163$

$\fallingdotseq 0.7$

呼吸基質	RQ
炭水化物	1.0
脂肪	0.7
タンパク質	0.8

■炭酸同化

植物が CO_2 と水から有機物をつくり出すはたらきをいう。

・光合成…光のエネルギーを利用し炭酸同化をおこなう。

例　緑色植物，光合成細菌

・化学合成…無機物酸化のエネルギーを利用。

例　亜硝酸菌，硝酸菌，硫黄細菌

■光合成の全過程

$6CO_2+12H_2O$＋光エネルギー→（688kcal）

$C_6H_{12}O_6+6O_2+6H_2O$（グルコース）

■光合成と葉緑体

・葉緑体…光合成の場。

チラコイド…平たい袋状構造，同化色素を含む。

グラナ…チラコイドが重なった部分。

ストロマ…チラコイド以外の基質部分。

・同化色素…光エネルギーを吸収する。

クロロフィル（a・b・cなど），カロテノイド（カロテン・キサントフィル）。

・光合成に有用な光

青紫色光，赤色光。

■光合成の反応過程

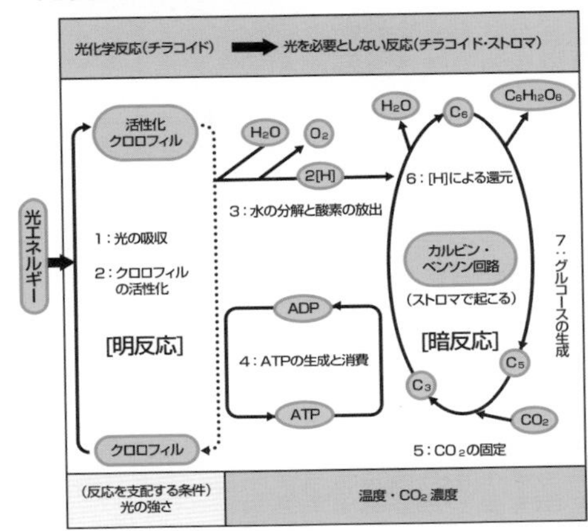

■光合成と呼吸　よく出る

光合成は光が当たっているときだけ CO_2 を吸収し，O_2 を放出しているが，呼吸は昼夜 O_2 を吸収し，CO_2 を放出している。夜明けごろの明るさでみかけ上 O_2 と CO_2 の出入りが見られなくなる。このときの光の強さを補償点という。

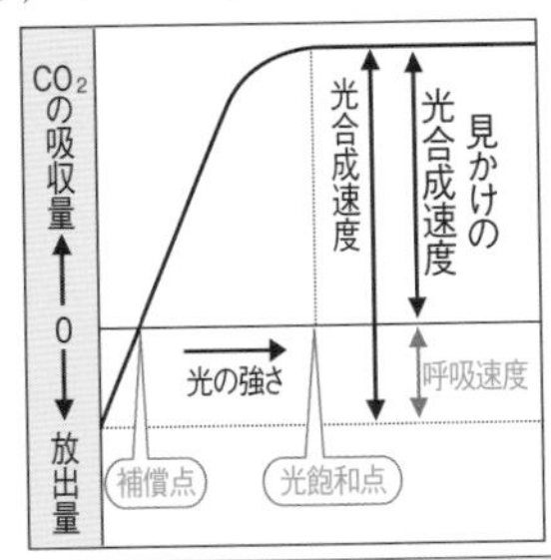

光合成速度＝見かけの光合成速度＋呼吸速度

出題パターン check!

光合成において影響を与える要因とならないものはどれか。

（1）光の強さ
（2）温度
（3）炭酸ガス
（4）水
（5）酸素

答え（5）

過去5年の出題傾向 ★★★★★

生物 ③ 生物体の調節と恒常性

この分野はヒトに関係する分野の出題が多い。特に，血液の成分とはたらき，腎臓・肝臓のはたらき，自律神経とホルモンによる血糖量・体温などの調節は，頻出している内容である。

■内部環境

生体内細胞や組織は，血液・リンパ液・組織液に満たされている。これらの液体成分の総称をいう。

■恒常性

生物には，外部環境（外界）が変化しても内部環境を一定の状態に保つはたらきがある。この性質を恒常性（ホメオスタシス）という。

例 ヒトの体温，血糖量など

■血液とそのはたらき よく出る

成分		特徴	主な働き
有形成分	赤血球	円盤形，無核	酸素の運搬（全身の細胞へ），二酸化炭素の一部を運搬
	白血球	アメーバ運動，有核	食菌作用，感染防御
	血小板	不定形，無核	血液の凝固
液体成分	血しょう	水，炭水化物，タンパク質，脂質，無機塩類などからなる	栄養素の運搬（全身の細胞へ），代謝物の運搬（腎臓へ）

■リンパとそのはたらき

毛細血管からしみ出た血しょう成分を組織液という。組織液の一部がリンパ管に入ったものをリンパ液という。リンパ液は鎖骨下静脈で再び血液と合流する。リンパ球は，抗体をつくり，免疫反応に関与している。また，小腸に分布するリンパ管は，栄養として吸収した脂肪を運搬する。

■肝臓

肝臓はヒトの器官の中では最大の器官である（約1.2kg）。

・肝臓のはたらき

グリコーゲンの代謝	血液中のグルコース（血糖）をグリコーゲンに変えて貯蔵する。低血糖になると，グリコーゲンを分解してグルコースに変える。
尿素の合成	タンパク質の分解産物である有害なアンモニアを毒性の少ない尿素に変える。
胆汁の生成	脂肪を乳化する胆汁（胆液）を生成し，胆嚢に蓄える。
解毒作用	有害物質を酸化分解し，無毒化する。
体熱の発生	盛んな代謝によって発生した熱は，体温の保持に役立つ。
脂肪の代謝	糖やアミノ酸を脂肪に変え，皮下に貯蔵する。
血液の貯蔵等	血液を貯蔵し循環量を調節する。古くなった赤血球を破壊する。

■腎臓

腹腔の背側に1対あるこぶし大の大きさの器官である。100万個以上の腎単位（ネフロン）からできている。

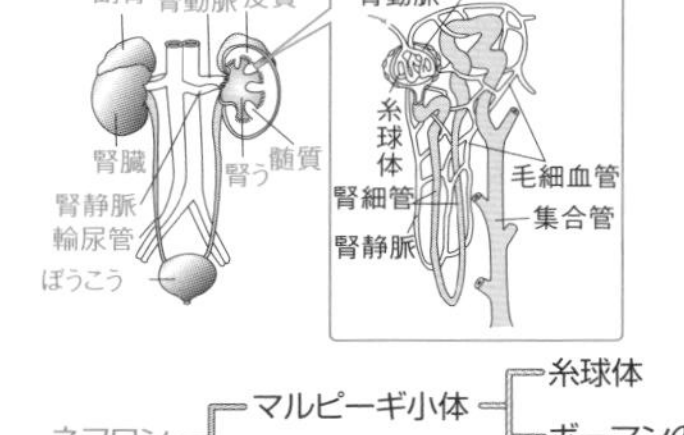

ネフロン ─ マルピーギ小体 ─ 糸球体 / ボーマンのう
ネフロン ─ 腎細管

・腎臓のはたらき

ろ過	・糸球体（毛細血管の集まり）を通る血液から血液とタンパク質以外の成分（低分子化合物など）がボーマンのうにこし出される。 ・こし出された液は原尿と呼ばれる（原尿は血しょうと成分が似ている）。
再吸収	・原尿が腎細管を流れる間に，次の成分が毛細血管内に再吸収される。 グルコース・アミノ酸→100%再吸収 無機塩類・水→再吸収率が高い ・老廃物の尿素の再吸収率は低く，これは尿として，腎うを経てぼうこうに運ばれる。

■自律神経系

主として，心臓・消化管などの内臓諸器官やだ液腺などに分布し，これらのはたらきを意思とは無関係に調節する。交感神経と副交感神経があり，拮抗的にはたらく。

・自律神経のはたらき

自律神経系	神経末端から分泌される物質	働き			
		心臓の拍動	瞳孔	消化管の運動	顔面の血管
交感神経	ノルアドレナリン	促進	拡大	抑制	収縮
副交感神経	アセチルコリン	抑制	縮小	促進	拡張

■ホルモン よく出る

ホルモンは特定の内分泌腺でつくられ，血液によって全身に運ばれて微量ではたらく。

・ホルモンのはたらき

内分泌腺		ホルモン	働き	過多症・欠乏症
脳下垂体	前葉	成長ホルモン	タンパク質の合成促進，骨・筋肉などの成長促進	過…巨人症 欠…小人症
		甲状腺刺激ホルモン	チロキシンの分泌促進	欠…クレチン病
		副腎皮質刺激ホルモン	糖質コルチコイドの分泌促進	—
		生殖腺刺激ホルモン ろ胞刺激ホルモン・黄体形成ホルモン・黄体刺激ホルモン	生殖腺の成熟促進，性ホルモンの分泌促進，排卵誘起	—
	中葉	インテルメジン	体色変化(両生類・ハ虫類)に関係	—
	後葉	バソプレシン	腎臓の集合管における水分の再吸収促進，血圧の上昇	過…高血圧 欠…尿崩症
甲状腺		チロキシン	物質代謝促進,成長・変態(両生類)の促進	過…バセドウ病 欠…クレチン病
副甲状腺		パラトルモン	体液中のカルシウム量の増加	欠…テタニー症
すい臓のランゲルハンス島		インスリン(β細胞) グルカゴン(α細胞)	血糖量減少 血糖量増加	欠…糖尿病
副腎	皮質	糖質コルチコイド 鉱質コルチコイド	血糖量増加 体液中の無機質を調節	欠…アジソン病
	髄質	アドレナリン	血糖量増加	—
卵巣	ろ胞	ろ胞ホルモン(エストロゲン)	女性の二次性徴発現	—
	黄体	黄体ホルモン(プロゲステロン)	妊娠の継続・維持,排卵抑制	—
精巣		雄性ホルモン(テストステロン)	男性の二次性徴発現	—

■血糖量の調節 よく出る

自律神経やホルモンの調節により血液中のグルコースの量（血糖量）は，ほぼ一定に保たれている。

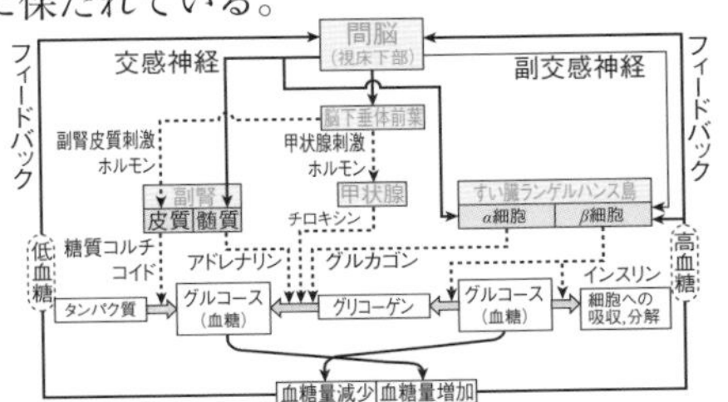

■体温の調節

恒温動物は，自律神経やホルモンのはたらきによって体温を一定に保っている。

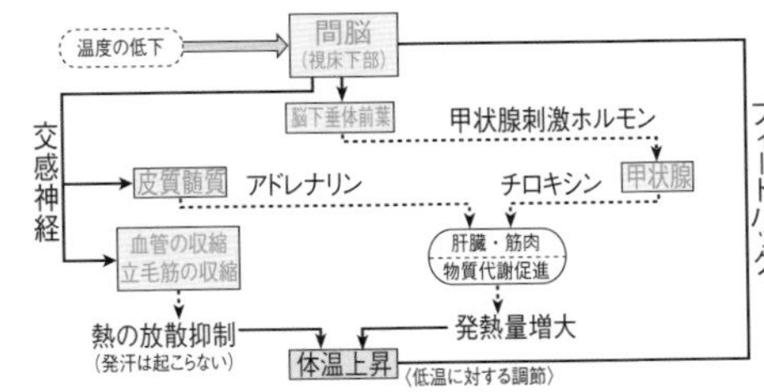

■植物の成長

・屈性…植物の成長に伴って起こる屈曲運動で，刺激源に対して一定方向に屈曲する。刺激源に向かう場合を正（+），その反対の場合を負（−）とする。

例　茎…正の屈光性・負の屈地性
　　根…負の屈光性・正の屈地性

・植物のホルモンとそのはたらき

植物ホルモン	働き	その他
オーキシン （インドール酢酸 ナフタレン酢酸 2,4−D）	・細胞の成長，分裂 ・発根促進 ・側芽抑制(頂芽優勢) ・落葉,落果の防止	・植物の屈性の研究から明らかになった ・濃度により,作用が異なる ・除草剤に利用
ジベレリン	・細胞の伸長,成長,分裂 ・種子の発芽 ・子房の肥大(単為結実)	・イネのバカ苗病から発見 ・種なしブドウの生産に利用
サイトカイニン	・細胞分裂の促進 ・植物の老化を防止	・DNAの分解産物から発見
アブシジン酸	・落葉，落果の促進 ・種子や頂芽の発芽抑制	
エチレン(気体)	・果実の成熟を促進	・果実の香りの成分

・植物ホルモンの利用

例　種なしブドウ…ジベレリン液
　　バナナの成熟促進…エチレンガス

出題パターン check!

アルコール，ニコチンなど身体に有害な毒素を摂取すると，その毒素は次のどの器官で分解されるか。

（1）胃
（2）小腸
（3）肝臓
（4）腎臓
（5）すい臓

答え（3）

過去５年の出題傾向 ★★★★☆

生物 ④ 遺 伝

この分野は，まず基本的な用語や約束事を理解しておこう。また，メンデルの三法則やそれに従わない代表的な遺伝，特にヒトの血液型などについて実例をあげ学習する。

■メンデルの研究

メンデルはエンドウを実験材料として用い，８年間にわたる交雑実験から遺伝の法則を発見した（1865 年）。

■遺伝の基礎用語

①**形質**…生物体に見られる各種の形や性質。生化学的，生理学的なものも含む。

②**対立形質**…対になっている形質。顕性（優性）形質と潜性（劣性）形質などをいう。

③**交配**…異なる個体間での受精，受粉を行うことをいう。特に遺伝子型の異なる２個体の交配を交雑という。

④**自家受精**…同一個体内でつくられた配偶子どうしの受精をいう。反対を他家受精という。

⑤**純系**…何代自家受精を繰り返しても同じ形質しか現れないもの。

⑥**遺伝子型**…その個体の遺伝子の組み合わせ。対立形質のうち顕性（優性）遺伝子をアルファベットの大文字，潜性（劣性）遺伝子を小文字で表す。

例 AA，Aa，aa

・ホモ…同じ遺伝子が，対になっている遺伝子型。例 AA，aa，AABB

・ヘテロ…異なる遺伝子が対になっている遺伝子型。例 Aa，AaBb

⑦**表現型**…遺伝子のはたらきによって，外に現れる形質。

■メンデルの法則 よく出る

①**顕性（優性）の法則**…顕性（優性）形質と潜性（劣性）形質が，同時に存在する場合には，顕性（優性）形質が現れる。

②**分離の法則**…体細胞で対になっていた遺伝子は，分離して別々の配偶子の中に入る。F_1（雑種第一代）のつくる配偶子は，顕性（優性）遺伝子と潜性（劣性）遺伝子の比が１：１となる。

〈一遺伝子雑種の遺伝のしくみ（エンドウの種子の形）〉

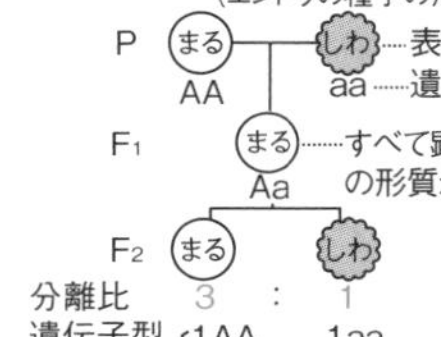

〈F_1(Aa)の配偶子とその組み合わせ〉

♀＼♂	A	a
A	AA	Aa
a	Aa	aa

［F_2の形質］
顕性（優性）形質と潜性（劣性）形質が３：１の比に現れる。

③**独立の法則（二遺伝子雑種の研究から）**
…２組の対立形質に着目して交雑実験を行った場合，F_1ではどちらも顕性（優性）の形質が現れ，F_2（雑種第二代）では４種類の表現型が９：３：３：１の比に分離して現れる。これは配偶子が形成されるとき，各対立遺伝子がそれぞれ独立に分離し，自由に組み合わされるからである。

〈二遺伝子雑種の遺伝のしくみ〉（エンドウの種子の形と子葉の色）

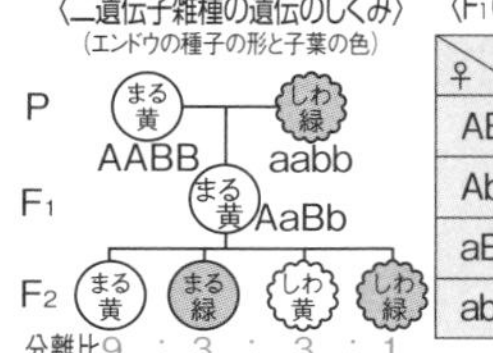

〈F_1(AaBb)の配偶子とその組み合わせ〉

♀＼♂	AB	Ab	aB	ab
AB	AABB	AABb	AaBB	AaBb
Ab	AABb	AAbb	AaBb	Aabb
aB	AaBB	AaBb	aaBB	aaBb
ab	AaBb	Aabb	aaBb	aabb

■検定交雑 よく出る

潜性（劣性）ホモ（aa）の個体をかけあ

わせることにより，その個体の体細胞の遺伝子型とその個体の配偶子の遺伝子型およびその分離比がわかる。

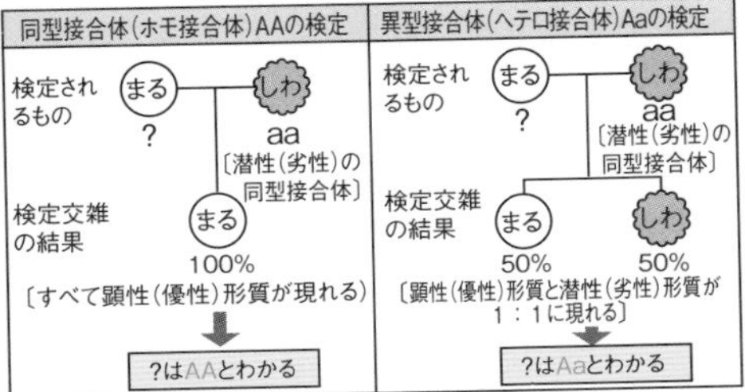

■不完全優性

対立遺伝子間の優劣関係が不完全で中間雑種が現れ，顕性（優性）の法則が成立しない。

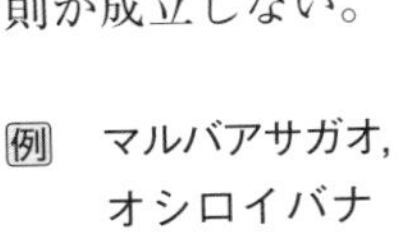

例　マルバアサガオ，オシロイバナ

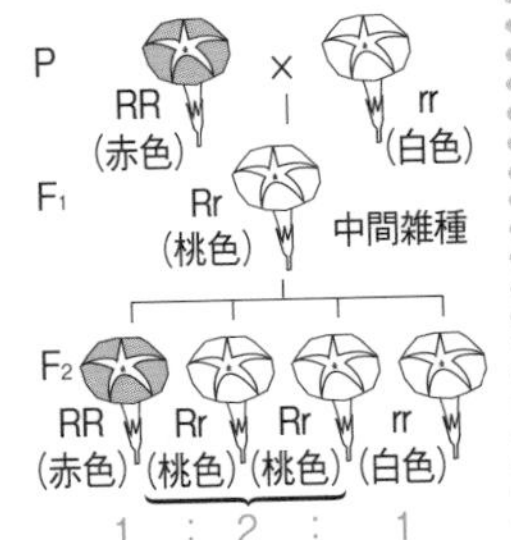

■複対立遺伝子

1つの形質に関係する3つ以上の対立遺伝子。

例　ヒトのABO式血液型

<血液型と遺伝子型>

表現型(血液型)	遺伝子型
A型	AA,AO
B型	BB,BO
AB型	AB
O型	OO

<両親の血液型と子どもの血液型>

両親	子ども	両親	子ども
A×A	A,O	B×AB	A,B,AB
A×B	A,B,AB,O	B×O	B,O
A×AB	A,B,AB	AB×AB	A,B,AB
A×O	A,O	AB×O	A,B
B×B	B,O	O×O	O

■致死遺伝子

ホモになると致死作用を示す遺伝子。

例　ハツカネズミの毛の色の遺伝子

■遺伝子の相互作用

2組以上の遺伝子がはたらきあって，1つの形質を現す。

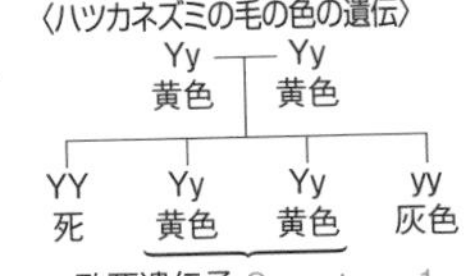

①補足遺伝子　②抑制遺伝子

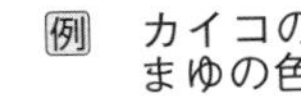

例　スイートピーの花の色　例　カイコのまゆの色

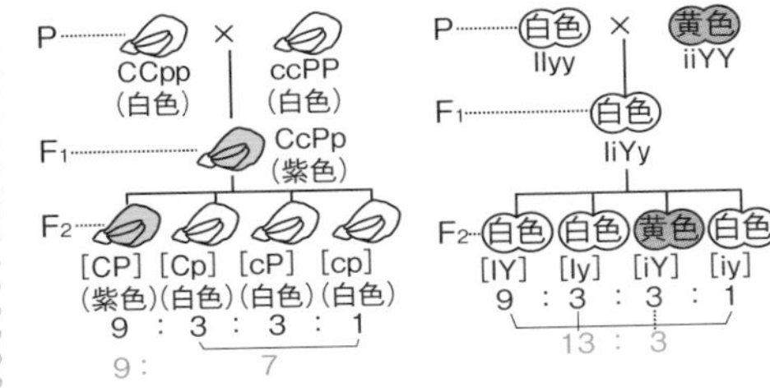

■伴性遺伝　よく出る

性染色体X（またはZ）上にある性決定の遺伝子以外の遺伝子による遺伝。

例　ヒトの赤緑色覚異常，血友病，ショウジョウバエの眼の色，カイコ幼虫の体色

■遺伝子の連鎖と組み換え

- 連鎖…同一染色体上に存在する非対立遺伝子が，同一行動をとる現象。
- 組み換え…減数分裂の際に，対合した染色体どうしが交叉して染色体の部分的交換（乗り換え）が起こること。
- 組み換え価…組み換えが起こる割合。

$$組み換え価(\%) = \frac{組み換えの起こった配偶子の数}{配偶子数} \times 100$$

■遺伝子の本体

グリフィスやアベリーらは，肺炎双球菌の形質転換について研究し，形質を転換させる物質がDNAであることをつきとめた。

出題パターンcheck!

ある物質に着目し，ある生物を交雑したところ，子（F_1）は中間型が，孫（F_2）は1：2：1の分離を示した。これは次のどれか。

(1) ハツカネズミの黄色の体色とねずみ色の体色。
(2) スイートピーの白色の花ともう1つの白色の花。
(3) カイコの黄まゆと白まゆ。
(4) マルバアサガオの赤色の花と白色の花。
(5) コムギの赤色の種皮と白色の種皮。

答え（4）

過去５年の出題傾向 

生物 ⑤ 生殖と発生

この分野では動物の生殖細胞がつくられるときの減数分裂，動物の受精，被子植物の重複受精，発生と卵割，器官形成など覚えることが多いが，まとめて覚えておきたい。

■世代交代と核相交代

・世代交代…生物の一生の生活過程（生活環）の中で，有性生殖をする世代（有性世代）と無性生殖をする世代（無性世代）が交互に繰り返される。

・核相交代…染色体数の単相世代（n）と復相世代（$2n$）が交互に繰り返される。

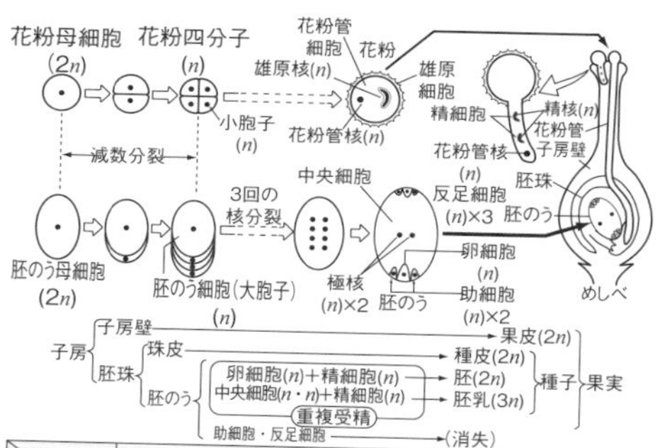

世代＼植物	有性世代（n世代）			無性世代（$2n$世代）		
	胞子	配偶体	配偶子	接合子	胞子体	胞子のう
スギゴケ （コケ植物）	胞子→ 胞子→	原糸体→雌株→造卵器→ 原糸体→雄株→造精器→ （スギゴケの本体）	卵細胞→ 精子→	受精卵→	胞子体→	胞子のう
ワラビ （シダ植物）	胞子→	前葉体→造卵器→ 前葉体→造精器→	卵細胞→ 精子→	受精卵→	胞子体→ （ワラビの本体）	胞子のう
被子植物	胚のう細胞→ 小胞子→	胚のう→ 花粉→花粉管→	卵細胞→ 中央細胞→ 精細胞→	受精卵→ （胚乳核）→	胚→被子植物の本体→ （胚乳）	胚珠 葯

■動物の生活環

ほとんどの動物は有性生殖のみを行い，世代交代がない。

■卵と卵割

・卵の種類と卵割の様式…卵の種類は卵黄の量と分布により分けられ，卵の種類により卵割の様式が異なる。

	卵の種類と特徴	卵割様式	動物の例
等黄卵	卵黄が少なく，ほぼ一様に分布。	全・等割	ウニ類，哺乳類
端黄卵	卵黄が多く，植物極側にかたよって分布。	全・不等割	両生類
		盤割	魚類，ハ虫類，鳥類
心黄卵	卵黄が卵の中心部に集中して分布。	表割	昆虫類，甲殻類

■カエルの発生（端黄卵，全・不等割）

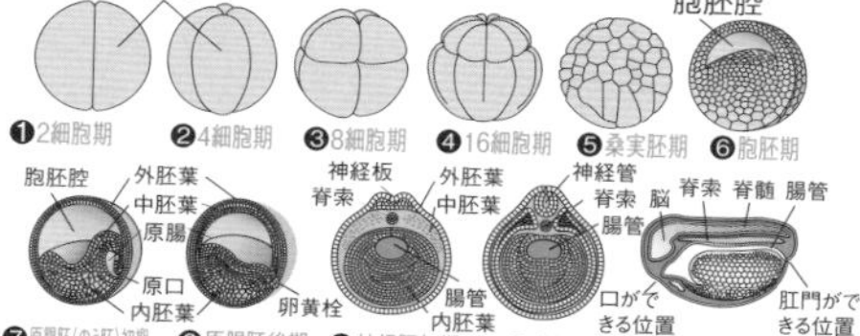

■各胚葉から形成される組織・器官 よく出る

・胚葉の分化と器官形成

外胚葉	表皮	皮膚の表皮，眼の水晶体，角膜，内耳，嗅上皮
	神経管	脳，脊髄，末梢神経，網膜
中胚葉	体節	骨格，横紋筋，皮膚の真皮，脊椎，肋骨
	腎節	腎臓，輸尿管，輸精管
	側板	心臓，血管，平滑筋，腸間膜，腹膜，結合組織
内胚葉	腸管	胃，小腸などの内面上皮，肝臓，すい臓，中耳，肺，気管，えら，ぼうこう

・外胚葉・中胚葉・内胚葉は，分化して器官を形成する。また，脊索は，発生の途中で退化する。

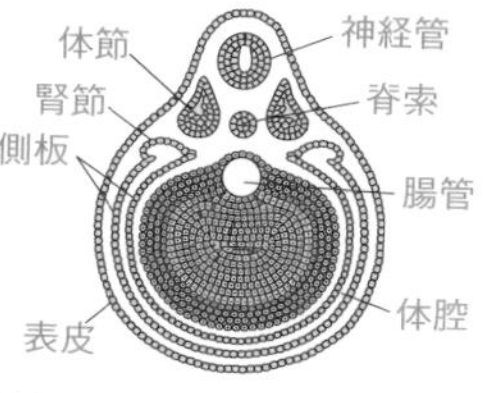

【神経胚の横断面（カエル）】

■発生のしくみ

・調節卵…胚の各部の発生運命が比較的遅くに決定される。

例　ウニ，カエル

・**モザイク卵**…胚の各部の発生運命がごく初期に決定される。例　クシクラゲ

■無性生殖

性区分のない生殖細胞や体細胞から新個体ができる。形質が変化なく伝えられる。

・**分裂**…からだがほぼ同じ大きさに分裂。
例　ゾウリムシ，イソギンチャク

・**出芽**…からだの一部が成長・分離して新個体を形成。
例　酵母菌，ヒドラ

・**栄養生殖**…根・茎・葉などの栄養器官から新個体を形成。
例　ジャガイモ（塊茎），イチゴ（ほふく枝），スギナ（地下茎）

・**胞子生殖**…胞子または遊走子をつくって増える。
例　アオカビ，シイタケ，アオサ，ワラビ

■有性生殖

2つの性が関連した配偶子による生殖。両親とは異なる新しい形質の組み合わせを生じる。

・**同形配偶子**…同じ形と大きさの配偶子による接合。
例　アオミドロ，クラミドモナス

・**異形配偶子**…形や大きさの異なる配偶子による接合。例　ミル，ムチモ

・**受精**…卵と精子の接合を受精といい，できた接合子を受精卵という。

■減数分裂　よく出る

動物の配偶子や植物の胞子などの生殖細胞がつくられるときの細胞分裂。2回の細胞分裂（第一分裂，第二分裂）が引き続いて起こり，1個の母細胞から4個の娘細胞ができる。第一分裂のとき，染色体数が半減する。

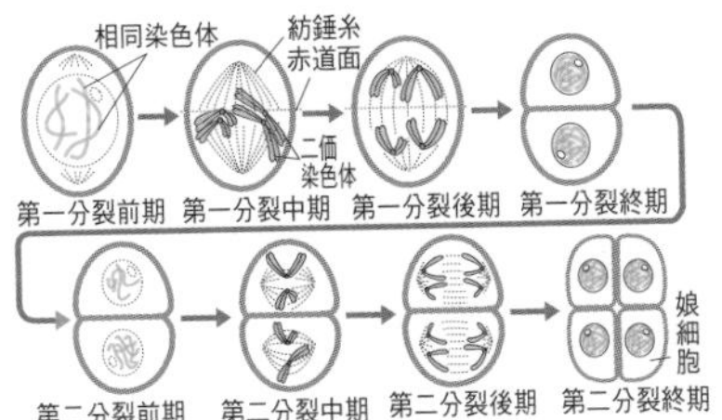

■動物の配偶子形成

卵母細胞と精母細胞の減数分裂で卵と精子がつくられる。

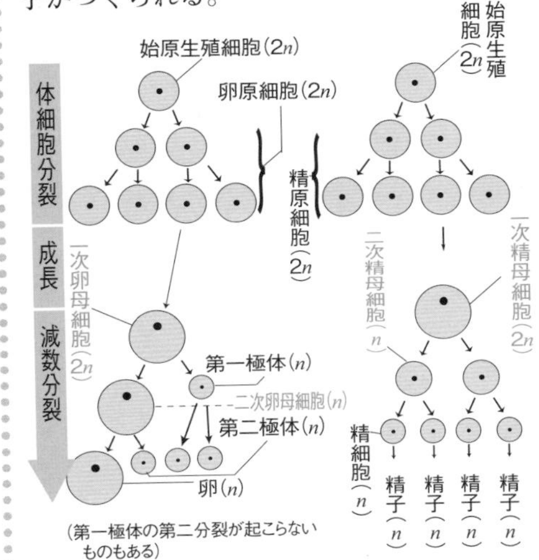

■動物の受精

ふつう1個の精子が卵内に侵入し，卵の核（n）と精子の核（n）とが合体して受精卵（$2n$）ができる。

■被子植物の配偶子形成と重複受精

・**配偶子形成**…雄性配偶体である花粉・花粉管に2個の精細胞が，雌性配偶体である胚のうに1個の卵細胞がつくられる。

・**重複受精**…花粉管内に形成された2個の精細胞は，一個が胚のう内の卵細胞と，残りの1個が中央細胞と受精する。

出題パターン check!

次の無性生殖の様式とそれを行う生物の組み合わせで，正しいものはどれか。

（1）二分裂……コケ類，シダ類
（2）出芽……酵母菌，ヒドラ
（3）異形配偶子……ミル，ムチモ
（4）栄養生殖……アオミドロ，アオサ
（5）胞子生殖……ゾウリムシ，ミドリムシ，イソギンチャク

答え（2）

過去５年の出題傾向 ★★★☆☆

生物 ⑥ 刺激の受容と動物の行動

この分野では，色々な刺激とそれを受容する感覚器との関係，筋肉に代表される作動体，それらをつなぐ神経，ヒトの脳のはたらき，反射などの出題が多く見られる。

■受容体と作動体

・受容体…刺激を受ける器官（感覚器）。

・作動体…刺激に対する反応を起こす器官（筋肉など）。

・適刺激…ある感覚器が受容することのできる刺激の種類。

・閾値（しきいち）…感覚細胞が興奮するために必要な最小の刺激の強さ。

■ヒトの眼の構造とはたらき

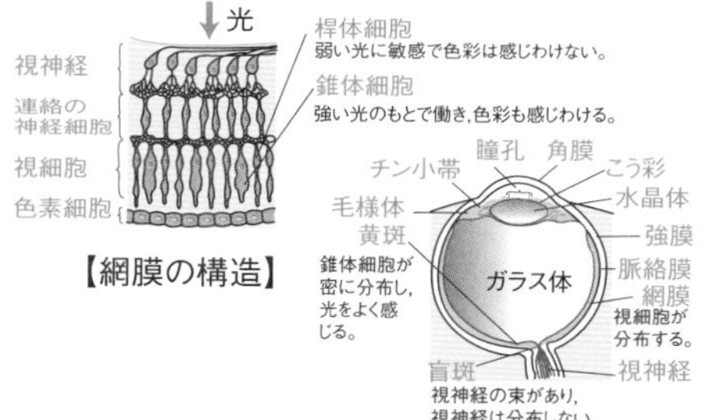

【網膜の構造】
【右眼の水平断面図】

■ヒトの耳の構造とはたらき

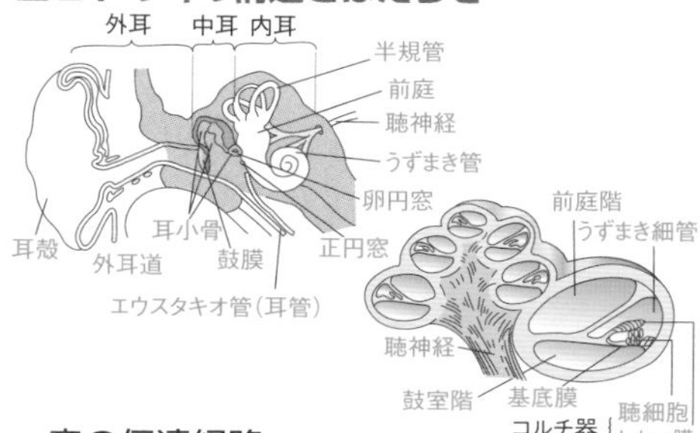

【うずまき管】

・音の伝達経路

音波→耳殻→鼓膜の振動→耳小骨→うずまき管→コルチ器→聴細胞

外耳　中耳　内耳

■ヒトの平衡器の構造とはたらき

・前庭…からだの傾きや重力の方向を受容。

・半規管…回転運動の方向や速さを受容。

■筋肉の種類

筋肉の種類	核	横紋	随意・不随意	収縮性	持続性	存在する場所
横紋筋	多核	ある	随意筋	速い	ない	骨格筋
心筋（横紋筋の一種）	単核	ある	不随意筋	速い	ある	心臓
平滑筋	単核	ない	不随意筋	遅い	ある	内臓筋・血管壁

■単収縮と強縮

・単収縮（れん縮）…１回の刺激によって起こる収縮。

・強縮…短い間隔で刺激を連続して与えたときの収縮で，不完全強縮と完全強縮がある。

■ニューロン

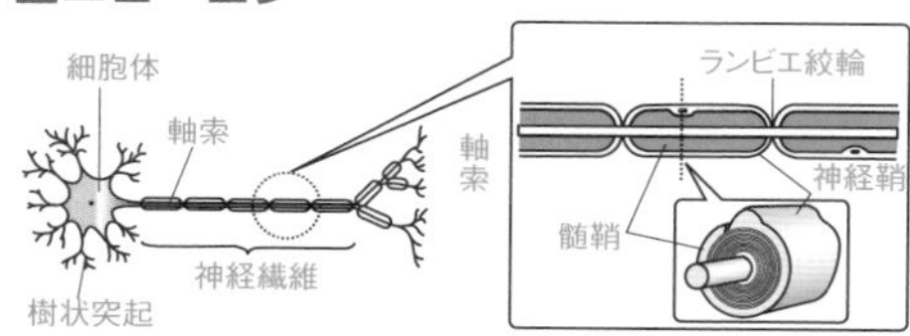

【ニューロンの構造】

■シナプスと興奮の伝達 よく出る

・シナプス…１つのニューロンの軸索の末端と他のニューロンの樹状突起の末端や細胞体との接合部であり，せまいすきま（シナプス間隙）がある。

・伝達物質…軸索の末端まで伝導された興奮は，シナプス小胞から，分泌される伝達物質によって，次のシナプスへ伝達される。

伝達物質…アセチルコリン
（副交感神経，運動神経）
ノルアドレナリン（交感神経）

■神経系の種類 よく出る

・散在神経系と集中神経系

神経系
- 散在神経系（散在した神経の細胞体が網目状に連絡）…ヒドラなど
- 集中神経系…
  - かご形神経系……プラナリアなど
  - はしご形神経系…ゴカイ，昆虫類など
  - 管状神経系………脊椎動物

・脊椎動物の神経系

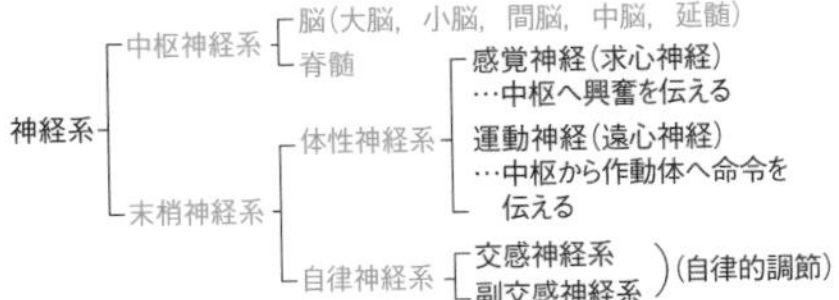

■ヒトの脳とそのはたらき

大脳の外側には細胞体の集まりである灰白質（大脳皮質）が，内側には神経繊維の集まりである白質（大脳髄質）がある。

部位	おもな機能
大脳	感覚中枢，運動中枢，学習・創造・記憶の中枢本能・情緒的行動の中枢
小脳	平衡保持の中枢，意識運動の無意識な調節
間脳	自律神経系の中枢
中脳	眼球運動，ひとみの調節，姿勢保持の中枢
延髄	呼吸・心臓の拍動の中枢

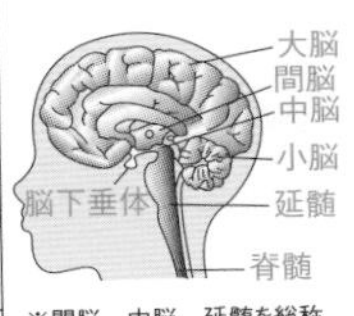

※間脳，中脳，延髄を総称して脳幹という。

■ヒトの脊髄

・脊髄…運動神経・感覚神経の通路で，反射の中枢がある。

・興奮の伝達経路

刺激→感覚神経→背根→脊髄→大脳→脊髄→腹根→運動神経→反応

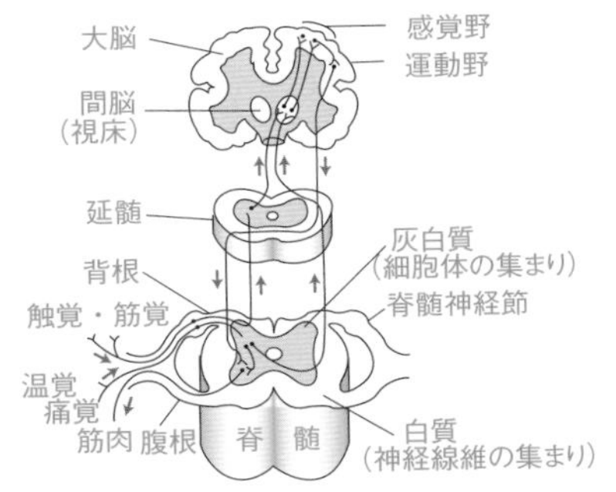

■反射 よく出る

刺激に対して無意識（大脳が関与しない）に起こる反応をいう。

・反射弓…反射の経路。

刺激→感覚神経→背根→脊髄→腹根→運動神経→反応

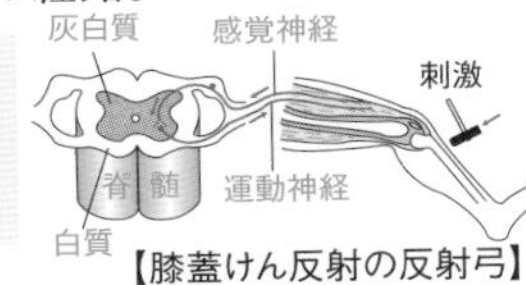

【膝蓋けん反射の反射弓】

■動物の生得的（先天的）な行動

①**走性**…外部からの刺激に対して一定方向に移動するような，型にはまった行動。刺激に向かう場合を正（＋）の走性，刺激から遠ざかる場合を負（－）の走性という。

例 走光性，走化性，走地性

②**本能行動**…いくつかの異なる反射や走性が組み合わさったもので，個体や種族の維持に役立つ。

・**信号刺激**…本能行動を引き起こす特定の刺激をいう。

例 イトヨの雄の攻撃行動（信号刺激は雄の腹部の赤色）

③**概日リズム（サーカディアンリズム）**…動物の行動は環境の変化とは関係なく，おおむね1日の周期で変化する。生物時計がはたらく。

例 ゴキブリの生物時計，時差ボケ

■動物の習得的（後天的）な行動

①**学習による行動**

例 試行錯誤学習，刷り込み

②**知能による行動**…経験や学習をもとにして思考・推理をもとにした行動。

出題パターン check!

Aは思考，判断，記憶等の高等なる精神作用の発現地であり，また外来の刺激を知覚するところである。Bは，Aに起こった命令（刺激）を末梢器官に伝え，また外来の刺激をAに伝達する作用もある。このA，Bの組み合わせの正しいものはどれか。

	A	B
（1）	中枢神経	末梢神経
（2）	脳，脊髄	交感神経
（3）	神経細胞	神経繊維
（4）	自律神経	交感神経
（5）	大脳	末梢神経

答え（5）

練習問題1

生物は全て細胞からできている。細胞について，次の記述の中で誤っているものはどれか。

（1）バクテリアやクロレラ，あるいは卵などのように，細胞が1つだけ他の細胞と離れて，単独に存在する場合がある。
（2）細胞の形は，わずかな例外を除いてほとんど球形である。
（3）細胞の大きさは，ダチョウの卵から，小さなバクテリアにいたるまで色々ある。
（4）細胞の構成要素を大きく2分すると，原形質と後形質に分けられる。
（5）動物細胞と植物細胞はいくらか違いはあるが，基本的には相違点は少ないといえる。

練習問題2

浸透圧に関する次の文の中で正しいものはどれか。

（1）蒸留水にヒトの赤血球を加えると，だんだん大きくなり，ついには破裂して，溶血現象を示す。
（2）蒸留水にヒトの赤血球を加えると，だんだん収縮して小さくなる。
（3）蒸留水にヒトの赤血球を加えても，何の変化も起こらない。
（4）3%の食塩水にヒトの赤血球を加えると，だんだん大きくなり，ついには破裂して溶血現象を示す。
（5）0.9%の食塩水にヒトの赤血球を加えると，だんだん収縮して小さくなる。

練習問題3

赤血球中のヘモグロビンに含まれ，酸素の運搬に大切なはたらきをする元素は何か。

（1）マグネシウム
（2）ナトリウム
（3）アルミニウム
（4）バリウム
（5）鉄

練習問題4

次の文中の［　　］内のA～Cに入る語の組み合わせとして正しいのはどれか。

多くの生物は主要なエネルギー源としてブドウ糖を用いるが，好気呼吸においてブドウ糖を分解する過程は，［ A ］［ B ］［ C ］の3段階に分けられる。
このうち［ A ］の過程は細胞質基質で行われ，他の2つの過

解答・解説

練習問題1　正答／(2)
●**解説**／細胞の形は，それぞれのはたらきにより都合のよい形をしている。単細胞生物や卵には球形のものが多いが，中にはアメーバのように変形するものもある。多細胞生物では細胞どうしが押しあっているので，球形のものは少ない。また，神経や筋肉の細胞のように機能によって大きく変形しているものもある。

練習問題2　正答／(1)
●**解説**／ヒトの生理的食塩水の濃度は0.9%である。0.9%以上の食塩水は高張液であるから，赤血球を入れると水分が出ていき収縮する。0.9%以下の食塩水は低張液であり，これに赤血球を入れると水分が入り込み膨張し，ついには破裂し溶血現象を示す。

練習問題3　正答／(5)
●**解説**／ヘモグロビンはヘムという色素とグロビンというタンパク質が結合してできている。鉄を含み色は暗赤色である。ヘモグロビンの中の鉄1原子当たり1分子の酸素と結合する。

練習問題4　正答／(1)
●**解説**／好気呼吸は解糖系，クエン酸回路，電子伝達系の3段階に分けられる。解糖系は細胞質基質で行われ，ブドウ糖1分子当たり2分子のATPが生成する。クエン酸回路，電子伝達系はミトコンドリアで行われ，ブドウ糖

程はミトコンドリアの中で行われる。これらの過程のうち，ブドウ糖１分子当たり最も多くのエネルギーが取り出されるのは［ C ］である。

	A	B	C
（1）	解糖系	クエン酸回路	電子伝達系
（2）	解糖系	電子伝達系	クエン酸回路
（3）	クエン酸回路	解糖系	電子伝達系
（4）	クエン酸回路	電子伝達系	解糖系
（5）	電子伝達系	クエン酸回路	解糖系

練習問題５

下の図は，カエルの発生における尾芽胚の断面である。図中のＡ～Ｅから形成される器官を正しく示しているものはどれか。

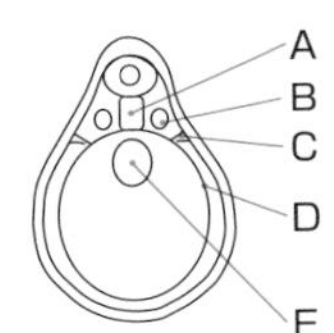

（1）Ａからは，脊椎骨が形成される。
（2）Ｂからは，腎臓が形成される。
（3）Ｃからは，生殖腺が形成される。
（4）Ｄからは，肝臓が形成される。
（5）Ｅからは，心臓や血液が形成される。

練習問題６

赤色のアサガオと白色のアサガオを交配させたら全部赤色の花が咲いた。この花の自家受精によって咲く花はどのようになるか。

（1）全部赤い花が咲く。
（2）赤い花ともも色の花が１：１の割合で咲く。
（3）赤い花ともも色の花と白い花が１：２：１の割合で咲く。
（4）赤い花ともも色の花が２：１の割合で咲く。
（5）赤い花と白い花が３：１の割合で咲く。

練習問題７

色盲の遺伝において，父は全く遺伝因子を持っていなくとも，母が遺伝因子を持っている時には，その子供が男の場合にはその半数が色盲となり，女の場合には色盲とはならないが，半数が遺伝因子を持っている。これは次のうち，どの理由によるか。

（1）遺伝因子の中の顕性の性染色体による。
（2）遺伝因子の中の潜性の性染色体による。
（3）遺伝因子の中の顕性の常染色体による。
（4）遺伝因子の中の潜性の常染色体による。
（5）遺伝因子の中の顕性の性染色体および常染色体による。

解答・解説

１分子当たり，クエン酸回路で２分子，電子伝達系で 34 分子生成する。したがって，好気呼吸全体では，38ATP 分子が生成する。

練習問題５　正答／(3)

●解説／Ａは脊索で，脊椎形成に重要な役割を果たしているが，それ自体は退化してなくなってしまう。Ｂは体節で，四肢の骨格や脊椎骨，筋肉などが形成される。Ｃは腎節で，腎臓や生殖器官が形成される。Ｄは側板で，心臓や血液が形成される。Ｅは腸管で，消化管が形成される。

練習問題６　正答／(5)

●解説／題意より赤色は白色に対して顕性であることがわかる。遺伝子型を赤色を AA，白色を aa とすると，次のようになる。

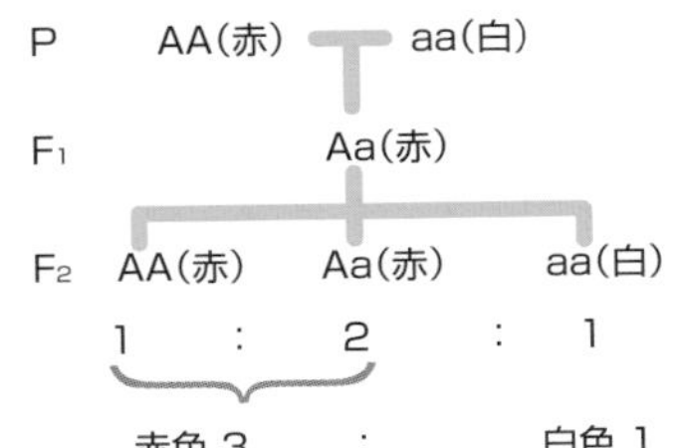

練習問題７　正答／(2)

●解説／色盲の遺伝は伴性遺伝である。伴性遺伝とは，ある形質を現す遺伝子が染色体上（X または Z 染色体）にあり，その形質は性と深い関連をもって遺伝する。色盲の遺伝子は正常遺伝子に対して潜性（劣性）であり，

練習問題８

次の文は，ヒトの神経に関する記述であるが，文中の空欄Ａ～Ｃに該当する組み合わせで妥当なのはどれか。

内臓の色々な器官には交感神経と［　Ａ　］という２種類の神経系が分布しており，一方が促進的にはたらくと，他方は抑制的にはたらく。これらの２種類の神経は意識と無関係にはたらくので［　Ｂ　］といわれる。［　Ｂ　］への総合的な命令は［　Ｃ　］から出される。

	Ａ	Ｂ	Ｃ
（１）	感覚神経	体性神経系	大脳
（２）	感覚神経	体性神経系	視床下部
（３）	副交感神経	体性神経系	大脳
（４）	副交感神経	自律神経系	大脳
（５）	副交感神経	自律神経系	視床下部

練習問題９

ヒトの血液について述べたもので正しいのはどれか。

（１）血液中の赤血球はリンパ節でつくられるが，白血球は骨髄でつくられる。

（２）血液は，栄養素と酸素のほかにもホルモンも体の必要なところに運搬する。

（３）血液をガラス容器にとって放置すると，赤血球が沈澱して固まった部分と，白血球が上澄みとなった透明な液とに分かれる。

（４）出血したとき血液が固まって傷口をふさぐはたらきは，血圧の高低に左右される。

（５）ABO式血液型は血小板の有無で分類する。

解答・解説

Ｙ染色体には対立遺伝子がない。

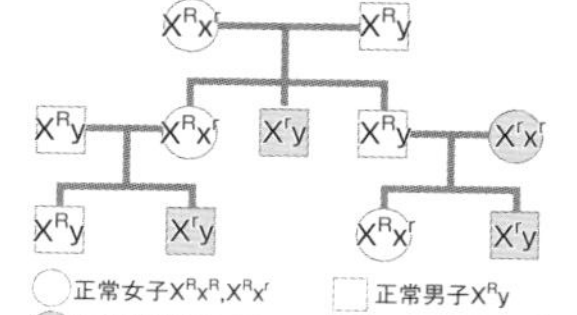

ヒトの伴性遺伝（赤緑色覚異常）の例

練習問題８　正答／（５）

●解説／内臓に分布し，意識とは無関係にはたらく神経系は自律神経系である。自律神経には，交感神経と副交感神経があり，中枢は間脳の視床下部である。

練習問題９　正答／（２）

●解説／

（１）赤血球，白血球も骨髄でつくられる。

（２）正しい。

（３）血液を放置すると，血球成分が沈澱し固まった暗赤色の血餅という部分と，淡黄色の透明な液体である血清に分離する。

（４）血圧は血液凝固には無関係。

（５）ABO式血液型は，赤血球の表面にある凝集原と血清にある凝集素の組み合わせによって分類したものである。

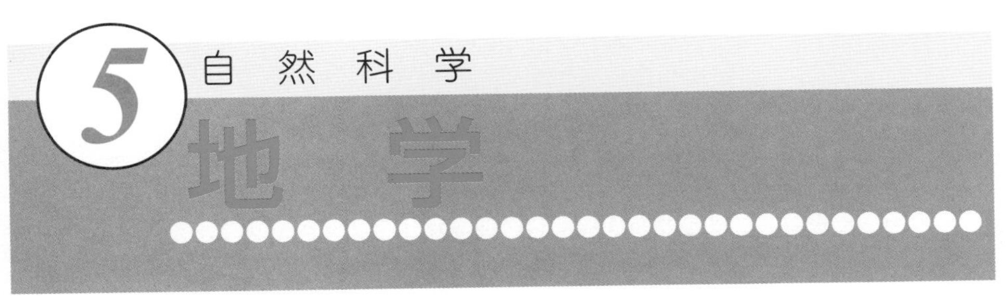

出題傾向

地学は色々な分野からの出題は少なく，出題範囲がある程度限られているので，的を絞って学習したほうが効果的である。頻出の分野は，大気の運動，太陽系と惑星，地球の概観，地球の歴史，地球の内部構造，などである。特に最近テレビや新聞紙上で取り上げられている地震や地球環境の変化に伴う諸問題，宇宙に関することは注意しておこう。直近の試験では，地球の内部構造，地層，岩石などが出題されている。他の自然科学の教科と同じように難問の出題はないので，中学校の教科書と高校の教科書の上記の分野をよく読み，重要語句をノートにまとめておく。

学習のコツ

まず，教科書をよく読むこと。教科書に載っている重要語句を整理し，よく理解しておく。基礎的な問題の出題が多いので教科書の問い，練習問題，章末の問題で，理解ができているかを確認しよう。さらに，テレビや新聞で話題になっている関連分野を学習し，仕上げに過去の問題をやってみる。毎年，類似の問題が出題されているので，傾向をしっかり把握しておくことが大切。

難易度＝ 85ポイント

重要度＝ 80ポイント

◆出題の多い分野◆

分野	頻度
大気と海洋	★★★★★
宇宙の構成	★★★★★
地球の概観と内部構造	★★★★
地震と火山	★★★★
地球の歴史	★★★

過去５年の出題傾向 ★★★★★

地学① 大気と海洋

この分野では，大気圏の構造と風の起こる仕組みを理解し，風の種類を覚えておこう。また，日本付近の気団と天気の特徴の関係をしっかり理解しておくことが大切である。

■大気の構造

・**気圧**…地表面 1cm^2 に大気がおよぼす力のこと。トリチェリの実験により，大気圧は約 76cm の水銀柱がおよぼす圧力に等しい。

1 気圧 = 760mmHg = 1,013.25hPa

■大気の温度構造

大気は気温の高度変化にしたがって，4つの圏に分けられている。

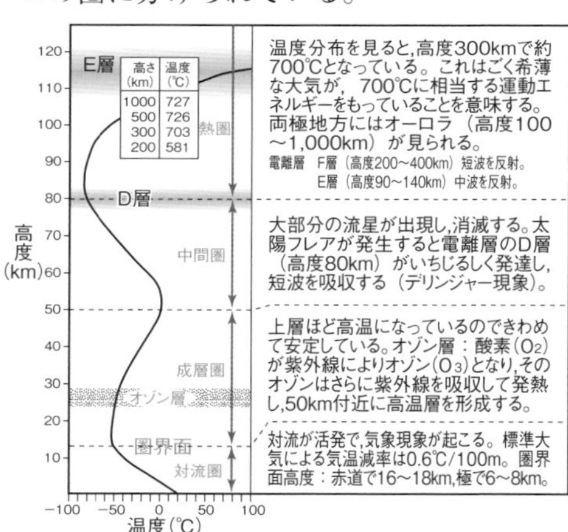

■大気の成分

場所や季節によって大きく変化する水蒸気の量を除くと，99.99% 以上は４つの成分でしめられている。

空気の組成

成分	分子式	体積%
窒素	N_2	78.08
酸素	O_2	20.95
アルゴン	Ar	0.93
二酸化炭素	CO_2	0.03
水蒸気	H_2O	※
その他		0.01

※変化する

■太陽放射と地球放射 よく出る

・**太陽定数**…大気圏外で太陽放射に垂直な面が受ける熱量 1.37kW/m^2・min

・**太陽放射**…紫外線約 7%，可視光線 46.6%，赤外線 46.6% から成り立っている。

・**地球放射**…太陽放射からもらった熱を，地球は赤外線として放出する。この放射をいう。

・**温室効果**…大気中の CO_2 は，地表から放出される赤外線を吸収し，これが熱となって地表付近の熱を逃がさない。このようなはたらきをいう。

・**熱平衡**…地球は太陽から熱を受けるが，これと同じ量の熱を放出し，熱の過不足が起こらないようになっている。

■大気にはたらく力

・**気圧傾度力**…高圧部から低圧部に等圧線に直角にはたらく力。

・**転向力**…地球の自転によるみかけの力である。北半球では進行方向に対して右，南半球では左にはたらく。

・**上昇気流**…地形や低気圧，前線などの影響により上昇気流が発生する。

■風の種類

・**地衡風**…気圧傾度力と転向力がつり合って等圧線に対して平行に吹く風。北半球では低圧部を左に見て吹く。

・**地上風**…地表付近で気圧傾度力，転向力，地上との摩擦力の３力がつり合って吹く風である。

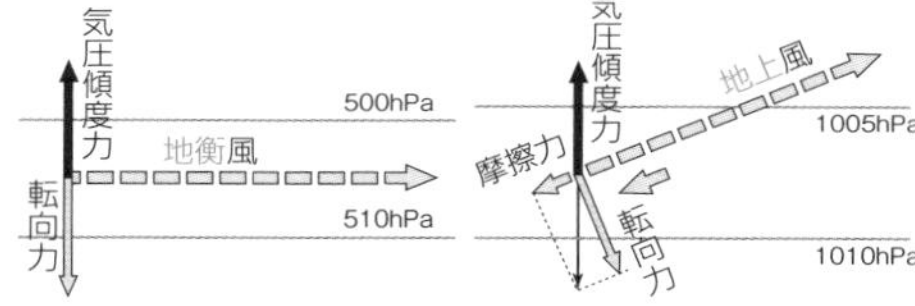

・**海陸風**…陸地と海水の比熱の違いによって起こる風。

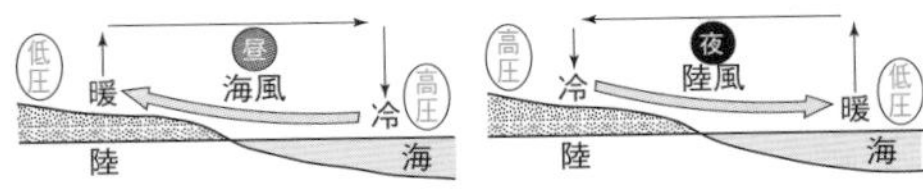

・**季節風**…大陸は夏は暖められ低気圧が，冬は冷却され高気圧が発達する。このため，夏は海から大陸へ，冬は大陸から海へ風が吹く。

・**貿易風**…亜熱帯高圧帯から赤道に向かって吹く風が，転向力を受けて東よりの風となるもの。

例　北東貿易風，南東貿易風

・**偏西風**…亜熱帯高圧帯から極に吹き出す風が，転向力を受けて西風となったもの。

例　ジェット気流

■断熱変化

・**断熱膨張と断熱圧縮**…熱の出入りがない状態で気体を膨張させることを断熱膨張，気体を圧縮させることを断熱圧縮という。断熱膨張では気体の温度が下がり，断熱圧縮では気体の温度は上昇する。

・**熱減率**…大気の上昇に伴う冷却の割合。

例　乾燥断熱減率（湿度が100%未満の場合で100m上昇するごとに1°C低下）

湿潤断熱減率（水蒸気が飽和状態の場合で100m上昇するごとに0.5°C低下）

・**フェーン現象**…断熱減率の違いにより，山を越えた大気が昇温し，乾燥する現象である。

■天気の変化　よく出る

・日本に影響を与える気団

気団名	季節	性質
シベリア気団	冬	寒冷・乾いている
小笠原気団	夏	温暖・湿っている
オホーツク海気団	梅雨・初秋	寒冷・湿っている

・**前線**…2つの気団がぶつかるところでは，性質の違う空気は混じり合わず，境目ができる。この境界面を前線面，前線面が地表と交わる線を，前線という。

例　寒冷前線，温暖前線，停滞前線，閉塞前線

■日本の天気　よく出る

・**冬**…シベリア気団の影響で，西高東低の気圧配置になり，北西の季節風が吹く。

・**夏**…小笠原気団の影響で，南高北低の気圧配置になり，南寄りの季節風が吹く。

・**春と秋**…移動性高気圧と低気圧が，交互に通過する。

・**梅雨と秋雨**…小笠原気団とオホーツク気団の勢力がつり合い，停滞前線をつくる。

■海洋

・**海洋の層構造**…海洋は一般に混合層と深層の2層に分けることができ，その間に温度の急激に変化する温度躍層が存在する。

・**海水の運動**…海水の鉛直循環，水平循環，潮せきによって起こる潮流など。

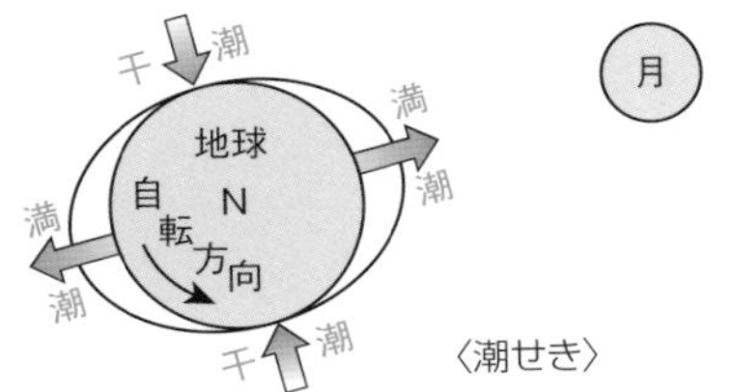

〈潮せき〉

出題パターン check!

次の記述の中で，上昇気流の起こらない場合の正しい説明はどれか。

（1）低気圧や台風の中心部にあたるとき。
（2）冷たい空気が，暖かい空気の下にもぐり込んだり，暖かい空気が冷たい空気の上にのしあがったとき。
（3）乾燥した砂地や市街地が相当の日射量を受けているとき。
（4）上空が暖かい気団によって覆われているとき。
（5）風が山にぶつかり，斜面にそって上昇していくとき。

答え（4）

過去5年の出題傾向 ★★★★★

地学 ② 宇宙の構成

地球の自転と公転，それに伴う地球上での色々な変化の関係，太陽系の惑星の特徴，内惑星と外惑星の違い，ケプラーの法則についてよく理解しておこう。

■地球の自転

地球は地軸を中心に反時計まわりに自転している。地球の自転方向と公転方向とが同じ反時計まわりであるから，地球の1日は，地球が約 361° 自転する時間となる。

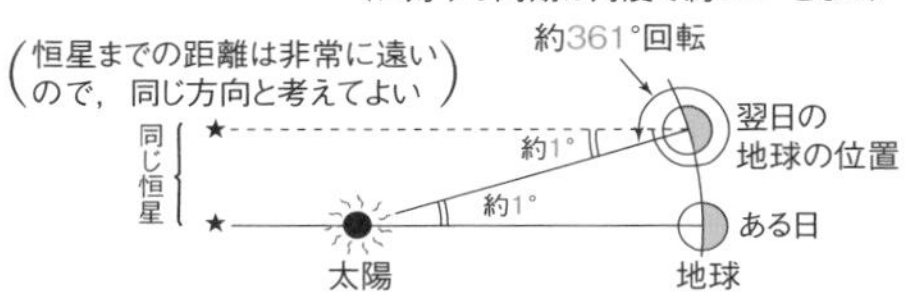

・**フーコーの振り子**…振り子を長時間振らせていると，振り子の振動面は北半球では時計まわりに，南半球では反時計まわりに回転して見える→地球の自転の証拠。

■地球の公転 よく出る

地球の公転軌道は太陽を1つの焦点とするだ円である。

・**太陽の年周運動**…太陽は黄道上を西から東へ移動し，約1年で1周する。

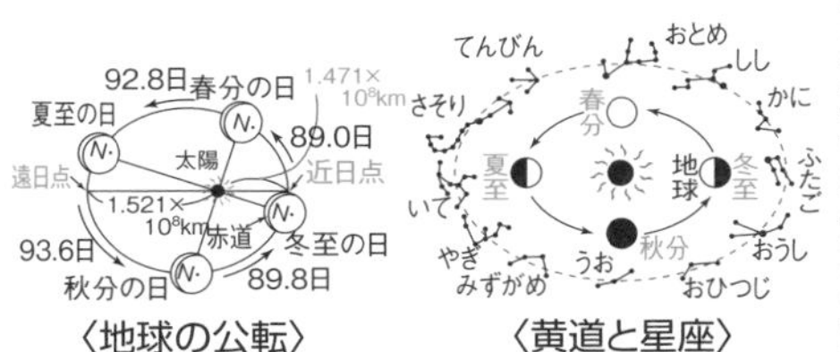

〈地球の公転〉　〈黄道と星座〉

・**地軸の傾きと季節変化**…地球の赤道面と公転軌道面とは約 23.4° で交わっている。つまり，地球の自転軸は公転面と 66.6° の傾きをなしている。

・**季節の変化**

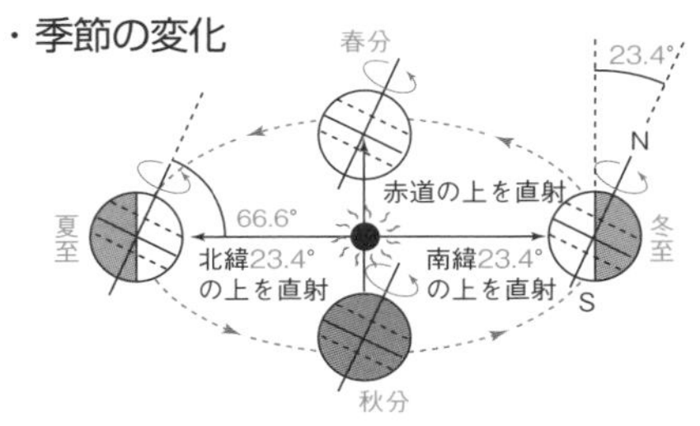

・**季節による太陽の動き**

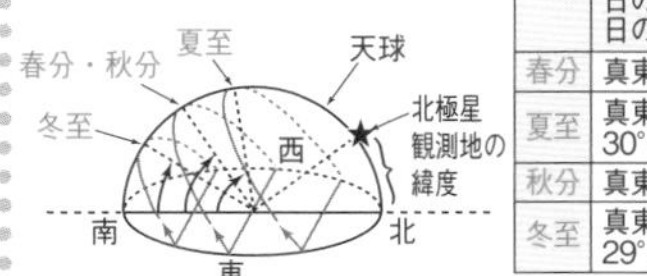

	日の出・日の入りの方位	南中高度
春分	真東と真西	90°－緯度
夏至	真東と真西より30°北寄り	90°－緯度＋23.4°
秋分	真東と真西	90°－緯度
冬至	真東と真西より29°南寄り	90°－緯度－23.4°

・**年周視差**…地球が公転しているため，星の見える位置が1年を通じてわずかにずれてくる→地球の公転の証拠。

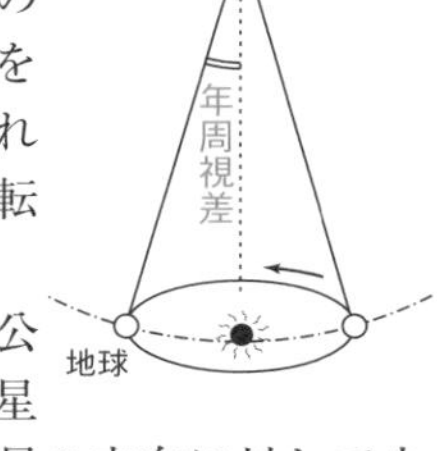

・**年周光行差**…地球が公転しているため，星からくる光の方向は星の方向に対して少し公転方向にずれる→地球公転の証拠。

■太陽系 よく出る

太陽系には，太陽と水星，金星，地球，火星，木星，土星，天王星，海王星の8つの惑星と衛星，小惑星，すい星などがある。

・**太陽系の特徴**…惑星は全て同一方向に公転しており，軌道は円に近い。また，各惑星の公転軌道面はほぼ一致している。

・地球型惑星と木星型惑星

性質	地球型惑星	木星型惑星
	水星，金星，地球，火星	木星，土星，天王星，海王星
平均密度(g/cm³)	(火星3.9 ～地球5.5) 大きい	(土星0.7～海王星1.6) 小さい
半径(地球＝1)	(水星0.38 ～地球1) 小さい	(海王星3.9～木星11.2) 大きい
質量(地球＝1)	(水星0.055～地球1) 小さい	(天王星14.5～木星318) 大きい
内部構造	地殻・マントル・核で構成。マントルは珪酸塩の岩石質。核は主としてFeとNiで構成。	液体水素・金属水素および氷・岩石質の核で構成。天王星・海王星では金属水素はなく氷。
大気の主な成分	CO_2 (地球ではO_2)，N_2 など比較的重い気体で構成。	H_2，He，NH_3，CH_4 など比較的軽い気体で構成。
衛星の数(個)	(水星/金星0～火星2) ない～少ない	(海王星13～土星63) 多い
環	環をもたない	氷・岩石片からなる環がある
自転周期(日)	(地球1～金星243) 長い	(木星0.41～海王星0.671) 短い

■惑星の運動 よく出る

・惑星のみかけの運動

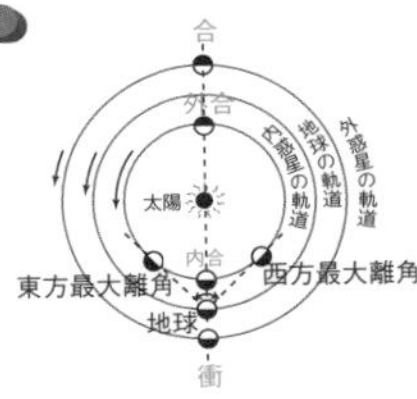

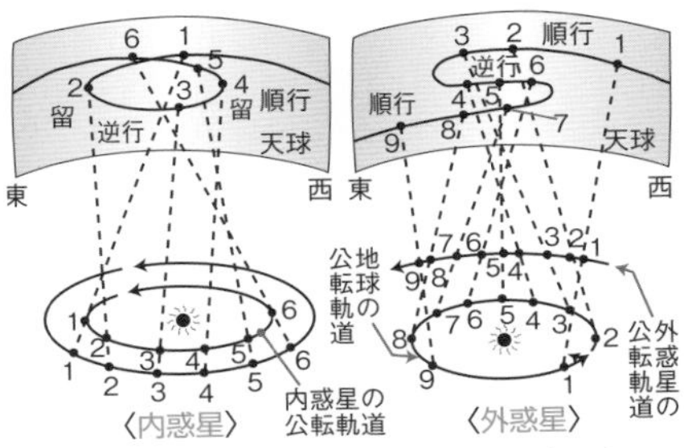

・会合周期…合から合，衝から衝までの期間

内惑星 $\frac{1}{P}-\frac{1}{E}=\frac{1}{S}$　外惑星 $\frac{1}{E}-\frac{1}{P}=\frac{1}{S}$

P：惑星の公転周期（日）
E：地球の公転周期（日）
S：会合周期（日）

■ケプラーの法則

・第一法則（だ円軌道の法則）…惑星は太陽を1つの焦点とするだ円軌道を公転する。

・第二法則（面積速度一定の法則）…惑星と太陽とを結ぶ直線が一定時間に描く面積（面積速度）はつねに一定である。

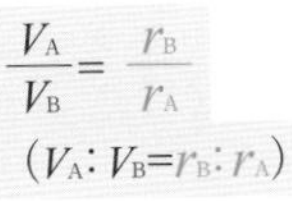

$$\frac{V_A}{V_B}=\frac{r_B}{r_A}$$
$(V_A : V_B = r_B : r_A)$

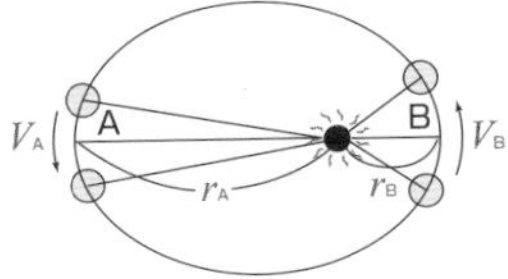

・第三法則（調和の法則）…太陽と各惑星との平均距離 a の3乗と，それぞれの惑星の公転周期 P の2乗との比は一定。

$$\frac{a^3}{P^2}=k(\text{一定})$$
（aを天文単位，Pを年の単位で表せば，$a^3/P^2=1$となる）

■万有引力の法則

質量 m と M の2物体が距離 R 離れているとき，2物体間の万有引力 F は

$$F=G\frac{M\cdot m}{R^2}$$
で表される。（Gは万有引力定数 $G=6.67\times10^{-11}$，$N\cdot m^2/kg^2$）

■恒星の明るさ

・みかけの明るさ（実視等級）…恒星の明るさは等級で表し，1等星の明るさは6等星の明るさの100倍。

・絶対等級…星を地球から10パーセク（32.6光年）離れたところにもってきたと仮定して，明るさを等級で表したもの。

・恒星の色と温度…表面温度が高い星ほど青白く見え，低い星ほど赤みがかって見える。

・恒星のスペクトル…星のスペクトルに現れる吸収線は，高温度の星で少なく，低温度の星になるにつれて多くなる。

出題パターン check!

次の記述のうち，誤っているものはどれか。

（1）太陽は黄道上を西から東へ移動する。
（2）惑星のまわりを回っている星を衛星という。月はその例である。
（3）太陽系は太陽とその他８個の恒星から構成されている。
（4）惑星の衛星の数は一番内側の水星が０で最も少なく，外側にある木星，土星が多い。
（5）天球上に固定して位置が変わらない星を恒星といい，移動しない。

答え（3）

過去５年の出題傾向 ★★★★☆

地学 ③ 地球の概観と内部構造

この分野は，地震波と地球の内部構造の仕組み，火成岩のでき方と分類が中心である。地殻の内部構造や火成岩の名称など，覚えるポイントはしっかりおさえておこう。

■地球の形 よく出る

・**形**……ほぼ球形であるが，精密に測定すると極半径のほうが赤道半径より距離が短く，わずかに平たくつぶれた回転楕円体をしている。この楕円体を地球楕円体と呼ぶ。

・**大きさ**…赤道半径≒ 6,378km
極半径≒ 6,357km
扁平率≒ 1/298

・**ジオイド**…地球全体を平均海水面でおおったと仮定したときの形をいう。

・**鉛直線偏差**…重力の方向と地球楕円体への垂線の方向とのずれの角度。

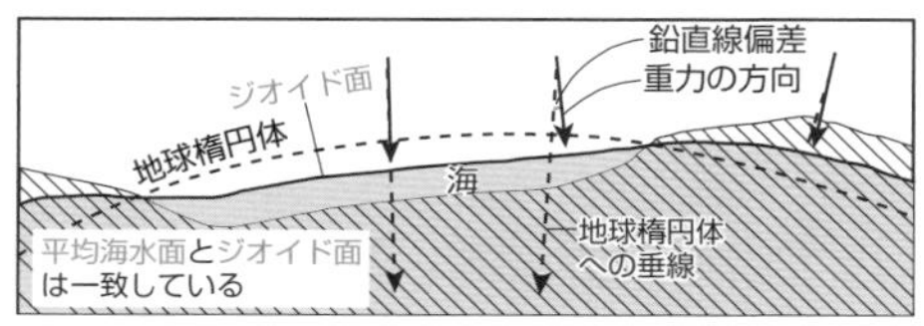

■地球の内部構造

地震波のＰ波（縦波）とＳ波（横波）の伝わり方を利用して地球の内部構造を調べた結果，地球の層状構造が推定された。

・**走時曲線**…横軸に震央からの距離，縦軸に地震波の到達時間をとって描いたグラフをいう。この曲線の傾きは，速度の逆数で表される。

・**モホロビチッチ不連続面（モホ面）**…深さ数十 km に地震速度が急に速くなる不連続面がある。これを発見者にちなんでモホロビチッチ不連続面という。この面より上の層を地殻，下をマントルと呼ぶ。

・**地殻**…海洋地殻と大陸地殻に分けられる。地殻の厚さは，大陸部分では厚く，海洋部分では薄い。

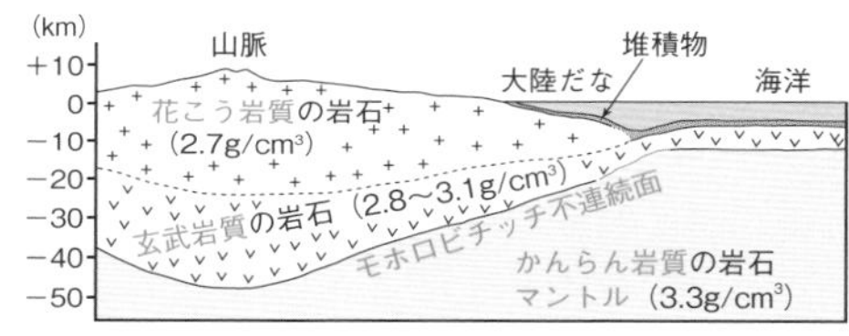

・**マントル**…地下約 2,900km に不連続面（グーテンベルク不連続面）が存在し，その上層をマントル，下層を核とした。

・**外核と内核**…地下約 5,100km に不連続面（レーマン不連続面）が存在し，その内側を内核，外側を外核とした。

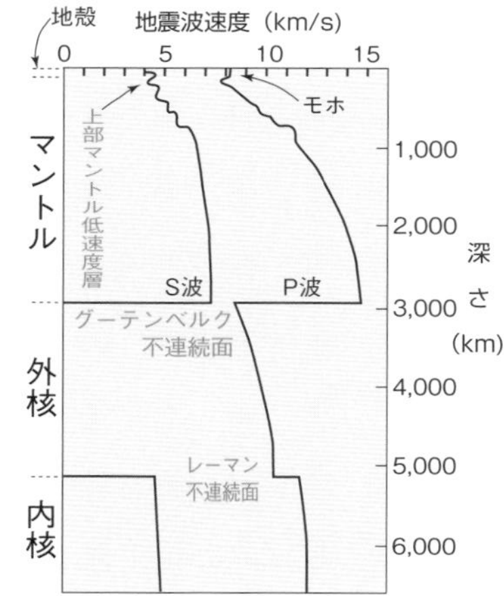

■アイソスタシー（地殻平衡）

密度の小さい地殻が，密度の大きいマントルの上に浮いているような状態で安定して存在していることをいう。

■地球の構成物質 よく出る

①造岩鉱物

・**造岩鉱物の分類**…白，灰または淡色を示す。

例 珪長質（無色）鉱物…石英，斜長石，カリ長石

黒や濃緑色を示す苦鉄質（有色）鉱物…かんらん石，輝石，角閃石，黒雲母

②火成岩の分類

・**組織**

等粒状組織…マグマが地下深所で徐々に冷却されて鉱物が大きく成長した組織（深成岩）。

斑状組織…マグマが急速に冷却され，大きな結晶に成長できない部分（石基）と，比較的大きな結晶（斑晶）の部分とからなる組織（火山岩）。

深成岩
等粒状組織
（石基がない）

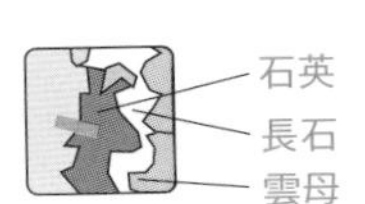

・**鉱物組成と化学組成**…造岩鉱物と化学組成（SiO_2 の含有量のちがい）により，塩基性（苦鉄質）岩，中性岩，酸性（珪長質）岩に分けられる。

・**火成岩の分類表**

SiO_2の量（%）	塩基性岩	中性岩	酸性岩
	少―――52	―――66―――	多
色指数	大―――約35（黒っぽい）←	―――約15―――	→小（白っぽい）
比重g/cm³	約3.1（重い）←		→（軽い）約2.6
火山岩	玄武岩	安山岩	流紋岩
深成岩	斑れい岩	閃緑岩	花こう岩

	塩基性岩	中性岩	酸性岩
主な造岩鉱物の量（体積比） 100〜0	かんらん石，輝石，斜長石	角閃石，黒雲母，斜長石	石英，カリ長石

■地球内部の熱

・**地下増温率**…20m 以深では 100m で約 3 ℃地温が上昇する。地球中心部では約 6,000℃と推定できる。

・**地球の熱源**…地球生成時の微惑星衝突により発生した熱と，^{238}U，^{232}Th，^{40}K などの放射性同位体が出している熱が主な熱源である。

■重力と引力

・**重力**…地球の引力と自転による遠心力の合力を重力という。

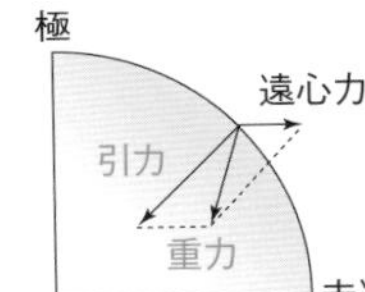

$W=mg$ （W：重力（Newton） m：質量（kg） g：重力加速度（m/s²） gはほぼ9.8m/s²である。）

■地磁気

地球は1つの磁石のような磁場を持っており，この性質を地磁気という。

・**地磁気の三要素**…全磁力，偏角，伏角という。

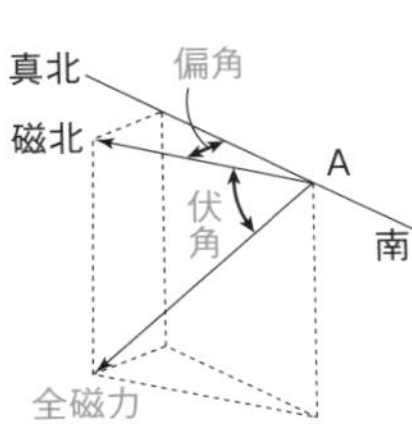

出題パターン check!

火成岩で SiO_2 の量が多いときは，SiO_2 の量が少ないときとくらべ，その性質はどのようになるか。正しくないものを選べ。

（1）白っぽくなる。
（2）粘性は小さくなる。
（3）K，Na が多い。
（4）密度が小さくなる。
（5）酸性が強くなる。

答え（2）

過去５年の出題傾向　★★★★☆

地学④ 地震と火山

この分野では，地震の仕組みと地形の変化，日本付近に起こる地震の特徴を理解すると同時に，マグマの性質と火山の関係をしっかりおさえておこう。

■地震のゆれ　よく出る

・**地震波**…P 波（縦波），S 波（横波），L 波（表面波）がある。

・**初期微動**…P 波が到達し，S 波が来るまでの小さなゆれをいう。振幅は小さく周期は短い。

・**主要動**…S 波による振幅の大きな振動。

・**初期微動継続時間（S-P 時間）**…P 波が来てから S 波が来るまでの時間。震源からの距離が遠くなるほど長くなる。

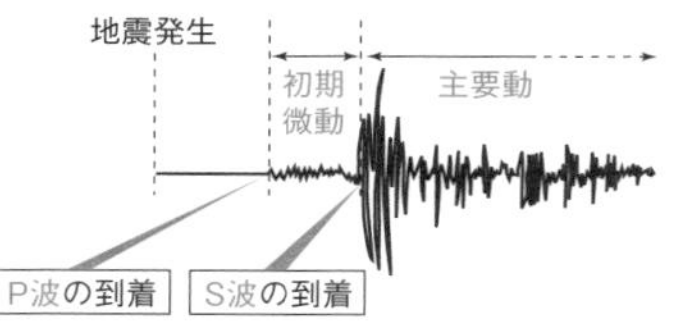

■震源と震央

地震が起こったところを震源，震源の真上の地表の点を震央という。

・**震源までの距離の求め方**…大森公式。

$t = \frac{d}{V_s} - \frac{d}{V_p}$ となるから，$d = \frac{V_p \cdot V_s}{V_p - V_s} \cdot t$

$\frac{V_p \cdot V_s}{V_p - V_s} = k$ とおくと，$d = kt$

d：震源までの距離

t：初期微動継続時間

V_s：S 波の速度（3 ～ 4km/s）

V_p：P 波の速度（5 ～ 7km/s）

■震度とマグニチュード

・**震度**…各地点における地震動の強さを表すもの。0 ～ 7 までの 10 段階（震度 5，6 はそれぞれ強・弱の 2 段階）。

・**マグニチュード**…地震の放出するエネルギーの大きさを表すもの。マグニチュードが 1 大きくなるとエネルギーは約 32 倍になる。

■地震の分布

地震は帯状の地震帯に沿って起こっている。

・**地震帯**…環太平洋地震帯，アルプス・ヒマラヤ地震帯，海嶺地震帯などがある。

・**日本付近の地震**…巨大地震は海溝付近でよく発生している。深発地震は海溝から日本海側へいくにつれて震源が深くなっていく。これは太平洋の海洋プレートが，日本列島の下へ潜り込んでいる証拠と考えられる。

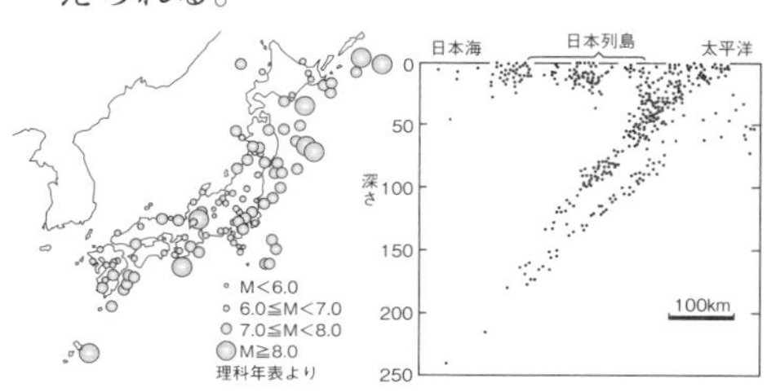

■地震と断層

・**断層**…地層が圧力や張力を受けて，割れ目に沿ってずれたもの。正断層，逆断層，横ずれ断層などがある。

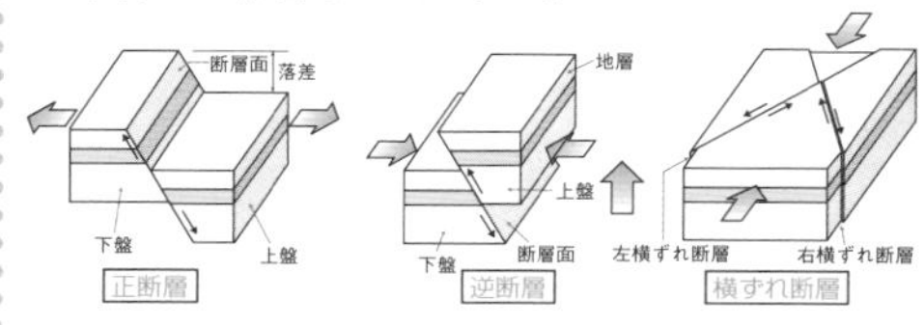

・**活断層**…過去数十万年間に繰り返しずれ

て地震が起こり，今後もずれて地震が起こると考えられる断層をいう。

■火山活動とマグマ　よく出る

・**火山の噴火と火山の形**…火山の噴火のようすや火山の形は，噴火を起こすマグマの性質によってちがう。

	溶岩（火山岩）			噴火の激しさ	火山の型	火山の例
	温　度	粘性	SiO_2の量			
玄武岩質マグマ	高い（1200°C）	低い	低い	おだやか	盾状火山	マウナ・ロア
安山岩質マグマ	↕	↕	↕	小噴火（ストロンボリ式）	成層火山	富士山
流紋岩質マグマ	低い（800～1000°C）	高い	高い	大噴火（ブルカノ式）	溶岩円頂丘	昭和新山

■火山の噴出物

・**火山ガス**…H_2O が大部分で，あとは CO_2，SO_2，H_2S などである。

・**溶岩**…マグマが地表に出て，流れたり固結したりしているもの。

・**火砕物**…火山岩塊 = 64mm 以上
火山礫　= 64 ～ 2mm
火山灰　= 2mm 以下

■地表の運動

火山活動，地震に伴うもの，アイソスタシーの釣り合いを保つためのもの，地盤沈下などがある。

■地形から推定される過去の変動

・**隆起を示す地形**…海岸段丘，河岸段丘，隆起準平原などがある。

・**沈降を示す地形**…リアス式海岸，海底谷，平頂海山などがある。

■プレートの動き

・**プレートテクトニクス**…地表から100km 程のところに地震波速度の小さくなる地震波低速度層がある。この層は，少し柔らかく流動性があると考えられており，アセノスフェアと呼ばれている。アセノスフェアの上部にはマントルと地殻をあわせた硬い部分のリソスフェアと呼ばれる部分がある。このリソスフェアは，大小十数枚のプレートとして地表をおおっている。地球上の大きな変動は，プレートの運動によって，おもにプレートの境界で起こると考えられている。

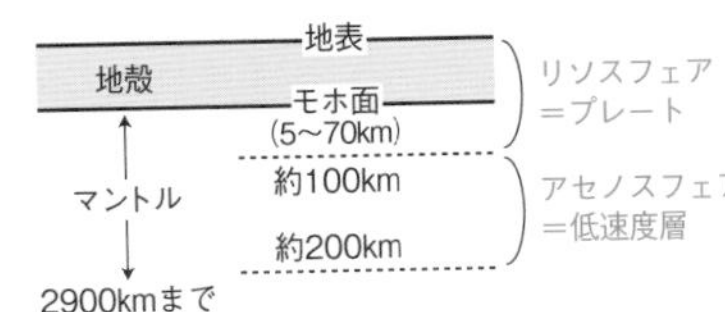

・**プレートの分離（中央海嶺）**…プレートが形成され左右に分かれていく。火山性の小さな浅発性地震が，多発している。

・**プレートの平行移動（トランスフォーム断層）**…海嶺上に直交する断層である。下図のAとBの間は右ずれであるが，AよりCの側とBよりDの側ではプレートは同じ方向に動いている。

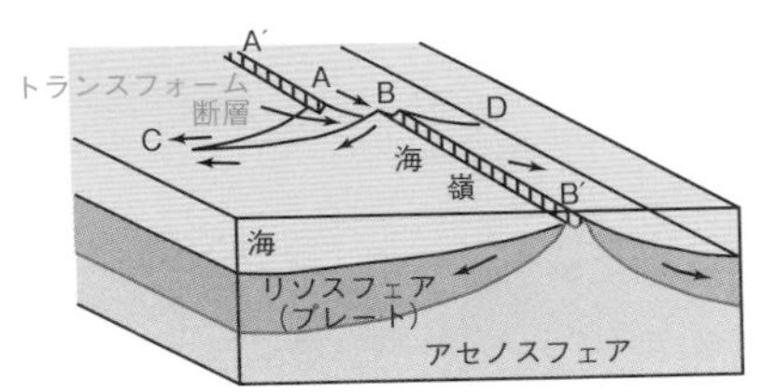

出題パターン check!

次の地震についての記述のうち，正しいものはどれか。

(1) 震源地までのおよその距離は，密度などの物質の性質によって多少違うが，初期微動継続時間に比例定数 k をかけたものである。
(2) 地震の発生した場所を震央といい，震央の鉛直上方の地表面を震源という。
(3) S 波が到達してから P 波が到達するまでの時間のゆれを初期微動という。
(4) 地球内部で地震波の速度が急に変わる不連続面がある。これをマントル不連続面という。
(5) 各観測地点での地震動の強さを表す単位をマグニチュードという。

答え（1）

過去５年の出題傾向 ★★★☆☆

地学 ⑤ 地球の歴史

この分野では，地形や地層の様子から過去にどんな変化が起こったかを推察できるようにしよう。また代表的な示準化石と地質時代の関係や代表的な示相化石を覚えておこう。

■風化

大気，水，生物などの作用により，地表の岩石が壊されていく現象を風化という。

- 機械的（物理的）風化…気温の変化の作用，結氷の作用や植物の作用などがある。
- 化学的風化…酸化作用や，溶解作用などがある。

■水のはたらき よく出る

- 陸水・海水のはたらき…侵食作用，運搬作用，堆積作用がある。
- 侵食地形と堆積地形

	侵食地形	堆積地形
河川水	V字谷（上流），蛇行（平野）	扇状地（山地から平野への出口），自然堤防（平野），三角州（河口）
地下水	鍾乳洞（地下），ドリーネ（地表）	石筍
氷河	カール（山地），U字谷（山地），フィヨルド（海岸）	モレーン（氷河末端）
海水	海食台，海食崖，海食洞	砂州（陸けい島），砂し，海岸砂丘

- 河岸段丘と海岸段丘…いずれも地盤の隆起や海面の低下により侵食が促進されてできる地形である。

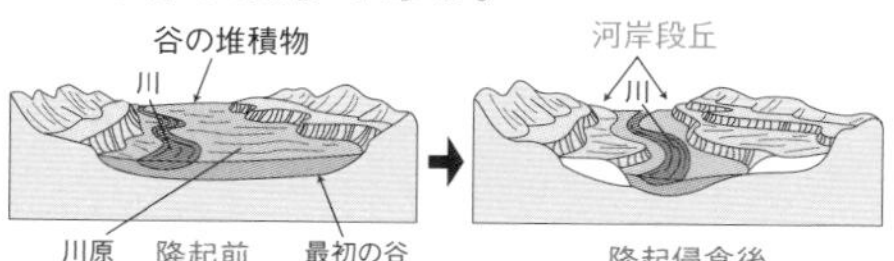

■続成作用

海底や湖底に堆積した砕屑物が，長い年月の間に，上に堆積した砕屑物の重みにより粒子間の水が絞り出され，固結した堆積岩に変わる作用を続成作用という。

■堆積岩の種類

堆積岩は，砕屑物が堆積した砕屑岩や火山の噴出物が堆積した火砕岩，生物の遺がいが堆積した生物岩，水中の溶解成分が堆積した化学岩などがある。

種類	起因	堆積物の粒径など（mm）	岩石名
砕屑岩	風化・侵食による砕屑物の堆積	礫……2以上 砂……2～1/16 泥 { シルト…1/16～1/256 粘土……1/256以下	礫岩 砂岩 泥岩
火砕岩	火山活動に伴う噴出物の堆積	火山岩塊……64以上 火山礫……64～2 火山灰……2以下	集塊岩 火山礫凝灰岩 凝灰岩
生物岩	生物の遺がいの堆積	フズリナ・サンゴ・ウミユリ 放散虫・珪藻	石灰岩 チャート
化学岩	水中の溶解成分の堆積	海水中の $CaCO_3$ 海水中の SiO_2 海水中の NaCl	石灰岩 チャート 岩塩

■化石

- 示準化石…地層ができた時代を決め，地層の新旧の比較に役立つ化石。
  例 三葉虫，浮遊性のフズリナや，アンモナイト，ビカリアなど
- 示相化石…地層ができた時代の環境を推定するのに役立つ化石。
  例 アサリ・カキ…浅い海
  サンゴ…あたたかくきれいで浅い海

■地層

- 単層…比較的均質な堆積物からなる１枚の地層をいい，単層と単層の境の平面を層理面という。
- 地層累重の法則…地層は下から上へ順に，ほぼ平行に積み重なってできるから大きな地殻変動のない層状に重なる一連の地層群では，上位のものほど新しく，下位のものほど古い。

■地層の新旧

大きな地殻変動により，地層累重の法則が乱された場合には，級化成層・斜交層理・

れん痕や示準化石などを利用し，新旧を判別する。

- **級化成層**…単層の中でよく見られる。下から上へとしだいに粒子が細かくなっていく層→地層の逆転はない。
- **斜交層理**…本来の層理面に斜交して薄層が重なっている地層は，切られている薄層よりも，切っている薄層の方が新しい。
- **れん痕**…層理面上にできた水の動きによる痕跡。

■色々な地質構造

- **整合**…右図 B_1，B_2，B_3 のように，連続して堆積したときのそれらの関係のことをいう。

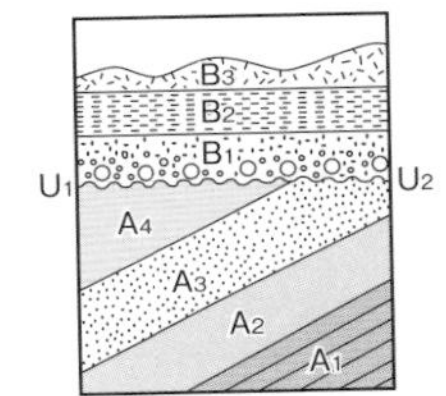

- **不整合**…右図A層群とB層群の関係のように堆積の中断があった地層 U_1 ～ U_2 は不整合面。
- **断層**…地殻変動に伴い，地層や岩石が切れて生じる。
- **褶曲**…地層に圧力が作用し，波板状になった地層。地表に出た凸の構造を背斜，凹の構造を向斜という。

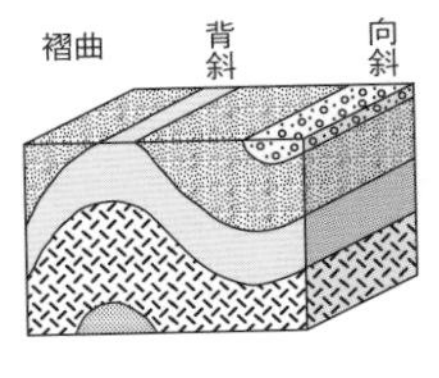

■地質構造の新旧 よく出る

次の図の地層・岩石の形成順は，A→D→B→F→C→Eの順となっている。

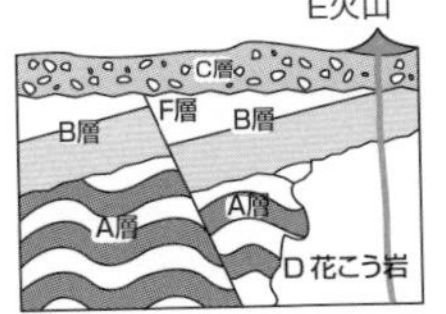

■地層の対比 よく出る

離れていて，直接重なり合っていない地層の新旧を比較することを対比という。

- **鍵層**…分布が広く，連続性があり，他の岩石と簡単に区別されるような地層。

例 凝灰岩層，石炭層，チャート，石灰岩層など

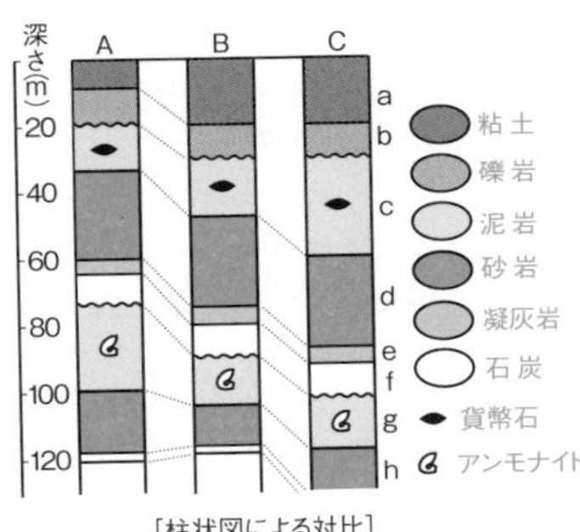

［柱状図による対比］

■地質時代

- **相対年代**…生物の出現・繁栄・絶滅を基準に区分したもの。

絶対年代 ×10⁸年	先カンブリア時代 46	25	古生代 5.70			4.09			2.45 中生代		0.65 新生代			0.0165
地質時代	始生代	原生代	カンブリア紀	オルドビス紀	シルル紀	デボン紀	石炭紀	ペルム紀	三畳紀	ジュラ紀	白亜紀	第三紀 古第三紀	新第三紀	第四紀
できごと	生命の兆候が現れる 地球誕生	菌類・らん藻類の出現	無脊椎動物の出現	脊椎動物の出現	陸上動物の出現 陸上植物の出現	両生類の出現	裸子植物・ハ虫類の出現	氷河時代	ホ乳類の出現	鳥類の出現	被子植物の出現	霊長類の出現		氷河時代

- **絶対年代**…岩石・地層中に含まれる放射性元素を利用して区分したもの。

出題パターン check!

次の地質時代が古い順に正しく並んでいるものはどれか。

（1）カンブリア紀 → デボン紀 → ジュラ紀 → ペルム紀 → 第四紀
（2）デボン紀 → ジュラ紀 → カンブリア紀 → ペルム紀 → 第四紀
（3）カンブリア紀 → デボン紀 → ペルム紀 → 第四紀 → ジュラ紀
（4）デボン紀 → ペルム紀 → カンブリア紀 → 第四紀 → ジュラ紀
（5）カンブリア紀 → デボン紀 → ペルム紀 → ジュラ紀 → 第四紀

答え（5）

練習問題1

地球内部の構成に関する文中の［　］内のA～Eに入る語の組み合わせとして正しいのはどれか。

地殻の構造は大陸部と海洋部では大きく異なっている。大陸地殻は，主に［A］からなる上部地殻と，主に［B］からなる下部地殻で構成されている。これに対し，海洋地殻は主に［B］によって構成されている。
上部マントルは主に［C］からなり，下部マントルでは圧力の増加により鉱物の結晶構造が変化し安定した鉱物に変わっていると考えられている。
核は，［D］を主成分とし，外核と内核に分けられ，内核は［E］になっていると考えられている。

	A	B	C	D	E
（1）	花こう岩質岩石	かんらん岩	玄武岩質岩石	Fe	液体
（2）	花こう岩質岩石	玄武岩質岩石	かんらん岩	Fe	固体
（3）	玄武岩質岩石	花こう岩質岩石	かんらん岩	Fe	固体
（4）	玄武岩質岩石	花こう岩質岩石	かんらん岩	MgO	固体
（5）	玄武岩質岩石	かんらん岩	花こう岩質岩石	MgO	液体

練習問題2

地震に関する記述として正しいものは，次のうちどれか。

（1）同じ地震の場合，震度は一般に硬い岩盤の地域よりも川沿いの軟らかい地盤の場所のほうが大きい。
（2）同じ地震から発する地震波では表面波が最も振動が大きく，P波，S波の順に小さくなる。
（3）震度は地震が放出したエネルギーの量を示しており，一般に震央付近で大きく，震央から遠ざかるにつれて小さくなる。
（4）マグニチュードが同じ場合，震度は一般に震源の場所が陸上にある場合よりも海底にある場合のほうが大きい。
（5）マグニチュードが同じ場合，震度は一般に震源の深さが100km以内の浅い場所にある場合よりもそれより深い場所にある場合のほうが大きい。

練習問題3

ダイヤモンドの生成原因は次のどれか。

（1）地殻中に堆積した微生物が長い年月の間，地熱によって燃焼するうちに純粋な炭素部分が遊離した。
（2）地殻中の炭素が地殻変動の際，強大な圧力や熱を加えられた。

解答・解説

練習問題1　正答／（2）

●解説／地殻は，大陸では30～50kmと厚く，海洋底では5～10kmと薄い。大陸地殻の上部は花こう岩質岩石で，下部は玄武岩質岩石で構成されている。海洋地殻には花こう岩質がなく，玄武岩質で構成されている。
　マントルは，深さ約50～2,900kmの部分で，上部はかんらん岩で構成されている。
　核は，深さ約2,900～5,100kmまでの外核と，深さ約5,100kmから地球の中心部までの内核に分けられる。外核はS波が伝わらないので液体の状態と考えられているが，内核は固体と考えられている。
　核は密度が大きいことから，鉄が主成分と考えられる。

練習問題2　正答／（1）

●解説／震度は揺れ方の程度を表す尺度である。また，地震の放出したエネルギー量を表すのはマグニチュードである。マグニチュードが同じ場合，震度は震源からの距離と地盤の性質によって決まり，震源の場所には関係がない。マグニチュードが同じなら，震源が浅いほど震度が大きくなる。

練習問題3　正答／（2）

●解説／ダイヤモンドは炭素だけでできている単体である。地殻中の炭素が地殻変動の際，高温，高圧下で変成したものである。ダイヤモンドや石墨などは炭素の同素体である。

（3）鉱脈の石英が，地殻の変動で強大な圧力や熱を加えられた。
（4）地殻中の炭素が長い年月の間に堆積されるうちに，純粋な炭素微粒子となった。
（5）炭素と石英と微量の硅素が地殻変動によって，強大な圧力や熱を加えられた。

練習問題4

下図は，ある地点における地質断面図である。図のA～Eの形成過程を古い順に並べたものとして正しいものはどれか。

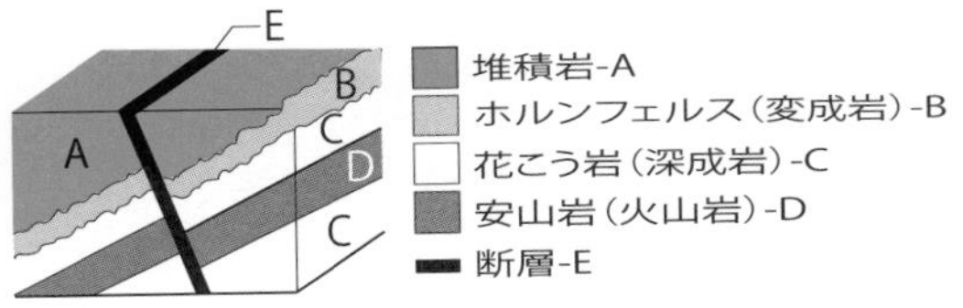

（1）A→B→C→D→E
（2）A→C→B→D→E
（3）A→E→B→C→D
（4）C→A→E→D→B
（5）C→B→A→E→D

練習問題5

次の示準化石と，その化石が含まれている地層が堆積した時代の組み合わせで，正しくないのはどれか。

（1）フズリナ――――石炭紀～ペルム紀
（2）筆石――――――オルドビス紀
（3）アンモナイト―――古生代
（4）デスモスチルス――中新世
（5）マンモス象――――更新世

練習問題6

地球の大気に関する記述のうち正しいものは次のうちどれか。

（1）地球の大気は，酸素（O_2）と二酸化炭素（CO_2）でその組成の大部分を占めている。
（2）対流圏では，大気中の酸素（O_2）が，光化学反応を起こし，オゾン層を形成し，生成に有害な太陽からの紫外線を吸収している。
（3）熱圏では，大気中の気体分子の一部が電離してイオンが生じ，いくつかの電離層を形成している。

解答・解説

練習問題4　正答／(2)

●解説／まず堆積岩が変成していることに着目する。変成を与えている岩石は変成を受けている岩石より新しいということである。よって，CよりAの方が古い。また，断層は全ての地層に見られることから，最も新しいと考えられる。したがって，形成過程の古い順に並べると，A→C→B→D→Eとなる。ただし，ホルンフェルスは花こう岩が貫入したときに堆積岩が変成したと考えられるので，BとCはほぼ同時代である。

練習問題5　正答／(3)

●解説／示準化石とは，その化石が発見された地層の手がかりとなる化石である。示準化石になるための条件は，生存期間が短く，分布範囲が広く，産出個体数が多いことである。アンモナイトは中生代の示準化石である。

練習問題6　正答／(3)

●解説／大気は窒素（N_2）が78%，酸素（O_2）が21%で，残りが二酸化炭素（CO_2）やアルゴン（Ar）やネオン（Ne）などである。

オゾン層は成層圏にあり，紫外線を吸収している。

大気の温度は高さ約10kmまでは下がるが，10～50kmでは上昇し，50～80kmでは下がり，80km以上では再び上昇する。

（4）大気の温度は高度が上昇するにつれて低下し，高度約200km で絶対零度に達した後は，一定になる。
（5）大気中の水蒸気はほとんど成層圏に存在し，天気の変化もここで生じる。

解答・解説

大気中の水蒸気のほとんどは対流圏にあり，雲を生じ，雨を降らせる。

練習問題 7

海陸風に関する記述のうち正しいものは，次のうちどれか。

（1）海陸風の海風とは，夜間，陸上が冷えているので海へ向かって吹く風である。
（2）海陸風の陸風とは，昼間，海上が冷えているので陸へ向かって吹く風である。
（3）海陸風の海風とは，夜間，海上が冷えているので海から吹く風である。
（4）海陸風の陸風とは，夜間，海上が冷えているので海から吹く風である。
（5）海陸風の海風とは，昼間，海上が冷えているので海から吹く風である。

練習問題7　正答／（5）

●**解説**／昼間は，陸地の比熱の方が海より小さいため気温が海より高くなる。よって，陸上では上昇気流が生じ，気圧が低くなるので，海から海風が吹く。夜間は，その逆で海の方が暖かいので海上で上昇気流が生じ，そこの気圧が低くなるので，陸から海に向かって陸風が吹く。

練習問題 8

太陽が黄道上を進む速さは，冬至のころ速く夏至のころに遅いが，このことは次のどの法則によって説明することができるか。

（1）万有引力の法則
（2）ハッブルの法則
（3）ケプラーの第一法則
（4）ケプラーの第二法則
（5）ケプラーの第三法則

練習問題8　正答／（4）

●**解説**／ケプラーの第二法則とは，「太陽と惑星とを結ぶ直線（動径）は，等しい時間に等しい面積を覆う」ということであるから，地球の近日点のあたり（冬至のころ）では最も速く地球が動くので，太陽の進む速さは，このころ最も速くなる。

第四章
一般知能

数的推理
判断推理
資料解釈
文章理解

◎一般知能攻略法◎

●公務員試験最新情報

知能科目（数的推理，判断推理，資料解釈，文章理解）は，地方初級の全出題数の全50問中25問（一部異なる地域あり）で，東京都は全45問中28問の出題数，東京都特別区では28問の出題数，市役所は全40問中20問である。すなわち，合格点に達するためには，この科目が解けることが条件となるといっても過言ではない。

●試験の効果的対策

知能科目という名称上，学習効果が望めないと思われるが，決してそのようなことはない。問題はその効果である。各科目ごとに近年の出題数およびポイントを整理してみよう。

数的推理は5～7問の出題である。文章題は方程式で解く場合が一般的で，図形は面積を求めることが多い。1題につき5分程度で解くには，問題のパターンを覚えているかがポイントになる。

空間把握を含む判断推理の出題は7～10問の出題があり，慣れない問題では非常に時間がかかる。今までに解いたことがない問題形式ならば，後回しにすることも戦略の一つである。

資料解釈は，複雑な計算さえなければ，得点源となる問題である。特に東京都，東京都特別区では前者で5問，後者で4問出されているので，必ず正解に結び付けたい。なお，一般的には2問で，出題される表やグラフは各省庁が発行している白書が基になっている。

文章理解は，英文は3，4問の出題であるが，英単語，熟語，構文を暗記し直し，長文読解が得意になるような努力は相当な時間を要する。すなわち，英語が苦手ならば，最初から基本的な学習はしないという選択も考えられる。英語の設問は内容把握が最も多く出題されるので，接続詞，動詞，形容詞，副詞といった単語のみに絞って暗記をし，文章の構成を理解しようと考えた方が無難である。

3～6問をしめる現代文については，まず丁寧に読むことから始めたい。内容に引き込まれず，客観的に読み，文章をまとめていくことである。最終的には1問を5，6分で読みこなすように訓練することである。

●解法のポイント

試験時間は120分であり，東京都は45問，東京都特別区が50問中45問選択解答で，他は50問の必須が一般的である。かりに知識科目を50分程度で解くとするならば，残る70分で知能科目を解いていくことになる。学習の初期の段階では，時間をかけて丁寧に解き，解説と比べていく。次の段階では，1題につき，5分程度を目安に解き，それ以上は考えずに解説で確認していくことである。最終段階では，文章理解10題と数的処理15問を無作為に選び，70分で連続して解くことが大切である。つまり，できるだけ実際の本試験に即した状態で，時間配分ができる状態にすることである。このような練習を最低5回は行ってもらいたい。この練習は，1度行うごとに5%程度のスピードの向上が期待できる。

特に解きにくかった問題を見直すことで，より効果が表れる。逆をいえば，4割程度の理解度でも，この練習をすることで合格点に達することが可能となる。

1 一般知能
数的推理

出題傾向　大きく数量の扱いと図形に分類することができるが，道府県などでは図形の問題は近年少なくなっている。一方，東京都や特別区では図形の問題が従来通り出されている。数量の扱いの６割は方程式，連立方程式で解くことが可能であり，系統的に学習しやすい。しかし残る４割は，判断推理に近い物事を考える力を必要とする問題が増えている。その意味では基本的な式の扱い方，倍数，公倍数の性質を十分に理解しておくことが重要となっている。直近の試験では，場合の数，整数，割合，方程式，平面図形，速さ・時間・距離などが出題されている。

学習のコツ

本来は，数的推理は知能科目ではあるが，「知能＝思考力」という図式は公務員試験会場では成り立たない。典型的な問題の解き方は知識として蓄えておき，正確な計算力で答えを導く必要がある。特に，利益や濃度で考え込むようでは合格はおぼつかない。問題に数多くふれて，正確に解けるようになってもらいたい。できれば，場合の数や確率も暗算でできるほど問題に慣れて欲しい。

◆出題の多い分野◆

分野	頻度
確率と場合の数	★★★★★
平面図形の性質	★★★★
割合と濃度	★★★★
整数の性質	★★★★
立体図形の性質	★★★
仕事量・和と差から解く	★★★
旅人算・速さ	★★★
式と条件から解く	★★★

難易度＝ 85ポイント

重要度＝ 90ポイント

過去５年の出題傾向 ★★★★★

数的推理 ① 確率と場合の数

順列，組み合わせの区別が確実にでき，場合の数が確実に求められること。計算が複雑になる場合には，条件を分けて求めるとよい。選択肢の場合の数が少ない場合は，書き出すのもよい。

■和と積の法則

（1）和の法則

事柄Ａ，Ｂは同時に起こらないとする。Ａの起こる場合の数がp通り，Ｂの起こる場合の数がq通りなら，どちらかが起こる場合の数は$p+q$通り。

（2）積の法則

事柄Ａの場合の数がp通りあり，そのおのおのについてＢの場合の数がq通りあるとき，ＡとＢがともに起こる場合の数は，$p \times q$通り。※和と積の法則は３つ以上の事柄でも成立する。

■順列

（1）順列

異なるn個のものからr個取り出し１列に並べる順列。　$_nP_r$（$r \leqq n$）

$_nP_r = n(n-1)(n-2)\cdots(n-r+1)$

【計算例】

１～６の６枚のカードから３けたの数字をつくると何通りできるか。

◇解き方◇

$_6P_3 = 6 \times 5 \times 4 = 120$通り

■円順列・じゅず順列・重複順列　よく出る

（1）円順列

異なるn個のものを円形に並べる。

$(n-1)!$

【計算例】

５人が円卓を囲む場合，座席の位置は何通りか。ただし，方角は無視する。

◇解き方◇

$(5-1)! = 4 \times 3 \times 2 \times 1 = 24$通り

（2）じゅず順列

異なるn個のものを輪（じゅず・ネックレス）に並べる。　$(n-1)! \div 2$

（3）重複順列

異なるn個のものから重複を許してr個取る順列。　n^r

【計算例】

Ａ～Ｅの文字を利用して３文字の単語をつくる。（AAA 可）

◇解き方◇

$5^3 = 125$通り

（4）同じものを含む場合

n個のもののうち，p個は同じもの，q個は他と同じもの，r個はさらに別の同じもの，…であるとき，それらn個全部の順列の数。

【計算例】

A,A,A,B,B,B,C,C の８文字を並べ替えた配列の組み合わせは何種類できるか。

◇解き方◇

$$\frac{8!}{3! \times 3! \times 2!}$$

$$= \frac{8 \times 7 \times 6 \times 5 \times 4 \times 3 \times 2 \times 1}{3 \times 2 \times 1 \times 3 \times 2 \times 1 \times 2 \times 1}$$

$= 560$通り

■組み合わせ

異なるn個のものからr個取る組み合わせ。

$_nC_r$（$r \leqq n$）　　$_nC_r = {}_nP_r \div r!$

【計算例】

A誌～G誌の７種類の雑誌から３誌選んで購読する。

何通りの購読方法があるか。

◇解き方◇

$_7C_3 = 7 \times 6 \times 5 \div (3 \times 2 \times 1) = 35$通り

【計算例】

中心が等しく，半径が異なる円が10個ある。この円を２個選んでドーナツ型をつくりたい。何通りできるか。

◇解き方◇

$_{10}C_2 = 10 \times 9 \div (2 \times 1) = 45$通り

■確率

確率＝求めようとする条件の場合の数÷起こり得る全ての場合の数

【計算例】

２つのサイコロを同時に振ったとき，和が５となる確率を求めよ。

◇解き方◇

求める条件：1−4，2−3，3−2，4−1の４通り。また，サイコロを２個振った場合の起こり得る場合の数は６×６＝36通り。

よって $\frac{4}{36} = \frac{1}{9}$

【計算例】

白の碁石３個と黒の碁石３個を袋に入れて同時に３個を取り出したとき，少なくとも１個は白である確率を求めよ。

ポイント ▶「少なくとも」は工夫して計算

◇解き方◇

白３個の確率，白２個と黒１個の確率，白１個と黒２個の確率の和を求めるより，１－（黒３個の確率）を求める。

$1 - \frac{3}{6} \times \frac{2}{5} \times \frac{1}{4} = \frac{19}{20}$

例題 よく出る

図のようなマス目にコマを置いてサイコロを振り，奇数が出たらそのマス目から左方向へ，偶数が出たら右方向へ，それぞれ出た数の分だけマス目を移動させることとする。この操作を２度繰り返したとき，コマが最初のマス目より右方向にある確率はいくらか。

										●										

1．$\frac{5}{12}$　2．$\frac{1}{2}$　3．$\frac{7}{12}$　4．$\frac{2}{3}$　5．$\frac{3}{4}$

解説

ポイント ▶ 最初の位置を数直線の０と考え，左側を負，右側を正として以下のような表にまとめる。

	1	2	3	4	5	6
1	−1−1＝−2	+2−1＝1	−3−1＝−4	+4−1＝3	−5−1＝−6	+6−1=5
2	−1+2＝1	+2+2＝4	−3+2＝−1	+4+2＝6	−5+2＝−3	+6+2=8
3	−1−3＝−4	+2−3＝−1	−3−3＝−6	+4−3＝1	−5−3＝−8	+6−3=3
4	−1+4＝3	+2+4＝6	−3+4＝1	+4+4＝8	−5+4＝−1	+6+4=10
5	−1−5＝−6	+2−5＝−3	−3−5＝−8	+4−5＝−1	−5−5＝−10	+6−5=1
6	−1+6＝5	+2+6＝8	−3+6＝3	+4+6＝10	−5+6＝1	+6+6=12

サイコロを２度振ると36通りある。正の数は表より21通りある。 $\frac{21}{36} = \frac{7}{12}$

答え３

過去５年の出題傾向　★★★★☆

数的推理 ② 平面図形の性質

解法には，定理と性質を確実に覚えておくことが最低限の条件である。しかし意味もわからず覚えても役には立たない。問題を解きながら，この項を見直し，実践的に身につけていこう。

■角度

①重心，内心，外心

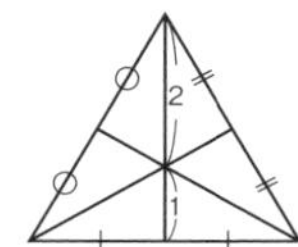

重心は各辺の中点と頂点を結んだ線分の交点

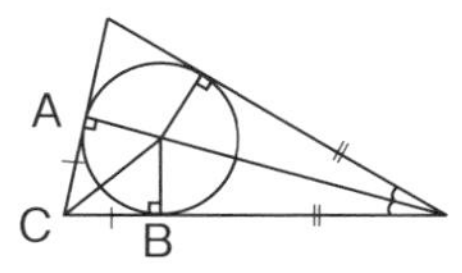

三角形内部に円が接するその円の中心を内心

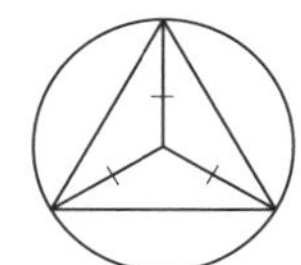

円内に三角形の頂点が接する円の中心を外心

重心の性質　①頂点から重心の長さ：重心から中点の長さ＝２：１。
　　　　　　②上図のように内部の６個の三角形の面積は全て等しい。
内心の性質　①上図の内心から三角形の各辺までの円の半径と各辺は直角。
　　　　　　②ＡＣ＝ＢＣ。
外心の性質　内部の各三角形はどれも二等辺三角形である（円の半径が２辺なので）。

求角のポイント

角度の問題では，①対頂角，平行線の②錯角，③同位角が等しいことには注目することができるが，途中で解法が思い当たらない場合は，上記の性質および次の円の性質を利用していないことが主な原因。また，問題文に正方形，二等辺三角形などという条件がある場合，辺や角度が等しいことを忘れずに考える。円は中心からの距離が等しいので円になり，半径で二等辺三角形をなすことがある。また，補助線の多くは中心から円周に描く場合が一般的。数的推理の問題は無駄な条件がない。必ずどこかで書かれている性質を使うことと思って考え直すこと。

②多角形の性質

１．n 角形の内角の和＝（$n-2$）×180（度）

２．外角の和はどのような多角形でも360度である。

③円の性質

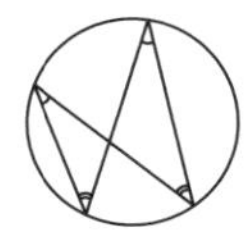

同一の弧に立つ円周角は等しい。

円周角×２＝中心角

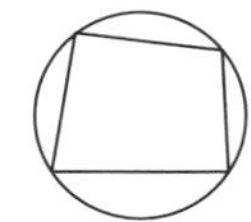

内接四角形の対角の和＝180°

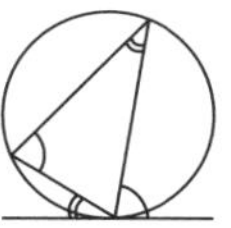

接弦定理

■辺の長さ

①相似の利用

辺の長さを求める場合，第一に三角形の相似を考える。三角形の相似条件は3つあるが，多くは「2角が相等しい」ところから相似比を利用して辺の長さを求めることができる。そのためには，角度が求められることが重要である。

②三平方の定理

直角三角形では，斜辺の長さの平方（2乗）＝他の2辺の平方の和。しかし，この公式を使う前に，まずは相似を疑い，次に代表的な直角三角形の辺の比を思い出し，その辺の比を利用できるか考える。それでも駄目ならば，初めて三平方の定理を利用する。

[代表的な直角三角形の辺の比]

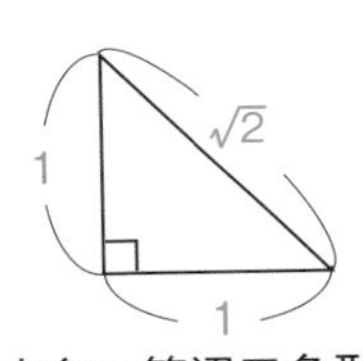

直角二等辺三角形

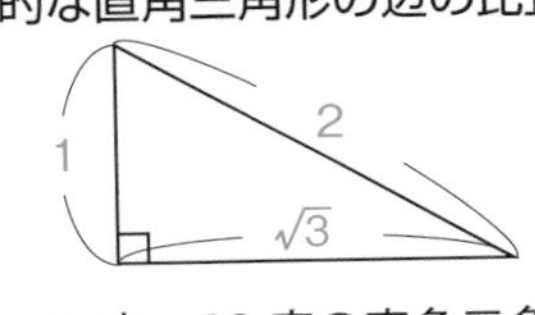

30度，60度の直角三角形

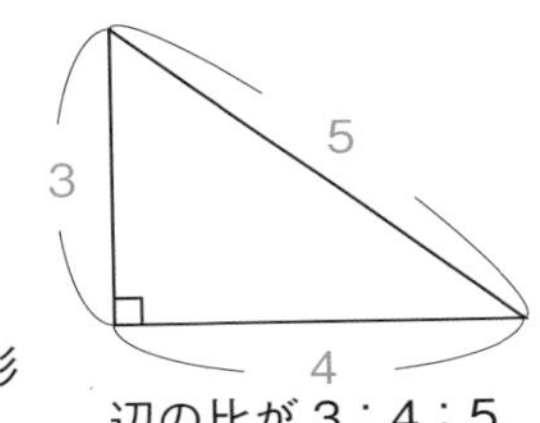

辺の比が3：4：5の直角三角形

■面積とその割合

①基本的な面積の公式

正方形：1辺の長さ×1辺の長さ

平行四辺形：底辺×高さ

台形：（上底＋下底）×高さ×$\frac{1}{2}$

円：半径×半径×円周率

長方形：縦の長さ×横の長さ

三角形：底辺×高さ×$\frac{1}{2}$

ひし形：2つの対角線の積×$\frac{1}{2}$

扇形：円の面積×$\frac{中心角}{360度}$

②三角形の面積の割合（比） よく出る

1. 底辺が等しい三角形では，高さの割合が面積の割合に等しい。
2. 高さが等しい三角形では，底辺の割合が面積の割合に等しい。
3. 高さの割合と底辺の割合の積は面積の割合に等しい。

例題 よく出る

任意の三角形ABCの三辺を3, 4, 5等分した点を結び，図のような三角形DEFをつくった。三角形DEFの面積は三角形ＡＢＣの約何%となるか。

ポイント ▶ 斜辺の割合と高さの割合の積は面積の割合に等しい。

1．22%
2．25%
3．33%
4．37%
5．40%

解説

直接△DEFの面積の割合は求まらない。△DBEは△ABCと比較して底辺は$\frac{3}{4}$，高さは$\frac{2}{5}$となる。よって面積の割合は$\frac{3}{4}\times\frac{2}{5}=\frac{3}{10}$。同様に△EFCは$\frac{1}{4}\times\frac{2}{3}=\frac{1}{6}$。△ADFは$\frac{3}{5}\times\frac{1}{3}=\frac{1}{5}$。よって，△DEF=△ABC－△DBE－△EFC－△ADF

$=1-\frac{3}{10}-\frac{1}{6}-\frac{1}{5}=1-\frac{9}{30}-\frac{5}{30}-\frac{6}{30}=1-\frac{20}{30}=\frac{1}{3}\fallingdotseq 33\%$

答え3

過去５年の出題傾向 ★★★★☆

数的推理 ③ 割合と濃度

地方公務員での出題率は相変わらず高い。特に得意不得意の差が顕著に表れやすい問題である。苦手な受験生は割合というと，「割る」と考えがちだが，式は「掛け算」で立てていく。

■定価，値引き

（定価，売値，利益を用いて式を立てる）

○定価：原価×（1＋利益の割合）＝定価

○売値：定価×（1－値引きの割合）＝売値

※割合に単位は無く，歩合や百分率では分数や小数に単位を直すこと。また，上記の式を連続して利用する場合がしばしばある。

【計算例】

原価1,000円の本を2割増しの利益を見込んで定価を設定したが，売れなかったので1割引きで売った。売値はいくらか。

◇解き方◇

1,000 ×（1 + 0.2）×（1 － 0.1）＝ 1,080

答え 1,080円

■濃度（食塩水の濃度）

常に食塩の重さを求められるようになることが大切である。また，「混合前の食塩の重さ」と「混合後の食塩の重さ」が常に等しいことに着目する。

【計算例】

20％の食塩水100gに24％の食塩水を300gを混ぜると何％の食塩水になるか。

◇解き方◇

次の表より $\frac{92}{400}$ × 100 = 23

答え 23%

	20%の食塩水	24%の食塩水	混合後の食塩水
食塩水の重さ	100g	300g	100+300 =400g
塩の重さ	$100\times\frac{20}{100}$ =20g	$300\times\frac{24}{100}$ =72g	20+72 =92g

例題 1

次の文のア，イに入るものの組み合わせとして正しいものはどれか。

レモン果汁が0.5L入ったペットボトルAと炭酸水が1.5L入ったペットボトルBがある。まず，Aから0.1Lだけ取り出し，Bに入れ，均一になるように混ぜ合わせる。次にBから同量だけ取り出し，Aに入れ，均一になるように混ぜ合わせる。この操作の後，Aに入っている炭酸水(最初Bに入っていたもの）の量とBに入っているレモン果汁（最初Aに入っていたもの）の量を比べると（　ア　）。

この操作を繰り返すとBにおけるレモン果汁の濃度はだんだん高くなり，限りなく（　イ　）パーセントに近づく。

1．ア…同じである　イ…25
2．ア…同じである　イ…33
3．ア…前者の方が多い　イ…25
4．ア…前者の方が多い　イ…33
5．ア…後者の方が多い　イ…25

解説

まず最初に移したとき，Aは0.4Lの果汁のみになり，Bには1.5Lの炭酸水と0.1Lの果汁が入る。よってBのペットボトルには$\frac{1}{16}$にあたる割合の果汁が入っている。この状態から0.1Lの混合液をAに戻す。戻す液のうち，$0.1\times\frac{1}{16}=\frac{1}{160}$Lは果汁で，残る$\frac{15}{160}$Lは炭酸水である。

	A		B	
	レモン果汁	炭酸水	レモン果汁	炭酸水
最初	0.5L	0L	0L	1.5L
1度移す	0.4L	0L	0.1L	1.5L
果汁濃度	1		$\frac{1}{16}$	
同量戻す	$0.4+0.1\times\frac{1}{16}$ $=0.4+\frac{1}{160}$	$\frac{15}{160}$	$0.1-\frac{1}{160}=\frac{15}{160}$	$1.5-\frac{15}{160}=\frac{225}{160}$

よって設問ア は「同じである」が正しい。設問イは$\frac{0.5}{(0.5+1.5)}\times 100=25\%$

答え1

例題2 よく出る

容器Aには10%の食塩水100 g，容器Bには22%の食塩水が300 g入っている。今，容器AとBから同時に食塩水を1：3の割合で汲み出して空の容器Cに入れた。次に容器Cに水を750 g加えたところ，容器Cの濃度は4%となった。最初に容器Bから汲み出した食塩水は何gか。

1．120 g　2．150 g　3．180 g　4．240 g　5．270 g

解説

濃度の差が12%で食塩水の重さが1：3なので濃度は3：1になったことになる。10+12 ÷ 4 × 3=19%
容器Cは水と19%の食塩水で4%となったので，先と同様に考える。混合してできた溶液の濃度（19%）と水（濃度0%）と，今後できる容器Cでの濃度比は4：15なので，水と19%の重さの比は逆比の15：4である。いま水の重さは750 gと明らかなので，19%の食塩水の重さをxとすると，$750:x=15:4$　$x=200$ g
19%の食塩水はA：B＝1：3からできていたので，Bから汲み出した重さは$200\times\frac{3}{(1+3)}=150$ g　答え2

例題3 よく出る

1個450円で200個仕入れた商品を原価の2割増しの定価をつけて売っていたところ，売れ残りそうなので途中から定価の1割引で売ることにした。その結果，12個が売れずに残ったため処分し，利益は9360円となった。定価で売れたのは何個か。

1．148個　2．150個　3．152個　4．154個　5．156個

解説

定価で売れた個数をxとすると，定価で売れた金額：$450\times1.2\times x$（円）　定価で売れず，定価の1割引で売れた金額：$450\times1.2\times0.9\times(200-12-x)$（円）　仕入れ値：$450\times200$（円）

$\underbrace{450\times1.2\times x+450\times1.2\times0.9\times(200-12-x)}_{売上金額}\underbrace{-450\times200}_{-仕入れ値}=\underbrace{9{,}360}_{=利益}$　$x=148$（個）

答え1

過去５年の出題傾向　★★★★☆

数的推理 ④ 整数の性質

出題率が高いので学習する面では重要だが，数的処理を早く解くための基本でもある。選択肢を絞る際にも大変有効。確率や場合の数などとの複合問題も最近の傾向である。

■倍数の性質の基本

【計算例】

次の計算式を６で割ったときの余りは下の１～５のうちのどれか。

$9 \times 10 \times 11 \times 12 \times 13 \times 14 \times 15 \times 16 \times 17 \times 18 \times 19 - 20$

１．余り１　２．余り２　３．余り３

４．余り４　５．余り５

◇解き方◇

$\underline{9 \times 10 \times 11 \times 12 \times 13 \times 14 \times 15 \times 16 \times 17 \times 18 \times 19} - 20 = \underline{6n} - 20 = \underline{6n - 6 \times 4} + 4 = \underline{6(n-4)} + 4$

最初の下線部の式には12（18でもよい）という６の倍数をかけているので，６の倍数ということがわかる。次に20を引くが，24を引き，４を加えることで結果は等しくなる。太い下線の部分は再び６の倍数となる。全体の計算をせずとも，値は６の倍数に４を加えた値なので，６で割ると４余る。

答え４

●確認●
６の倍数は $6n$ と表す
９の倍数は $9n$ と表す

◇ポイント◇

○２の倍数…一の位が０，２，４，６，８
○３の倍数…各位の数の和が３の倍数（6063→和は15：よって３の倍数）
○４の倍数…十と一の位に注目し，４で割れれば４の倍数（352→52÷４＝13：よって４の倍数）
○５の倍数…一の位が０，５
○６の倍数…２の倍数であり，３の倍数でもある
○９の倍数…各位の数の和が９の倍数（6075→６＋０＋７＋５＝18：よって９の倍数）

■公倍数

公倍数を単純に利用するだけでなく，余りのある数の処理に注目する。

【計算例】

４で割ると１余り，５で割ると２余る自然数のうち，150に最も近い数はいくつか。

◇解き方◇

例の場合は③のアに相当する。すなわち，20の公倍数－３である。具体的には，$20 \times 1 - 3 = 17$，$20 \times 2 - 3 = 37$，…$20n - 3$となる。この問題のもう一点注意すべきところは「最も近い数」であ

◇ポイント◇

公倍数の扱い
①割り切れる場合：割る数の公倍数
②余りが同じ数の場合：割る数の公倍数＋余り
③余りが異なる場合：
　ア…不足で考えて不足が等しい
　　→割る数の公倍数－不足
　イ…上記以外の場合
　　→いくつか規則がわかるまで書き並べる

り，150 を超えてもよい。すなわち，20 × 7 − 3 = 137，20 × 8 − 3 = 157 で，157 が答えとなる。

例題 1 よく出る

200 未満の自然数のうち，6 で割ると 5 余り，8 で割ると 7 余る自然数は何個あるか。

1．5 個　2．6 個　3．7 個　4．8 個　5．9 個

解説

6 で割ると 5 余る数は 11，17 のように $6n+5$ と表すことができるが，余りが異なる場合は，もう一つの方法で表す。すなわち，$6n-1$。同様に 8 で割ると 7 余る数も $8n+7$ でなく，$8n-1$ とする。よって不足する数が等しくなったので，6 と 8 の最小公倍数− 1 が求める自然数である。よって $24n-1$ となる。$24n-1<200$　$n<8.375$　$n=8$　8 個

答え 4

例題 2

12cm × 15cm の画用紙を使って，3cm × 4cm と 4cm × 6cm のカードをそれぞれ 50 枚ずつつくるとき，画用紙は最低何枚必要か。

1．10 枚　2．11 枚　3．12 枚　4．13 枚　5．14 枚

解説

1 枚の画用紙からは 3 × 4 のカードは 15 枚つくることができる。また，4 × 6 のカードは 3 × 4 の 2 枚分のカードの大きさとなる。よって共に 50 枚ならば，3 × 4 のカードが 150 枚分と換算できる。150 ÷ 15 ＝ 10（画用紙 10 枚）

〈別解〉例えば，1 枚の画用紙からは 4 × 6 のカードを 6 枚つくり，残りが 3 × 4 のカードとする。それを 8 枚の画用紙からカードをつくる。次に 9 枚目の画用紙から 4 × 6 のカードを 2 枚と残った部分で 3 × 4 のカードを 11 枚つくる。10 枚目の画用紙は 3 × 4 のみ 15 枚つくる。

答え 1

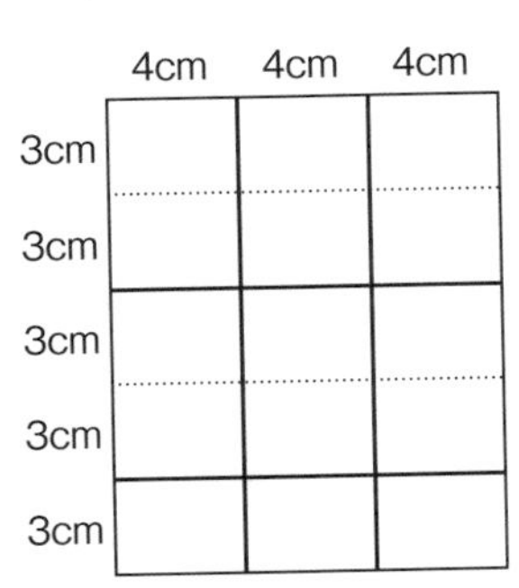

1枚の画用紙
4×6を6枚　3×4を3枚

例題 3

365 を 9 で割ると 5 余る。365 を 2 倍してから 9 で割ると 1 余る。さらに 2 倍してから 9 で割ると 2 余る。これを何回繰り返しても，9 で割ったときの余りとならない数の和はどれか。

1．9　2．10　3．11　4．12　5．13

解説

365=360+5 よって 9 の倍数 +5　よって余り 5。また，その 2 倍は（360+5）× 2 と表されるので，9 の倍数 +10 よって 10 ÷ 9=1 余り 1。このことを続けると，常に 9 の倍数に，5，10，20，40，80，160，320，640…と加えることになるので，それらの数の余りを考えればよい。その余りをまとめると，5，1，2，4，8，7，5，1……と循環する。よって余りとならない値は 3 と 6 である。よって和は 9 である。

答え 1

過去５年の出題傾向 ★★★☆☆

数的推理 ⑤ 立体図形の性質

純粋に立体図形の体積を求める問題は次第に減りつつある。その一方で，三平方の定理，空間把握の解き方を重ねて利用する難問も多い。計算力もある程度必要である。

■体積の基本公式

○立方体：（１辺の長さ）^{3}

○直方体：縦×横×高さ

○直方柱：底面積×高さ

○直方錐：底面積×高さ×$\frac{1}{3}$

■相似形

○相似な平面図形では相似比の平方（2乗）が面積比となる。

○相似な立体では相似比の立方（3乗）が体積比となる。

【計算例】

右図のように270cm^3 の円錐の上から $\frac{1}{3}$ の高さに底面と平行に切断機を水平に移動させた。切り落とされる上部の円錐の体積を求めよ。

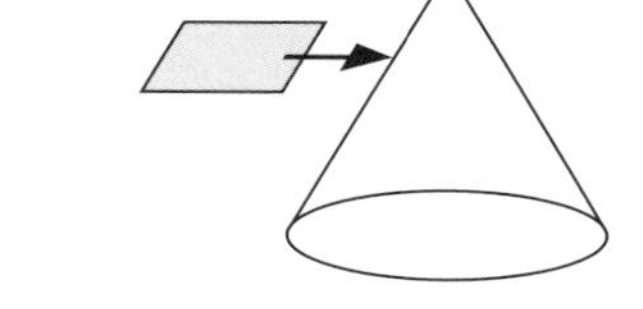

◇解き方◇

相似比は 1：3。体積比は $1^3 : 3^3 = 1 : 27$。

よって $\frac{1}{27} \times 270 = 10$（cm^3）

例題１

図は半径が r の球と半径　r，高さ２r の円柱と半径　r，高さ２r の円錐である。この３個の体積比として正しいものはどれか。ただし，円周率は π として計算せよ。

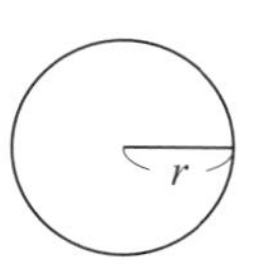

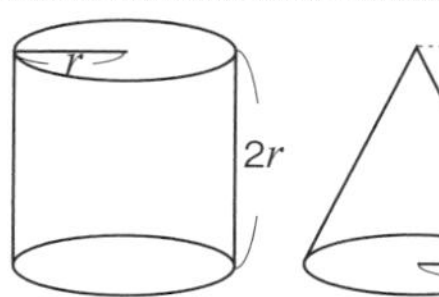

1．1：2：3　　2．2：6：1　　3．1：3：1　　4．1：3：2　　5．2：3：1

解説

球の体積＝$\frac{4\pi r^3}{3}$ 円柱の体積＝$\pi r^2 \times 2r = 2\pi r^3$ 円錐の体積＝$\pi r^2 \times 2r \times \frac{1}{3} = \frac{2}{3}\pi r^3$

この３体積の値を πr^3 で割り，３倍すると４：６：２となり，さらに２で割り簡単な値である２：３：１となる。

答え５

例題２

図のような底面の直径が 12cm，母線の長さが 36cm の円錐がある。底面の円周上の点Ａから，円錐の側面上を最短経路で１周して点Ａに戻るとき，経路の長さとして正しいものはどれか。

1．36 cm　　2．38 cm　　3．40 cm

4．42 cm　　5．44 cm

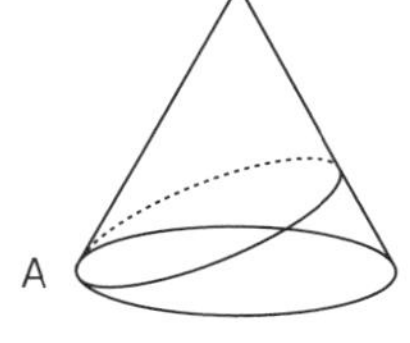

解説

$\frac{6}{36} \times 360 = 60$ 度（展開図の扇形の中心角）すなわち正三角形になる。よって母線の長さと円錐を１周する最短経路が等しくなる。　答え１

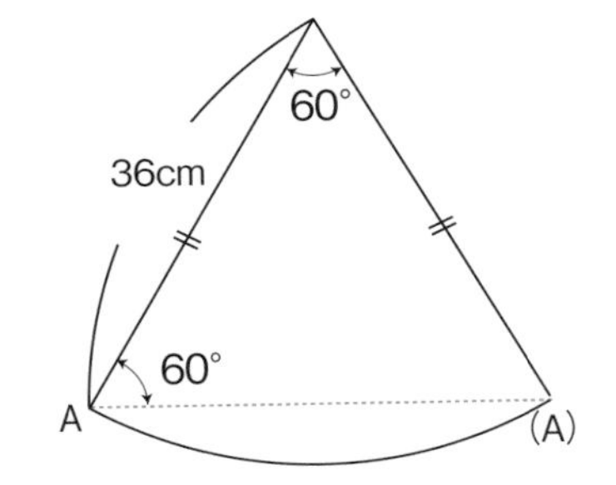

◇必ず覚えておくこと◇

$\frac{\text{底面の半径}}{\text{母線の長さ}} \times 360° =$ 展開図の中心角

○最短距離→直線を考える。

例題３　よく出る

１辺が 12cm の立方体の頂点と中点 MN を通り切断するとき，小さい方の体積は何 cm^3 か。

1．490 cm^3　2．504 cm^3
3．606 cm^3　4．712 cm^3
5．814 cm^3

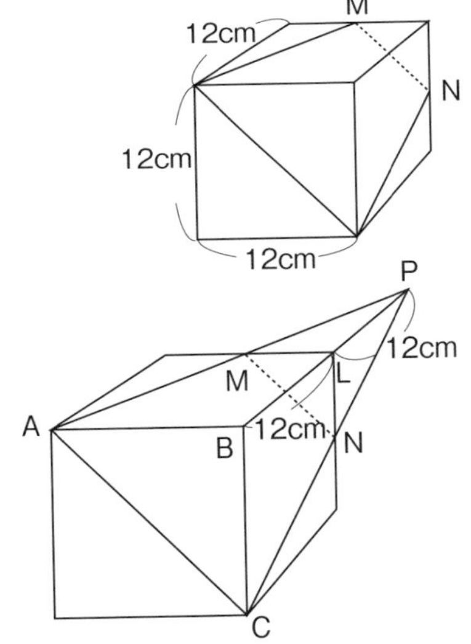

解説

図のように切断面を延長する。延長してできた大きな三角錐Ｐ－ＡＢＣから奥にできた小さな三角錐Ｐ－ＬＭＮの体積を引けば求まる。もしくは２つの三角錐は相似であり，相似比（長さの比）は２：１なので，体積比は３乗に比例する。よって体積は８：１　となり，求める体積は大きな三角錐の$\frac{7}{8}$となることを利用する（できれば後半の解き方の方がよい）。

$12 \times 12 \times \frac{1}{2} \times 24 \times \frac{1}{3} \times \frac{7}{8} = 504cm^3$

答え２

例題４

１辺が 12cm の正四面体の高さを求めよ。

1．$4\sqrt{2}$ cm　2．$4\sqrt{3}$ cm　3．$4\sqrt{6}$ cm
4．$5\sqrt{2}$ cm　5．$5\sqrt{3}$ cm

解説

正四面体は正三角形の４つの面からなる。よって△ＤＭＢの辺は 30°，60° の直角三角形の辺の比から求まる。高さはＢＭの$\frac{2}{3}$の位置からＡへ延びる線分であり，三平方の定理より，

$(4\sqrt{3})^2 + h^2 = 12^2$　$h = 4\sqrt{6}$ cm

答え３

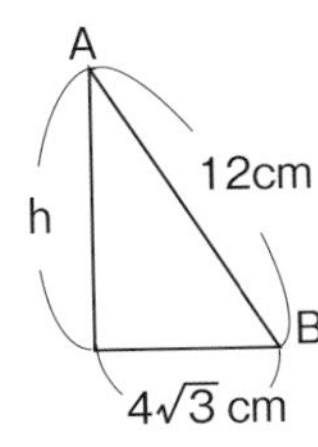

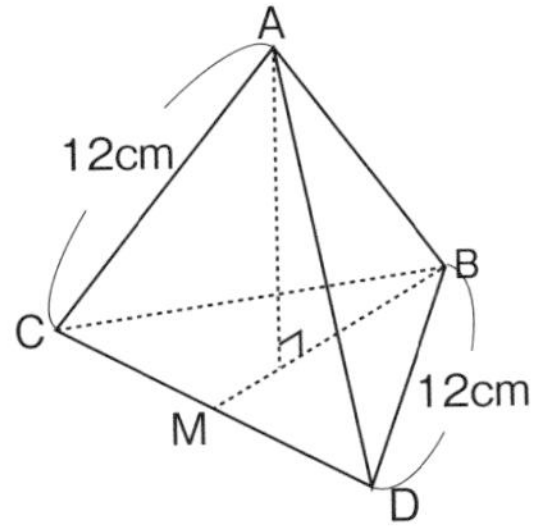

過去５年の出題傾向 ★★★☆☆

数的推理 ⑥ 仕事量・和と差から解く

最も有名な問題の一つが仕事算である。最近は複雑な条件を重ねる問題よりも，やさしい条件を常に考えながら解いていく判断推理的な問題に変化してきている。

■仕事算（全体の仕事量を１とし，１日当たりの仕事量から完成までの日数を求める）

【計算例】

注意 ▶ 日数が割り切れない場合は切り上げる

Aが１人ですると20日かかり，Bが１人ですると30日かかる仕事がある。その仕事をAとBの２人が一緒にすると何日で終えるか。

◇解き方◇

$1 \div \left(\frac{1}{20} + \frac{1}{30}\right) = 12$　　答え 12日

■相当算（①線分図から逆算して実数を求める。②方程式で求める）

【計算例】

１日目に全体の４割を読み，２日目に残りの半分を読み，３日目に36ページ読んだところで読み終えた。この本は何ページか。

◇解き方◇

図から２日目と３日目の読んだページ数が等しく，全体の $\frac{3}{5}$ とわかる。72ページが $\frac{3}{5}$ なので $\frac{1}{5}$ は24ページ。よって答えは120ページ。

■ニュートン算（渋滞や列の解消，水槽が空になる）

特殊な考え方をするので，方程式の形をきちんと理解しておくこと。渋滞が解消される（水槽が空になる）のは，はじめにある量＋後から加わる量＝ゲート（ポンプ）を通過する量

注意 ▶ 増える量も考えて式にする

【計算例】

ある美術館で入場開始のときに，すでに200人が列をつくっていた。さらに毎分10人が列に加わっていった。この状態で入場券売場窓口を１つ開けると，行列は20分でなくなった。窓口を最初から２つ開けると行列は何分何秒でなくなるか。

◇解き方◇

行列が解消した時点で，200＋10×20＝400人が１つの窓口で入場券を購入した。すなわち窓口の処理能力は400÷20＝20人／分。窓口を２つ開くことで行列がなくなるまでに t 分かかるとすると，その時間も行列の後ろに人が並ぶということを式に織り込むのがポイント。

$200 + 10t = \underline{20} \times \underline{2} \times t \quad t = \frac{20}{3} = 6\frac{2}{3}$ 分

答え　6分40秒

■植木算（木や柱を並べる）

「直線区間に木を植える場合の間隔の数＝木の数－１」

【計算例】

100mの道の片側に両端を含めて21本の木を等間隔に植えた。間隔は何mとなるか。

◇解き方◇

$100 \div (21 - 1) = 5$　　答え 5m

■平均（速さや得点の平均と合計）

常に平均と合計を求めていくことがポイントとなる。平均の速さは単純に求めてはならない。「平均の速さ＝移動距離の合計÷移動にかかった時間の合計」となる。

【計算例】

ＡＢ間を行きは時速20kmで，帰りは時速15kmで走った。平均時速は何kmか。ただし，計算は小数第2位までせよ。

注意▶距離がわからなくても計算

◇解き方◇

ＡＢ間の距離を60km（速さの公倍数を距離にすると楽）とすると，行きは3時間，帰りは4時間となる。　$60 \times 2 \div (3+4) \fallingdotseq 17.14$　答え　時速17.14km

例題1　よく出る

あるハウスを建設するのにＳ社ならば20日間，Ｔ社ならば25日間かかるという。2社が共同して建設したら何日目に完成するか。

1．10日目　2．11日目　3．12日目
4．13日目　5．14日目

解説

一日の仕事量を求める。Ｓ社は$\frac{1}{20}$，Ｔ社は$\frac{1}{25}$。よって共同で建設するとその和$\frac{9}{100}$が一日の仕事量となる。

よって，$1 \div \frac{9}{100} = \frac{100}{9} = 11\frac{1}{9}$　よって12日目。

答え3

例題2

井戸にある量の水が溜まっていて，一定時間ごとに水がしみ出してくる。いま，3台のポンプで水をくみ出すと40分かかり，同様の条件で4台のポンプでくみ出すと20分で井戸が空になる。雨の降った翌日，井戸には先の条件より25％余分に水が溜まっており，しみ出す水の量は先の条件の5割増しとなったため，5台のポンプでくみ出した。何分で井戸は空になるか。

1．20分　2．25分　3．27分
4．30分　5．32分

解説

最初に井戸に水が溜まっている水量：x，1分間にしみ出す水量：y，1台のポンプが1分間にくみ出す水量：z，とする。

$x + 40y = 3 \times z \times 40$　…①
$x + 20y = 4 \times z \times 20$　…②

①式－②式より $20y = 40z$　すなわち，$y = 2$ならば，$z = 1$となる。その値を②式に代入すると$x = 40$。雨の降った翌日は溜まっている水は25％増なので $40 \times 1.25 = 50$　しみ出す量は $2 \times 1.5 = 3$　となる。空になるまでの時間をt分とすれば，$50 + 3t = 5 \times 1 \times t$
$t = 25$分

答え2

例題3　よく出る

ある市の成人の体重の平均は55kgであった。また，成人女子の平均体重は42kgであり，成人女子は成人の48％を占めていた。成人男子の平均体重は何kgか。

1．63kg　2．64kg　3．65kg
4．66kg　5．67kg

解説

成人の合計を100人として考えるとわかり易い。
男子の平均体重を$x$kgとすると，
$42 \times 48 + x \times 52 = 100 \times 55$　$x = 67$kg

答え5

例題4

4200ｍある道路の片側に両端を含めて木を21本，等間隔に植えた。また，木と木の中間に杭を4本ずつ等間隔に打ち込んだ。杭は何本必要か。

1．76本　2．80本　3．84本
4．88本　5．92本

解説

間隔は本数－1となる。すなわち，間隔は20ある。1つの間隔に4本杭を打つので，
$20 \times 4 = 80$本

答え2

過去５年の出題傾向 ★★★☆☆

数的推理 ⑦ 旅人算・速さ

移動する２つの物体について，「方向，物体の長さ」について注意する。また，速さの単位は様々な表記があり，注意する。方程式では「時間や距離の和や差」について式を立てる。

■旅人算（幅のない２物体が移動し，「追いつく」「出会う」）

①**追いつく**：出発点から移動した２物体の距離が等しい。

【計算例】

家から学校に向かって弟が分速 80m で歩き始めた。５分後に兄が分速 100m で追いかけたとき，追いつくのは兄が出発してから何分後か。

◇解き方◇

$80(t+5)=100t$　　$t=20$

答え 20 分後

②**出会う**：２物体の移動距離の和と，２出発点間の距離とが等しい。

【計算例】

2km 離れた A 家と B 家から同時に A，B の２人が出発した。A は分速 120m，B は分速 80m とすると何分後に出会うか。

◇解き方◇

$120t+80t=2{,}000$　　$t=10$

答え 10 分後

③**到着**：遅い物体がかかる時間－速い物体がかかる時間＝到着の遅れ。

【計算例】

家から駅まで兄が分速 120m で歩く場合と弟が分速 80m で歩く場合では５分の差となる。家から駅までの距離は何 m か。

◇解き方◇

$\frac{x}{80}-\frac{x}{120}=5$　　$x=1{,}200$

答え 1,200m

■通過算（幅のある物体が通過する場合）

①**通過**：（列車の長さ＋ホームや鉄橋などの長さ）＝速さ×時間。

【計算例】

秒速 20m で走る長さ 120m の列車が駅を通過するのに 15 秒かかった。駅の長さは何 m か。

◇解き方◇

$120+x=20\times15$　　$x=180$

答え 180m

②**追越し**：（列車の長さ A＋列車の長さ B）＝速さの差×時間

③**すれ違い**：（列車の長さ A＋列車の長さ B）＝速さの和×時間

ポイント ▶ 通過算は秒速□m で解く

■流水算（川を上る場合，下る場合）

①**上る**：川下から川上までの距離＝（船の静水時の速さ－川の速さ）×時間

【計算例】

静水を時速 10km で走る船がある。川の流れる速さが時速 2km のとき３時間で川を上れる距離は何 km か。

◇解き方◇

$(10-2)\times3=24$　　答え 24km

②**下る**：川上から川下までの距離＝（船の

静水時の速さ＋川の速さ）×時間

■**時計算（針が重なる，直角になる）**

「1分間に長針は短針に5.5度ずつ近付き，追い越していく」ことがポイントだが，方程式を用い，旅人算のように求める場合もある。

【計算例】

2時から3時の間で針が重なるのは2時何分か。小数第2位まで求めよ。

ポイント ▶ 2時では短針と長針が60度離れている

◇解き方◇

60 ÷ 5.5 ≒ 10.91　　答え 2時10.91分

(別解) $60 + 0.5t = 6t$ を解く。$0.5t$ は短針が，$6t$ は長針がそれぞれ t 分で増す角度。

例題 1

A，B，Cの3人兄弟の歩く速さは，おのおの毎分80 m，100 m，120 mである。いま，Aが駅に向かって出発してから，5分後にBも駅に向かって出発した。また，CもBの5分後に同様に出発した。Aが途中Bに追い越されるが，それから何分後にAはCに追い越されるか。

1．5分後　2．10分後　3．15分後
4．20分後　5．25分後

解説

BがAを追い越すのは，80 × 5 ÷（100 － 80）＝ 400 ÷ 20 ＝ 20分後。よってAが出発してからは，25分後である。また，CがAを追いすのは80 × 10 ÷（120 － 80）＝ 800 ÷ 40 ＝ 20分後。よってAが出発してからは30分後である。よって30 － 25 ＝ 5分後。

答え1

例題 2　よく出る

時速54kmで走る急行列車が，駅員の前を通過するのに6秒かかった。この列車がトンネルを完全に通り抜けるのに1分かかったとすると，トンネルの長さは何mか。

1．990 m　2．900 m　3．810 m
4．720 m　5．630 m

解説

列車の長さは15m/s × 6秒＝ 90 m
トンネルを抜けるまでに進んだ距離＝列車の長さ＋トンネルの長さ＝ 15m/s × 60秒 ＝ 900m
900 － 90 ＝ 810 m

答え3

例題 3

長さ150 m，時速54kmで走る貨物列車と長さ130m，時速72kmで走る急行列車が出合ってから完全にすれ違うまで何秒かかるか。

1．4秒　2．5秒　3．6秒
4．7秒　5．8秒

解説

すれ違いにかかる時間＝列車の長さの和÷速さの和，である。時速は秒速に直して計算する。
（150 ＋ 130）÷（15 ＋ 20）＝ 280 ÷ 35 ＝ 8秒

答え5

例題 4

静水では時速10kmで走る船がある。いま，時速2kmで流れる川を川下Aから川上Bに向かってその船が上っていたが，途中で30分間エンジンが故障したため，AからBまで故障の時間を含めて2時間かかった。AB間の距離は何kmか。

1．10km　2．11km　3．12km
4．13km　5．14km

解説

川を上るみかけの速さは時速8kmになる。8 ×（2 － 0.5）＝ 12km　ただし，30分間川下に流されているので，2 × 0.5 ＝ 1 km戻されている。その距離を含めて12kmなのでAB間は11km。

答え2

過去５年の出題傾向　★★★☆☆

数的推理 ⑧ 式と条件から解く

主に不等式と連立不等式を中心として出題される。過不足についての出題が最も多い。条件を利用する場合，式を変形させせる。選択肢を代入して確かめるのも一つの手ではある。

■「個数は自然数である」という条件から解く

未知数が３つあるのに対して連立方程式が２つしか得られない場合，式を変形して考えていくか，式に選択肢の値を代入して求めていく。

例題１

果物屋で１個60円のみかんと１個80円の梨と１個200円のりんごを合計10個買ったところ，代金は1,200円だった。梨は何個買ったか。

１．１個　２．２個　３．３個
４．４個　５．５個

解説

みかんx個，梨y個，りんご（$10-x-y$）個とすると$60x+80y+200(10-x-y)=1,200$となり，他に式はできない。この式の両辺を20で割り，$3x+4y+10(10-x-y)=60$　とし，さらに計算をしてまとめると，$7x+6y=40$となる。

これは不足方程式なので，x, yが自然数であることを利用して，選択肢の値を代入していく。$y=2$のとき，式が成り立つので，梨は２個となる。

梨	1	2	3	4	5	6
みかん	$\frac{34}{7}$	4	$\frac{22}{7}$	$\frac{16}{7}$	$\frac{10}{7}$	$\frac{4}{7}$

答え２

例題２

小型，中型，大型のトラックが合計で21台ある。小型トラックの台数が一番多く，大型トラックが一番少ない。これらのトラックで380個の荷物を運ぶとき，中型トラックは何台あるか。ただし，小型トラックの積載量は１台で10個，中型トラックでは20個，大型トラックでは30個とする。

１．６台　２．７台　３．８台
４．９台　５．10台

解説

小型トラックをx台，中型をy台，大型をz台とすると，$x+y+z=21$…①，$10x+20y+30z=380$…②となる。②式を10で割り，そこから①式を引くと，$y+2z=17$…③となる。$z=1$とすると，$y=15$　となり$x=21-15-1=5$　となる。順に$z=2$，3，4…と代入すると$z=5$のとき，$y=7$，$x=9$となり，小型が最も多く，大型が最も少なくなり題意を満たす。

答え２

■魔方陣

縦，横，対角線に並べた数を加えても，常にいずれの和も等しくなる，という問題である。マス目が奇数のとき，中央のマス目には連続した数の中央の値が入る。

また，その中央を対称点としたマス目の和は，連続した数の最小値と最大値の和になる。マス目が偶数の場合には，先の前半の内容は当てはまらないが，後半の内容は当てはまる。

例題３　よく出る

図のような方陣に27から35までの連続した整数を入れ，縦，横，対角線に並ぶ３つの数を加えたとき，和が等しくなるには，

A，Bにどのような数が入ればよいか。答えはその和で答えよ。

1．9　　2．10
3．11　　4．12
5．13

3□	3□	2□
2A	3□	33
3□	2□	3B

解説

27，28，29，30，31（中央），32，33，34，35。

3□	3□	2□
29	31	33
3□	2□	3B

先の説明より，中央のマス目には中央の値である31が入る。また，常に中央の31を対称点とする数の和は最小値＋最大値なので，27と35，28と34，29と33，30と32の組合せとなる。右中段は33なので左中段は29と確定する。また，左上と右下はともに30台なので，30と32のどちらかが入る。

また，常に縦，横などの和は93である。左上が32とすると左中段が29なので左下は32となり矛盾する。よって左上は30，右下は32となる。A＝9，B＝2　和は11。

答え3

例題4

次の魔方陣(縦，横，対角線の和が常に一定）には，5～20の数字がそれぞれ入る。AとBの差は次のどれか。

20	6		B
9		14	
	11		16
	A		5

1．1　　2．2
3．4　　4．5
5．8

解説

偶数の方陣の場合は，表の中心を対称とする。点対称の数の和は最小値と最大値の和に等しいので，5＋20＝25となる。また，合計は（5＋20）×16÷2＝200　よって縦，横，対角線の4数の和は50となる。25になる数は，7と18，8と17，10と15，12と13，19と6。19は6の対角線に入る（図）。また，ア＋イ＝21なので残る数で21となる組合せは8，13となる。次に，イ＝13とすると，A＝13となり矛盾する。よってア＝13，イ＝8となる。Aは50－(8＋19＋5)＝18　Bはイの対角線なので，B＝17。よって差は1。

20	6		B	$\frac{26}{50}$
9		14		$\frac{23}{50}$
ア	11		16	$\frac{27}{50}$
イ	A	19	5	$\frac{24}{50}$
$\frac{29}{50}$	$\frac{17}{50}$	$\frac{33}{50}$	$\frac{21}{50}$	$\frac{25}{50}$

答え1

■連立不等式

はっきりとわかっている個数を見つけること。不等号の向きがわからなくなっても計算をしていけば誤りに気付くので，方程式を解くつもりで挑戦することが大切である。

例題5

A組とB組の生徒に，それぞれ230枚の折り紙を配る方法を検討したところ，次のア～ウのことがわかった。

ア　A組の生徒に，1人当たり6枚ずつ配ると1枚以上余り，1人当たり7枚ずつ配ると20枚以上不足する。

イ　B組の生徒に，1人当たり5枚ずつ配ると10枚以上余り，1人当たり6枚ずつ配ると12枚以上不足する。

ウ　A組とB組の生徒の人数の差は，3人である。以上のことから，A組とB組の生徒の人数の合計として，正しいものはどれか。

1．75人　　2．77人　　3．79人
4．81人　　5．83人

解説

アより $6n+1 \leqq 230 \leqq 7n-20$　$35.7\cdots \leqq n \leqq 38.1\cdots$　よって36，37，38人のいずれかがA組である。イより $5n+10 \leqq 230 \leqq 6n-12$　$40.3\cdots \leqq n \leqq 44$　よって41，42，43，44人のいずれかがB組である。ウより2組の差は3人なので，38人と41人のみ考えられる。合計は79人となる。

答え3

練習問題１

50 g, 10 g, 1 gの分銅が各々２個ずつある。いま，図のような上皿天秤にそれら６個の中から何個かの分銅をのせて釣り合いをとりたい。何通りの方法があるか。ただし，一つの上皿には分銅はこの場合，１個しかのせることができないものとする。また，上皿や支点間の長さは等間隔であるとする。

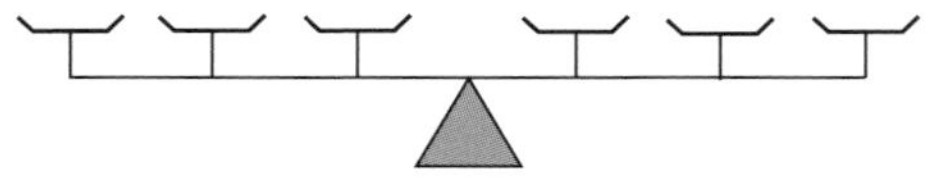

（１）24 通り
（２）27 通り
（３）33 通り
（４）48 通り
（５）54 通り

練習問題２

図のような公園内の道をＡからＢに向かうとき，最短経路で行く方法は全部で何通りあるか。ただし，Ｃを通過するときは直線とする。

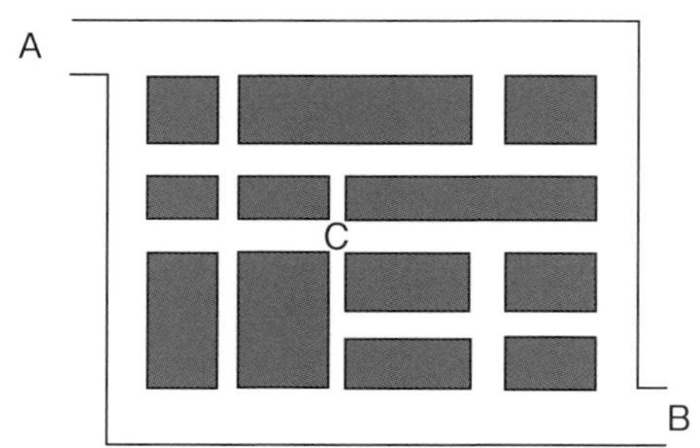

（１）18 通り　（２）21 通り　（３）23 通り
（４）25 通り　（５）27 通り

練習問題３

ある工場において，製品は 25 個中１個の割合で，箱は 128 個中３個の割合で，不良品が発生する。いま，この製品３個入りの箱を検査するとき，製品および箱ともに合格する確率はどれか。

（１）86.4%　（２）88.4%　（３）90.4%
（４）92.4%　（５）94.4%

解答・解説

練習問題１　正答／（３）

●解説／支点を中心として左右対称に分銅を置くので，右側に置く分銅が決まれば左側に置く分銅は同じものとなる。よって場合の数を考えるのは，一方だけでよい。上皿天秤の右腕の支点から順に皿をａ，ｂ，ｃとする。

①分銅を１個使用する場合
各々の分銅をａ～ｃの３箇所に置くことができる。３×３＝９通り。

②分銅を２個使用する場合
分銅を２個使用する場合，３種類の分銅から２種類取り出す順列は，３×２＝６通り。また，皿へののせ方は，（ａ，ｂ），（ａ，ｃ），（ｂ，ｃ）の３通りあるから，全部で６×３＝18 通り。

③分銅を３個使用する場合
単純な順列。３個の分銅をａ，ｂ，ｃの３カ所に置くので，３×２×１＝６通り。よって合計の 33 通り。

練習問題２　正答／（３）

●解説／

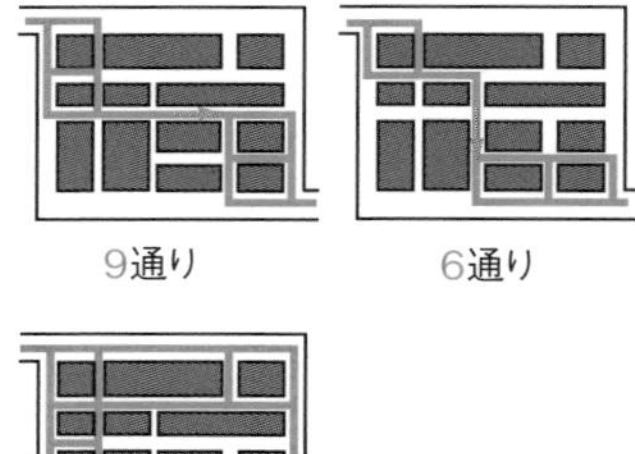

9通り　6通り

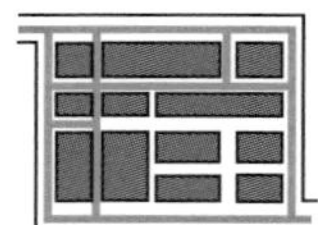

Cを通らない
8通り

９＋６＋８＝23 通り

練習問題３　正答／（１）

●解説／

$$\frac{24 \times 24 \times 24}{25 \times 25 \times 25} \times \frac{125}{128} = \frac{864}{1{,}000}$$

$$\frac{864}{1{,}000} \times 100 = 86.4\ (\%)$$

練習問題４

図のように△ＡＢＣの辺ＢＣ上に点Ｄがあり，ＢＤ：ＤＣ＝２:３, 線分ＡＤ上に点Ｅがあり, ＡＥ:ＥＤ＝２:１である。このとき，△ＡＢＥと△ＢＣＥと△ＣＡＥの面積比はどれか。

（1）3：4：5
（2）4：5：6
（3）4：6：7
（4）5：6：7
（5）5：7：8

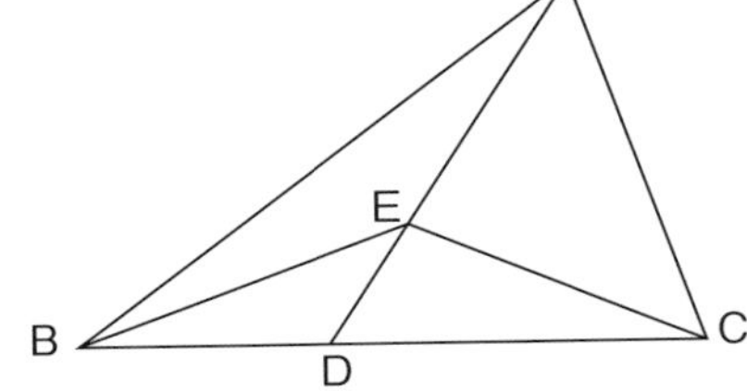

練習問題５

次の図において，角ａ～ｆの和は何度か。

（1）270 度
（2）300 度
（3）330 度
（4）360 度
（5）390 度

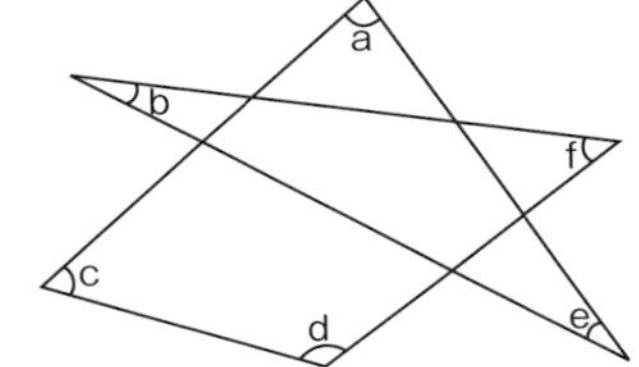

練習問題６

下図のように，一辺ａの正方形と正三角形からなる図形のまわりを，一端Ｐを固定したひもＰＱのＰを固定し，Ｑがたるむことなく図のように時計回りに図形に巻きつけたところＱはＲに達した。Ｑの描く軌跡の長さを求めよ。ただし円周率はπとする。

（1）$\frac{23}{6}\pi a$　（2）$4\pi a$　（3）$\frac{25}{6}\pi a$

（4）$\frac{13}{3}\pi a$　（5）$\frac{9}{2}\pi a$

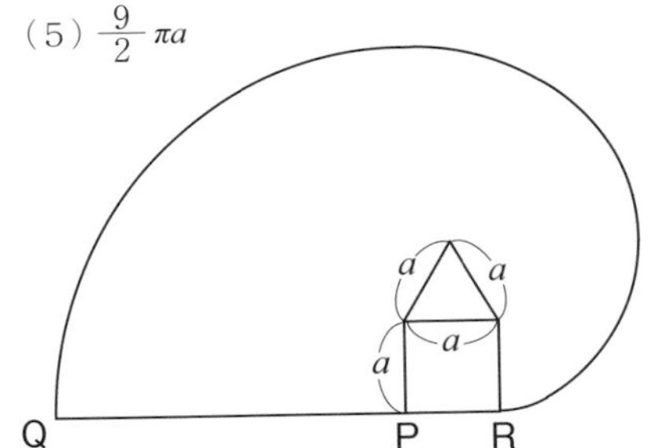

解答・解説

練習問題４　正答／(2)

●解説／△ＥＢＤ：△ＡＢＥは高さが共通なので底辺の比が面積比となる。よって１：２。

同様に△ＥＣＤ：△ＥＣＡも１：２。また，△ＡＢＤ：△ＡＤＣも高さが共通で底辺が２：３なので面積比も２：３となる。

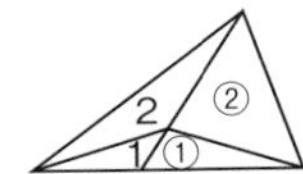

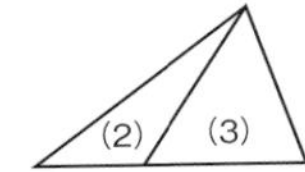

以上の比の関係を整理すると以下のようになる。

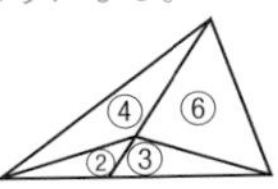

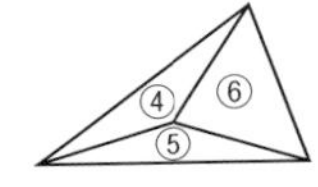

練習問題５　正答／(4)

●解説／星型の内角の和と破線からなる三角形の内角の和をまとめた値が正解となる。

星型の頂点の内角をア～オとし，他にカ，キを定める。

カ＝イ＋オ　キ＝ア＋ウ

よってカ＋キ＋エ＝ア＋イ＋ウ＋エ＋オ＝ 180°　また破線の三角形の内角の和も 180°なので答えは 360°となる。

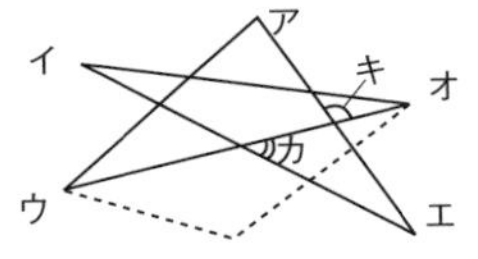

練習問題６　正答／(2)

●解説／

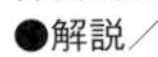

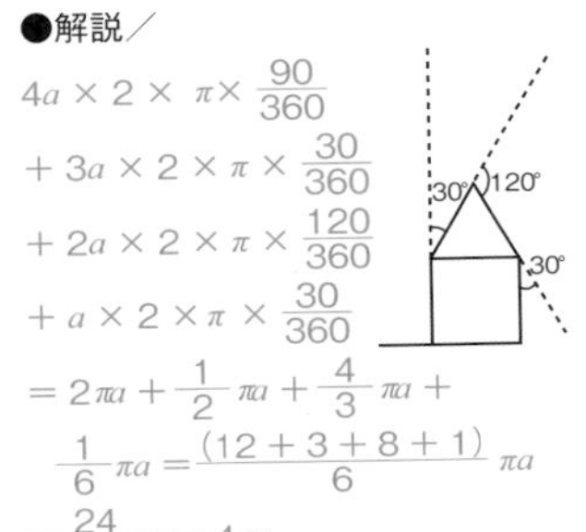

$4a \times 2 \times \pi \times \frac{90}{360}$
$+ 3a \times 2 \times \pi \times \frac{30}{360}$
$+ 2a \times 2 \times \pi \times \frac{120}{360}$
$+ a \times 2 \times \pi \times \frac{30}{360}$
$= 2\pi a + \frac{1}{2}\pi a + \frac{4}{3}\pi a +$
$\frac{1}{6}\pi a = \frac{(12+3+8+1)}{6}\pi a$
$= \frac{24}{6}\pi a = 4\pi a$

答えはπのn倍なので扇形の計算のみと推測できる。

練習問題 7

原価 2,000 円の商品を 50 個仕入れ，2 割の利益を見込んで定価をつけたところ，20 個売れた。しかし残りの 30 個は売れ残ったので定価の 2 割引で売ったので完売した。このときの利益はいくらか。

（1） 5,600 円　（2） 6,400 円　（3） 7,200 円
（4） 8,000 円　（5） 8,800 円

練習問題 8

金の含有量が 70%の金貨と金の含有量が 40%の金貨を溶かして金の含有量が 60%の金貨をつくりたい。どれだけの重さの割合で混ぜたらよいか。

（1） 70%の金貨 1：40%の金貨 2
（2） 70%の金貨 1：40%の金貨 3
（3） 70%の金貨 2：40%の金貨 1
（4） 70%の金貨 3：40%の金貨 1
（5） 70%の金貨 4：40%の金貨 1

練習問題 9

図のような頂角が直角となる多角形の土地がある。この土地をできるだけ少ない数の正方形に区切りたい。正方形の土地はどれだけになるか。

（1）5 個
（2）8 個
（3）10 個
（4）12 個
（5）14 個

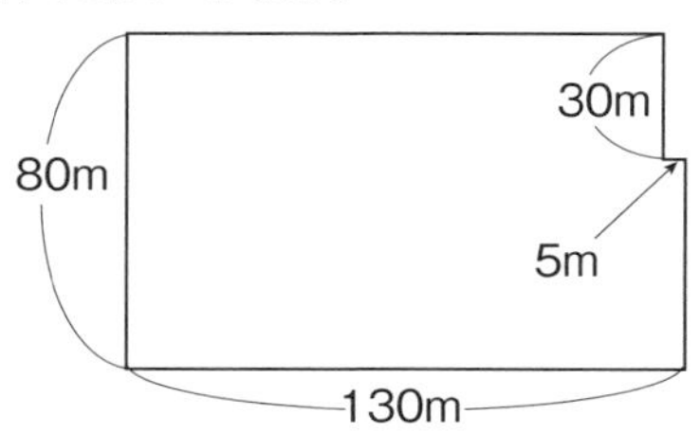

練習問題 10

図は各辺が 6cm，8cm，10cm の直角三角形である。今，辺ＡＢを軸に回転させたときにできる円錐ａと辺ＢＣを軸に回転させたときにできる円錐ｂの体積の比はどれになるか。

（1） 3：4
（2） 4：3
（3） 5：4
（4） 4：5
（5） 5：6

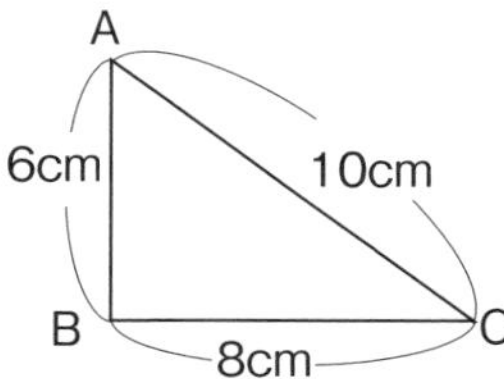

解答・解説

練習問題７　正答／（1）

●解説／利益は売値－仕入値である。
$(2{,}000 \times 1.2 \times 20 + 2{,}000 \times 1.2 \times 0.8 \times 30) - 2{,}000 \times 50 = 105{,}600 - 100{,}000 = 5{,}600$

練習問題８　正答／（3）

●解説／70％の金貨の重さを a，40%の金貨の重さを b とすると，
$$\frac{(0.7a + 0.4b)}{(a + b)} \times 100 = 60$$
となる。この濃度の式をまとめると，$a = 2b$ となる。よって $a = 2$ ならば $b = 1$ となる。

練習問題９　正答／（1）

●解説／書かれていない長さを書き込んでみると気づく。30m と 45m は 15m の公倍数である。よって図のように５個の正方形に分割できる。

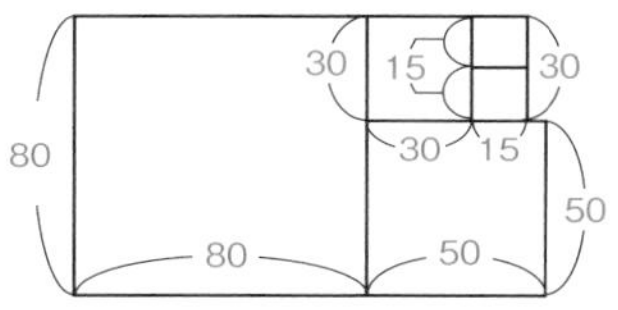

練習問題 10　正答／（2）

●解説／

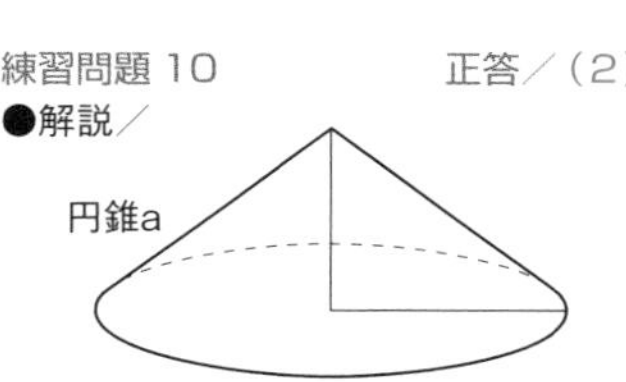

円錐ａ　$8 \times 8 \times \pi \times 6 \times \frac{1}{3} = 128\pi$

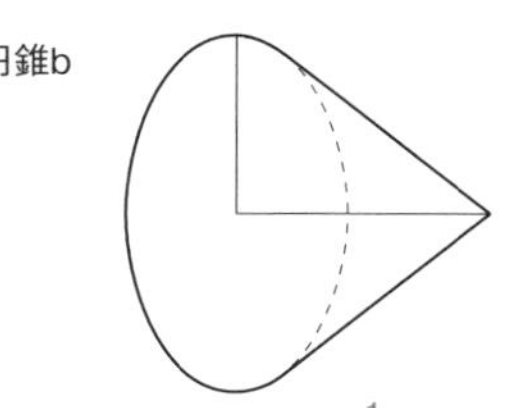

円錐ｂ　$6 \times 6 \times \pi \times 8 \times \frac{1}{3} = 96\pi$
ａ：ｂ＝４：３

注意
計算式の状態で比を簡単にすること。分配法則を用いて式を工夫して簡単にすることもある。

練習問題 11

ある美術館の前には 300 人の行列がある。また，その行列は 1 分につき，10 人ずつ増えていく。いま，窓口が 9 時に開いたところ，9 時 15 分で行列がなくなった。この窓口では 1 分につき，何人に切符を売っているか。ただし，まとめ買いなどはないこととする。

（1）20 人　（2）25 人　（3）30 人
（4）35 人　（5）40 人

練習問題 12

東京駅から品川駅の間を時速 180km で新幹線が走っている。窓からは時速 72km で走る山手線が 2 分おきにすれ違って見えた。山手線は何分間隔で運転しているか。ただし，駅での停車は考えない。また，2 つの線は平行であるとする。

（1）3 分間隔　（2）4 分間隔　（3）5 分間隔
（4）6 分間隔　（5）7 分間隔

練習問題 13

母は毎日，21 時に父を駅まで自動車で迎えに行っている。あるとき，父は予定より 1 時間早く駅に着いたので，家に向かって歩き始めた。途中で母は父と出会い，父を乗せて帰宅したところ，いつもより 10 分早く帰宅できた。母と父が出会った時刻は何時何分か。

（1）20 時 35 分　（2）20 時 40 分　（3）20 時 45 分
（4）20 時 50 分　（5）20 時 55 分

練習問題 14

あるテストが実施され，全受験生の平均点は 60 点であった。このテストでは，全受験生の 30%が合格者となるように合格基準点を定めたところ，合格者の平均点は合格基準点より 18 点高く，不合格者の平均点は合格基準点より 12 点低かった。合格基準点は何点か。

（1）63 点　（2）65 点　（3）66 点
（4）68 点　（5）69 点

解答・解説

練習問題 11　正答／（3）

●**解説**／15 分間には 150 人の列が加わるので，最初から並んでいた 300 人と 150 人の計 450 人に切符を 15 分間で売ったことになる。よって，450 ÷ 15 = 30

練習問題 12　正答／（5）

●**解説**／すれ違うまでに 2 分かかることから新幹線は 180km/h = 3,000m/分，3,000 × 2=6,000m 進む。そのとき，山手線は 72km/h=1,200m/ 分。よって同じ距離を 6,000 ÷ 1,200=5 分かかる。すなわち，図のように 7 分間隔となる。

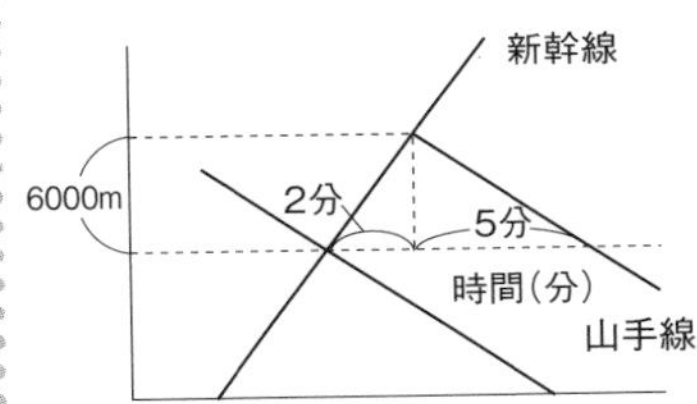

練習問題 13　正答／（5）

●**解説**／下の図より，母は駅に着く 5 分前に出会ったことになる。よって 20:55 に出会った。

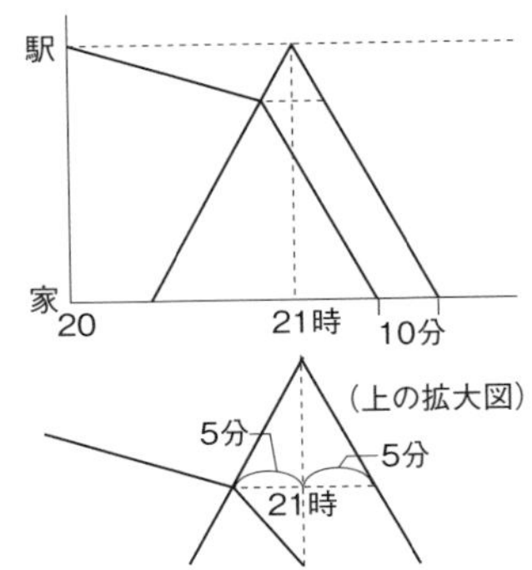

練習問題 14　正答／（1）

合格者数を $3a$，不合格者数を $7a$，全受験者数を $10a$，合格基準点を n とおく。

$3a \times (n + 18) + 7a \times (n - 12) = 10a \times 60$

これより，$n = 63$（点）となる。

練習問題 15

新聞社や放送局では１日で短針が１周する時計を利用している部署がある。いま，その時計で 19 時から 20 時の間で短針と長針が重なるのは 19 時何分何秒か。もっとも近い時刻を選べ。

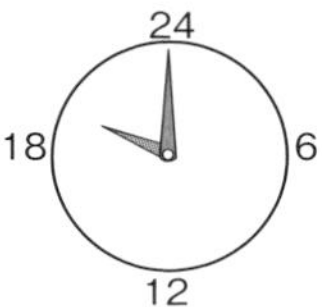

（1）19 時 49 分 30 秒（2）19 時 49 分 31 秒
（3）19 時 49 分 32 秒（4）19 時 49 分 33 秒
（5）19 時 49 分 34 秒

練習問題 16

ある平野に何本かの河川がまとまってある。鉄橋は 200m，次に土手が 160m，再び 200m の鉄橋，100m の土手，最後に 200m の鉄橋である。いま，秒速 20m で走る長さ 120m の貨物列車がこの河川群を左から通過するとき，列車が一部でも鉄橋の上にある時間は何秒か。

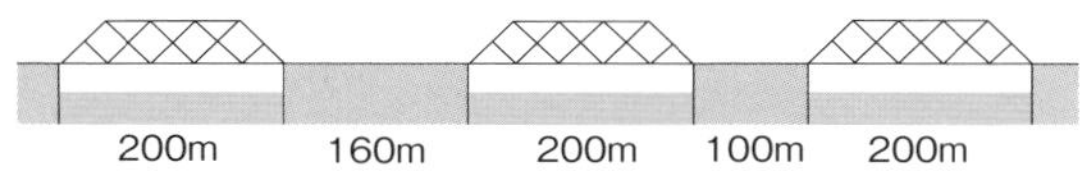

（1）44 秒（2）47 秒（3）50 秒（4）53 秒（5）56 秒

練習問題 17

うわさがメールによって広がる人数を考えた。ある２人の立話を聞き違えた人が携帯電話の操作に１分，送信に１分として，同時に２人にうわさを伝えた。その２人も同様の所要時間で各々２人に送った。このことが繰り返されることで，20 分後に何人にうわさが広がるか。ただし，一度伝えた者には再度うわさは伝達されず，伝える側も一度だけ伝えることとする。また，聞き違えた人は人数には含めない。

（1）1024 人　（2）1536 人　（3）1792 人
（4）1920 人　（5）2046 人

練習問題 18

ある数のキャンディーを子供たちに配ろうとしたところ，それぞれの子供たちに２個ずつ配ると 33 個残り，４個ずつ配ると 10 個以上残り，６個ずつ配ると 10 個以上足りなくなった。子供たちは何人か。

（1）7 人　（2）8 人　（3）9 人
（4）10 人　（5）11 人

解答・解説

練習問題 15　正答／（5）

●**解説**／短針は１時間に 15 度，１分間に 0.25 度進む。19 時では 19 × 15=285 度開いている。また，長針は１時間に 360 度回転するので１分で６度進む。19 時１分では，

285 − 6 ＋ 0.25 ＝ 279.25 度

のようになる。すなわち，１分で 5.75 度近づく。よって

285 ÷ 5.75 ≒ 49.565…分
≒ 49 分 33.9 秒

練習問題 16　正答／（2）

●**解説**／最初の橋を通過するまでを考える。

（200 ＋ 120）÷ 20 ＝ 16 秒

２番目の土手の通過中は必ず両方の鉄橋上のどちらかに列車があるので，２番目の橋に先頭がかかるところから３番目の橋の最後部が通過するまでが鉄橋の上に列車がある時間となる。

（200 ＋ 100 ＋ 200 ＋ 120）÷ 20
＝ 31 秒

よって合計は 16 ＋ 31 ＝ 47（秒）

練習問題 17　正答／（5）

●**解説**／2 ＋ 4 ＋ 8 ＋ 16 ＋ 32 ＋ 64 ＋ 128 ＋ 256 ＋ 512 ＋ 1024…①　の計算をする。等比数列の和は，①× 2 −①で求まる。

　　　4 ＋…+1,024+2,048 ①× 2
−）2 ＋ 4 ＋…+1,024　　　①
−　2　　　　　　+2,048

よって 2,048 − 2 ＝ 2,046（人）

練習問題 18　正答／（5）

●**解説**／子供の人数を n とすると
キャンディーの数＝ $2n + 33$

４個ずつ配ると 10 個以上残ることから，$4n + 10 \leqq 2n + 33$

また，６個ずつ配ると 10 個以上不足することから，$2n + 33 \leqq 6n - 10$

この２つの連立不等式を解くと，

$10.75 \leqq n \leqq 11.5$

よって，n は子供の数なので自然数のみ成立つので $n = 11$ となる。

出題傾向

文章による条件を丁寧に考えていく問題と，空間把握に分類される問題が判断推理である。文章題は表や配置図を利用してまとめることで，比較的解きやすく，学習効果も高い。従来から出されているパターンの問題が多いが，表現方法を手直しして出題されるケースもある。頻出しているのは，順序関係や対応関係，位置関係，軌跡，展開図などのスタンダードなものであるが，論理の問題やうそつき問題などへの準備も不可欠である。直近の試験では，展開図，対応関係，命題，順序関係，位置関係，試合の勝敗，平面図形，立体図形，軌跡などが出題されている。

学習のコツ

パズルやクイズを解くことが好きならば，判断推理を解いていくことは苦にならないだろう。しかし，そのような問題が苦手な人でも解説を読めば，「なんだ，こう考えるんだ」と納得する。すなわち，数多く問題にあたって解説を読み，問題のクセを知ることがなにより大切である。解けないことを気にせずに，数多くの問題にあたってもらいたい。

難易度＝ 75ポイント

重要度＝ 95ポイント

◆出題の多い分野◆

分野	頻度
条件を表にして解く	★★★★★
着席・位置・順位	★★★★★
立方体・積木・切断	★★★★
展開図・折り紙	★★★★
リーグ戦・トーナメント戦	★★★
軌跡と移動	★★★
集合と論理	★★★
暗号と規則性	★★★

過去５年の出題傾向 ★★★★★

判断推理 ① 条件を表にして解く

到着時間や訪問先など，条件文から解く問題は，表に整理すると解法の糸口が見える。正解は，表を埋めていく最後の段階で得る結論である場合が圧倒的である。

■基本的な解き方

①条件文を表にまとめる。
②本文を最初から読む（必ず，空欄の一部は埋まる）。
③②で得た結果で新たな空欄が埋まる。②と③を繰り返す。
④一部に空欄が残ることも可能性としてはある。
⑤設問の言葉に注意して正解を求める。

設問のケース

ケース1…確実にいえるもの
ケース2…ありえるもの
ケース3…ありえないもの

例題１

学校の友人Ａ～Ｇの７人が日曜日にそれぞれ図書館，動物園，サッカー場，博物館のいずれか１カ所に出かけた。彼らの行き先は以下の通りであるとき，確実にいえるものは次のどれか。

条件１　A,B,C のうち１人が図書館に行った。
条件２　A,F,Gのうち２人が動物園に行った。
条件３　C,D,Eのうち２人がサッカー場へ行った。
条件４　D,E,F のうち２人が博物館に行った。

1．Ａは図書館に行った。
2．Ｃはサッカー場に行った。
3．Ｄは博物館に行った。
4．Ｅはサッカー場に行った。
5．Ｆは動物園に行った。

	図書館	動物園	サッカー場	博物館
A	1	2		
B	1			
C	1		2	
D			2	2
E			2	2
F		2		2
G		2		

図書館の１は条件１の内容をまとめたもので，「Ａ，Ｂ，Ｃのうち１人が図書館へ行った」ということを表した。同様に，動物園の２は「Ａ，Ｇ，Ｆのうち２人が動物園に行った」ということを表した。以下も同様にしてまとめた。

解説

①条件１～４を表にまとめる。
②本文の「いずれか１カ所」より，Ｂは図書館に行く以外は考えられない。
⇒図書館に決定。
③Ｇについては他に行くべき場所が②と同様にない。
⇒動物園に決定。
④Ａ，Ｃは図書館でない。
⇒それぞれ動物園，サッカー場に決定。
⑤Ｆは動物園でない。
⇒博物館に決定。
⑥Ｄ，Ｅは一方がサッカー場で，他方は博物館となる。

答え２

Ａ，Ｂ，Ｃ，Ｆ，Ｇは確実であるが，Ｄ，Ｅは確実とは言えない。このような場合，「ありうる」という表現になる。

	図書館	動物園	サッカー場	博物館
A	1	2 決		
B	1 決			
C	1		2 決	
D			2	2
E			2	2
F		2		2 決
G		2 決		

例題2　よく出る

月～金の5日間にA～Eの5人の職員のうち2人が必ずホームの安全確認をする業務につくことにした。以下の条件がわかっているとき，2人の職員の組合せとしてありうるのはどれか。

条件1　月曜日にAは業務につき，Eは業務についていない。
条件2　火曜日にBは業務につき，Cは業務についていない。
条件3　水曜日にDは業務につき，Aは業務についていない。
条件4　木曜日にEは業務につき，Bは業務についていない。
条件5　A～Eは全員2日間働いた。
条件6　5日間のうち2日間連続して業務についた者はいない。

1．月曜日にAとB
2．火曜日にBとD
3．水曜日にCとE
4．木曜日にAとD
5．金曜日にBとC

解説

①条件1～4をまとめる

①	月	火	水	木	金
A	○		×		
B		○		×	
C		×			
D			○		
E	×			○	

②2日間連続勤務はない（条件6）

②	月	火	水	木	金
A	○	×	×		
B	×	○	×	×	
C		×			
D		×	○	×	
E	×		×	○	×

③条件5を加える

③	月	火	水	木	金
A	○	×	×	○	×
B	×	○	×	×	○
C	×○	×	○	×	○×
D	○×	×	○	×	×○
E	×	○	×	○	×

この問題では，上の②の段階で選択肢1～4は正解でないことが判断できる。

答え5

例題3

A，B，Cの3人が9時に映画館の前に集合することにした。3人の到着した条件は以下の通りであった。正しい記述はどれか。

条件1　BはAより6分遅く9時1分に到着し，そのとき，Bの時計では9時3分であった。
条件2　Aは自分の時計で8時58分に到着した。
条件3　Cは自分の時計で9時5分に到着した。
条件4　Aの時計はCの時計より5分進んでいた。

1．BはAの時計で9時3分に到着した。
2．CはBの時計で9時10分に到着した。
3．到着した順はB，A，Cの順である。
4．CはAより12分遅れて到着した。
5．Bは一番最後に到着した。

解説

①条件1～4をまとめる。

①	Aの到着	Bの到着	Cの到着
正しい時刻	8：55	9：01	
Aの時計	8：58		9：10
Bの時計		9：03	
Cの時計			9：05

②前後左右を利用して空欄を埋める。

②	Aの到着	Bの到着	Cの到着
正しい時刻	8：55	9：01	9：07
Aの時計	8：58	9：04	9：10
Bの時計	8：57	9：03	9：09
Cの時計	8：53	8：59	9：05

1．9：04が正しい。　2．9：09が正しい。　3．到着はA，B，Cの順である。
4．正しい。　5．Cが最後に到着した。

答え4

過去５年の出題傾向 ★★★★★

判断推理 ② 着席・位置・順位

パズルのように，矛盾のないよう組み合わせていく問題である。例年１題は出題されるので必ず解けるようにすること。最初は時間がかかるが略図を描き，まとめていくことが大切。

■着席・位置（テーブルを囲む場合など）

条件から着席する者を分類し，より多くまとまった条件で着席させてみる。パターンが何通りかできる場合もある。次に残りをはめ込んでみると，着席できる場合が絞られる。

例題１

Ａ～Ｈの８人が図のように着席する。ＤはＣの隣りで，ＨはＤの真向かい，Ｆの両隣はＡとＧ，Ｇの真向かいはＢとする。Ｅの位置はだれの隣か。

１．ＡとＢ　　２．ＢとＣ　　３．ＣとＤ
４．ＤとＡ　　５．ＢとＤ

解説

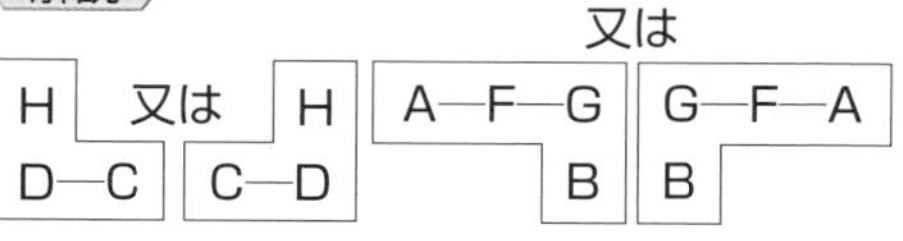

上の４状態を組み，空席にＥを着席させる。

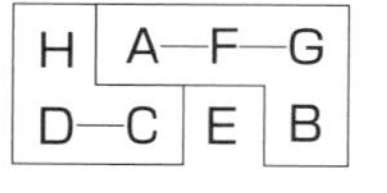

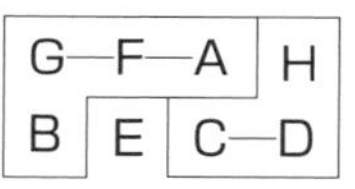

答え２

例題２ よく出る

中華料理店の丸テーブルにＡ～Ｆの６人が座り，テーブルの上にあるギョウザ，シュウマイ，チャーハンの３種類の料理から１品を食べた。以下の条件がわかっているとき，確実にいえるものはどれか。ただし，席の間隔は等しいものとする。

条件１　Ｄの１人おいた席にＡは着席し，Ｄはチャーハンを食べた。
条件２　Ｆの正面の席にＣが着席した。
条件３　Ｅの両側に着席した２人はギョウザを食べた。

１．Ａはギョウザを食べた。
２．Ｂはシュウマイを食べた。
３．Ｃの隣りはＡだった。
４．順序は問わず，Ｅ，Ｂ，Ｆは並んで着席した。
５．Ｆの隣りにはＡが着席した。

解説

方向は示されていないので，互いの着席関係だけに注目する。まず，確実な条件２を書く。残る４カ所のどこかがＡとＤとなる。ＡはＤの１人おいた席なので，Ａ図の図１～４の４通りが考えられる。残る位置にＢ，Ｅが入るが，条件３の両側がギョウザを食べるようにするには，Ｂ図－図１のように着席しないと「Ｄはチャーハンを食べた」と矛盾する。同様に図２～４も考える。よって，４通りの着席位置が考えられる。以上より，１のみが確実にいえる。

答え１

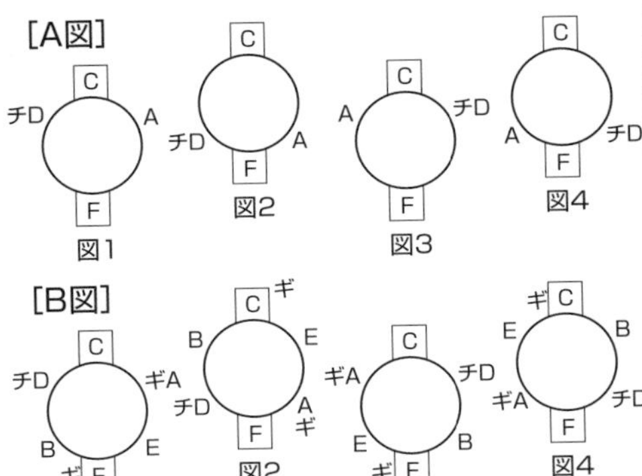

方位を示す問題について

出題率は低下しているが，易しいのでできるようにしておく。まず，8方位（北東，南西等）が分かること。次に自分が歩くと考える。左に45度曲がるとは下図のようなこと。

■順位（位置の問題とほぼ同様の解き方）

ポイント ▶ 折り返し地点前後ですれ違う…順位がわかる

例題 3

K，J，B，Mの4人がマラソンをして以下のようになっていた。途中で順位が変わらないとすると，4人の順位はどうか。

条件1　Kが折り返す直前にJとすれ違い，折り返した直後にMとすれ違った。

条件2　Bは折り返してから3人とすれ違った。

1．B，J，M，K　　2．J，M，B，K
3．B，J，K，M　　4．M，B，J，K
5．M，J，B，K

解説

条件1より上位から，J，K，Mが確定する。条件2よりBの後方に3名がいる，とわかる。よってB，J，K，Mの順。

答え3

例題 4

ある部活動で昨日の練習状況を責任者の教員がA～Eの5人に尋ねたところ，次のように答えた。この中で最後に練習を終えた者だけがうそをついているとすると，Aは何番目に練習を終えたか。ただし，同時に練習を終えた者はおらず，Aはうそをついていないこととする。

Aの発言　「私はBよりも早く，Cよりも早く練習を終えた」

Bの発言　「私はCとDよりも遅くまで練習をしていたが最後ではない」

Cの発言　「私が帰るときにはすでに2人が先に練習を終えていた」

Dの発言　「私が一番先に練習を終えた」

Eの発言　「私は最後にはならなかった」

1．1番目　　2．2番目　　3．3番目
4．4番目　　5．5番目

解説

5人の発言が全て正しいとすると，Dは1番目，Cは3番目，CとBの発言からBは4番目，そしてAは2番目となる。Eの発言がうそならば，矛盾はなくなり，Eは5番目となる。よってAは2番目に練習を終えたことになる。

答え2

簡単な嘘つき問題

発言者の内容を表にまとめる。
〈例〉A～Dの発言で2人の発言にうそがある。委員長はだれか。
Aの発言「Bが委員長である。」

	A	B	C	D
Aの発言	×	○	×	×
Bの発言				

このような要領でまとめるとよい。

過去５年の出題傾向　★★★★☆

判断推理 ③ 立方体・積木・切断

空間把握能力が試される大切な問題で，想像力が要求される。以下の２項目のいずれかは出題される。立体の問題を平面でまとめきれない場合も多く，実際につくってみることも大切である。

■立方体の集合（各段に分けてまとめる）

例題１　よく出る

右図の小立方体の集合の底面を含めた表面全てにペンキを塗った後に分割したとき，小立方体の３面が塗られたものは何個か。

1．4個　　2．5個　　3．6個
4．7個　　5．8個

解説

5

2	3
3	3

2	2
2	2

3	2	4
3	2	4

答え２

ペンキで塗られる問題では，どこを塗るかに注意する。一般には全面だが，底面を塗らないこともある。また，数える場合は左奥の小立方体，特にその一番下に注意すること。

■立体の切断（表面の切り口はどこか？）

例題２

右図のA，B，Cの３点を通るように平面で切断すると切り口は以下のどれになるか。

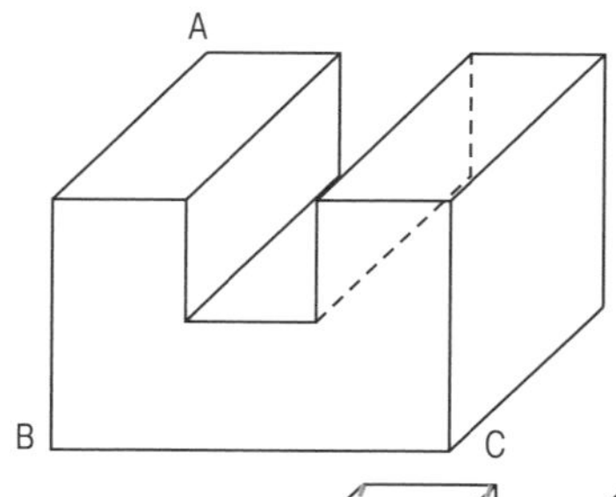

一気に切断面を考えるのでなく，１面ずつ考える。

1.
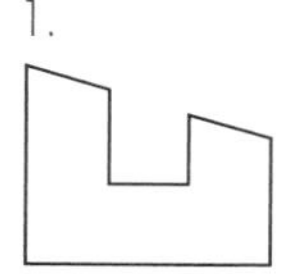

2.

3.
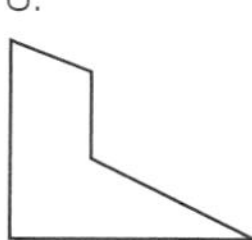
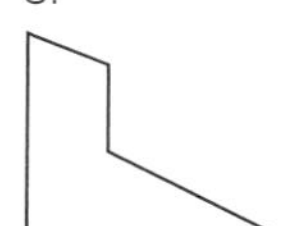

解説

切断される面は最低３点が定まっていることが基本である。まず，ＡＢ，ＢＣを結び，その２直線にのる面を考える。

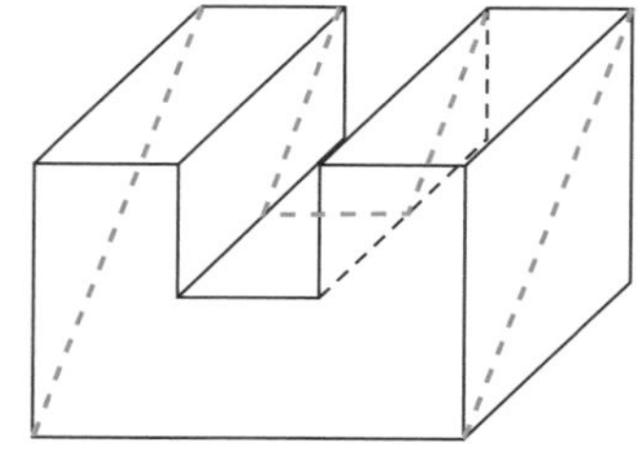

答え２

例題 3

同じ大きさの一部がペンキで塗られている小立方体（図参照）を64個すき間なく積み上げて大立方体をつくる。このとき，できるだけ大立方体の面をペンキで塗られた面にしたい。最大何面が全てペンキで塗られているようになるか。なお，小立方体の向きはどの向きでもよい。

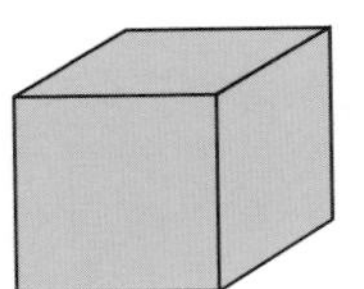
3面が塗られている小立方体　4個

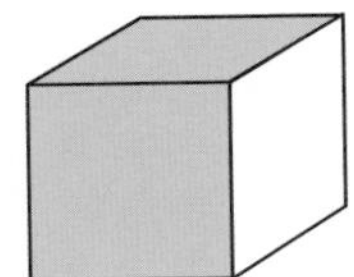
2面が塗られている小立方体　20個

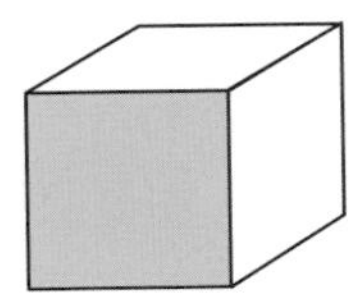
1面が塗られている小立方体　28個

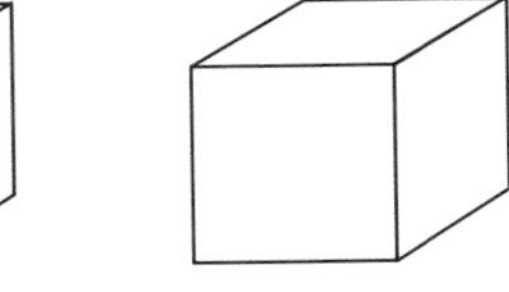
全く塗られていない小立方体　12個

1．2面
2．3面
3．4面
4．5面
5．6面

このように大立方体面が全てペンキで塗られている面に置いて1面とかぞえる。

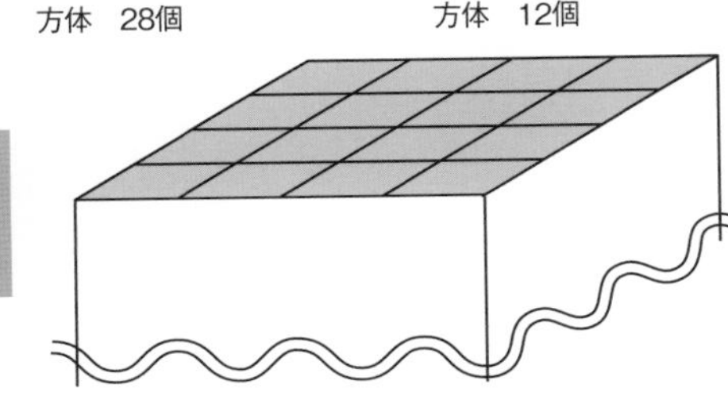

解説

4種類の小立方体を上から順に表（塗られている面の数）のように置くと，底面の部分は全て塗られていない面が外側に向く。よって5面が全て塗られている面となる。

答え4

最上段				2番目				3番目				最下段			
3	2	2	3	2	1	1	2	2	1	1	2	2	1	1	2
2	1	1	2	1	0	0	1	1	0	0	1	1	0	0	1
2	1	1	2	1	0	0	1	1	0	0	1	1	0	0	1
3	2	2	3	2	1	1	2	2	1	1	2	2	1	1	2

例題 4

縦6cm，横4cm，高さ2cmの直方体の展開図がある。この立体の面から，対面まで最短距離で穴を開ける（図は一方の穴を開ける印のみを示す）。このとき，穴の長さの和は何cmか。ただし，穴同士は途中で重ならないこととする。

1．26cm　2．30cm　3．34cm
4．38cm　5．42cm

6cm
2cm
4cm

解説

2cmの長さの穴は6個，6cmの長さの穴は1個，4cmの長さの穴は2個である。

$2 \times 6 + 6 \times 1 + 4 \times 2 = 26$（cm）

答え1

過去５年の出題傾向　★★★★☆

判断推理 ④ 展開図・折り紙

実際に切り取ることはできないが，工夫をすることで解くことができる。例年１題は出題されるので必ず解けるようにすること。多角形の展開図が苦手なら，最初は実際に切り抜いて解いてみよう。

■展開図（のりしろに合わせて展開図の形を変えることができる⇒同じ展開図を探す）

元の展開図から異なる形の展開図をつくる。

六面体には11通りの展開図がある。他にも書いてみよう。

■正しい展開図（のりしろの過不足）

以下の２つの展開図から立方体ができるのはどちらか。

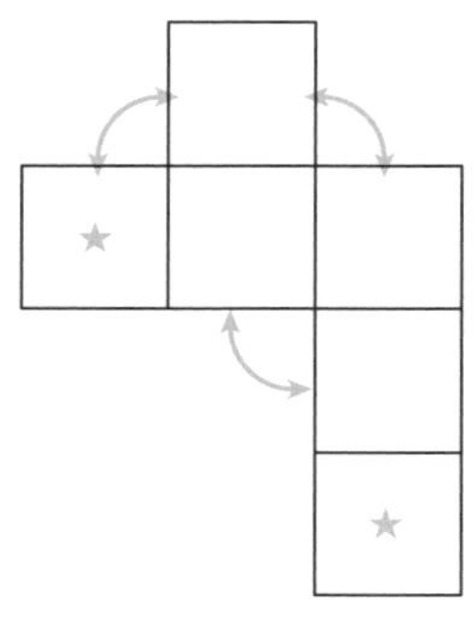

左図はのりしろ（辺）が全て接するが，右図は接することができない辺があるので立方体にはならない。星印の2面が同じ位置となり重なる。

■折り紙（折り目が線対称の軸となるようにする）

正方形を図のように折り，影の部分を切り落とし，開くとどんな形か。

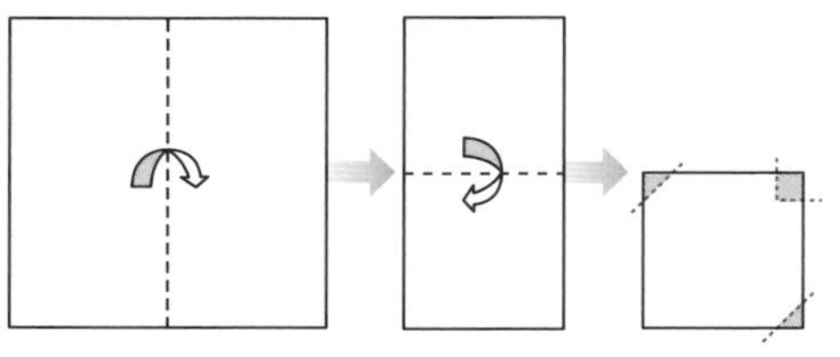

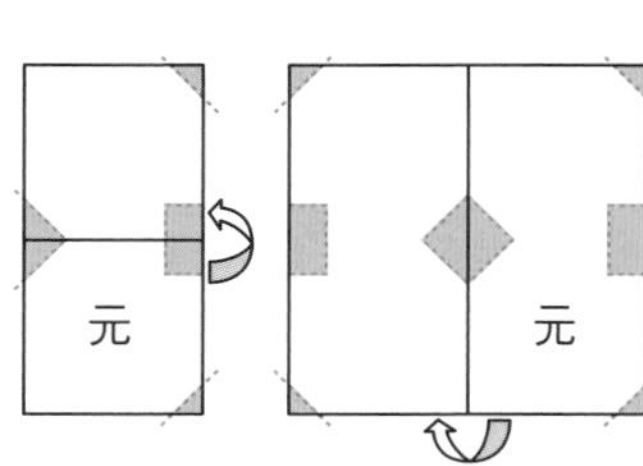

①元の図の位置に注意。
②開く方向に注意。
③三角形の角度に注目。

例題１　よく出る

下の展開図で立体として成立しないものはどれか。ただし，破線の部分は切れている。

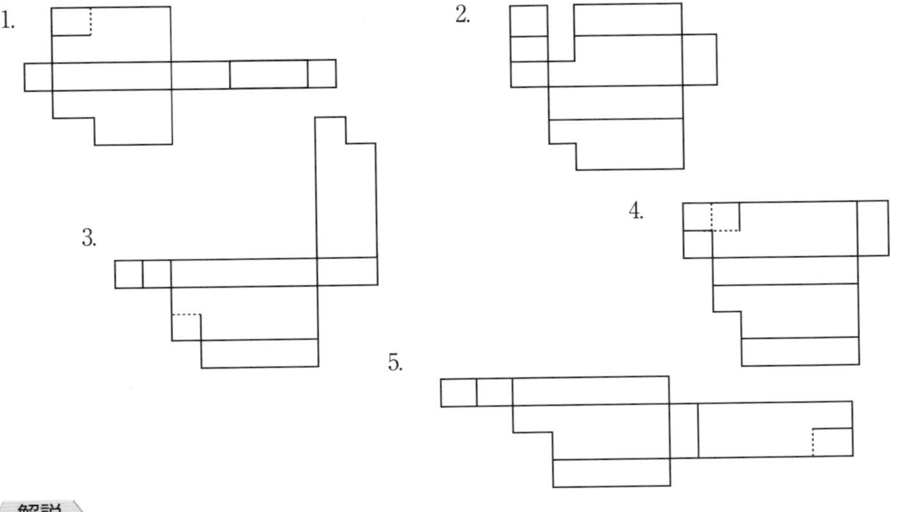

解説

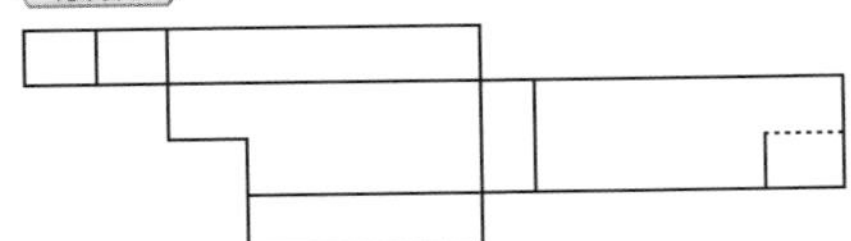

これらの立体はどれも旧式のバス（ボンネットバス）のような形になるが，選択肢５は左のような切れ込みでないと成立しない。

答え５

例題２

下図のような正方形の紙を３回折り曲げて直角三角形をつくる。次にその直角三角形の斜辺と直角と底辺に直角にはさみを入れて切り取った。紙を広げたときに，正しい図はどれか。

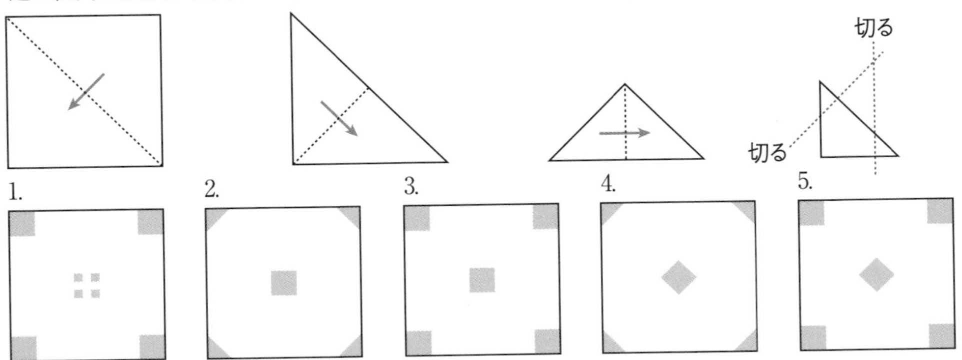

解説

問題の図に切り取った形を右から左（元の正方形）に書き込んでいく。

答え５

過去５年の出題傾向　★★★☆☆

判断推理 ⑤ リーグ戦・トーナメント戦

リーグ戦（総当たり戦）は問題の中で，解いていて楽しいと感じる問題である。まず，判断推理が苦手ならば，ここから征服するとよい。言葉の裏に隠された状態に注目すること。

■リーグ戦

基本的な解き方は表を用いて解く方法と同じであるが，「ＡがＢに勝つ」ということは，「ＢはＡに負ける」ということである。このことを表に記入していく。また，勝敗数も大切な条件なので，表を完成させる際に考慮すること。

例題１　よく出る

ＡからＥの５人が将棋のリーグ戦を行ったところ，その結果は以下のようになった。このことから確実にいえることは次のどれか。

① ＡはＣに敗れたが優勝した。
② ＤはＣに勝ったが，Ｅには敗れた。
③ Ｂ，Ｃ，Ｅの勝率は同じであった。
④ 引き分けはなかった。

1．Ａは３勝１敗であった。
2．ＢはＣに敗れた。
3．ＣはＥに勝った。
4．Ｄは同率で２位であった。
5．Ｅは１勝３敗であった。

解説

（1）まず，表を作成して条件を入れる。（2）勝敗の反対を加える（図1）。（3）Aはすでに１敗しているので優勝するには，３勝１敗が考えられる。仮に２勝２敗で優勝すると，B，C，Eは１勝３敗か０勝４敗となり，共に負け数は10を超えてしまう（合計10試合なので勝敗の合計は10勝10敗）。（4）Aは３勝１敗として作表を続け，勝敗の反対を加える（図2）。勝率を整理するとA以外の勝敗の合計は７勝９敗である。B，C，Eが同率なので，共に２勝２敗（残るDが１勝３敗）か，１勝３敗（残るDは４勝０敗で優勝となり，条件①に反するので不可）。このことから図２にDはBに負ける（BはDに勝つ）を加えることができる（色文字の○と×）。それ以外は不明である。よって，選択肢１が正しい。２と３の選択肢はありうるが確実とはいえない。4．Dは5位である。5．Eは２勝２敗である。

（図1）

	A	B	C	D	E
A	＼		×		
B		＼			
C	○		＼	×	
D			○	＼	×
E				○	＼

（図2）

	A	B	C	D	E
A	＼	○	×	○	○
B	×	＼		○	
C	○		＼	×	
D	×	×	○	＼	×
E	×			○	＼

答え１

リーグ戦の試合総数＝$n(n-1)\div 2$
nはチーム数（対戦者数）

例題２

ＡからＦの６チームがサッカーの試合を行ったところ，結果は以下のようになった。このことから確実にいえることは，次のどれか。

①優勝から最下位まで勝率が並ぶことなく決定した。
②ＡはＥに勝ったが，Ｄには敗れた。
③ＢはＤに勝ったが，Ｆには敗れた。

④引き分けはなかった。
⑤CはAとEに勝ったが，Dには敗れた。

1．Aは3位だった。
2．Bは2勝3敗だった。
3．CはBに敗れた。
4．Dは4位だった。
5．EはFに勝った。

解説

（1）まず，条件②，③，⑤の勝敗をまとめ，その反対も書き加える（図1）。

（2）6チームの勝敗は5勝0敗，4勝1敗，3勝2敗，2勝3敗，1勝4敗，0勝5敗のいずれかである。これは条件①からわかる。図1からEは2敗し，勝ちはない。他は勝ちがあるので，0勝5敗となるのは，Eしかありえない（図2の太文字）。また，Fだけは負けがないので5勝0敗と考えられる（図2の色文字）。この時点でDの3勝2敗も決まる。

（3）残るA，B，Cは1勝4敗，2勝3敗，4勝1敗のいずれかである。このうち1敗しかしていないのはBなのでBは4勝1敗。その結果Aは1勝4敗，Cは2勝3敗となる（図3の下線部）。

答え3

（図1）

	A	B	C	D	E	F
A	＼		×	×	○	
B		＼		○		×
C	○		＼	×	○	
D	○	×	○	＼		
E	×		×		＼	
F		○				＼

（図2）

	A	B	C	D	E	F
A	＼		×	×	○	×
B		＼		○	**○**	×
C	○		＼	×	○	×
D	○	×	○	＼	**○**	×
E	×	**×**	×	**×**	＼	**×**
F	○	○	○	○	○	＼

（図3）

	A	B	C	D	E	F	
A	＼	<u>×</u>	×	×	○	×	1—4
B	<u>○</u>	＼	<u>○</u>	○	○	×	4—1
C	○	<u>×</u>	＼	×	○	×	2—3

■トーナメント戦

何回戦で勝ったか（または負けたか）に注意し，誰が対戦したかをよく考えてみる。いっきに対戦表を完成するのは初心者には難しい。色々なパターンで完成に達するものだと思って解くこと。

例題3

A～Fの6チームがトーナメント戦で野球の試合をした。結果は以下の①～⑤および図のようになった。このとき，正しい説明は1.～5.のうちどれか。なお，図の太線は勝ち上がりを示す。

①AはBに勝った。　②AはCに負けた。
③EはFに負けた。　④FはCに勝った。
⑤Fは2回戦でDに勝った。

1．Aはウ　　2．Bはカ
3．Cはウ　　4．Dはア
5．Eはア

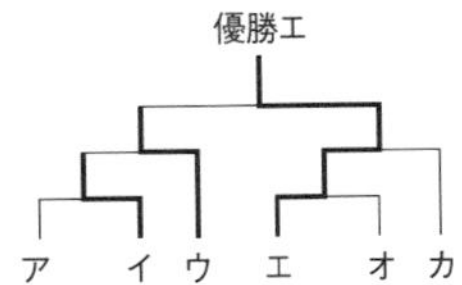

解説

Fは条件に繰り返し書かれているので，まずFから考える。FはC，D，Eの3チームに勝っているので優勝である。よってエはF。

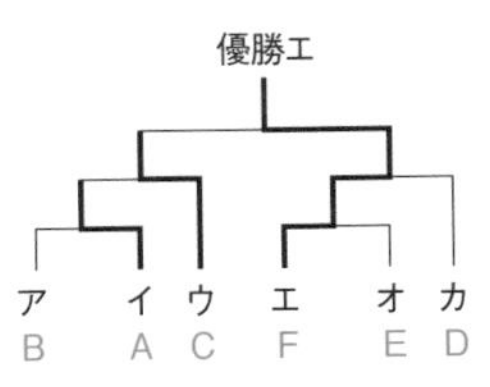

次に⑤よりカはD。
C，Eのうち1勝しているCがウとなる。したがってオはE。①から残ったAがイ、Bがアとわかる。

答え3

トーナメント戦の総試合数＝$n-1$
nはチーム数（対戦者数）

過去５年の出題傾向　★★★☆☆

判断推理 ⑥ 軌跡と移動

数的推理との境界領域の問題である。軌跡の形のみを問うのが空間把握で，その長さを求めると数的推理である。年々軌跡の難易度は上昇しているので要注意。

■軌跡

多角形では，問われている動点と頂点までを半径とする扇形を描く。円や扇形の中心が描く軌跡は，円周と面が接している場合では台と平行となる。

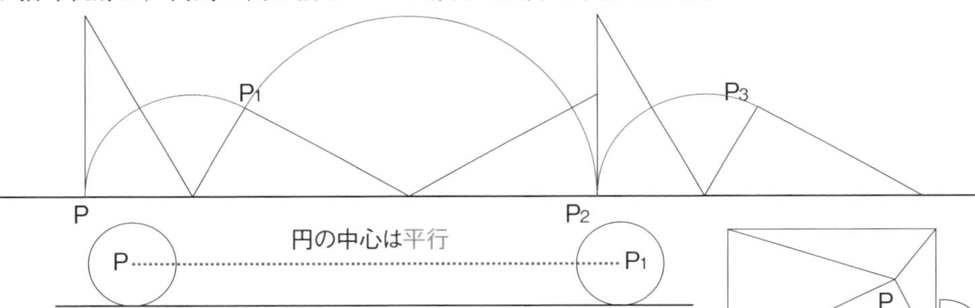

上図のPの軌跡は，４種類の扇形となる。

■移動

【計算例】図のサイコロは対面の和が７である。このサイコロを矢印の方向に滑らずに転がしていったとき，ゴールでの上面の数はいくつか。

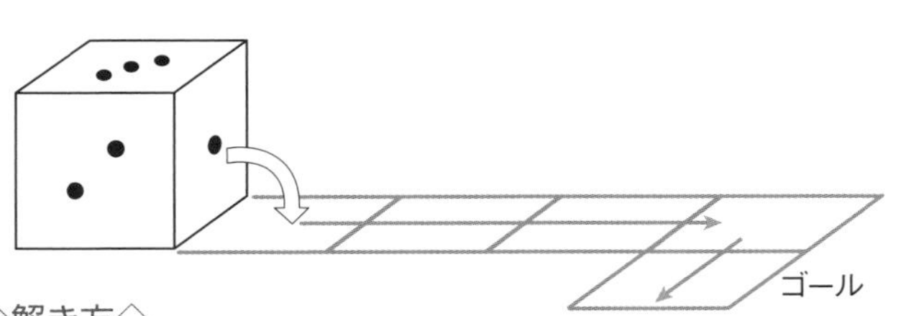

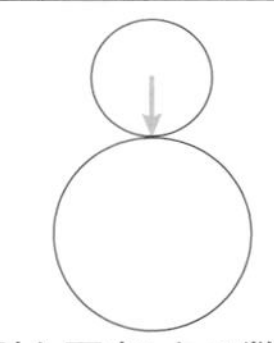

外側を回転する数は半径の比から求められるが，実際は１回転多くなる。

◇解き方◇

一般には３面の状態しか把握できないが，コンピュータのキーボードのように描くと５面を表現できる。図に書かれていない数が接地面である。図より５が答えとなる。

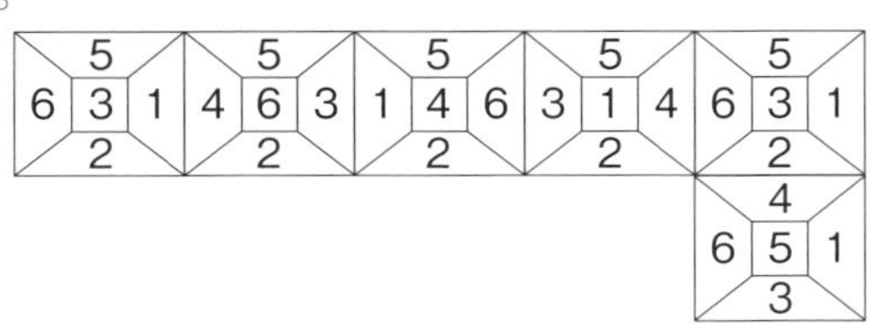

例題 1 よく出る

1 辺 2cm の正三角形が 1 辺 2cm の正方形の集まりの上を A から B まですべらずに移動したとき，正三角形の頂点 P の軌跡として正しいものはどれか。

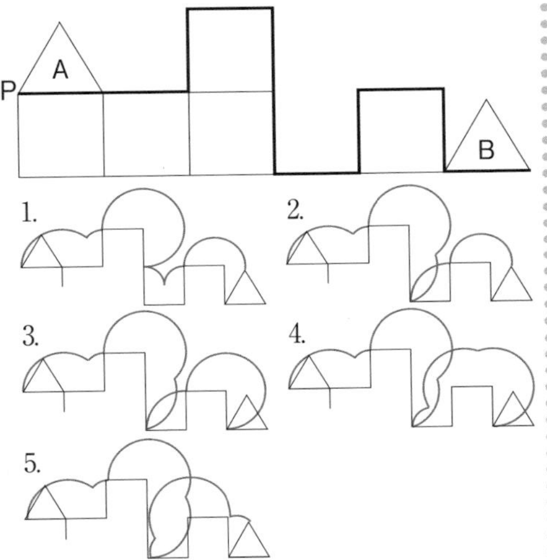

解説

扇形の角度に注目して考えてみる。平面を移動する場合は，120° と 60° の扇形ができるが，それ以外の角度にも注目すること。

答え 5

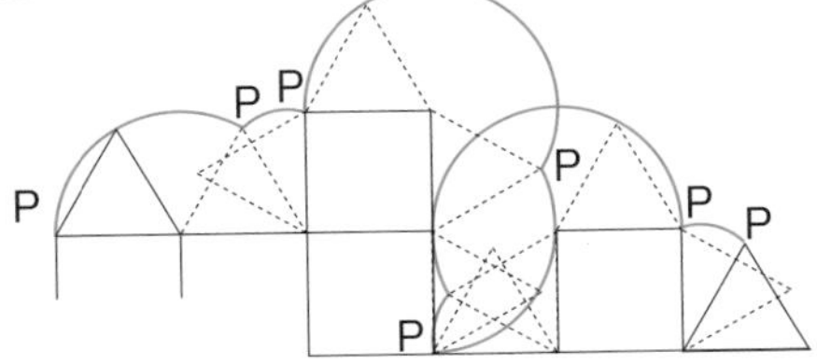

例題 2

図のように側面が長方形の列車（縦 3 m，横 100 m）が時速 72km で長さ 60 m の海辺の短いトンネルを通過するとき，海側から列車の見えている側面積の状態をグラフにしたもので，正しいものはどれか。

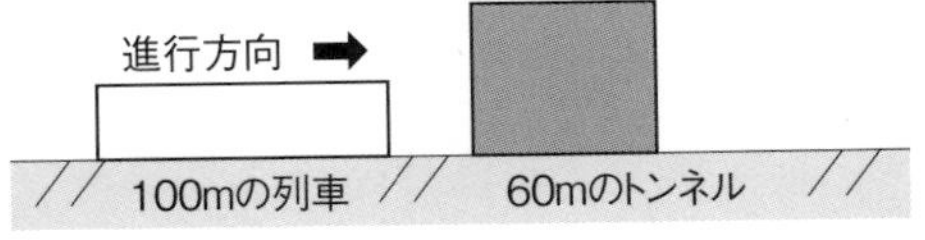

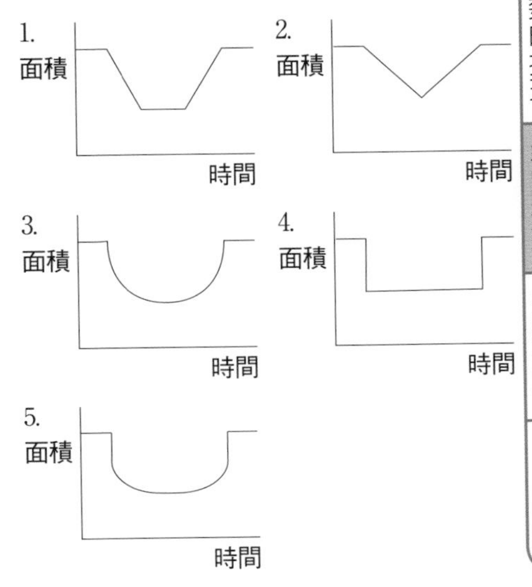

解説

列車の先頭がトンネルに入る前と完全に出てからは，側面積が 300 m^2 見えるので平行線となる。先頭がトンネルに入り始めると時速 72km（秒速 20 m）でトンネル内に入るので，1 秒につき，20 × 3 = 60 m^2 ずつ見えなくなる（1 次関数で減少のグラフ）。

先頭がトンネルの出口まで 60 m ÷ 20m/s = 3 秒かかるので，最大で 60 × 3 = 180 m^2 の側面積がトンネル内にある。すなわち，120 m^2 はトンネルの外である。3 秒から 5 秒までは，トンネルに列車が入ると同時に反対から出る。よって見えない面積は一定なので側面積は変わらない。5 秒から 8 秒までは最初の考えと反対に 60 m^2 ずつ見えてくる（1 次関数の増加のグラフ）。8 秒以降は全ての列車の側面積が見えるので平行線となる。

答え 1

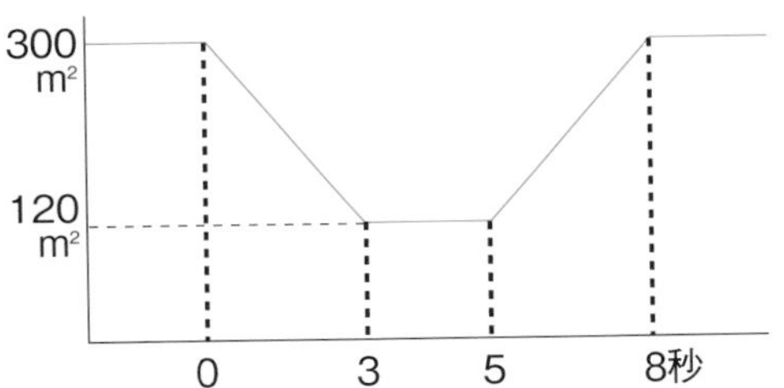

過去5年の出題傾向 ★★★☆☆

判断推理 ⑦ 集合と論理

文章の意味をよく理解して解くことが，この章のポイントとなる。一見複雑に見える問題もまとめてみるとパターンが同じことが多い。言葉に引きずられず記号として扱うことが重要。

■集合

様々な要素をベン図（下図）に落とし込むが，複雑な場合は表を作成した方が確実ではある。その際に各要素を表現している文に注意する。例えば「AとBを持っている者は10人で」とある場合，A，B以外も持っている可能性があることをベン図に示す必要がある。

【計算例】あるクラスで試験を行った。問題はA，B，Cの3問で，それぞれ3点，4点，7点である。満点が6人，11点が11人，10点が12人，7点が13人，4点が9人，3点が5人，0点が1人いたとするとき，問題Aの正解者は何人か。ただし，1問のみの正解者は20人とする。

◇解き方◇

20 －（9 ＋ 5）＝ 6⇒ウ

13 － 6 ＝ 7⇒エ

Aの正解者＝ 5 ＋ 7 ＋ 6 ＋ 12 ＝ 30（人）

　　　　　　ア　エ　キ　カ

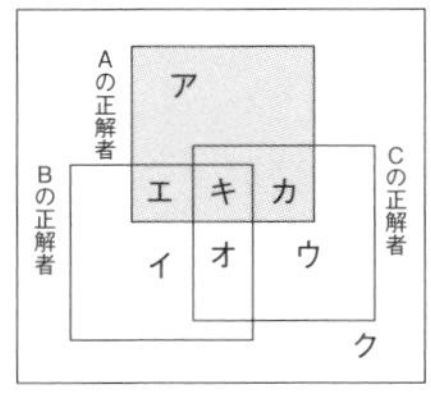

ア	イ	ウ	エ	オ	カ	キ	ク	
						キ		6
				オ				11
					カ			12
		ウ	エ					13
	イ							9
ア								5
							ク	1
ア	イ	ウ						20

■推論

1．三段論法（AならばB,BならばCのとき，AならばCが成立）

実際には三段論法だけで解ける場合は少ない。以下の対偶を交えて解くことが一般的である。記号論であるので内容に踏み込むとわかりにくくなる。

2．対偶（AならばBのとき，論理的に常に成立するのはBでないならばAでない）

例題1

ア～エの条件が真のとき確実にいえるのは1～3のどれか。

ア…元気ならば健康である。　イ…天才でなければ病弱でない。

ウ…病気ならば病弱である。　エ…天才ならば健康である。

1．天才ならば元気である。　2．元気でなければ健康でない。　3．病弱ならば健康である。

解説　イの対偶は「病弱ならば天才である」また，エは「天才ならば健康である」この2つを三段論法で連結し，「病弱ならば健康である」の3が成立。

答え3

例題2

以下の2つの命題が真であるとき，そこから導かれるものとして正しいものはどれか。

・ある技術者はお金がない。　・全ての技術者は健康である。

1．全ての技術者はお金がある。　2．あるお金のない技術者は健康である。

3．健康な技術者はお金がある。　　4．技術者は健康だが，お金がない。
5．健康な技術者はお金もあるはずだ。

健康
お金なし
技術者

解説　２つの命題を集合でまとめると右図のようになる。　答え２

■命題の否定

◇ド・モルガンの定理

「ＡかつＢ」ということはない。＝Ａでない，またはＢでない。
「ＡまたはＢ」ということはない。＝Ａでない，かつＢでない。

【計算例】[「Ｈ製の自動車にはＡとＢが装着されている」ということはない] と同値の命題を示せ。

◇解き方◇　Ｈ製の自動車にはＡが装着されていない，またはＢが装着されていない。

◇「全ての～」と「ある～」の否定

「全ての□は△である」ということはない。＝ある□は△でない。
「ある□は△である」ということはない。＝全ての□は△でない。

【計算例】[「全ての惑星には生物がいる」ということはない] と同値の命題を示せ。

◇解き方◇　ある惑星には生物がいない。

例題 3　よく出る

50人のクラスで持ち物のアンケートを取ったところ，MDプレーヤーの所有者は26人，CDプレーヤーの所有者が20人，カセットプレーヤーの所有者が17人，3機種とも持っていない者が8人，2機種だけ持っている者が13人いる。3機種持っている者は何人か。

1．4人　2．5人　3．6人　4．7人　5．8人

解説　26＋20＋17＋8＝71人　この計算では，2機種持っている人が2度「手をあげて」いる。また，3機種とも持っている人は3度「手をあげて」いるので，50人を超える結果となっている。よって2度「手をあげた」人を排除する。71－13＝58 まだ8人多いのは3度「手をあげた」人がいるからである。すなわち，2度多く「手をあげて」いる。それが8人分なので，実質は4人とわかる。　答え１

例題 4

外国人と日本人の合計40名のグループがある。そのうち，男性が20名で，自動車を保有している者が10名，日本人が16名である。また，外国人のうちで男性が8名で，自動車を保有している日本人は4名である。このとき，明らかにありえないのは以下の記述のどれか。

1．日本人の女性は5名である。　2．外国人の女性は16名である。
3．男性のうち自動車を保有している者は3名である。

解説　1．日本人の女性は4名であるので，明らかに違う。2．外国人の女性は16名であり，明らかに正しい。3．男性のうち自動車を保有している人数は明らかでない。　答え１

	日本人		外国人		計	
男	20−8=12		**8**		**20**	
女	16−12=4		20−4=16 or24−8=16		40−20=20	
計	**16**	**4**	40−16=24		**40**	**10**

右の欄は自動車を保有している人数。太字は問題文からの人数。

過去５年の出題傾向　★★★☆☆

判断推理 ⑧ 暗号と規則性

毎年の出題とは限らないが，様々な公務員試験を受ければ必ず１度は巡りあう問題である。暗号は一種の規則性であり，取り組み易い問題が多いので避けずに解いていくこと。

■暗号

本来の文字数と暗号数から，表型（1）か直線型（2，3）かを区別する。

（1）「りす」が「92,33」の場合→十の位が子音，一の位が母音。

（2）「りす」が「18,9,19,21」の場合→ RISU →アルファベット順　R は 18 番目, I は 9 番目。

（3）「りす」が「るせ」の場合→文字がずれている。

（4）その他…アルファベットを逆からずらしたり, 英語に直してから暗号にする場合もある。

例題１

「淀川」が「ＵＫＺＫＣＷＳＷ」という暗号となるとき，「ＢＱＦＥＣＷＳＷ」は何県を流れる川か。

1．千葉県　　2．富山県　　3．静岡県　　4．愛媛県　　5．熊本県

解説　「YODOGAWA」が「UKZKCWSW」となっている。すなわち，アルファベットをずらして暗号にしている。

原文　ABCDEFGHIJKLMNOPQRSTUVWXYZ
暗号　WXYZABCDEFGHIJKLMNOPQRSTUV

「BQFECWSW」は「FUJIGAWA」（富士川）なので静岡県となる。　　答え３

例題２

ある暗号で「おおきなくるま」が「ＡＶＲＡＶＲＡＹＬＣＺＲＡＸＬＥＸＲＤＺＲ」と表されるとき，同じ暗号の法則で表された質問「ＤＸＬＡＹＬＣＺＬＣＺＲＣＹＲＡＹＲＥＶＲＡＺＬ」に対する答えとして妥当なのはどれか。

1．赤　　2．黒　　3．青　　4．黄　　5．白

解説

お　お　き　な　く　る　ま
AVR　AVR　AYL　CZR　AXL　EXR　DZR

表にまとめると，Aはあ，か行，Bはさ，た行…となる。また，R，Lは行の左右を示す。段はアルファベットの最後尾から当てている。

DXL　AYL　CZL　CZR　CYR　AYR　EVR　AZL
ゆ　き　は　な　に　い　ろ　か

答えは白。

答え５

		E-L	E-R	D-L	D-R	C-L	C-R	B-L	B-R	A-L	A-R
		わ	ら	や	ま	は	な	た	さ	か	あ
Z	あ				DZR		CZR				
Y	い									AYL	
X	う		EXR							AXL	
W	え										
V	お										AVR

■ n 進数（十進数をそれ以外の n 進数にきちんと変換）

【計算例】

①三進数 2,012 を十進数に直せ。　②十進数 87 を三進数に直せ。

③共に四進数　132 + 222 を計算せよ。ただし，答えは四進数のままとする。

◇解き方◇

① $3^3 \times 2 + 3^2 \times 0 + 3^1 \times 1 + 3^0 \times 2$

$= 54 + 0 + 3 + 2 = 59$

大切！ $x^0 = 1$

答え 十進法では 59

② 3) 87 …0
3) 29 …2
3) 9 …0
3) 3 …0
1

割切れたら、あまりは0

答え　三進数では10020

③ 132
+ 222
1,020

ア) 2に2を加えると10となる。
イ) 3に2を加え，かつ繰上った1も加えると12となる。
ウ) 1に2を加え，繰上りの1も加え10

答え 1,020

2で繰り上げ

アの計算

0 1 2 3 10 11 12

例題３

37^{15} の一の位はいくつか。

1. 1　2. 3　3. 5　4. 7　5. 9

解説

$37^1 = 37$　$37^2 = 37 \times 37 =$ ○○9

$37^3 =$ ○○9 $\times 37 =$ ○○○3

$37^4 =$ ○○○3 $\times 37 =$ ○○○○1

$37^5 =$ ○○○○1 $\times 37 =$ ○○○○○7

後は規則性により求まる。または $37^{15} = (37^5)^3 =$ （○…○7$)^3 =$ ○…○3

答え２

例題４

自然数を図のように順に並べたとき，1の真下にある最初の数は5であり，2番目は13である。1の真下にある20番目の数字の各位の数の和はいくつか。

1. 9　2. 11　3. 13　4. 15　5. 17

		1		
	2	3		
4	5	6		
7	8	9	10	
11	12	13	14	15

解説

5,13,25,41…は階差数列である。階差数列の公式がなくとも差と等差数列から解くことは可能である。

5　13　25　41

差8　差12　差16

２番目は５＋８＝１＋４＋８　３番目は５＋８＋12＝１＋４＋８＋12

４番目は５＋８＋12＋16＝１＋４＋８＋12＋16

20番目は１＋４＋８＋12＋16＋…４×20

等差数列の和の公式より１＋（4+4×20）×20×1/2＝841 よって 8+4+1=13

答え３

例題５　よく出る

ＡＡＡ＝000＝1番目，ＡＡＢ＝001＝2番目，ＡＡＣ＝002＝3番目，ＡＢＡ＝010＝4番目とするとき，ＣＡＢは何番目か。

1. 17番目　2. 18番目　3. 19番目　4. 20番目　5. 21番目

解説　三進数の考え方である。

$CAB = 201 = 3^2 \times 2 + 3^1 \times 0 + 3^0 \times 1 = 18 + 0 + 1 = 19 \rightarrow 20$ 番目

答え４

練習問題1

ある日，電器店でコンピュータ，ビデオ，テレビの３種類の特別販売を実施したところ，240名の客が訪れた。その客の３種類の購入状況を調べたところ，以下のことがわかった。以下の条件からコンピュータを購入した客は何人か。

Ⅰ．何も購入しなかった客とコンピュータのみを購入した客の数は等しかった。

Ⅱ．ビデオを購入した客は142人である。

Ⅲ．コンピュータを購入した客のうち，ビデオまたはテレビも購入した客はコンピュータのみを購入した客の３倍である。

Ⅳ．テレビを購入した客は86人で，そのうちビデオも購入した客は32人である。

（１）87人　（２）88人　（３）89人
（４）90人　（５）91人

練習問題2

Ａ～Ｅの５カ国から代表が各国１名ずつ選抜されてマラソン競技を行った。折返し地点での様子とゴールの結果が以下のようにわかっている時，順位や時間について確実にいえるのはどれか。

Ⅰ．折返し地点での各国の選手の時間差は１位と２位，２位と３位の差は共に１分，３位と４位，４位と５位の差は共に２分であった。

Ⅱ．ゴールでの各国選手の差は上位から順に３分，１分，２分，３分であった。

Ⅲ．Ａ国の選手とＢ国の選手の差は往路と復路でさらに１分広がった。

Ⅳ．Ｅ国の選手は，午後４時15分に３位でゴールした。

Ⅴ．Ｃ国の選手は，午後３時８分に２位で折返した。

Ⅵ．Ａ国とＢ国の選手だけが，折返し地点での順位とゴールの順位は同じだった。

（１）Ａ国の選手は午後３時11分に折返した。
（２）Ｂ国の選手は５位でゴールした。
（３）Ｃ国の選手は午後４時14分にゴールした。
（４）Ｄ国の選手は２位でゴールした。
（５）Ｅ国の選手は復路を１時間11分要した。

解答・解説

練習問題１　正答／（２）

●解説／条件ⅡとⅣからビデオとテレビを購入した客を単純に加えると，共に購入した客の数を２度加えることになるので，条件Ⅳの後半部分の条件を引けば，ビデオとテレビを購入した客の人数が求まる。

142＋86－32＝196人

全体の客である240人からビデオとテレビを購入した客を引けば，残る客はコンピュータのみを購入した客と，何も購入しなかった客の人数となる。ここで条件Ⅰよりコンピュータのみを購入した客と何も購入しなかった客の人数が等しいので，コンピュータのみ購入した客は残りの半分とわかる。

（240－196）÷２＝22人

条件Ⅲより，コンピュータ以外にも購入した客はコンピュータのみを購入した客の３倍なので，その人数は

22×３＝66人

よってコンピュータを購入した客は，22＋66＝88人。

練習問題２　正答／（４）

●解説／条件ⅢとⅥから条件ⅠとⅡを見ると，差が１分広がっているのは４位と５位だけである。ただし，どちらが上位かはわからない。２位－５位，３位－５位でもよいがⅣ，Ⅴより２位，３位はありえない。条件ⅣとⅤを表に書き込んでみる。残る１位～３位は順位が変わることは条件Ⅵから読み取れることから，順位がわかる。最後に時間を表に入れてみるとＡ，Ｂ以外が決定する。

順位	折返し	ゴール
1		
2	C →	C（不可）
3	E（不可）	← E
4	AorB	AorB
5	BorA	BorA

順位	折返し	ゴール
1	E（3:07）	C（4:11）
2	C（3:08）	D（4:14）
3	D（3:09）	E（4:15）

練習問題３

ある学校でＡ，Ｂ２班に分かれて修学旅行に出発した。以下の条件がわかっているとき，確実にいえるものはどれか。

Ⅰ．おやつを持参しなかったのは男子だけであった。
Ⅱ．集合時間に遅刻したのは女子だけであった。
Ⅲ．Ａ班の生徒は全員折畳み傘を用意してきた。
Ⅳ．遅刻しなかった学生はだれも折畳み傘を用意していなかった。

（１）折畳み傘を用意していなかったのは男子だけであった。
（２）おやつを持参しなかった生徒は全員折畳み傘を用意してきた。
（３）女子は全員Ａ班だった。
（４）Ｂ班の生徒はだれも集合時間に遅刻しなかった。
（５）Ａ班の生徒は全員おやつを持参していた。

練習問題４

暗号のキーワード「ＨＥＬＬＯ」を用いると「ＪＡＰＡＮ」が「18 06 02 13 03」となる。このとき，「ＴＯＫＹＯ」はどのようになるか。

（１） 20 25 11 25 15
（２） 19 04 01 06 04
（３） 23 24 13 23 16
（４） 02 20 23 11 04
（５） 01 14 23 17 03

練習問題５

「いとうしろう」を暗号に直すと「11，44，21，13，49，21」となり，「はまさきあゆみ」を暗号に直すと「6，7，3，12，1，28，17」となる。この暗号の規則から「2，10，3，12，13」がある都道府県はどこか。

（１）千葉県
（２）群馬県
（３）東京都
（４）鹿児島県
（５）神奈川県

解答・解説

練習問題３　正答／（５）

●解説／
Ⅰ．対偶…男子だけでないもの（＝女子）は，おやつを持参していた。
Ⅱ．集合時間に遅刻したのは，女子だけであった。
Ⅲ．Ａ班の生徒は，全員折畳み傘を用意してきた。
Ⅳ．対偶…折畳み傘を用意してきたものは，集合時間に遅刻した。

この条件を三段論法で結んでいく。Ａ班は全員⇒おやつを持参。

練習問題４　正答／（４）

●解説／ＨＥＬＬＯはアルファベットの順では 8,5,12,12,15 である。ＪＡＰＡＮは 10, 1,16, 1,14 の順である。例を見るとキーワードのアルファベット順と本来の順番とを加えているので（合計が 26 を超えた場合は 26 を引く），

Ｔは 8+20=28　28－26=2
Ｏは 5+15=20
Ｋは 12+11=23
Ｙは 12+25=37　37－26=11
Ｏは 15+15=30　30－26=4

よって（４）が正答となる。

注意したいのは，同じ文字でもキーワードがあるので同じ数値にならないところがポイントである。

練習問題５　正答／（５）

●解説／一般に暗号は，母音と子音から成立している「表」形式と，アルファベット順を利用した「直線」式がある。今回の問題は「表」形式に近い。「あ」→１，「い」→11，「う」→21 から十の位が０（無し）の場合は「あ段」，十の位が１の場合は「い段」ということがわかってくる。このように連続的な部分を参考にするとよい。また，一の位は「行」を表している。

問われている暗号では，「10」が「わ」を表しているのがポイント（「あ段」の 10 番目が「わ」なので，ここより推測）。よって，「かわさきし」で神奈川県である。

練習問題6

Ａ～Ｅの５人の所有物を調べたところから，確実にいえるものはどれか。

条件ア　別荘を所有している者は３人であり，ＣとＤは所有していない。
　　イ　飛行機を所有している者は２人であり，Ｄは所有していない。
　　ウ　外車は４人が所有しているが，別荘を所有していない者に外車を所有していない者がいる。
　　エ　ヨットを所有している者は３人いて，３人とも別荘を所有している。
　　オ　プールを所有している者は３人いて，その中にＡとＥがいる。
　　カ　全てを所有している者はいない。

（１）Ａは飛行機を所有している。　（２）Ｂはプールを所有していない。
（３）Ｃは外車を所有している。　（４）Ｄはプールを所有している。
（５）Ｅは飛行機を所有している。

練習問題7

伊藤，中山，鈴木，山田の４人がゴルフを行ったときの結果について話をしている。ただし，同点の者はいないこととする。それぞれの意見の半分が正しく半分が間違っているとき，確実にいえることはどれか。

伊藤の発言「私は最下位ではない。山田が最下位である。」
中山の発言「私は最下位ではない。鈴木は私より上位の結果である。」
鈴木の発言「私は最下位ではない。伊藤も山田も私より上位の結果である。」
山田の発言「伊藤は最下位ではない。鈴木も最下位ではない。」

（１）伊藤が最下位である。　（２）中山が最下位である。
（３）鈴木が最下位である。　（４）山田が最下位である。
（５）誰が最下位かわからない。

解答・解説

練習問題6
正答／（2）

●解説／ア～オより，左の表のようにまとめる。カより右の表が完成する。

	別荘	飛行機	外車	ヨット	プール
A	○		○	○	○
B	○		○	○	
C	×		△	×	
D	×	×	△	×	
E	○		○	○	○
計	3	2	4	3	3

	別荘	飛行機	外車	ヨット	プール
A	○	×	○	○	○
B	○	○	○	○	×
C	×	○	△	×	△
D	×	×	△	×	△
E	○	×	○	○	○
計	3	2	4	3	3

練習問題7　正答／（3）

●解説／まず，伊藤の前半の発言が正しく後半が間違いと仮定して表にまとめる。矛盾がなければよい。伊藤の前半が間違いと仮定すると，伊藤も山田も最下位となり矛盾する。右の表のように考えていき，答えを導く。

①	前半	後半	最下位
伊	○	×	中or鈴
中			
鈴			
山			

②	前半	後半	最下位
伊	○	×	中or鈴
中			
鈴			
山	○	×	鈴

③	前半	後半	最下位
伊	○	×	中or鈴
中	○	×	
鈴	×	○	
山	○	×	鈴

練習問題8

ある市の催し物に400人が出席した。そのうち，203人が市内在住者，男子は222人，子供は108人であった。また，市内在住の女子の大人は86人，市外在住の女子の子供は23人，市外在住の男子は120人で，96人は大人であった。催し物に出席した市内在住の男子の大人は何人か。下の表を参考に求めよ。

（1）54人
（2）55人
（3）56人
（4）57人
（5）58人

	男子		女子		合計	
市内				大人86	203	
市外	120	大人96				
				子供23		
合計	222				400	
						子供108

練習問題9

AからHの8チームが図のようなトーナメントで野球の試合を行った結果，BはCに勝ち，DはEに勝ち，GはDに勝った。また，Hは準優勝だった。このことから確実にいえるのはどれか。

（1）Aは1勝した。　（2）Bは2勝した。
（3）Eは2勝した。　（4）Cは優勝した。
（5）Gは優勝した。

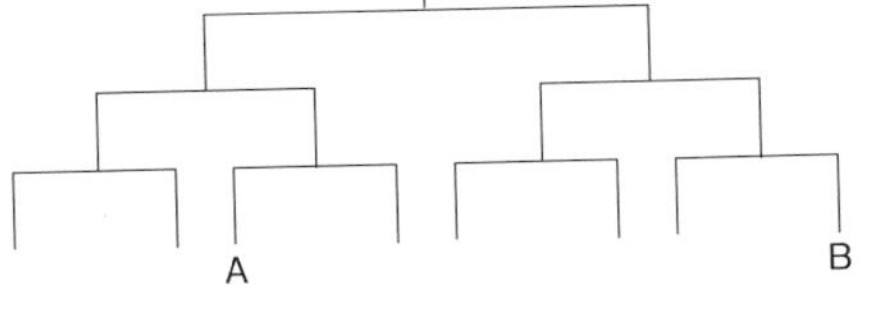

練習問題10

以下の筆算の□にあてはまる数の和を求めよ。

（1）31　（2）32
（3）33　（4）34
（5）35

```
    5□7
×    □9
―――――――
   5□83
  2□48
―――――――
  2□7□3
```

ポイント
積の①一の位，②およその数，③繰上げ，から導く。

解答・解説

練習問題8　正答／（3）

●解説／大人と子供は合計からわかる。また，縦横の合計から3つの資料のうち，2つがわかっていれば，残りは求まる。まず，市内の男子と女子と，市外の男子の子供から求める。222－120＝102，203－102＝101，120－96＝24　以下は順に考えてみよう。

練習問題9　正答／（5）

●解説／DはE，Gと対戦しているので2回戦に少なくとも進出している。また，Gは3回戦に進んでいることもわかる。Hは準優勝なので，3回戦まで進んだ。よってGとHの決勝でGが優勝したことになる。

練習問題10　正答／（1）

●解説／F→8＋8＝16よって6。C→7－4－1［繰上げ］＝2。5,283÷9＝587よってAは8。7をかけて1の位が8となるのは4だけなのでBは4。587×4＝2,348よってDは3。Eは5＋3＝8

A～Fは8＋4＋2＋3＋8＋6＝31

```
    5[A]7
×     [B]9
―――――――――
   5[C]83
  2[D]48
―――――――――
  2[E]7[F]3
```

練習問題 11

24個の小立方体を図1のように重ね，真正面，右横，真上から図2に示した数だけ，図1に針で反対側に抜けるように穴を開けた。開いた穴が3個以上の小立方体は何個か。

（1）6個
（2）7個
（3）8個
（4）9個
（5）10個

図1

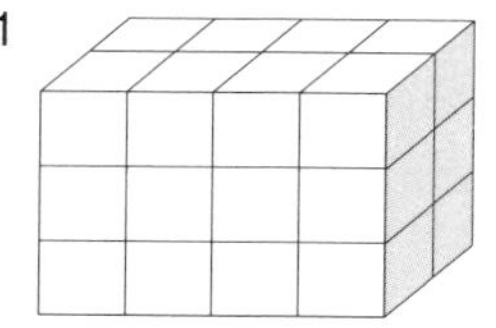

図2　平面図

1	2	3	
			1

正面図

1		1	
	2		1
2		3	

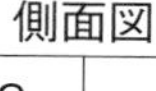

側面図

2	
	1
1	

練習問題 12

以下の文から正しくいえるものはどれか。

条件1　数学が好きならば，料理が得意である。
条件2　理科が好きならば，テニスが得意である。
条件3　数学が好きでないならば，テニスが得意でない。

（1）テニスが得意ならば，理科が好きである。
（2）料理が得意でないならば，理科が好きである。
（3）理科が得意でないならば，数学が好きでない。
（4）料理が得意ならば，テニスは得意である。
（5）料理が得意でないならば，理科は好きでない。

練習問題 13

対面する目の和が7であるサイコロがある。図のゴールまで滑らずに回転させたとき，ゴールの面と接するサイコロの目の数はいくつか。

（1）1　　（2）2　　（3）3
（4）4　　（5）5

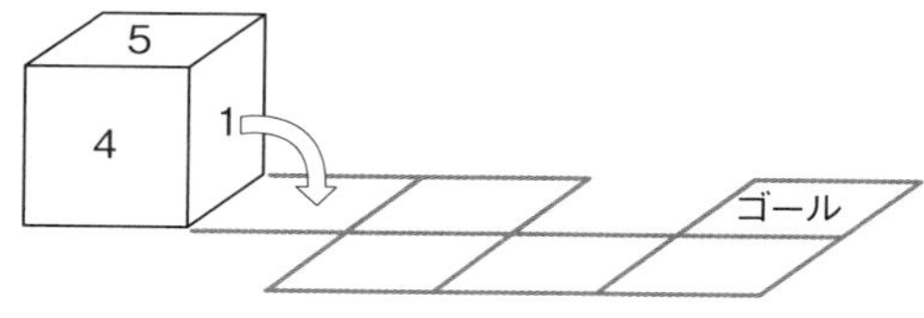

解答・解説

練習問題 11　　正答／（5）

●解説／1つの枠の上段は真上から，下段左は正面から，下段右は右横から開けた穴の数。3個以上穴の開いた小立方体は10個ある。

上段

1		2		3			
1				1			
						1	
1	2		2	1	2		2

中段

1		2		3			
	1	2	1		1	1	1
						1	
		2				1	

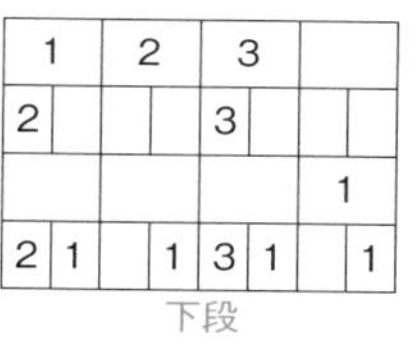

下段

1		2		3			
2				3			
						1	
2	1		1	3	1		1

練習問題 12　　正答／（5）

●解説／簡単に記号化する。　数学→料理　　理科→テニス　　$\overline{\text{数学}}$ → $\overline{\text{テニス}}$　次に対偶と三段論法でまとめると，理科→テニス→数学→料理となる。勿論，この対偶も正しいので5が正答となる。

練習問題 13　　正答／（5）

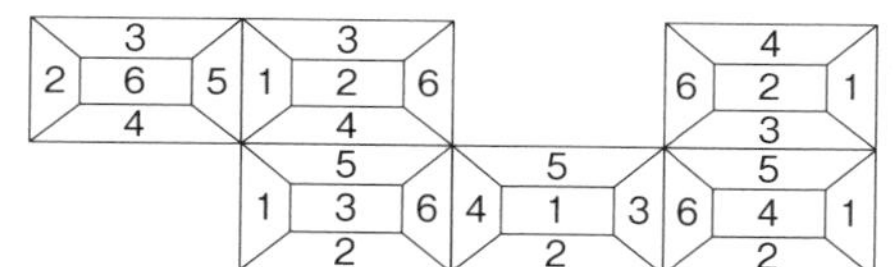

2が上なので底面は5となる。

練習問題 14

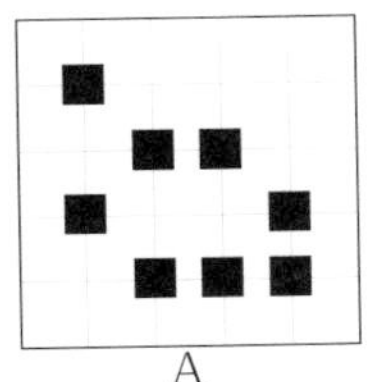
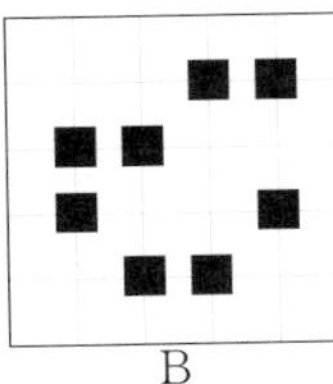

正方形の同じ紙に等間隔でA，Bの２種類の穴を開けた。Aを元にBを90度ずつ回転させて重ねたとき，一致する穴が最も少ない場合の数として正しいものはどれか。ただし，紙は裏返さない。

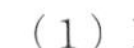
（1）1　（2）2　（3）3　（4）4　（5）5

練習問題 15

真上から見た図

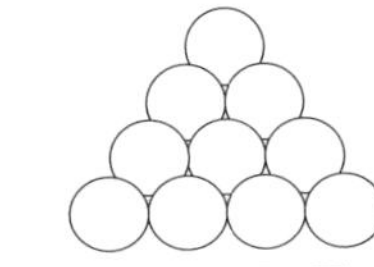
真横から見た図

図のように同じ大きさの20個の球を１段目に10個，２段目に６個，３段目に３個，４段目（一番上）に１個，相互に接して置いたとき，各球が相互に接する点の数は何個か。

（1）30個　（2）40個　（3）50個　（4）60個　（5）70個

練習問題 16

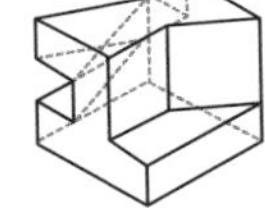

図は立方体を加工してつくった立体を２方向から見た図である。ある方向から見た図として正しいものはどれか。

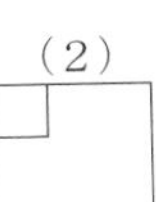
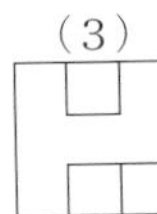
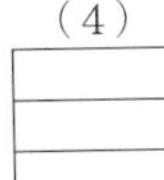
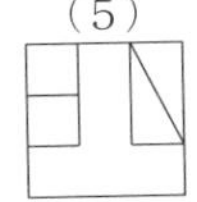

解答・解説

練習問題 14　正答／（2）

◎はAの穴　○はBの穴　●は重なった穴。

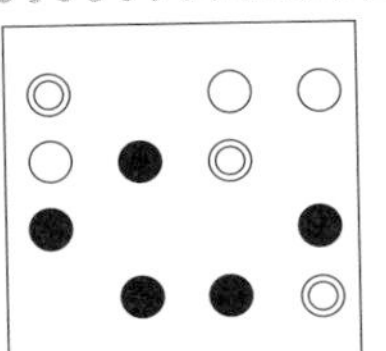
そのまま　5個

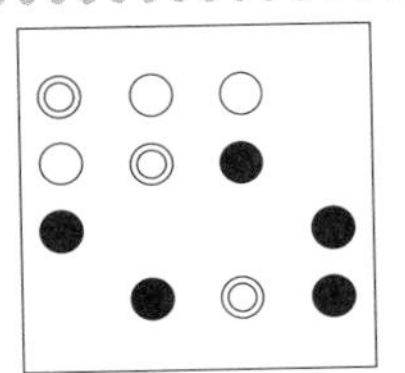
Bを90度右回転　5個

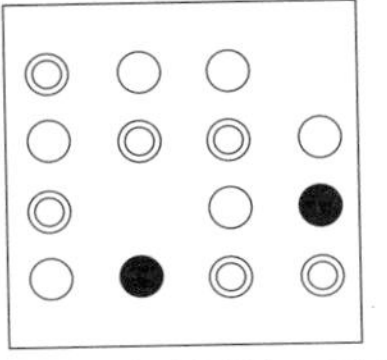
Bを180度右回転　2個

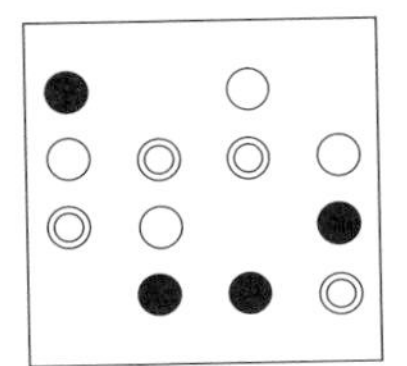
Bを270度右回転　4個

練習問題 15　正答／（4）

●解説／１段目の10個の球が互いに接する数は18個。１段目と２段目の球が互いに接する数は，２段目の１個の球につき３個なので３×６＝18個。２段目の６個の球が互いに接する数は９個。２段目と３段目が互いに接する数は３段目の１個の球につき３個なので３×３＝９個。３段目の３個の球が互いに接する数は３個。３段目と４段目が互いに接する数は４段目の１個の球で３個。よって18＋18＋9＋9＋3＋3＝60個。

練習問題 16　正答／（2）

●解説／それぞれの答えの正しい図は以下の通り。

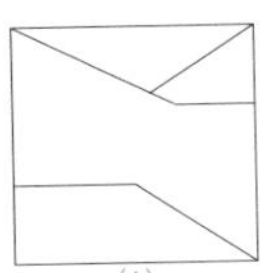
(1)

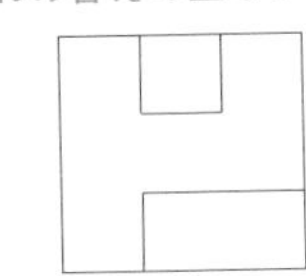
(3)

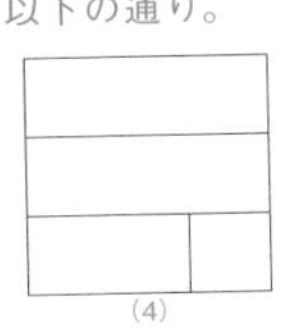
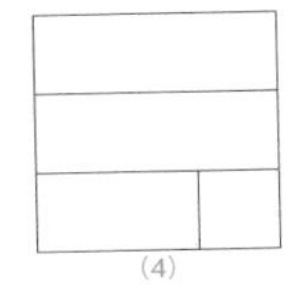
(4)

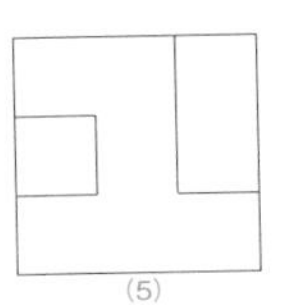
(5)

練習問題 17

図のように一辺 a の正方形の折り紙を右の４分の１だけを切り取り，次に破線の部分で折り，中央を切る。再び広げて，今までにできた３つ紙片の面積を小さい順に比較したとき，面積比として正しいものはどれか。

（1）3：4：6
（2）3：6：7
（3）4：5：7
（4）4：6：7
（5）5：6：7

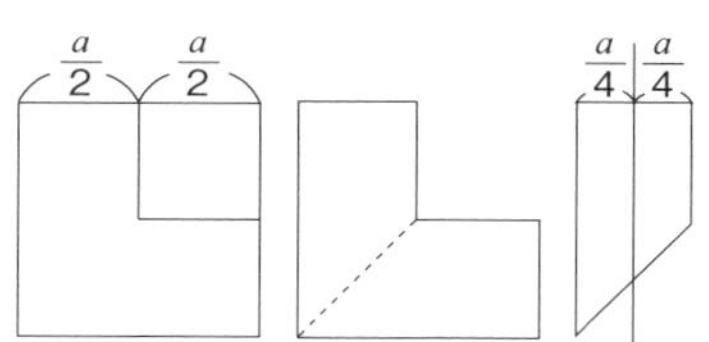

練習問題 18

図は正二十面体の展開図である。図中の点Ａ～Ｅのうち，組み立てたとき図中の点Ｐと重なるのはどれか。

（1）A
（2）B
（3）C
（4）D
（5）E

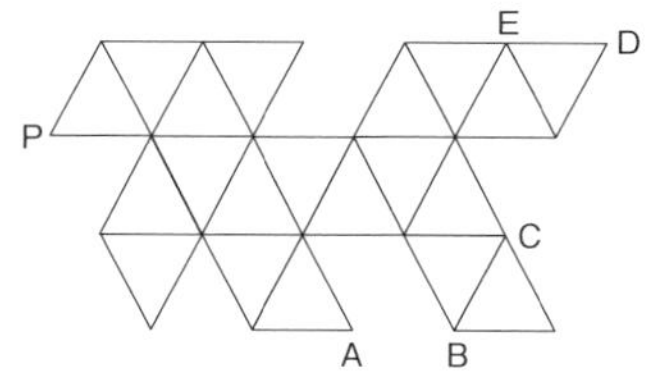
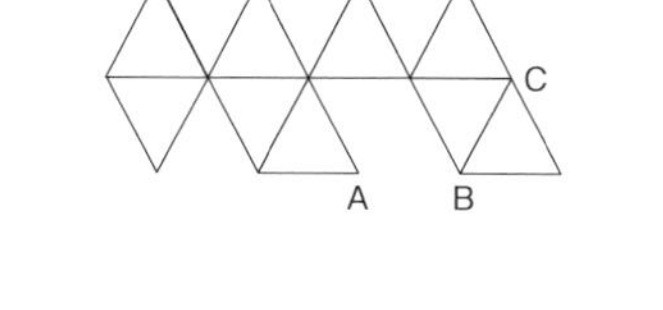

練習問題 19

１～５の図形を直線上で滑ることなく１回転させたとき，点Ｐの描く軌跡として図のようになるものはどれか。

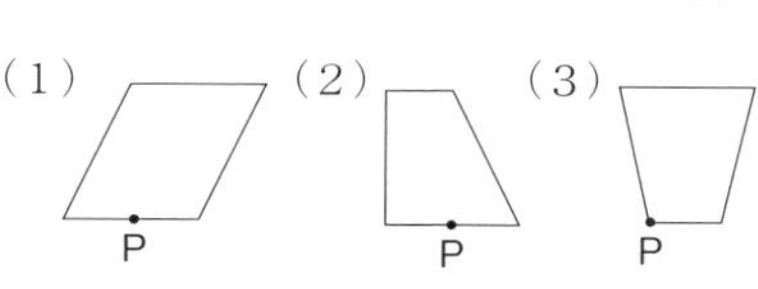

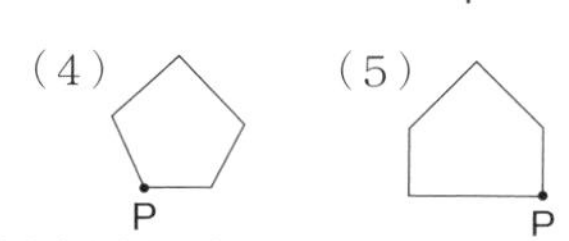

解答・解説

練習問題 17　　正答／（3）

●**解説**／最初に取り除いた正方形は，

$$\frac{1}{2}a\times\frac{1}{2}a=\frac{1}{4}a^2=\frac{4}{16}a^2$$

次に大きな図形は下図の右上の，

$$\frac{5}{4}a\times\frac{1}{4}a=\frac{5}{16}a^2$$

最も大きな図形は右下の，

$$\frac{7}{4}a\times\frac{1}{4}a=\frac{7}{16}a^2$$

よって

$$\frac{4}{16}a^2:\frac{5}{16}a^2:\frac{7}{16}a^2=4:5:7$$

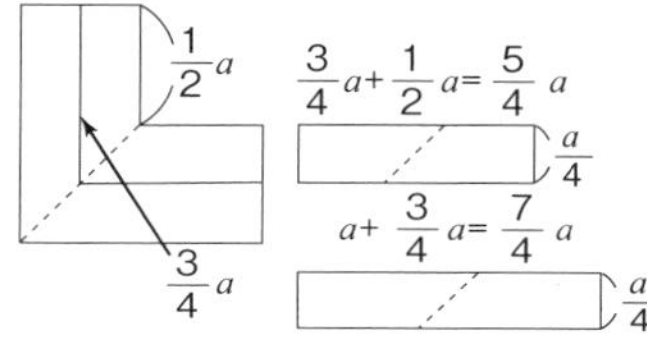

練習問題 18　　正答／（4）

●**解説**／図のように接する辺をつないで確認する。

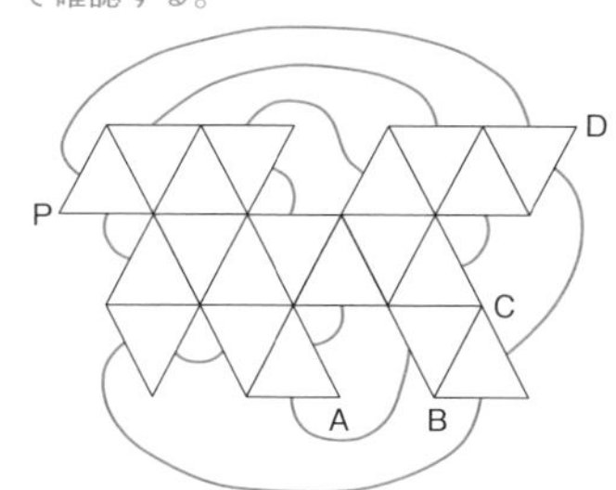

練習問題 19　　正答／（2）

（1）

（2）

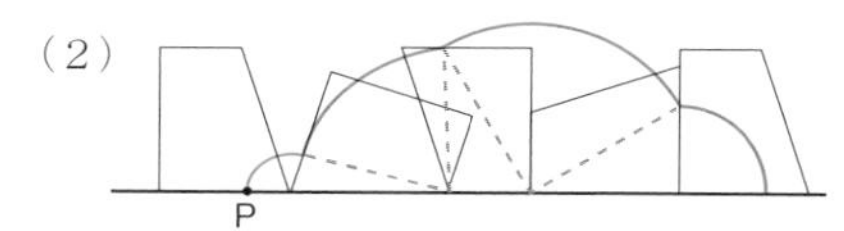

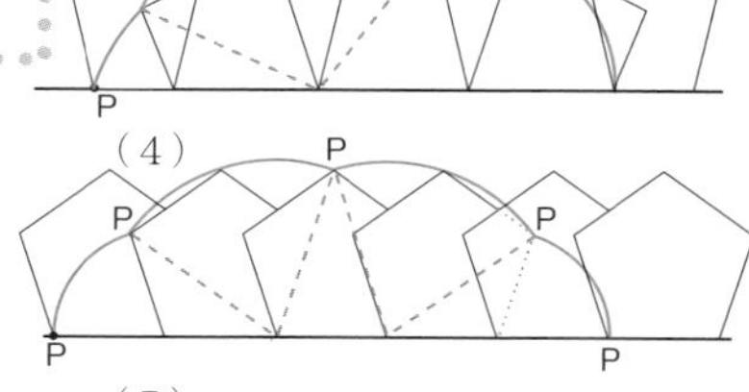

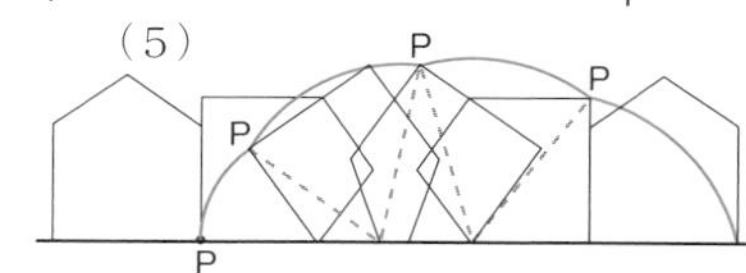

資料解釈

出題傾向　資料解釈は，表やグラフから計算できる値や割合が正しいか否かを判断することで，特に難しい公式があるわけではない。割合の計算さえできれば十分で，早く正しい選択肢を見つけるために，いくつかの技法を覚えておくことが大切である。近年の試験における出題数は，道府県で２問，東京都が５問，特別区で４問出題されている。問題数が多いと１問は目新しい表現の資料ということがあるが，選択肢を丁寧に読み，四則計算（主に割合）をすれば正解にたどりつける。直近の試験では，表やグラフによる問題が出題されている。

学習のコツ

判断推理では本文を整理して解き，数的推理では計算の後に選択肢を確認していく。しかし資料解釈では，一つずつ選択肢を読みながら，計算をしてつぶしていくことになる。よって，正確な計算力がなければ，全て解いても正解が見つからないことになる。計算力のみならず，いかに計算を簡単にする工夫ができるかも大切だ。必要な資料以外の情報にふりまわされずに解いていこう。

難易度＝ 75ポイント

重要度＝ 90ポイント

◆出題の多い分野◆

表　実数と割合　★★★★★

グラフ　実数と割合　★★★★

対前年度比（増加率）　★★★

過去５年の出題傾向　★★★★★

資料解釈 ① 表　実数と割合

計算をせずに楽に答えを導くことを心がける。実数の問題が基本となるので，必ず解く，という意志を持つことが大切。最初は電卓を使ってもよいが，頼り過ぎないこと。

■表の実数型

例題１

以下の表は国の建設投資の推移を表している。正しい記述はどれか。

投資分類	工事分類	2000	2010	2020	2021	2022
建設投資	公共工事	12,410	48,049	46,000	56,300	66,300
	民間工事	84,769	244,140	476,300	450,800	435,200
土木投資	公共工事	36,680	148,143	213,300	229,300	257,400
	民間工事	12,482	54,421	80,300	93,400	99,300
総　計	公共工事	49,090	196,192	259,300	285,700	323,700
	民間工事	97,251	298,561	556,600	544,200	534,500

（最上段は年，他の単位は億円）

1．2000年から2010年にかけての民間工事投資額の総計の伸び率は，同時期の公共工事投資額の総計のそれを上回っている。
2．公共工事投資額の総計の対前年伸び率は，2022年よりも2021年のほうが高い。
3．2020年以降，公共工事の総計が常に増加しているのは，日本経済の建て直しのために国の予算が投入されているからである。
4．2000年から2010年にかけての投資額のうち，増加の割合が最も高いのは民間土木投資であり，最も低いのは民間建設投資である。
5．2020年と比較して，2021年と2022年の民間工事の総計が減少しているのは，デフレの影響で物価が下がった結果で，仕事量は増加している。

解説

まず，選択肢を一通り読む。資料解釈では，資料だけで判断することが第一条件で，外的要因や憶測などは必ず誤りである。選択肢の３と５は当時の日本の状況からすれば，国の予算やデフレの影響ということはいえるが，ここにある資料ではわからない。よって誤りである。このように，選択肢の順に解かないことが試験では大切である。他の選択肢は計算が必要なので，順に解いていく。1．民間工事投資額は97,251億円と298,561億円で，100,000億円と300,000億円にまるめられ，３倍の伸びである。公共工事投資額は49,090億円と196,192億円で，50,000億円と200,000億円にまるめられ，４倍の伸びといえる。よって民間工事の伸び率は下回っている。よって誤り。2．2022年の伸び率は285,700億円から323,700億円で，およそ324/286=1.13で13%の伸びである。一方2021年の伸び率は259,300億円から285,700億円で，およそ286/259=1.10で10%の伸び率であるので，誤りである。ここまではきちんと計算をしてあるが，実戦では，たし算だけで見当をつける。仮に伸びを1.1倍とすれば，2020年の1.1倍は259+25.9=284.9で，これは2021年の数値とほぼ同じになる。2021年の1.1倍は，286+28.6=314.6で，2022年は324だから，伸びは1.1倍より大きいことになる。ここまでで，４以外の選択肢は全て誤りとわかったから，答えは４。なお，４を検証すると，2000年から2010年にかけての投資額の増加の割合は，公共建設投資がおよそ４倍，民間建設投資がおよそ３倍，公共土木投資がおよそ４倍，民間土木投資が4.5倍となり，設問どおりであることがわかる。

答え４

実戦計算の復習

A国の自動車生産数は昨年は 1,235,600 台で今年は 1,400,600 台であった。生産台数は 10%以上増加した。「YES」か「NO」か。

解き方▶割り算をせず 10%の 123,560 台を，1,235,600 台に加えてみればよい。約 124 万台＋約 12 万台＝約 136 万台，約 140 万台は 10%以上の増加なので，「YES」。

■指数型

指数型の場合も，およその計算ができることは重要である。指数型で特に気をつけなければならないことは，指数は割合であり，互いの指数を比較する場合，伸び率では比較できるが，互いの実数（例えば，A国はB国の 3 倍の輸出額）同士の比較は基本的にはできない。ただし，互いの国に共通する比較材料があれば可能である。

例題2 よく出る

◇ポイント◇
誤りをまずは排除

以下の表は 2015 年から 6 年間の卸売物価指数（2012 年=100）を表したものである。正しいものはどれか。

	2015	2016	2017	2018	2019	2020
日本	91.3	93.6	95.0	95.9	95.1	93.6
アメリカ	103.7	108.8	112.7	113.0	113.6	115.3
フランス	102.9	108.4	107.2	105.8	104.1	101.1
カナダ	108.1	110.3	110.6	109.5	110.1	113.7

1．日本と他の 3 カ国を比較すると，2015 年から 2020 年にかけて，日本の卸売物価が常に低い。
2．2016 年と 2020 年の日本の卸売物価指数は等しいとはいえない。
3．2019 年から 2020 年にかけての卸売物価の減少率が最も高い国はフランスである。
4．日本の場合，2012 年はバブル時期で，卸売物価も高かったため，2015 年以降の指数はその影響で卸売物価指数は 100 を常に下回っている。
5．アメリカは 2015 年以降，景気が上向きで半導体産業も順調であったため，卸売物価指数は常に上昇している。

解説

◇ポイント◇
1. 資料以外の内容は常に誤り。
2. 指数では，伸び率は比較できても一般に実数は比較できない。

先の実数型の解説にもあるように，資料にないことが書かれていれば誤りである。まず，そのような選択肢は排除する。4 の選択肢にはバブルの影響という資料にない記述があるので誤りである。5 の選択肢は物価指数は常に上昇していることは正しいが，背景の説明があるので正しい記述とはいえない。1 の選択肢は指数の問題で注意が必要な記述である。すなわち，実数のような比較はできない。例えばAという製品が日本では 2012 年で 100 円であるのに対し，アメリカでは同年に 10 円かもしれない。この場合，2020 年では同じ商品が日本では 93.6 円，アメリカでは 11.53 円となり，アメリカの物価のほうが安いことになる。よって誤りとわかる。2．同じ指数なので，実数はわからないが，同じ物価となる。よって誤り。ただし，対前年度を 100 とする指数では，指数の値が等しくとも物価が等しいとは限らない。ここまでで 4 つの選択肢が誤りとわかったので，答えは 3。なお，3 を検証すると，2019 年から 2020 年にかけて卸売物価指数が減少しているのは日本とフランスであり，それぞれの減少率は日本が 98.4%，フランスは 97.1% である。よって，卸売物価の減少率はフランスが最も高いことがわかる。

答え 3

過去５年の出題傾向　★★★★☆

資料解釈 ② グラフ　実数と割合

出題数が２題ならば１題は必ずグラフの問題である。基本は表と同じ。グラフのポイントは図で数量が表現されるので，円グラフの角度，帯グラフの長さに注意を向けること。

■実数と割合

例題１

次のグラフは，2022 年のボーキサイトと亜鉛鉱の生産についてまとめたグラフである。グラフから正しくいえるものはどれか。

ボーキサイト 1.27億t	オーストラリア	ギニア	ジャマイカ	ブラジル	中国	インド	その他
	35.1%	16.7%	9.5%	9.1%	7.1%	4.6%	17.9%

亜鉛鉱 708万t	カナダ	オーストラリア	中国	ペルー	米国	メキシコ	その他
	15.1%	13.6%	12.7%	12.2%	8.3%	5.2%	32.9%

1．2022 年の中国のボーキサイト生産量は同年，同国の亜鉛鉱生産量のおよそ 56%に相当する。
2．2022 年の亜鉛鉱の生産量を見るとアメリカ大陸での生産量は，全体のおよそ 25%を占めていることがわかる。
3．毎年，中国は鉱物の生産量が高まり，今後アジアの工業国の中心としての役割が期待できる。
4．2022 年の中国のボーキサイト生産量は，同年の全世界の亜鉛鉱生産量よりも約 27%多い。
5．オーストラリアのボーキサイトの生産量はここ数年一位であり，多くの原料は日本に輸入され，アルミニウム製品に加工されている。

解説

まず，3，5のように推測できる場合や今までの自分の知識として正しいと思えても，資料解釈では，そのグラフや表だけの材料しか利用してはならないので，誤り。2．ペルー，米国，メキシコの合計はおよそ 25%になるが，カナダを加えると 40.8%となる。また，その他の国の生産量も不明なので確実ではない。3．「毎年」と「今後～」ということはグラフからはわからない。5．「ここ数年～」ということはグラフからはわからない。1．確かに割合だけを単純に計算すると 7.1 ÷ 12.7 × 100 ＝ 55.9 ＝ 56%になるが，生産量の実数の合計はおよそ 18 倍も違うので 56%にはならない。よって残る選択肢４が正しい。1.27 億 t × 0.071 ＝ 901.7 万 t　亜鉛鉱生産量は 708 万 t なので，901.7 万 t ÷ 708 万 t ≒ 1.274 ≒ 1.27　よって 27%多いといえる。

答え４

例題２　よく出る

次の図から確実にいえる記述はどれか。

1．図中の各年とも，商品の特殊分類別輸入額の「合計」に占める「工業用原料」輸入額の割合は 40%を下回っている。
2．図中の各年とも，商品の特殊分類別輸入額の「合計」に占める「耐久消費財」の輸入額の割合は，年の経過とともに順次増加している。
3．2018年の「食料・その他の直接消費財」の輸入額を100としたときの2020年の指数は90を上回っている。
4．2019年における商品の特殊分類別輸入額の「合計」の対前年減少率は，10%より大きい。
5．「資本財」の輸入額の2016年に対する2020年の増加率は50%より大きい。

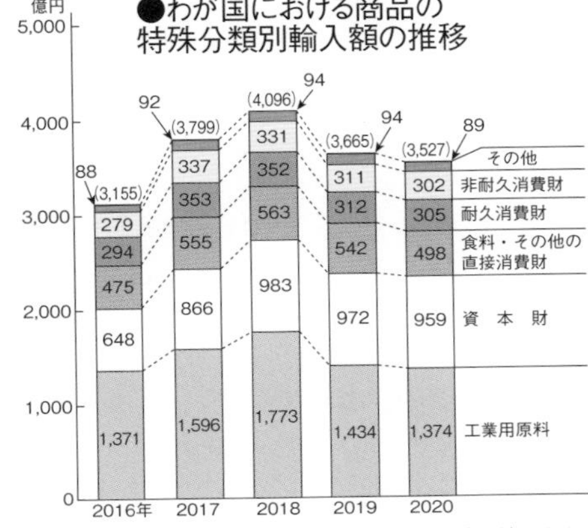

(注)（ ）内の数値は，商品の特殊分類別輸入額の「合計」である。

解説

1．「各年とも」という記述があるので，1年でも40%を上回る割合を見つければ，誤りとわかる。グラフから2018年のグラフが比較的40%を上回っていそうなので，計算で確認する。

およそ4,100 × 0.4 ＝ 1,640億円で，実際は1,773億円なので40%を超えている。よって誤り。2．ここでも1と同じように，1年でも増加しなければ誤りとわかる。2017年では，合計が3,799億円で，そのときの耐久消費財は353億円である。2018年は合計が4,096億円と増えているのに，耐久消費財は352億円と減少しているので，割合は増加していない（計算するまでもない）。よって誤り。3．2018年の「食料・その他の直接消費財」の輸入額は563億円でこれを100とし，90は1割減少なので56億円を引けばよい。563億円－56億円＝507億円。2020年の「食料・その他の直接消費財」の輸入額は498億円なので90を下回っている。よって誤り。4．2018年の「合計」は4,096億円で10%の減少ならば，4,096億円－410億円＝3,686億円となる。実際の2019年の「合計」は3,665億円なので10%以上の対前年減少率とわかる。よって正しい。本来，正答がわかればそれ以上は解く必要はないが，5の選択肢もとりあえず確認してみよう。2016年の「資本財」の輸入額は648億円で，その1.5倍（50%増加）は324億円を加えれば972億円となる。ところが2020年では959億円なので50%までは増加していない。よって誤り。

答え4

例題3

図はA～Mの13都市の都市ガスの普及率を比較したものである。これについて正しい記述はどれか。

1．都市ガスの普及率が70%に満たない都市が4都市ある。
2．都市ガスの普及率が最も高いのはB市である。
3．G市の都市ガスの普及率はD市のそれのおよそ2倍である。
4．都市ガスの普及率が90%未満の都市は4市である。
5．F，G，H，I，Jの各市の普及率が高いのは，互いに隣接しており工事が容易にできたためであると考えられる。

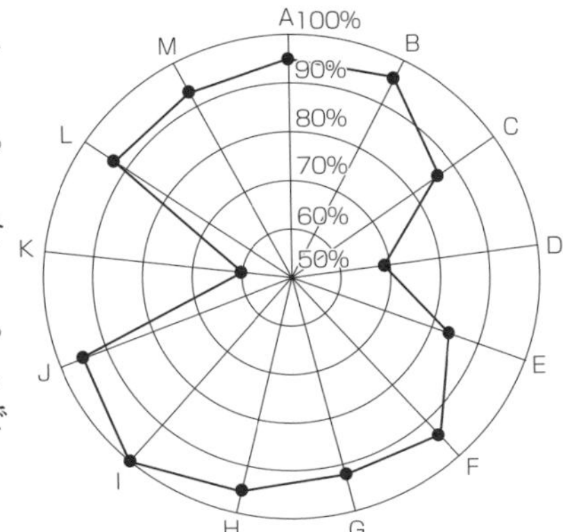

解説

1．普及率が70%未満の都市はD市とK市の2都市である。2．普及率が最も高いのはI市である。3．見かけはD市の2目盛りに対してG市は4目盛りであるが，普及率を丁寧に見ると，D市はおよそ70%でG市はおよそ90%で2倍には全くならない。4．正しい。C，D，E，Kの4都市である。5．このグラフからは隣接しているかわからない。また，工事が容易かもわからない。

答え4

過去５年の出題傾向　★★★☆☆

資料解釈 ③ 対前年度比（増加率）

対前年度比が最も解き難い問題である。変化のみを問われるだけならば簡単であるが，数値を比較するとなると計算力が要求される。計算せずに誤った選択肢を見つけること。

■対前年度のグラフの見方

左下のグラフは８カ国のオートバイの生産台数を対前年度比（増加率）で表したものである。実数ではないので，互いの国と台数を比較することはできないが，ある国の生産台数は増えたがある国の生産台数が減ったなどということはわかる。対前年度比は今までの「ある年を基準にして表すグラフや表」と異なり，グラフが上向きでも実数は減少することもある。その反対にグラフが下向きでも実数は増加することもある。そこで基準（増加率だけ見れば0，指数ならば100）の上下のどちらにグラフがあるかがポイントになる。右下の表は同じ内容を2013年を100として３年間の変化を表したもの。表を参照すると，０より下ならばグラフが右上がりでも実数は減少し，０より上ならばグラフが右下がりでも実数は増加していることがわかるだろう。

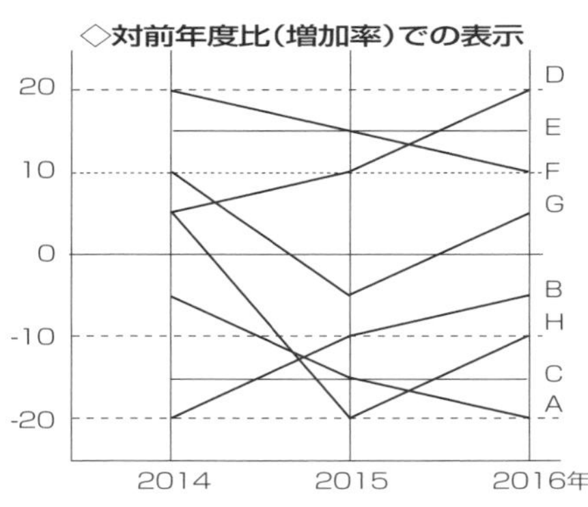

◇2013年を100とした表示

	2013年	2014年	2015年	2016年
A	100	95	80.8	64.6
B	100	80	72	68.4
C	100	85	72.3	61.4
D	100	105	115.5	138.6
E	100	115	132.3	152.1
F	100	120	138	151.8
G	100	110	104.5	109.7
H	100	105	84	75.6

（単位％）

例題１

次のグラフから確実にいえるものはどれか。

1．図中の各利用関係のうち，2018年における着工新設住宅の戸数が最も多いのは分譲住宅である。

2．2020年の持家と貸家との着工新設住宅の戸数の合計は，2018年のそれより多い。

3．図中の各利用関係のうち，2020年の着工新設住宅の戸数が，2019年のそれよりも少ないのは，給与住宅だけである。

4．2018年および2019年の各年とも，持家の着工新設住宅

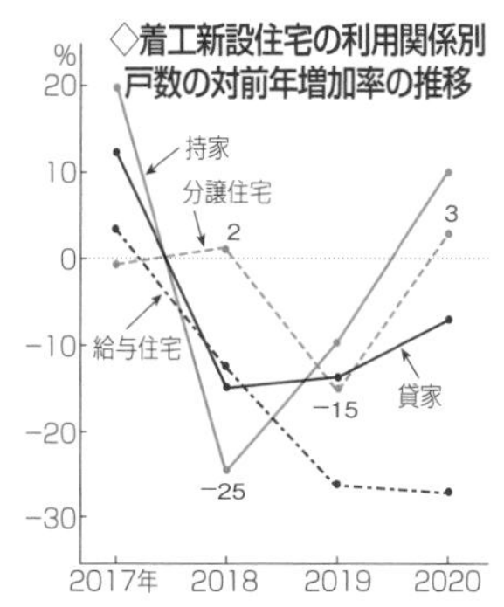

の戸数は，前年のそれを下回っている。

5．図中の各利用関係のうち，2020 年の着工新設住宅の戸数が，2017 年のそれより多いのは，分譲住宅だけである。

解説

1．分譲住宅のグラフは 2018 年では一番上であるが，互いの戸数はわからないので誤り。2．持家は 2018 年を基準（100）にすると，2019 年の持家は 90 であり，2020 年はその 10%増加なので，99 となり，2018 年より戸数は少ない。貸家は増加率のマイナスが続くので，減少したといえる。よって共に減少しているので，誤り。3．2020 年に戸数が増えているのは，基準の 0 よりも上の持家と分譲住宅である。貸家はグラフは上昇しているが，基準の 0 より下であるので，減少率は小さくなったが，実質の戸数はやはり減少している。4．正しい。2017 年を 100 とすれば，2018 年は 75 である。2019 年は前年の 10%減少となるので，67.5 となる。よって前年を共に下回っている。グラフが上向きでも基準の 0 を超えなければ増加しない。5．分譲住宅の 2017 年を 100 とすれば，2018 年は 102，2019 年はその 15%減少なので，およそ 85 である。2020 年はその 3%増加なので 85 × 1.03 を計算しなくとも 2017 年の 100 は超えないことはわかる。よって分譲住宅も多くなっていない。

答え 4

例題 2　よく出る

次の表から確実にいえる記述はどれか。

◇6カ国における乗用車の新車登録台数の対前年増加率の推移　（単位　%）

国名	2016年	2017	2018	2019	2020
日本	5.6	5.1	−3.8	−8.9	1.5
アメリカ	−2.5	−1.6	−3.8	−2.2	5.3
ドイツ	3.3	5.5	0.9	5.9	1.8
イタリア	3.1	−0.9	39.0	−1.2	−2.3
イギリス	1.8	5.1	6.2	3.5	−2.2
フランス	−2.2	10.5	−19.7	13.5	10.5

1．ドイツにおける乗用車の新車登録台数の 2016 年に対する 2020 年の増加率は，イギリスのそれを下回っている。

2．表中の各国のうち，2017 年における乗用車の新車登録台数の対前年増加数が最も多いのは，フランスである。

3．2020 年のアメリカにおける乗用車の新車登録台数は，2017 年のそれを上回っている。

4．イタリアにおける乗用車の新車登録台数の 2015 年に対する 2018 年の増加率は，40%を上回っている。

5．表中の各国のうち，2019 年における乗用車の新車登録台数が最も少ないのは，日本である。

解説

1．ドイツの 2016 年に対する 2020 年の新車登録台数の増加率はおよそ 14.8%，イギリスは 13.0% なので誤りである。2．増加率は比較できるが，増加数（実数）はわからないので確実にはいえず，誤りである。3．2017 年を 100 とした場合，2020 年はおよそ 99.1 なので誤りである。4．2017 年に若干下がるが，2018 年は 39%の増加なので，40%を超えると思われる。2015 年を 100 とすると 2016 年は 103.1。2017 年は 103.1 × 0.991 ＝ 102.17。2018 年は 39%増加であるので，102.17 × 1.39 ＝ 142.016　よって 40%を超えるので正しい。5．実数はわからないので誤りである。

答え 4

練習問題1

以下の表は学歴別の定年時の退職金について企業規模別に示したものである。この表から正しくいえるものはどれか。

学歴	企業規模	男子	女子
高卒	1,000人以上	100 [352]	100 [348]
	500〜999人	96	96
	100〜499人	92	97
	1〜99人	74	71
短大卒	1,000人以上	100 [385]	100 [375]
	500〜999人	95	98
	100〜499人	93	93
	1〜99人	79	80
大卒	1,000人以上	100 [435]	100 [386]
	500〜999人	97	95
	100〜499人	93	91
	1〜99人	74	74

企業規模1,000人以上の退職金を100とした指数 [ ] は退職金額（単位:十万円）

（1） 企業規模1,000人以上と1人〜99人で定年時の退職金の差額が最も大きいのは高卒女子である。
（2） 大卒で企業規模が100人〜499人を比較した場合,男子の定年時の退職金は女子のそれよりも2%多い。
（3） 企業規模が1人〜99人で比べた時，高卒女子の定年時の退職金と大卒男子のそれとの差は1,000万円以上である。
（4） 3つの学歴で見ると男子も女子も規模が1,000人以上と1人〜99人とでは定年時の退職金額はどれも80%以上減少している。
（5） 大卒，企業規模1人〜99人の男子の定年時の退職金は，短大卒，企業規模1人〜99人の女子のそれより6%以上多い。

解答・解説

練習問題1　　正答／（5）

●解説／

（1）高卒女子の場合，3,480万－3,480万×0.71＝1,009.2万である。また，大卒男子の場合，4,350万－4,350万×0.74＝1,131万，高卒女子の差額が最大ではない。よって誤り。

（2）4,350万×0.93＝4,045.5万が男子で女子は3,860万×0.91＝3,512.6万。4,045.5万÷3,512.6万＝1.15よって15%多い。

（3）4,350万×0.74－3,480万×0.71＝748.2万よって差は1,000万未満である。

（4）高卒女子の割合が一番低く，それでも100に対して71で29%の減少でしかないので誤り。

（5）4,350万×0.74＝3,219万。3,750万×0.80＝3,000万。3,219万÷3,000万＝1.073よって6%以上多い。

練習問題2

次のグラフはある国の自動車の交通事故の発生件数と被害総額をまとめたものである。グラフの外側の数字は発生件数と被害総額とも2020年を100とする指数で示し，グラフの中の数字は構成比(%)を示している。以下の記述で確実にいえるものはどれか。

（1）対物事故の１件当たりの被害額は年々減少傾向にある。
（2）対物事故の発生件数は年々増加傾向にある。
（3）対人事故の１件当たりの被害額は年々増加傾向にある。
（4）対人事故の発生件数は年々減少傾向にある。
（5）2022 年の対自動車事故の被害総額が減少したのはデフレによる不況が原因である。

練習問題３

次の表はある年の１カ月の年齢別入院・通院ののべ回数をまとめたものである。この表から正しくいえるものはどれか。なお，人口 10 万人当たりの入院回数と通院回数は小数点以下第３位を四捨五入した値である。

階級	年齢	人口 単位　千人	通院回数		入院回数	
			回数	人口10万人当たり	回数	人口10万人当たり
Ⅰ	0〜6歳	8,374	24,983	298.34	130	1.55
Ⅱ	7〜15歳	12,509	52,297	①	165	1.32
Ⅲ	16〜24歳	16,071	244,230	②	2,026	12.62
0〜24歳		36,954	321,510	③	2,321	6.28
全年齢		126,166	958,925	760.05	9,640	④

（1）0 〜 24 歳の人口 10 万人当たりの通院回数を多い順に並べると，Ⅲ，Ⅰ，Ⅱの階級となる。
（2）0 〜 24 歳の人口 10 万人当たりの通院回数を多い順に並べると，Ⅱ，Ⅰ，Ⅲの階級となる。
（3）人口 10 万人当たりの入院回数を比べると 0 〜 24 歳と 25 歳以上では 0 〜 24 歳の方が多い。
（4）人口 10 万人当たりの通院回数を比べると 0 〜 24 歳と 25 歳以上では 25 歳以上の方が多い。
（5）16 〜 24 歳の入院回数はおよそ 7,900 人につき１回の入院である。

解答・解説

練習問題２　　　　　　正答／（3）

●解説／指数の場合，元になる年度の数を実際のわかりやすい数字に置き換えて考えるとよい。

この問題では，2018 年の発生件数を 100 件，被害総額を 10,000 円としてまとめてみる。

	対自動車	対人	対物
2018年	50件　4,000円　80円/件	30件　3,000円　100円/件	20件　3,000円　150円/件
2019年	27件　3,300円　122円/件	36件　4,400円　122円/件	27件　3,300円　122円/件
2020年	40件　1,800円　45円/件	24件　3,600円　150円/件	16件　3,600円　225円/件

（1）表より，150 円，122 円，225 円と 2020 年は増加しているので誤り。
（2）表より，20 件，27 件，16 件と 202 年は減少しているので誤り。
（3）正しい。100 円，122 円，150 円と増加している。
（4）表より 30 件，36 件，24 件と増加から減少となっている。
（5）原因についてはこの資料からは判断できない。

計算例
80×20÷100=16件
10,000×90÷100=9,000円
9,000×40÷100=3,600円
3,600÷16=225円/件

練習問題３　　　　　　正答／（5）　　●解説／まず，空欄の部分を求めておく。

① 52,297 ÷ 125.09 ＝ 418.07 回／ 10 万人　② 244,230 ÷ 160.71 ＝ 1,519.69 回／ 10 万人
③ 321,510 ÷ 369.54 ＝ 870.03 回／ 10 万人　④ 9,640 ÷ 1,261.66 ＝ 7.64 回／ 10 万人

（1）と（2）およそⅠ＝ 298　Ⅱ＝ 418　Ⅲ＝ 1520 となるので，多い順にⅢ，Ⅱ，Ⅰで共に誤りとなる。（3）0 〜 24 歳は 6.28。全年齢の人口 10 万人当たりの入院回数を表す④は 7.64。よって 25 歳以上の方が多いことになる。（4）0 〜 24 歳は③の 870.03。全年齢の人口 10 万人当たりの通院回数は 760.05。よって 25 歳以上の方が少ないことがわかるので誤り。（5）正しい。100,000 人で 12.62 回であるので，１回当たりは 100,000 ÷ 12.62 ＝ 7,923.9 人。

練習問題4

次の図から正しくいえるものはどれか。

（1）１事業所当たりの従業員数が最も多い業種は，電気機械器具であり，次に多いのは出版・印刷である。

（2）事業所総数に占める食料品の事業所数の割合は従業員総数に占める食料品の従業員数の割合を上回っている。

（3）金属製品，一般機械器具および電気機械器具の事業所数の合計は，事業所総数の３分の１を上回っている。

（4）１事業所当たりの付加価値額について業種別に見ると最も大きいのは電気機械器具であり，その額は５億５千万円を超えている。

（5）１従業者当たりの付加価値額について業種別に見ると，一般機械器具は出版・印刷の３分の１を上回っている。

◇事業所数，従業員数

事業所総数 30,096事業所　従業員数 555,633人

出版・印刷 7,113 / 152,818
金属製品 3,786 / 38,346
一般機械器具 3,486 / 46,476
電気機械器具 2,696 / 94,784
食料品 1,479 / 36,934
その他 11,536 / 186,275

※外側の円は事業所数，内側は従業員数

◇付加価値額の構成比（単位：%）

総額 7兆5,975億円

出版・印刷 36.4
金属製品 3.9
一般機械器具 6.0
電気機械器具 17.8
食料品 4.7
その他 31.2

練習問題5

次の表から確実にいえるのはどれか。

（1）表中の各国のうち，2019年における切り花の輸入額が最も少ないのは，オランダである。

（2）2017年から2020年までの各年とも，大韓民国からの切り花の輸入額の対前年増加率は，年ごとに増加している。

（3）2020年のオランダからの切り花の輸入額とコロンビアからの輸入額の合計は，2019年のそれを上回っている。

（4）オランダからの輸入額の減少は輸送運賃がかかるため輸入を避けているからである。

（5）2017年において，タイからの切り花の輸入額の対前年度減少額はコロンビアからのそれを下回っている。

◇我が国の切り花の国別輸入額の指数の推移（2016年＝100）

国名	2017年	2018年	2019年	2020年
オランダ	83.1	82.9	68.5	70.9
タイ	96.4	99.3	89.7	85.9
ニュージーランド	95.5	79.7	80.9	76.8
大韓民国	166.7	627.8	801.7	1,132.2
コロンビア	90.7	106.1	113.6	148.6

解答・解説

練習問題４　　正答／（5）

●**解説**／（1）１事業所当たりの従業員数は電気機械器具が 94,784 ÷ 2,696 ＝ 35.2 人。同様な計算で，出版・印刷は 21.5 人，食料品は 25 人であるので，印刷・出版が２番目ではない。（2）事業所総数に占める食料品の事業所数の割合は 1,479 ÷ 30,096 ＝ 0.049(4.9%) である。食料品の従業員数の割合は 36,934 ÷ 555,633 ＝ 0.066（6.6%）なので下回っている。（3）金属製品，一般機械器具および電気機械器具の事業所数の合計は十の位を切り上げても 3,800 と 3,500 と 2,700 となり合計は 10,000 である。事業所の合計は 30,096 であり，10,000 では３分の１を上回っていないので誤り。（4）１事業所当たりの付加価値額について業種別に見ると電気機械器具１事業所では 75,975 億円× 0.178 ÷ 2,696 ＝ 5.016 億円であり，題意の５億５千万を超えていないので誤り。（5）正しい。１従業者当たりの付加価値額について業種別に見ると，一般機械器具は 75,975 億円× 0.06 ÷ 46,476 ＝ 0.098 億円。出版・印刷は 75,975 億円× 0.364 ÷ 152,818 ＝ 0.181 億円なので３分の１を上回っている。

練習問題５　　正答／（3）

●**解説**／（1）輸入額そのものはわからない。（2）2017 年は 66.7%，2018 年は 277%，2019 年は 27.7%，2020 年は 41.2%の増加で，増加率は年ごとに増加していない。（3）正しい。2019 年と比較して共に増加しているので合計も増加する。（4）輸送運賃はわからない。（5）減少額は比較できないので確実にはいえない。

文章理解

出題傾向

最近では現代文と英文の問題が中心になっており，うち英文が３問，現代文が５問と，直近の試験での古文の出題はない（道府県，政令指定都市）。課題文の主旨を問う内容理解問題が最も多く，ついで整序問題，空欄補充という順になる。課題文のジャンルは多様だが，評論やエッセイが中心で，環境問題・自然科学・社会福祉などに関する文章もある。英文の単語・熟語・構文は高校までの基本的な学習の範囲であり，極端に難解な語句や表現は出ない。なお，東京特別区の国語分野での出題で，古文の解釈に関する出題が見られたように，古文の学習が他の科目で役立つこともある。

学習のコツ

現代文は，過去問も含めて練習問題に当たっておくとよい。また興味のある分野の新書などを中心に，ある程度専門的な文章を読みなれておくことが望ましい。英語や古典の語句は高校までの教科書をきちんと復習しておけば十分である。英文法では比較級・最上級の構文，不定詞，関係代名詞の部分を重点的に復習しておくこと。古典では敬語表現と助動詞の知識を確認しておこう。

◆出題の多い分野◆

分野	頻度
現代文の文章理解	★★★★★
現代文の文章理解（長文）	★★★★★
英文の内容理解	★★★★★
英文の整序問題	★★★★
現代文の空欄補充	★★★
現代文の整序問題	★★★
古文の内容理解	★★

難易度＝ 85ポイント

重要度＝ 95ポイント

過去５年の出題傾向　★★★★★

文章理解 ① 現代文の文章理解

現代文の文章理解は主旨を問う問題が中心。具体的事例や体験談の説明を述べているところよりも，筆者が是非や好悪などの判断を示している部分に注目しよう。

例題 次の文の主旨として，最も適切なものはどれか。

日本人はヨーロッパ人のように自然と対決するのではなく，自然に親しみ，自然に同化することによって，安らぎを得てきた。それと同じことが社会についてもいえる。日本人は欧米人のように個人を社会に対置することなく，世間と自分とをひとしなみに表象してきたのだ。「渡る世間に鬼はいない」という諺がその一端を語っている。日本の自然が優しい山河であるように，日本の世間も ── 他民族の社会とくらべれば ── 結構，心安い社会だったからであろう。

むろん，日本には地震をはじめとして自然の災害も少なくない。同様に，日本の社会も甘えていればそれですむというほど寛容なものだったとも思えない。世間の目は往々にして冷たいのである。しかし，多くの異民族が同居しているのが常態であるような他の国とちがって，日本はきわめて同質的な社会であり，自然のきびしさも，社会のきびしさも，ほかとくらべればずっと気楽なものといえる。そして，日本人の人間観や「自分」意識は，このような風土の産物といってよい。こうした社会では，人びとは自分を主張し，世間と対決して生きるよりも，自分を顧み，世間という人間関係の中での自分の立場をつねに意識して，社会に協調して生きようとするのである。

森本哲郎『日本語　表と裏』より

1．日本には地震をはじめとして自然の災害も少なくない。同様に，日本の社会も甘えていればそれですむというほど寛容なものだったとも思えない。
2．日本人はヨーロッパ人のように自然と対決するのではなく，自然に親しみ，自然に同化することによって，安らぎを得てきた。
3．日本のような風土では，自分を顧み，世間という人間関係の中での自分の立場をつねに意識して，社会に協調して生きようとするのである。
4．多くの異民族が同居しているのが常態であるような他の国とちがって，日本はきわめて同質的な社会である。
5．日本人が欧米人よりもち密な仕事に向いているのは，心安い社会と風土が背景にある。

解説

例題では，まず本文中の記述と対応しているかどうか，選択肢を一読して判断する。そして，対応していない選択肢を除き，どの記述が筆者の最も重要な主張であるかを判断する必要がある。

1．本文のこの記述の後に「しかし，多くの異民族が同居しているのが常態であるような……」とあり，1の記述よりも重要な主張が語られていることがわかる（⇒実践テクニック②のヘ）。したがって，この選択肢は主旨ではないと考えられる。

2．本文全体の前提条件であり，正解候補から外す（⇒実践テクニック②のハ）。

3．この記述の前に「……このような風土の産物といってよい」という断定を表す語句が見られ，内容的にこのブロックが主旨であると思われる。

4．前提条件であり，正解候補から外す（⇒実践テクニック②のハ）。

5．このような記述は本文中に記載がない。したがって，真っ先に除外しておく。

実践テクニック

①「主旨」とは何か？⇒文章の最も中心になる主張のことである。

②「主旨」の見分け方。 よく出る

イ）明らかに本文と記述の異なっている選択肢⇒×

ロ）具体的事例が述べられている選択肢⇒×

ハ）前提条件が述べられている選択肢⇒×

ニ）筆者の判断や結論が示されている選択肢⇒○

ホ）「重要なのは……」「……は重要だ」「必要なのは……」「……は欠かせない」などの強調表現を伴う⇒○

ヘ）「しかし」「それにもかかわらず」などの逆接表現の直後には，重要な主張が示されている場合が多い。⇒「AしかしB」なら「B」が筆者の言いたいことだ。

出題パターンcheck!

次の文の主旨として最も妥当なのはどれか。

コミュニケーションが深まっているときは，相手とだけでなく，自分自身と対話をしている感覚がある。すぐに言語化できる事柄だけを話しているのでは，浅い会話になってしまうものだが，自分の中に埋もれている暗黙の知を掘り起こしながら対話することで，深い対話ができるのだ。自分の中に眠っているものを掘り起こすのは，精神的に労力を必要とする作業だ。

文章を書くという作業は，自分自身と対話する作業である。自分でも忘れていることを思い出し，思考を掘り下げる。長い文章を書いたことのある人ならば，それが苦しく充実した作業だということを知っている。日記をつけるという行為も，自分自身と向き合う時間をつくることになる。言葉になりにくい感情をあえて言葉にすることによって，気持ちに整理がついていく。言葉にすることによって，感情に形が与えられるのだ。

齋藤孝『コミュニケーション力』より

（1）文章を書くという作業は，苦しくて充実した作業である。

（2）相手とのコミュニケーションが深まっているときは，相手とだけでなく，自分自身と対話をしている感覚がある。

（3）会話する際は，自分の中に埋もれている暗黙の知を掘り起こしながら対話すると，浅い対話になりがちである。

（4）自分の中に眠っているものを掘り起こすことは自分の可能性を高めることである。

（5）言葉にすることによって，感情に形が与えられる。

⇒最後の段落に注目。「言葉になりにくい感情をあえて言葉にすることによって，気持ちに整理がついていく」に続いて同じ意味合いの文章が繰り返され，強調されている点に注目。

答え（5）

過去５年の出題傾向 ★★★★★

文章理解 ② 現代文の文章理解（長文）

現代文の文章理解問題では非常に長い文章が課題文として出題される場合がある。長文では特に尾括型の文章が多い。特に文末に注意しながら読解を進めよう。

例題 次の文の主旨として，最も妥当なものはどれか。

人は行動しなければ何も起こりません。世の中には失敗を恐れるあまり，何一つアクションを起こさない慎重な人もいます。それでは失敗を避けることはできますが，その代わりに，その人は何もできないし，何も得ることができません。

これとは正反対に，失敗することをまったく考えず，ひたすら突き進む生き方を好む人もいます。一見すると強い意志と勇気の持ち主のように見えますが，危険を認識できない無知が背景にあるとすれば，まわりの人々にとっては，ただ迷惑なだけの生き方でしょう。

おそらくこの人は，同じ失敗を何度も何度も繰り返すでしょう。現実に，失敗に直面しても真の失敗原因の究明を行おうとせず，まわりをごまかすための言い訳に終始する人も少なくありませんが，それではその人は，いつまでたっても成長しないでしょう。

また人が活動する上で失敗は避けられないとはいえ，それが致命的なものになってしまっては，せっかく失敗から得たものを生かすこともできません。その意味では，予想される失敗に関する知識を得て，それを念頭に置きながら行動することで，不必要な失敗を避けるということも重要です。大切なのは，失敗の法則性を理解し，失敗の要因を知り，失敗が本当に致命的なものになる前に，未然に防止する術を覚えることです。これをマスターすることが，小さな失敗経験を新たな成長へ導く力にすることになります。

畑村洋太郎『失敗学のすすめ』より

1．失敗を恐れるあまり何一つアクションを起こさない慎重な人は，失敗を避けることができるが，その代わりに，何もできないし，何も得ることができない。
2．失敗することをまったく考えず，ひたすら突き進む生き方を好む人は，まわりの人々にとっては，ただ迷惑なだけである。
3．失敗に直面しても真の失敗原因の究明を行おうとせず，言い訳に終始する人は，いつまでたっても成長しない。
4．予想される失敗に関する知識を得て，それを念頭に置きながら行動することで，不必要な失敗を避けることが重要である。
5．失敗の法則性を理解し，失敗の要因を知り，失敗が本当に致命的なものになる前に，未然に防止する術を覚えることが，小さな失敗経験を新たな成長へ導く力にすることになる。

解説

どの選択肢の記述も，本文中の記述に対応している。したがって「趣旨」や「内容」には全て該当している。そこで，最も重要な記述を判別する必要がある。

1．2．3には，本文でも特に判別の鍵になる表現は見当たらない。

4．「…… 不必要な失敗を避けるということも重要」とある。
　したがって正解候補（⇒実践テクニック②のホ）。

5．本文中の該当部分が「大切なのは ……」で始まっており，筆者がこの記述内容を強調していることがわかる（⇒実践テクニック②のホ）。
　また，この該当部分は文章全体の最終段落の記述であり，本文全体の総括部分であると考えられる（⇒実践テクニック③）。
　以上から，重要度の高さを示す手がかりが多い，5の方が正解と判断できる。

実践テクニック よく出る

③長文は「尾括型」が多い⇒最後の段落・最後の記述部分に最も重要な主張が示されていることが多いので，要注意だ。

ワンポイント★アドバイス

重要度を示す項目が多い方に注目しよう。

出題パターン check!

次の文の主旨として最も妥当なのはどれか。

人間は誰だって他人から悪口をいわれたり，公に侮辱されれば面白くない。そんな時くやしいという感情を自分に否定する必要はない。あるいは必死になって感情を操作してその不快なことを忘れようとしても無理である。人間は意志の力で，ものを忘れることはできないのだから。忘れよう忘れようとすれば，実は余計くやしくなってくる。なんとか感情を工夫して相手を許してやろうとしても無理である。

われわれは自分が憎しみの感情を持つことを否定してはならない。われわれが自分に禁止すべきは，その憎しみの感情に動機づけられた行動をすることである。

友人に悪口をいわれてくやしいといって，友人の悪口を他所でいいふらせば，余計その友人が憎らしくなるだけである。

加藤諦三『行動してみることで人生は開ける』より

（1）他人から悪口をいわれたり，公に侮辱されることは誰しも好まない。
（2）人間は意志の力でものを忘れることはできないのだから，不快なことを忘れようとしてはならない。
（3）不快なことを忘れよう忘れようとすれば，余計くやしくなってくる。
（4）自分に禁止しなければならないのは，憎しみの感情に動機づけられた行動をすることである。
（5）友人の悪口を他所でいいふらせば，自ずと信頼を失う。

⇒尾括型の文章である。「～すべきは」という強調表現に注目。

答え（4）

過去５年の出題傾向　★★★★★

文章理解 ③ 英文の内容理解

英文も尾括型の文章が大半である。わからない語句にはこだわらずに文章全体と文末に注意して読解しよう。また基本的な強調表現や比較表現の知識を整理しておくとよい。

例題　次の英文の内容と最も一致する選択肢はどれか。

I had given as a subject of English composition this question: "What do men remember longest?" One student answered that we remember our happiest moment longer than all other experiences, because it is in the nature of every rational being to try to forget what is disagreeable or painful as soon as possible. I received many still more ingenious answers — some of which gave proof of a really keen psychological study of the question. But I like best of all the simple reply of one who thought that painful events are longest remembered.

1．筆者は「人が最も長く覚えているのは何か？」という質問を英会話の授業で発してみたが，誰もきちんと答えてくれなかったので不愉快になった。
2．筆者は，最も幸福な瞬間のことを他のことよりも長く覚えているものだという学生の答を読んで，軽薄な見解だと感じ不愉快になった。
3．筆者は，できる限り早く不愉快なことや苦痛なことを忘れようとすることは合理的な反応だという筋の通った答を読んで，気に入った。
4．筆者は，苦痛な出来事を長く忘れることができないと考えた学生の答を読んで，気に入った。
5．筆者は実に鋭い心理学上の研究の証明を与えてくれるような答を読んで，心から感銘を受けて気に入った。

解説

1．そのような記述はない。English composition が英作文であることは基本知識だが，例えば２行目に「One student answered……」とあることからも，容易に誤りだと判断できる。
2．「軽薄な見解だと感じ不愉快になった」とは記されていない。誤り。
3．「筋の通った答」という評価も「気に入った」という事実も記されていない。誤り。
4．一番最後の部分の「But I like best of all the simple reply of one who thought that painful events are longest remembered.」という記述の内容と一致している。正解。
①But が冒頭にあり，以下の記述が重要だと示されている（⇒実践テクニックⓒ）。
②「I like best 」と記されており，「気に入った」という内容が明確に示されている。

③ 最上級表現 best が使われている（⇒実践テクニックⓔ）。
④ 最後の締めくくりの一文である（⇒実践テクニックⓖ）。

5.「心から感銘を受けて気に入った」とは記されていない。誤り。

実践テクニック

ⓐわからない単語は前後の文の流れから推測して読解する。
ⓑ選択肢の記述も単語や内容を推測・読解するときのヒントになるので要注意。
ⓒ but, however, although, though などの逆接の語の直後に注意。 よく出る
⇒筆者が強調したい内容が記述されていることが多い。
ⓓ not only A but also B⇒AよりBを強調する重要構文。
ⓔ最上級・比較級の表現（best, most など）に注意。⇒筆者が何を好んでいるのか・嫌っているのか，重要視しているのかを判断する鍵になる。
⇒一般の表現よりも大事な点を強調しやすい表現なので，評論などの文章では比較の構文が用いられやすい。
ⓕ important, importance, truly, exactly などの強調の意味を持つ語を伴う箇所には要注意。
⇒筆者の最も言いたいことが記されている場合が多い。 よく出る
ⓖ英文にも尾括型の文章が多い。⇒最後の段落・終わりの方の記述に要注意。

出題パターン check!

次の英文の主旨として最も合致するのはどれか。

Japanese are basically shy people, and they are not very good at approaching by speaking to others. This is often attributed to the facts that people of Japan are almost entirely composed of single race of people who speak the same languages, that they have been brought up in an environment where people understand each other without having to explain themselves in any great detail, and that they have had very little opportunity to speak with people who have different values or have been brought up in different environment.

However, it is not that the Japanese do not wish to communicate with non-Japanese.

They do want to, from the bottom of their hearts. It is just that they are not very good at making the move first. They worry constantly about what they would do if they couldn't manage to make themselves understood or if the people around them will hear their clumsy English and laugh at them. Japanese people are very proud of themselves on the inside, so they end up becoming introverted.

※ introverted　内向的な

（1）日本人は本心では外国人との交流をしたいと望んでいるのだが，自分のプライドが傷つけられることを恐れて引っ込み思案になってしまうのだ。
（2）日本人は基本的に内気な国民なので，気心の知れた仲間以外の人間と交流をしたいとは望んではいない。
（3）日本人は細かい説明をしなくてもお互いに理解し合えるような環境で育ったので，異なった価値観を有する人々と交流する意欲をなくしてしまっている。
（4）日本人はいつでも，自分のぎこちない英語が笑われるのではないかという不安を抱いているため，どうしても引っ込み思案になってしまうのだ。
（5）日本人はこれからは，異なった言葉を話し，異なった環境で育った人々と，積極的に交流し，視野を国際社会に向けていく必要がある。

⇒文章の最後の方に重要な記述がある（実践テクニックⓖ）。

答え（1）

過去５年の出題傾向　★★★★☆

文章理解 ④ 英文の整序問題

現代文の整序問題と基本は同様である。各文の内容を確認して，論理的に筋道の一貫したつながりを見つけ出すことが大切だ。単語は基本レベルでも十分に間に合う。

例題 次の英文に続けて，ア～オをならべかえて一つのまとまった英文にする場合，妥当なのはどれか。

In American companies, superiors and inferiors are all on first name basis, which is not done in Japan.

ア　Calling one's manager Ichiro-san by adding san after his first name is rude.
イ　In other words, the other is called by the role he or she plays in society.
ウ　In the home, a wife would call her husband anata (you, dear, darling) or by his first name.
エ　In Japan, others must always be called by a title or by adding san (Mr.Ms.Miss) after the surname.
オ　After the children are born, she would call him otosan (father) and he would call her okasan (mother).

※ superior･･･ 上役　※ inferior･･･ 目下の者　※ title･･･ 肩書き　※ surname･･･ 名字

1．ウ－エ－ア－イ－オ
2．ウ－オ－イ－エ－ア
3．エ－ア－ウ－オ－イ
4．エ－ウ－ア－オ－イ
5．エ－イ－オ－ウ－ア

実践テクニック

ⓗわからない語句は前後の文のつながりから推測する。
ⓘ接続語（and･so･but･however など）で始まっている選択肢は冒頭に来ない。
ⓙ「AなのでB」（so・therefore などが用いられる）と
「AだけどB」（but・though などが用いられる）の論の展開に要注意。
⇒文と文のつながりがはっきりつかみやすい。
ⓚ指示語（this･these･that･those･it など）で始まる選択肢は普通冒頭には来ない。
ⓛ指示語と被指示語の関係に注意。
例「a man」＝「he」　「two girls」＝「they」
※単数・複数の区別や性の違いなどが手がかりになる場合が多い。　よく出る
ⓜ同じ言葉が続くように並べると正解である場合が多い。
イ）A「◎ is ×」→B「× is △」←正解の可能性が高い。
ロ）A「◎ is ×」→C「△ is □」←正解の可能性は低い。
ハ）A「◎ is ×」→D「◎ is □」←可能性はあるが，イに比べて低い。

解説

①この問題では，文章の途中から選択するので，接続詞や指示語から始まる文が最初に選択される可能性がある点に注意。

②まず選択肢に入る前の冒頭の一文は「アメリカの会社では，上役も目下の者も皆ファーストネーム（下の名前）で呼び合うのが基本であるが，日本ではこのようなことは行われていない」という趣旨である。

（注）companies は company（会社）の複数形。first name は given name ともいう。

③冒頭導入文に続くのは選択肢から「ウ」か「エ」だが，「In Japan」で「同様の語句・表現がつながる」「エ」の方が文の一貫性も保たれる（⇒実践テクニックⓜ）。それゆえ正解候補は「３・４・５」に絞られる。

④また「ウ」では「家庭では妻は夫を『あなた』と呼ぶか夫の名前で呼ぶ」と述べられており，「オ」では「子どもが生まれた後は，彼女（＝妻）は彼（＝夫）を『お父さん』と呼ぶ」とあることから「ウ→オ」とつながるのが自然（普通名詞→代名詞の対応に注目すれば容易に判別できる。⇒実践テクニック①）。「３・４・５」のうち，「ウ→オ」のつながりが含まれているのは「３」のみ。したがって正解は「３」だと判断できる。

ワンポイント★アドバイス

代名詞だけで具体的な事物を指す言葉が含まれていない文は，普通冒頭には来ない。
整序問題は，選択肢を参考にしながら，つながりがはっきり判別できるところから調べていこう。前から順番に解くことにこだわらない方が効率的な場合が多い。

出題パターン check!

次の英文は，John から Satoru への手紙であるが，次の英文①に続けて，ア～エをならべかえて，英文②で終わる一つのまとまった英文にする場合，妥当なのはどれか。

Sept.4,1994

① Dear Satoru,
The first Monday in September is Labor Day, a national holiday.

ア　Many people go out these last days of summer, packing highways and resorts. We visited Yosemite National Park to enjoy the outdoors.

イ　We feel refreshed by the long summer vacation and look forward to the beginning of a new school year.

ウ　The summer season finishes with Labor Day, and a new school year begins. While you start your school year in April in Japan, ours starts in September.

エ　Since it follows Saturday and Sunday, we have three days off.

② Sincerely yours,
John

※ Labor Day･･･ 労働者の日　※ Yosemite National Park･･･ ヨセミテ国立公園

（1）アーウーエーイ
（2）ウーイーアーエ
（3）ウーエーイーア
（4）エーアーウーイ
（5）エーウーアーイ

※「ウーイ」で「9月から始まる新学期が楽しみだ」という一つながりの意味になる。

答え（4）

過去５年の出題傾向　★★★☆☆

文章理解 ⑤ 現代文の空欄補充

空欄補充問題は，空欄の前後に注目することが必要。一部だけにこだわらないで，文章全体を大きく見渡しながら，個々の空欄部分に当てはまる語句を推理していこう。

例題 次の空欄に当てはまる語句の組み合わせとして適当なものはどれか。

［A］というのは，私の考えるところ「［B］のコマ割り」の多さである。

映画のフィルムは１秒間に24個のコマで成り立っている。こうしたコマ割りが脳の中で行われていると考えてみる。［A］の高まった野球のバッターは，ピッチャーの手からボールが放れて自分のところにやってくるまでの１秒足らずの間に，非常に多くの［C］をする。どういった球種でどのコースに来るのか，ストライクなのかボールなのか，自分の持っている技術の何を活用すればどの方向に打球が飛ぶのか，といった様々なことを，言語化しないまでも［C］している。このときの「［B］のコマ割り」は，同じ１秒でも通常時よりもはるかに多い。

かつてのバイクの世界チャンピオン片山敬済は，超能力とは［A］のことであると言っている。レーサーにとっては，１秒は短い時間ではない。時速300キロで走っているときでも，［A］が高まっていると周りの風景が鮮明に見えるという。１秒間あたりの［B］のコマ割りが多くなれば，流れる時間は遅く感じられる。

齋藤孝『「できる人」はどこがちがうのか』より

	A	B	C
１．	適応力	行動	理解
２．	集中力	意識	判断
３．	集中力	意識	失敗
４．	対応力	時間	理解
５．	対応力	行動	判断

解説

手順１．まず，空欄がなく文章が完全に示されている第二段落第一文，第二文に注目する（実践テクニック④）。ここで，前後の記述の対応関係を考慮してみる（実践テクニック⑥）。コマ割りが「脳の中で行われている」との記述より，行動ではないことがわかる。すなわち，［B］は意識もしくは時間であることが推測できる。さらに絞り込む作業を行う。最終段落の最終文「［B］のコマ割りが多くなれば，流れる時間は遅く感じられる」との記述から［B］＝意識であることがわかる。

手順２．第二段落第三文「［A］の高まった野球のバッターは……」という記述および最終段落の「［A］が高まっていると周りの風景が鮮明に見える」という記述に注目する。共通して用いられている「高まると」という表現がポイント。選択肢の適応力，集中力，対応力の中から「高まると」の関係性を考慮し，文章全体を見渡すことで［A］は集中力が適していることが推測できる。この問題では手順１で［B］＝意識がわかっているので，選択肢を２か３に絞ることができ，ともに［A］＝集中力であることから自ずと集中力が正しいことになる。

手順３．第二段落の「どういった球種でどのコースに来るのか，ストライクなのかボールなのか，自分の持っている技術の何を活用すればどの方向に打球が飛ぶのか，といった様々なことを……」という複数の条件から選択する旨より，［C］＝判断であることが推測できる。以上より，正解は選択肢２となる。

実践テクニック

よく出る

④「空欄が無い部分＝文章が完全に示されている部分」にヒントがある。
⑤解読の順番は「A・B・C」などの順番にこだわらない。
⑥空欄の直前・直後の記述に注目して判断する。
⑦語句が１つでも確定できれば組み合わせから選択肢の絞り込みが可能。

ワンポイント★アドバイス

次の語は対比されてよく出題される。覚えておけば空欄補充に効果大だ。

精神⇔身体　［例］我々は［A］と身体の総合的存在である。（A＝精神）
主観⇔客観　［例］［B］から完全に離れて客観的に判断することは難しい。（B＝主観）

出題パターン check!

次の空欄A・B・Cに当てはまる語句の組み合わせとして，適切なものを選べ。

自分の［A］を自分で決める。そこに［B］があり主体がある。現代人はあまりにも“いい子”でいすぎる。それは何よりも［B］を避けたいからである。

僕のところに［C］に来る人を見ていて感じたことは，何とかして自分の人生に［B］を取らないでおこうという姿勢である。自分で自分の人生に［B］をとらないでいるにはどうしたらよいかということばかり考えている。悩んでいる人は［B］を逃れることばかり考えているから悩むのである。避けられない［B］を避けようとするから悩むのである。

つまり何かを［C］に来るのであるが，それはかたちだけである。質問というのは皆かたちだけである。それでは何をしに来るのか。それは僕に決めてもらいに来るのである。

加藤諦三『「自分」に執着しない生き方』より

	A	B	C
（1）	進路	失敗	表現
（2）	自由	失敗	表現
（3）	進路	責任	相談
（4）	性格	責任	相談
（5）	性格	事件	陳情

⇒【B】主体に伴うものは？　できれば避けたいものは？

答え（3）

過去５年の出題傾向　★★★☆☆

文章理解 ⑥ 現代文の整序問題

整序問題は，文と文とを筋道にしたがってつなげていく論理的な判断力が試される。感覚や直観ではなく，一文ごとの意味をしっかりと把握しながら取り組む慎重さが必要。

例題 次のＡ～Ｆをならべかえて一つのまとまった文章にする場合，妥当なのはどれか。

Ａ　貝殻は炭酸カルシウムを主成分とする無機質で，微生物によって分解されません。
Ｂ　貝塚は，そこに人間が集団で生活をしていたという有力な根拠となるのですが，見方をかえれば当時のごみ処理場だったわけです。
Ｃ　有史以前，人間は狩猟と採取で食糧を得てきました。
Ｄ　しかし，例外があります。貝殻がそうです。
Ｅ　このときのごみは自然からとれたものばかりですから，それは土の中の微生物によって分解されて，いまではまったく痕跡をとどめていません。
Ｆ　そのため全国に貝塚がのこりました。

1．Ａ—Ｆ—Ｅ—Ｂ—Ｄ—Ｃ
2．Ｂ—Ｃ—Ｅ—Ｆ—Ｄ—Ａ
3．Ｂ—Ｅ—Ｄ—Ｆ—Ｃ—Ａ
4．Ｃ—Ｅ—Ｄ—Ａ—Ｆ—Ｂ
5．Ｃ—Ｆ—Ｅ—Ｂ—Ａ—Ｄ

解説

手順1．Ｄの「しかし」に注目。貝殻はあることの例外だ，というのであるから，Ｄの前には貝殻とは「対照的な事柄に関する記述」が来る。

手順2．Ａを見ると「貝殻は微生物によって分解されない」という内容の記述がある。
⇒したがってＤの前には「あるものは微生物によって分解される」という内容の文が来る。
⇒内容的に合致するのはＥ。
⇒以上から「Ｅ→Ｄ」とつながることがわかる（→実践テクニック⑨）。
※この時点で，「Ｅ→Ｄ」のつながりを含む選択肢３と４だけが正解候補になる。

手順3．「Ｅ→Ｄ」の「一般の自然からとれたごみに対して貝殻は例外だ」という記述にＦが続くと，どうして「貝殻は例外なのか」の説明がなく，話が途中で終わってしまう。それに対して，Ａが続けば貝殻は，他のごみとは異なって微生物によって分解されないから「例外」なのだということが一読して判明する。⇒以上から「Ｅ→Ｄ→Ａ」のつながりが最も妥当。したがって答はこのつながりを含む４だと判断できる。

別解

（実践テクニック⑫）を用いた判別も可能である。Dは「貝殻」の話なのに，Fを続けるといきなり「貝塚」の話に飛躍してしまうことになる。これに対してAに続けるならば「例外＝貝殻」→「貝殻＝分解しない」というように話題が連続する（実践テクニック⑫のイ）。以上から正解は「E→D→A」のつながりを含んだ4だと判断できる。

実践テクニック

⑧接続語（それゆえ・そして・しかし・だが，など）で始まっている選択肢は冒頭に来ない。

⑨順接（それゆえ・だから，など）と逆接（しかし・しかるに，など）の接続語に要注意。⇒文と文のつながりがはっきりつかみやすい。 よく出る

⑩指示語（これ・それ・このような・そのような，など）で始まる選択肢は普通冒頭には来ない。

⑪指示語と被指示語の関係に注意。
（例）「ある男性」＝「彼」　「二人の女性」＝「彼女たち」
※単数・複数の区別や性の違いなどが手がかりになる場合が多い。

⑫同じ言葉が続くように並べると正解である場合が多い。 よく出る
イ）A「◎は×である」→B「×は△である」←正解の可能性が高い。
ロ）A「◎は×である」→C「△は□である」←正解の可能性は低い。
ハ）A「◎は×である」→D「◎は□である」←可能性はあるがイに比べて低い。

⑬「昔は……だった」「以前の社会は……だった」という記述の選択肢は結論部には来ない。
冒頭に置かれる場合はかなりある（ただし全てではないので注意）。

⑭「そういうわけで……」「結局……」「つまり……ということなのだ」という総括形式の文は最後に来る可能性が高い。

出題パターン check!

次のA～Gをならべかえて一つのまとまった文章にする場合，妥当なのはどれか。

A　ひたむきさがない人間には心を揺り動かされない。
B　しかし，自分のことではなく，他人のためにひたむきになって頑張っていれば，いくらやっても人から恨まれることはない。
C　そういう意味では一種のエゴだったのだが，それではいけないということを教えてくれたのは社会だった。
D　とはいえ，自分の利益のためにひたむきになっているというのでは単なるエゴであり，誰も共感を抱かない。
E　ただし，当初は自分が生きていくために，自分の利益のためにひたむきに働いていた。
F　人間というのは，ただひたすら，懸命に，ひたむきに生きていかなければならない。
G　私はただひたむきに生きてきただけだ。

(1) A—D—F—B—E—C—G
(2) A—G—D—C—B—F—E
(3) F—A—D—B—G—E—C
(4) F—D—B—C—E—A—G
(5) G—E—F—C—A—B—D

答え（3）

過去５年の出題傾向　★★☆☆☆

文章理解 ⑦ 古文の内容理解

古文の基本構成も尾括型が大半である。わからない語句にはこだわらずに，文章全体の流れと文末の記述に注意しながら読解をすれば，意外に簡単に解ける問題が多い。

例題 次の文の大意として最も妥当なものを選べ。

五月五日，加茂の競馬を見侍りしに，車の前に雑人立ちへだてて見えざりしかば，おのおのおりて，埒の際に寄りたれど，殊に人多く立ちこみて，分け入りぬべきやうもなし。かかる折に向ひなるあふちの木に法師の登りて，木のまたについゐて物見るあり。とりつきながら，いたうねぶりて，落ちぬべき時に目をさますことたびたびなり。これを見る人，あざけりあさみて，「世のしれものかな。かくあやふき枝の上にて，安き心ありてねぶらむよ」と言ふに，わが心にふと思ひしままに，「われらが生死の到来ただ今にもやあらん。それを忘れて，物見て日を暮らす。愚かなることは，なほまさりたるものを」と言ひたれば，前なる人ども，「まことにさにこそ候ひけれ。最も愚かに候ふ」と言ひて，みな後を見返りて，「ここへ入らせ給へ」とて，所をさりて，呼び入れ侍りにき。かほどのことわり，誰かは思ひよらざらなんけれども，折からの思ひかけぬここちして，胸にあたりにけるにや。人木石にあらねば，時によりてものに感ずることなきにあらず。

吉田兼好『徒然草』

1．自分が何気なく思いを語ったことで，見物に集まっていた群衆の気持が一つになった。
2．誰もが実は愚かな面を持っているのだという真理を悟ることで，初めて法師も救われた。
3．木の上に登って競馬を観ながら，その法師は人間の生命のはかなさを悟った。
4．誰でもわかるようなことでも，ちょうどよい時に発せられると人の心を打つことがある。
5．人間は木や石ではないので，人を嘲ることもあれば，愚かしいと思う時もある。

解説

実践テクニック

⑮全ての語句がわからなくても，現代語との推測で読解していける部分も多い。
⑯古文の文章構成は，以下の型が多い。

主論部　終わりの部分
イ）「ある出来事の説明」＋「筆者の感想・コメント」　よく出る
ロ）「ある出来事の説明」＋「身分の高い人の感想・コメント」
ハ）「ある話題についての対話」＋「結論・コメント」　よく出る
ニ）「ある出来事の説明」＋「結果・後日談」
→古文は「終わりの部分」に最も重要なことが記されている。（尾括型）
したがって，文章全体の終わりの部分に注意すること。

1. 確かに筆者が「われらが生死の到来ただ今にもやあらん。それを忘れて，物見て日を暮らす。愚かなることは，なほまさりたるものを」という言葉を発したところ，まわりにいた人間はみななるほどと納得して，さっきまでの法師を馬鹿にしていた自分たちを反省する気持になっている。一応正解候補ではあるが，「群衆の気持が一つになった」というとやや言い過ぎの印象もある。
2.「法師も救われた」という記述は無い。誤り。
3.「法師は人間の生命のはかなさを悟った」という記述は無い。誤り。
4. 文章の終わりの部分に該当する。
かつ筆者の感想・コメントの部分に該当する（→実践テクニック⑯のイ）。
「かほどのことわり，誰かは思ひよらざらなんけれども，折からの思ひかけぬここちして，胸にあたりにけるにや」という部分と一致した内容であり，正解候補。
5.「人木石にあらねば」という記述は合致しているが，だからといって「人を嘲ることもあれば，愚かしいと思う時もある」という記述は無い。誤り。

以上から1と4の二つが候補になるが，正解の判定条件に対応している度合いの高い4が妥当であると判断できる。

ワンポイント★アドバイス

前なる人ども⇒前にいる人たち……「なる」は「……に居る」という意味がある。

出題パターン check!

次の文の主旨として最も妥当なものはどれか。

一道に携はる人，あらぬ道の筵に臨みて，「あはれ，わが道ならしかば，かくよそに見侍らじものを」と言ひ，心に思へること，常のことなれど，よにわろく覚えゆるなり。知らぬ道のうらやましく覚えば「あなうらやまし。などか習はざりけん」と言ひてありなん。

我が智をとり出でて人に争ふは，角あるものの角を傾け，牙あるものの牙を咬み出だす類なり。

人としては善にほこらず，物と争はざるを徳とす。他に勝ることのあるは，大きなる失なり。品の高さにても，才芸の優れたるにても，先祖の誉れにても，人に勝れりと思へる人は，たとひ言葉に出でてこそ言はねども，内心にそこばくの咎あり。慎みてこれを忘れるべし。痴にも見え，人に言ひ消たれ，禍をも招くは，ただ，この慢心なり。一道にも誠に長じぬる人は，自ら明らかにその非を知る故に，志常に満たずして，終に物にほこることなし。

吉田兼好『徒然草』

（注）筵・・・集まりの席

（1）家柄の良さや才能・技芸に優れていることは，ちょうど角のある動物が角を用い，牙のある獣が牙を使って獲物を獲るように，周りの人間を萎縮させてしまうものだ。
（2）他人がすぐれた技量を発揮するのを見て「ああ，うらやましい。どうしてわたしも習わなかったのだろうか」と嘆くところから，真の学問は始まるのだ。
（3）人間は他人と争うことなく，本当の気持を言い出さないでおくように努める自制心がある人は，必ず一芸に上達できるものだ。
（4）人から愚か者の扱いを受け，非難されて禍を被らないためにも，先祖の徳を敬う謙譲の気持が重要である。
（5）本当に一つの専門分野に優れている人は，自分の至らないところも分かっているので，うぬぼれたりはしないものだ。

⇒文章の終わりに記されている筆者のコメントに注目（実践のテクニック⑯）。

答え（5）

練習問題 1

次の文章の主旨として最も妥当なのはどれか。

なにもせずに椅子に坐っていたとしても，それが目上の気の張る人の前であると，べつに物理的には仕事をしていないのに，あとで疲れを感じる。つまり，なんらかのエネルギーの消費が行われたと感じるのである。そこでは物理的な仕事はあまり行われておらず，「気を使う」とか「気を張る」などの日常語にも反映しているとおり，心理的な仕事が行われていると考えられるので，それに見あうだけの心的エネルギーが消費されたと考えると，納得がゆくのである。

このようにして，心的エネルギーという概念を導入して，人間の意識，無意識の問題を考えてみると理解されやすいことが多い。例えば，会社の中での上司の一言によって，無意識的に怒りを誘発されかかった人は，それを抑圧しているものの，何かそのあといらいらして仕方がない。このいらいらは，上司への反撥として流れ出そうとした心的エネルギーが，それを止められたために，出口を求めて流動していることの意識的体験であると考えられる。ところが，この人が家に帰ってから，何かのことで子どもを叱りつけて，そのあとでいらいらが解消してしまうことがある。つまり，上司によって流れを誘発された心的エネルギーは代理物を見いだすことによって流出し，そこに平衡状態がもたらされたのである。

（河合隼雄　『無意識の構造』による）

（1）心的エネルギーという概念を導入して，人間の意識，無意識の問題を考えてみると理解されやすい。
（2）上司の一言で無意識的に怒りを誘発された人は，その心的エネルギーを発散しなければならない。
（3）子どもを叱りつけたあと，いらいらが解消することがあるのは，怒りのエネルギーが代理物を見いだすことによって流出し，そこに平衡状態がもたらされるためである。
（4）目上の気の張る人の前では，なんらかのエネルギーの消費が行われたと感じる。
（5）心理的な仕事は，「気を使う」とか「気が張る」などの日常語にも反映されている。

解答・解説

練習問題１　正答／（1）

●解説／公務員試験の文章理解に出題される文章は，解説でも述べたように最後の段落や，文章の終わりで最も重要なことが述べられる「尾括型」の文章が多いが，中にはこの問題のように「頭括型」に近い文章も出題される。大体の目安として「尾括型」と「頭括型」で「7 対 3」程度の比率だと考えておこう。

尾括型にしても，頭括型にしても，主旨となる記述部分以外は「具体的な事例に関する説明や記述」か「本文とは異なる誤った記述である場合」が大半である。

この問題では，（2）・（3）の選択肢は心的エネルギーという概念を具体的に考察したもので，主旨からさらに具体的な事例を掲げているに過ぎない。（4）・（5）の選択肢は導入部分にあたる記述である。主旨の前提となるもので，主旨そのものとはいえない(⇒実践のテクニック②のハ)。これに対して，（1）は「心的エネルギー」という問題全般に関する記述なので，主旨の記述だと判断ができる。

つまり，筆者の一番述べたいことは「心的エネルギーという概念の存在」であって，そのことを冒頭で明確にした上で，あとは，その主張を裏付ける具体的な事例を説明しているという構成になっている。頭括型の文章は，このように「基本的主張＋事例」という構成が大半なので，注意して読めばすぐに判断ができる。

練習問題２

Ａ～Ｇをならべかえて一つのまとまった文章にする場合，妥当なのはどれか。

Ａ　最近では，自分の仕事のもっとも大きな部分になっている。
Ｂ　いまも小説を書く人が減ったわけではない。
Ｃ　かつて，書くことの中心を占めていたのは，文学，とりわけ小説であった。
Ｄ　しかし，書くことの中心は論文やレポートに移った，と断言していいだろう。
Ｅ　情報社会の進化の中で，誰もが書く時代，書く必要がある時代になった。
Ｆ　論文を書くことは，私の仕事の大きな部分を占めてきた。
Ｇ　この事情は，私に特殊なことではない。

（１）　Ｃ－Ａ－Ｂ－Ｇ－Ｆ－Ｄ－Ｅ
（２）　Ｃ－Ｂ－Ｅ－Ｆ－Ａ－Ｄ－Ｇ
（３）　Ｅ－Ｂ－Ａ－Ｇ－Ｄ－Ｃ－Ｆ
（４）　Ｆ－Ａ－Ｇ－Ｅ－Ｃ－Ｂ－Ｄ
（５）　Ｆ－Ｇ－Ｂ－Ｅ－Ａ－Ｄ－Ｃ

練習問題３

次の文章のＡ～Ｃにあてはまる語句の組み合わせとして，妥当なのはどれか。

「Ａ」のエゴイズムと「Ｂ」のエゴイズムとはもともと次元の異なるものである。

ヨーロッパの近代「Ｂ」の理念は，この二つのエゴイズムの安定と調和を得るために，両者の長い対立抗争をくぐり抜け，さらにその背景で，両者が教会の権力と抗争するという試練をへて，都市単位，小侯国単位の集団意識を止揚して成立したものだといえるだろう。それは「Ａ」を抑圧するために発明されたわけではない。「Ａ」というものはある「Ｃ」との関わりの中でしか「Ａ」たりえない。

西尾幹二『個人主義とは何か』より

	Ａ	Ｂ	Ｃ		Ａ	Ｂ	Ｃ
（１）	個人	国家	全体	（２）	国家	個人	自然
（３）	個人	国家	自然	（４）	科学	自然	個人
（５）	自然	科学	全体				

解答・解説

練習問題２　　正答／（４）

●**解説**／まず語句の連続が成り立つつなげ方を探してみて，Ｃ→Ｂと並べると「………小説…」「…小説………」と「小説」という言葉が連続する。したがってＣの次にはＢがくる可能性が高いと判断できる（⇒実践テクニック⑫のイ）。

この時点で，「Ｃ→Ｂ」のならびを含む（２）か（４）に絞れるが，（２）は特にＥからＦのつながりが不自然なので，（４）が残る。念のために（４）の順番で文章全体の内容を確認してみると矛盾無くすっきりと読解ができる。主旨は，筆者も含めて，現代では書くことの比重が「文学・小説」から「論文・レポート」に移ってきているということである。

練習問題３　　正答／（１）

●**解説**／第一段落の文章で，「もともと次元が異なるもの」とあることから，ＡとＢはそれぞれ対比する意味合いの語句が入ることがわかる（選択肢の組み合わせでも容易に判断可能）。さらに第二段落第一文に「近代…の理念」とあり，その後に続く「都市単位，小侯国単位の集団意識を止揚して成立した」という記述より，Ｂが「国家」であることが推測できる。対比関係より，Ａは「個人」となる。そうなると自ずとＣは「全体」か「自然」のどちらかとなるが，全体の文章を見渡して判断すると，「全体」が適切であることがわかる。

練習問題4

次の英文の中で述べられていることと一致するものとして，最も妥当なのはどれか。

A monk who was traveling in the mountains found a precious stone in a stream. The next day he met another traveler who was hungry, and the monk opened his bag to share his food.

The hungry traveler saw the precious stone in the monk's bag, admired it, and asked the monk to give it to him. The monk did so without hesitation.

The traveler left, rejoicing in his good fortune. He knew the jewel was worth enough to give him security for the rest of his life.

But a few days later he came back searching for the monk. When he found him, he returned the stone and said, "I have been thinking. I know how valuable this stone is, but I give it back to you in the hope that you can give me something much more precious. If you can, give me what you have within you that enables you to give me the stone."

※ monk 修道士　※ rejoice 喜ぶ

（1）登山をしていた修道士は，道端できれいな石を見つけた翌日，腹をすかせた旅人に会い，食べ物を分けてあげた。

（2）修道士は，修道士のかばんの中にあるきれいな石を見つけた旅人に，この石が欲しいと言われたため，しぶしぶ石をあげた。

（3）旅人は，修道士からもらった石に，残りの人生を十分に暮らせるほどの価値があることを知らなかった。

（4）数日後，旅人は，修道士に「この石に価値があるかどうかわからないが，この石をお返しします」と言った。

（5）旅人は，修道士に「できれば，あの石を私に与えることをできるようにする，あなたの中にあるものを私にお与えください」と言った。

解答・解説

練習問題4　正答／(5)

●解説／

（1）は「きれいな石」という部分が誤り。precious「高価な・貴重な」precious stone「宝石」。

（2）第二段落の最後に，without hesitation「ためらうことなく」とある。この修道士はしぶしぶ与えたのではないから誤り。

（3）第三段落に旅人はこの宝石の価値を知っていた，という主旨の記述がある。誤り。

（4）最後の段落の3行目で，この旅人自ら，I know how valuable this stone is. と話している。valuableは「価値がある・高価な」という意味。誤り。

（5）が正解。一番最後のIf you can, give me what you have within you that enables you to give me the stone. という言葉に正確に対応する内容。英文の文章理解の課題文も，「尾括型」の文章が多いので，文末には特に注意して読解しよう（⇒実践テクニック⑧）。

適性試験について

一般には100問，手引きの問題×10問＋計算の問題×10問＋合致の問題×10問の繰り返し等から構成され，制限時間は10分程度である。最初は半分以下程度しか解けないだろうが，練習を繰り返せば7～8割程度は解けるようになる。各問題の形式は以下のパターンがある。得点計算は1題の正解を1点とし，誤答および問題の「飛ばし」は1題で－1点として計算する。苦手な問題を飛ばすと大きな減点となるので，必ず最初から順に解いていくこと。なお，手付かずの問題での減点はない。

ポイント

①練習が肝心。2倍の得点になることは確実。
②例題を読み，実際に解いてみること。試験前には5分程度例題を読み，解く時間が与えられる。誤っている箇所は「どこか」「いくつか」という紛らわしい設問もあるので，何を問うているのか注意。

■手引き（表）の利用

例題1　計算

次の式を手引きによって置き換えて計算し，その結果として正しいものを1～5から選べ。

	1	2	3	4	5
（1）②A÷C＋E	7	6	8	7.5	9
（2）④D－C＋A	6	8	5	4	7

［手引き］

	A	B	C	D	E
①	3	6	2	5	7
②	9	4	3	6	5
③	11	2	1	8	6
④	3	7	8	12	1
⑤	5	6	4	7	15

【解き方】
（1）②の行のA＝9，C＝3，E＝5を式に代入し，9÷3＋5＝8　正答3
（2）④の行のD＝12，C＝8，A＝3を式に代入し，12－8＋3＝7　正答5

例題2　置換

次の数字を手引きに従って位置を特定し，その文字として正しいものを選べ。

	1	2	3	4	5
（1）871	MDQ	FPC	EOA	MEF	ADF
（2）452	MDQ	APO	DML	LCQ	GQL

［手引き］

4	9	7	0	2	M	L	O	P	Q
1	3	5	8	6	A	C	D	E	E

【解き方】※4M，9L，7Oのように表をまとめると早い。
（1）871の8の位置に対応しているのはE。7⇒O，1⇒A　EOA　正答3
（2）452の4の位置に対応しているのはM。5⇒D，2⇒Q　MDQ　正答1

例題３　区分け

次の数字と文字の組み合わせは表のどの位置になるか。正しいものを選べ。

	1	2	3	4	5
（１）う－148	C	F	H	J	E
（２）た－255	D	I	J	G	K

	130～174 175～228	285～336 337～391	229～284 392～450
あいう	C	F	I
かきく	D	G	J
その他	E	H	K

【解き方】（注：数値の範囲の飛びに注意）

（１）う－148に対応しているのは上段で，130～174に含まれているC。　正答１

（２）た－255に対応しているのは下段で，229～284に含まれているK。　正答５

例題４　誤り（照合）

正本と副本を照合し，どの欄に誤りがあるか選べ。（注：誤りの数を問うこともある）

●正本

（１）低気圧の中心が関東地方から東北地方に伸びて豪雨をも

（２）警視庁の制服と警察庁の制服では徽章の部分の文字に差

●副本

1	2	3	4	5
低気圧の中	心が関東池	方から東北	地方に伸び	て豪雨をも
警視庁の制	服と警察庁	の制服では	徽章の部分	の文学に差

【解き方】（注：漢字の部首，助詞に注意）

（１）正答２　地が池

（２）正答５　字が学

■計算（四則計算や簡単な方程式）

例題１

下の□に当てはまる数を求めよ。

□－24÷8＝2

1	2	3	4	5
40	26	10	8	5

【解き方】

方程式として解く方法もあるが，計算できるところは計算し，簡単な□を求める問題にする。

正答５

例題２

次の計算をして答えと同じ数字はどの欄にあるか。

14－48÷3＋24

1	2	3	4	5
24	35	20	26	22

【解き方】
計算順序に注意して求める。選択肢がそのまま答えになる場合，計算結果が1～5を外れたら誤った計算である。　　正答5

例題3

同じ答えとなる式を選べ。
16 ÷ 8 + 8

1	2	3	4	5
40 − 10	10 × 2	7 + 3	3 × 3	3 × 5

【解き方】
計算順序に注意して求める。　正答3

■図形（合致，回転）

【ポイント】慣れといえばそれまでだが，頂点を同じ角度で回転させて確認すると誤りが少ない。解答までの速度に最もバラツキが出る問題で，必ず出題される。

例題1

裏返しにせず，元と同じものはどれか。

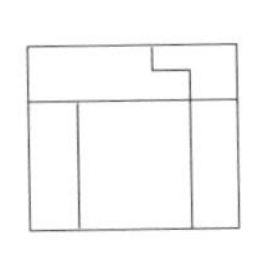

1
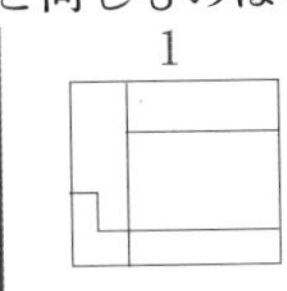
2
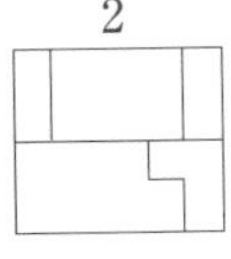
3
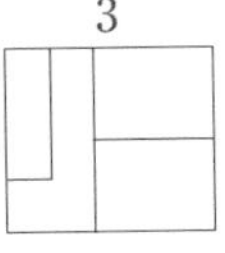
4
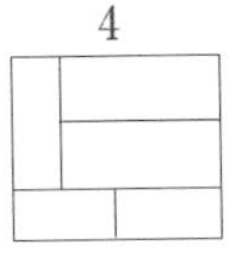
5
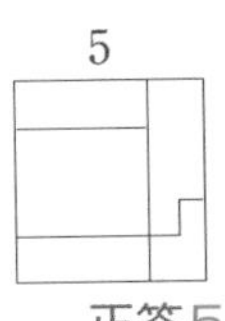

正答5

例題2

斜線の部分で隠された部分と同じ形はどれか。

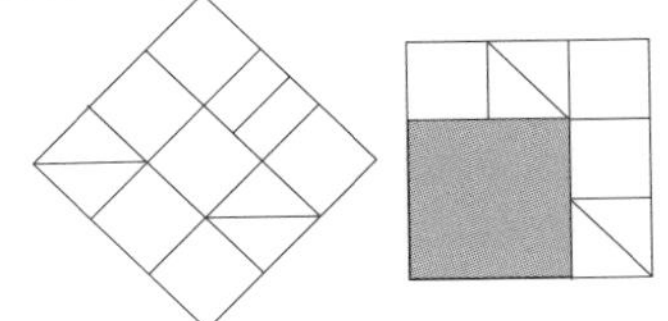

1
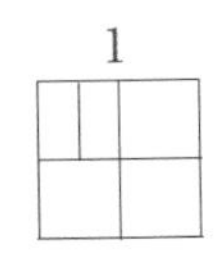
2
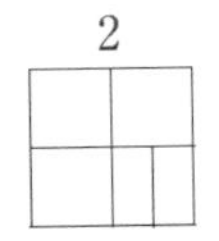
3
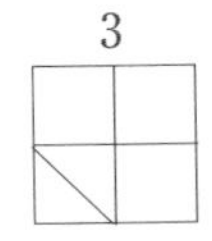
4
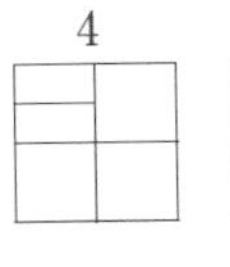
5
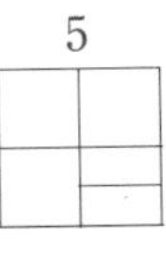

正答4

例題3

指示の方向と角度で回転させたとき，正しいものはどれか。

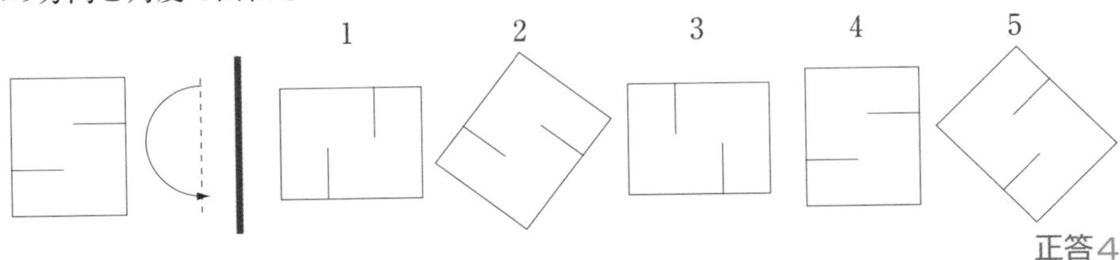

正答4

都道府県市別　地方公務員試験・問い合わせ先

※令和6年8月時点

●都道府県

◎北海道　〒060-8588　札幌市中央区北3条西7　011(204)5654
◎青森県　〒030-0801　青森市新町2-2-11　017(734)9829
◎岩手県　〒020-0021　盛岡市中央通1-7-25　019(629)6241
◎宮城県　〒980-8570　仙台市青葉区本町3-8-1　022(211)3761
◎秋田県　〒010-0951　秋田市山王4-1-2　018(860)3253
◎山形県　〒990-8570　山形市松波2-8-1　023(630)2782
◎福島県　〒960-8670　福島市杉妻町2-16　024(521)7590
◎茨城県　〒310-8555　水戸市笠原町978-6　029(301)5549
◎栃木県　〒320-8501　宇都宮市塙田1-1-20　028(623)3313
◎群馬県　〒371-8570　前橋市大手町1-1-1　027(226)2745
◎埼玉県　〒330-9301　さいたま市浦和区高砂3-15-1　048(822)8181
◎千葉県　〒260-8667　千葉市中央区市場町1-1　043(223)3717
◎東京都　〒163-8001　新宿区西新宿2-8-1　03(5320)6952
◎神奈川県　〒231-0023　横浜市中区山下町32　045(651)3245
◎山梨県　〒400-8501　甲府市丸の内1-6-1　055(223)1821
◎長野県　〒380-8570　長野市大字南長野字幅下692-2　026(235)7465
◎新潟県　〒950-8570　新潟市中央区新光町4-1　025(280)5538
◎岐阜県　〒500-8570　岐阜市薮田南2-1-1　058(272)8796
◎静岡県　〒420-8601　静岡市葵区追手町9-6　054(221)2275
◎愛知県　〒460-8501　名古屋市中区三の丸3-1-2　052(954)6822
◎三重県　〒514-0004　津市栄町1-891　059(224)2932
◎富山県　〒930-0094　富山市安住町2-14　076(444)2166
◎石川県　〒920-8580　金沢市鞍月1-1　076(225)1871
◎福井県　〒910-8580　福井市大手3-17-1　0776(20)0593
◎滋賀県　〒520-8577　大津市京町4-1-1　077(528)4454
◎京都府　〒602-8570　京都市上京区下立売通新町西入薮ノ内町　075(414)5648
◎大阪府　〒559-8555　大阪市住之江区南港北1-14-16　06(6210)9925
◎兵庫県　〒650-8567　神戸市中央区下山手通5-10-1　078(362)9349
◎奈良県　〒630-8113　奈良市大安寺1-23-2　0742(81)8033
◎和歌山県　〒640-8585　和歌山市小松原通1-1　073(441)3763
◎鳥取県　〒680-8570　鳥取市東町1-271　0857(26)7553
◎島根県　〒690-8501　松江市殿町8　0852(22)5438

◎岡山県　〒703-8278　岡山市中区古京町1-7-36　086(226)7561
◎広島県　〒730-8511　広島市中区基町9-42　082(513)5144
◎山口県　〒753-8501　山口市滝町1-1　083(933)4474
◎徳島県　〒770-8570　徳島市万代町1-1　088(621)3212
◎香川県　〒760-8570　高松市番町4-1-10　087(832)3712
◎愛媛県　〒790-0012　松山市湊町4-4-1　089(912)2826
◎高知県　〒780-0850　高知市丸ノ内2-4-1　088(821)4641
◎福岡県　〒812-8577　福岡市博多区東公園7-7　092(643)3956
◎佐賀県　〒840-0041　佐賀市城内1-6-5　0952(25)7295
◎長崎県　〒850-8570　長崎市尾上町3-1　095(894)3542
◎熊本県　〒862-8570　熊本市中央区水前寺6-18-1　096(333)2733
◎大分県　〒870-0022　大分市大手町2-3-12　097(506)5212
◎宮崎県　〒880-0805　宮崎市橘通東1-9-10　0985(26)7259
◎鹿児島県　〒890-8577　鹿児島市鴨池新町10-1　099(286)3894
◎沖縄県　〒900-8570　那覇市泉崎1-2-2　098(866)2545

●政令指定都市

◎札幌市　〒060-8611　札幌市中央区北1条西2　011(211)3143
◎仙台市　〒980-8671　仙台市青葉区二日町4-3　022(214)4457
◎さいたま市　〒330-9588　さいたま市浦和区常盤6-4-4　048(829)1778
◎千葉市　〒260-8722　千葉市中央区千葉港1-1　043(245)5870
◎東京特別区　〒102-0072　千代田区飯田橋3-5-1　03(5210)9787
◎横浜市　〒231-0005　横浜市中区本町6-50-10　045(671)3347
◎川崎市　〒210-0006　川崎市川崎区砂子1-8-9　044(200)3343
◎相模原市　〒252-5277　相模原市中央区富士見6-6-23　042(769)8320
◎新潟市　〒951-8068　新潟市中央区上大川前通8-1260-1　025(226)3515
◎静岡市　〒420-8602　静岡市葵区追手町5-1　054(221)1495
◎浜松市　〒430-0929　浜松市中区中央1-12-7　053(457)2201
◎名古屋市　〒460-8508　名古屋市中区三の丸3-1-1　052(972)3308
◎京都市　〒604-8006　京都市東山区清水5-130-6　075(746)6412
◎大阪市　〒530-8201　大阪市北区中之島1-3-20　06(6208)8545
◎堺　市　〒590-0078　堺市堺区南瓦町3-1　072(228)7449
◎神戸市　〒650-8570　神戸市中央区加納町6-5-1　078(333)3330
◎岡山市　〒700-8544　岡山市北区大供1-1-1　086(803)1554
◎広島市　〒730-8586　広島市中区国泰寺町1-6-34　082(504)2522
◎北九州市　〒803-8510　北九州市小倉北区大手町1-1　093(582)3041
◎福岡市　〒810-8620　福岡市中央区天神1-8-1　092(711)4687
◎熊本市　〒860-8601　熊本市中央区手取本町1-1　096(328)2939

監修／東京工学院専門学校

各種公務員試験において，例年，多数の合格者を輩出している総合学園。実績ある公務員コースのほかにもビジネス関連からコンピュータ，芸術，工学，建築関係まで，幅広い学科を持つ。創立は昭和34年。関連学校に東京エアトラベル・ホテル専門学校などがある。

〒184-8543　東京都小金井市前原町5-1-29
URL https://technosac.jp

本書は、在校生や卒業生などの受験経験者・合格者の声および最新情報に基づいて、編集・執筆を行っています。

編集協力／（有）エディッシュ、（有）コンテンツ
企画・編集／成美堂出版編集部（原田洋介、池田秀之）
表紙デザイン／ふるやデザイン・ルーム

本書に関する正誤等の最新情報は、下記のURLをご覧ください。
https://www.seibidoshuppan.co.jp/support/

上記アドレスに掲載されていない箇所で，正誤についてお気づきの場合は，書名・発行日・質問事項（ページ・問題番号など）・氏名・郵便番号・住所・FAX番号を明記の上，**郵送**または**FAX**で，**成美堂出版**までお問い合わせください。
※電話でのお問い合わせはお受けできません。
※本書の正誤に関するご質問以外はお受けできません。また受験指導などは行っておりません。
※ご質問の到着確認後10日前後に，回答を普通郵便またはFAXで発送いたします。
※ご質問の受付期限は，2025年の10月末日までに実施される各試験日の10日前必着といたします。
ご了承ください。

最新最強の地方公務員問題 初級 '26年版

2024年11月30日発行

監　修　東京工学院専門学校（とうきょうこうがくいんせんもんがっこう）
発行者　深見公子
発行所　成美堂出版
〒162-8445　東京都新宿区新小川町1-7
電話(03)5206-8151　FAX(03)5206-8159
印　刷　株式会社東京印書館

ISBN978-4-415-23895-1
落丁・乱丁などの不良本はお取り替えします
定価は表紙に表示してあります